FRANCINE NOËL

Francine Noël est née à Montréal en 1945. Elle a écrit deux pièces de théâtre, *Chandeleur* créée au Théâtre d'Aujourd'hui en 1985 et *La princesse aveugle* créée à l'Université du Québec à Montréal en 1995. Ses romans, *Maryse* (1983), *Myriam première* (1987) et *Nous avons tous découvert l'Amérique* (1990), connaissent, depuis leur parution, un succès qui ne s'est jamais démenti. Depuis 1969, elle enseigne au département de théâtre de l'Université du Québec à Montréal. En 1992, *Maryse*, son premier roman, a été sélectionné pour faire partie de la « Petite bibliothèque du parfait Montréalais ».

MYRIAM PREMIÈRE

Myriam première, c'est deux mois dans la vie de Myriam, huit ans ou presque, fille de Marité et de François, et nièce de Maryse, écrivaine et tante « surnaturelle » de la gamine qui, par les nombreuses histoires qu'elle lui raconte, lui permet de découvrir son identité et de remonter aux origines des choses et du monde. Chronique du quotidien des années 1980 et de l'après-référendum, où s'entremêlent réalisme et fantastique, *Myriam première* décrit la passion de la narratrice pour Montréal et s'attarde à l'importance du rôle des aînés, des femmes surtout, dans la transmission de la culture. Grande fresque sociale, *Myriam première* raconte, à partir de la rue Mentana, en passant par le parc Lafontaine, le bar du Diable vert et le théâtre de la Sultane de cobalt, un Québec résolument moderne tourné vers l'universel.

D0549177

Myriam
première

Francine Noël

Myriam première

BIBLIOTHÈQUE QUÉBÉCOISE est une société d'édition administrée conjointement par les Éditions Fides, les Éditions Hurtubise HMH et Leméac Éditeur, et qui bénéficie du soutien financier du Conseil des Arts du Canada et de la Société de développement des entreprises culturelles du Québec (SODEC).

Couverture :
Gianni Caccia

Typographie et montage :
Dürer *et al.* (MONTRÉAL)

Données de catalogage avant publication (Canada)

Noël, Francine, 1945-
Myriam première

Éd. originale : Montréal, VLB, 1987.
Comprend des réf. bibliogr.

ISBN 2-89406-142-0

I. Titre.

PS8577.O348M97 1998   C843'.54   C98-940108-1
PS9577.O348M97 1998   PQ3919.2.N63M97 1998

Dépôt légal : 1ᵉʳ trimestre 1998
Bibliothèque nationale du Québec
© Leméac Éditeur, 1998.
© Bibliothèque québécoise, 1998, pour la présente édition

À ma mère

Premier mai

Le décor représente un jardin...

Car le jardin est l'une des formes du rêve...

Hector BIANCIOTTI
Le traité des saisons

Ils l'avaient appelée Myriam, finalement. Après de longs conciliabules, et bien que la tante Maryse eût fait remarquer que c'était là un prénom hébreu. «Que ce soit juif ou babylonien ou sumérien ou turc, avait dit Marité, je m'en fiche!» Marité, c'est sa mère. Elle avait alors un air désinvolte, mais elle redoutait la mauvaise humeur de son père le juge: il n'aimerait sûrement pas voir sa descendance affublée d'un prénom à ce point biblique. Seulement, le juge Grand'maison n'était que le grand-père dans cette histoire, il n'avait pas voix au chapitre, et selon le désir de Marité, la mère, ils l'avaient nommée Myriam.

Quelques semaines après sa naissance, le grand-père juge mourut, dépassé par les événements. Sa mort eut pour double conséquence heureuse d'éviter à Myriam le déplaisir de le connaître et de laisser sa femme, la grand-mère Blanche, dans la paix méritée d'un long veuvage. Charles-Émile Grand'maison ne tint jamais Myriam sur ses genoux. Mais Blanche ne s'en est jamais privée, et elle continue de le faire même si la petite s'alourdit; elle a presque huit ans, c'est une question de mois, cent dix jours exactement, ce n'est pas encore à son tour, aujourd'hui, c'est son frère Gabriel qu'on fête mais elle en profite — elle aime bien les anniversaires —, «c'est prémonitoire du mien», dit-elle en fortillant sur les genoux de la grand-mère. Elle renverse la tête: à travers les rosaces ajourées du chapeau de Blanche, elle fixe le soleil de mai. Longtemps. Puis, elle ferme les yeux. On sent des présences: il y a plein de gens dans le jardin et c'est ce qu'elle aime, être entourée. C'est pas comme Gabriel qui désapprouve la fête d'aujourd'hui, il le lui a dit, il lui dit tout. Au seuil de ses treize ans, son frère Gabriel aurait été saisi par l'inanité des cérémonies de tous genres, mais pour ne pas décevoir leur mère Marité, il fait semblant de rien.

— Gabriel passe son temps à faire semblant, dit Myriam.

Personne ne lui répond. Blanche est absorbée par une conversation d'adulte avec l'autre grand-mère. Elle a son air charmant de femme du monde; c'est elle la veuve du juge. Elle est aussi la mère de Marité, et ça paraît: sous des dehors polis, elle est ferme et persuasive. L'autre grand-mère s'appelle Alice. Elle est très différente, style rustique; encore belle avec ses yeux spéciaux et ses cheveux blancs blancs, mais ridée! Et tremblante un peu dans la région des mains. Elle parle drôle, c'est l'accent du Bas du Fleuve, à ce qu'il paraît, mais quand on est habitué on comprend tout. Elle parle de sa maison de l'île, dont le salon est immense et le plancher en marqueterie fine. Il y a là un harmonium qui ne joue jamais faux, elle ne ment pas! Les adultes ne mentent jamais, c'est ce qu'ils prétendent. À l'île Verte, l'air est plus pur qu'ailleurs, le ciel est d'un bleu indélébile, et les groseilliers sont lourds de fruits verts et cependant mûrs. Là-bas, tout est mieux, toujours. C'est le pays de l'enfance d'Alice, une époque dont le souvenir s'estompe chaque jour et la fuit. Des pans entiers de sa mémoire de grand-mère se détachent d'elle et sombrent dans l'eau salée du fleuve. Sur la photo qu'elle a toujours dans son sac à main, on voit très bien la maison de l'île, mais on en voit seulement l'extérieur et Myriam préférerait que ce soit une vraie maison plutôt qu'une photo, pour pouvoir y entrer. Elle aimerait que le jour où Alice l'amènera à l'île soit un vrai jour et pas seulement une façon de parler. Mais ce vrai jour-là n'arrivera jamais, elle le sait, et c'est dommage parce que la grand-mère Ladouceur est sa préférée, dans le fond. Peut-être. Si elle avait à choisir. C'est Alice qui lui a montré à lire — elle a déjà été maîtresse d'école —, elle lui a aussi montré à écrire et à compter, même que ça a créé une complication quand la maîtresse Maususse a découvert tout ce qu'elle savait déjà elle, Myriam Ladouceur, qui venait tout juste d'attraper l'âge scolaire. La Maususse n'en était pas revenue ! Elle avait fait comparaître Marité et l'avait sommée de justifier cette intrusion dans son domaine. Pour couper court, Marité l'avait priée d'aller chier, en latin, évidemment, Myriam ne se souvient plus très bien des mots, c'était quelque chose de puant. Elle avait bien vu, la Maususse, comment sa mère avait la langue forte et fleurie — elle n'est pas avocate pour rien ! À la fin, ça a plutôt bien fini puisque la maîtresse a pris son trou et continué de l'haïr, mais en silence, ce qui est un moindre mal. Car il a fallu se rendre à l'évidence : mademoiselle Maususse, qui lui enseigne encore cette année, l'a haïe dès le premier regard, bien avant que Marité lui propose d'aller chier. Donc, la chicane n'a pas vraiment empiré la situation. Par contre, ça n'a pas amélioré les choses non plus : ça n'a rien changé à rien, et dans le fond, ça ne lui a pas servi à grand-chose de savoir lire avant les autres, au contraire, on l'a traitée de « smatte ». « Si tu sais déjà lire, 'tite fille, fais semblant de rien !» a marmonné la Maususse. «Tite fille !» Des fois, ça vaut vraiment pas la peine de se forcer le cul, c'est Gabriel qui dit ça, et il a bien raison !

Puisque les grands-mères sont occupées entre elles, Myriam referme les yeux pour mieux entendre, elle aime les bruits de la ruelle Mentana : la rumeur assourdie des autos circulant dans les rues avoisinantes, le chant des oiseaux, les vocalises de la voisine Louisette, les cris des enfants, on les entend rire en haut, dans sa chambre : ça rit, ça piaille, ça écoute Michael Jackson. Ils doivent se tirailler.

— On est bien mieux dehors, pourtant, dit Marité. Qu'est-ce qu'ils ont à s'encabaner ?

Parce que c'est le début du printemps, les adultes ont sorti la table sur la galerie. Il y a plein de nourriture, mais une fois rassasiés, les enfants sont rentrés. Seule Myriam est revenue au jardin dans l'intention de finir en douce les cerises de France. Elle ouvre les yeux. Ses mains sont collantes, mais pas suffisamment pour aller les laver, il faut que ça en vaille la peine. Les adultes boivent du vin blanc, plus chic que le vin rouge à cause du seau et des glaçons. On peut se rafraîchir les mains sur la bouteille, ça nettoie, on dessine un cœur dans la buée, on écrit le nom de Célestin. Elle prend la bouteille et verse du vin à la tante Maryse qui dit : «Merci, j'ai assez bu !» Elle a mis sa main au-dessus de sa coupe mais Myriam a versé en même temps, c'est arrivé comme ça, c'est une erreur. Maryse rit, François et Laurent rient également. Coudon, ça va bien, aujourd'hui ! Ils doivent tous être pompettes. Maryse met ses doigts mouillés dans sa bouche, François regarde les doigts et Myriam a l'impression qu'il voit à l'intérieur de la bouche de Maryse, qu'il est à la place des doigts, précisément. C'est frais comme le vin blanc, c'est bizarre mais bref, comme sensation. Heureusement, la situation revient à ce qu'elle appelle «les apparences extérieures». Actuellement, les apparences sont celles d'une fête d'enfant sans enfants, et c'est mieux comme ça: seule, elle n'abîme rien dans Babylone, c'est le nom du jardin de François. Il y a longtemps, quand elle était très jeune, à cinq ans et demi, son père François a dit une chose impressionnante là-dessus: «J'ai passé mon enfance dans les jardins suspendus de Babylone», c'est l'enfance qu'il veut leur donner, a-t-il ajouté. Depuis, le jardin est devenu Babylone. Il y a Babylone proprement dite et Babylone-hors-les-murs qui comprend la ruelle Mentana, la porte d'Elvire, le parc Lafontaine et le reste de la ville, indistinct, mal connu et périlleux. Elle préfère Babylone. À ce temps-ci de l'année, c'est cool car François y fait pousser des fleurs spéciales: de son vrai métier, il travaille dans les écritures, ça l'influence, et il ne sème que des fleurs existant déjà dans des vieux poèmes comme ceux de Gérard de Nerval. L'ancolie est un bon exemple, elle est très utilisée parce qu'elle rime avec mélancolie. Actuellement, il n'y a pas grand-chose de sorti sauf les bourgeons du pommier qui commencent à gonfler et les crocus dont on ne parle pas tellement ils sont ordinaires, il y en a dans tous les parterres des alentours, mais d'ici quelques jours, le reste devrait suivre. Pour ce printemps, François leur a promis des plantes prodigieuses comme la garance, la sanguinaire et l'amarante, qui sont des mots rouges en train de germer pour eux sous terre, ce ne sont encore que des mots et des graines. «Pourvu que ça ne pourrisse pas!» dit François tous les matins en regardant par la fenêtre de la cuisine, en avril il a plu interminablement. Aujourd'hui il fait soleil mais c'est normal, on est le premier mai, au temps des cerises importées, il en reste seulement quatre dans le plat, aussi bien les finir. Elle en mange trois d'un coup, ça fond dans la bouche, frais et sucré comme l'air ambiant. L'air est si doux! Pourtant, les adultes n'y font pas attention: tout l'hiver, ils rêvent au printemps, et rendus au printemps, ils pensent à autre chose! Ils savent pas profiter, ils parlent de la Grèce au mois d'octobre; la lumière y est exceptionnelle, paraît-il, c'est François qui le dit. Laurent est d'accord, l'oncle Louis aussi. Il y a du consensus dans l'air à propos de la luminosité très spéciale des ciels d'automne dans une île grecque où tout est bleu. Myriam aime le bleu, bien que ce ne soit pas une couleur à la mode, elle essaie de toutes ses forces de résister à la mode car résister est une preuve de caractère, elle voudrait avoir du caractère. Déjà, elle a de la suite dans les idées, contrairement aux adultes qui sont maintenant rendus au Nicaragua, un pays atroce dont Laurent parle beaucoup. Puis, abruptement, ils tombent dans les histoires de la tante Maryse qui est écrivaine quand elle n'enseigne pas. Son scénario raconte la saga de la femme aux bijoux, la fameuse Catherine. Ils parlent de Catherine sans raison apparente, mais ils n'ont pas besoin de raison et de logique; ils sont à bâtons rompus, alors forcément, ils ne se forcent pas, d'autant plus qu'il fait chaud et que le vin blanc émoustille, paraît-il, même s'il est frais, ça, Myriam ne le comprend pas. Dans sa main droite, elle tient la dernière cerise; on dirait qu'elle va éclater tellement elle luit. De l'autre main, elle joue avec le collier de perles de Blanche, elle le palpe. Aux oreilles de la grand-mère pendent les boucles rouges; ça miroite, c'est de la pierre genre rubis. Maryse a une théorie là-dessus; elle prétend que les bijoux de Catherine Grand'maison — dont elle raconte l'histoire dans son film — sont ceux-là mêmes que Blanche porte tout le temps.

La grand-mère en aurait hérité ! Ça se peut, mais on n'ose pas lui demander de confirmer, des fois qu'elle nierait ! Et c'est cool de ne pas vraiment savoir : on suppose. C'est ce qui est fantastique avec les histoires de Maryse, elles sont inventées mais il y a des preuves, comme des traces dans la vraie vie. François parle toujours du scénario d'un air entendu, comme un initié. Faut l'excuser : Maryse lui donne à lire ses textes en premier, il est son meilleur lecteur, elle le dit, et il en est fier. Tant mieux pour lui. Mais faut nuancer, comme dit Gabriel, car Maryse leur raconte tout ça à mesure, à son frère et à elle, dans des versions personnelles et exclusives. C'est thrillant, parce que c'est des histoires assez terribles, même que parfois, on a le goût de brailler. La figure de Maryse est paisible, pourtant. Comment tant d'aventures peuvent-elles habiter une personne aussi apparemment calme ? Elle ne dit rien, Maryse, elle caresse le chat Popsicle vautré dans l'herbe comme le vieux matou qu'il est. Il a l'air de sourire sous la main de Maryse, sèche maintenant la main, plus de traces de vin. Dans sa main à elle, Myriam, la dernière cerise est encore plus rouge que tantôt. Elle l'avale en se demandant comment cela peut être à la fois si rouge et si frais. Il y a un petit silence, et Marité se met à rire. On voit des plis au coin de ses yeux. Elle parle avec Blanche depuis tantôt. Alice est entrée dans la maison sans que personne ne le remarque. Il y a eu, du côté des grands-mères, un glissement dans les places, dans la conversation, et Myriam a manqué ça. Elle va reprendre le fil. Elle s'appuie sur la poitrine de Blanche, c'est agréable d'être assise sur elle ; on se sent puissante comme la princesse Léa. Blanche est confortable et moelleuse, pour son âge, elle a soixante-neuf ans, ce qui fait d'elle la doyenne des adultes, mais ça ne veut rien dire : tous les adultes sont vieux, dans le cas des grands-mères, c'est juste un peu plus grave. C'est terriblement impressionnant de voir toutes ces rigoles sur leur visage, et la façon dont la peau s'est détériorée avec le temps. C'est le cas des grands-mères en général. Alice est un bon exemple : elle est déjà toute plissée-ratatinée dans tous les sens possibles. Fascinant ! Blanche est beaucoup moins représentative, elle ne fait pas son âge, comme ils disent. C'est dans le genre de Maryse qui n'a pas encore de rides, qu'est-ce qu'elle attend, donc ? En cherchant bien, on verrait qu'elle en a elle aussi, des projets de rides. « À trente-six ans, disait l'autre jour Marie-Lyre — c'est l'autre tante —, à trente-six ans, ça commence, c'est commencé. » Myriam scrute le visage de Maryse, mais elle n'y voit que les taches de rousseur qui ressortent à ce temps-ci de l'année et distraient l'attention. Visage lisse. Pourtant, ce n'est pas elle la plus jeune des vieux, c'est Laurent, mais il ne compte pas. D'abord, il ne compte pas d'une façon générale : il est nouveau et différent des autres adultes car au lieu de s'appeler Jean, Jacques ou Louis, il porte un nom d'enfant, il faut l'appeler Laurent-à-Maryse par opposition à l'autre, Laurent-le-vrai, un copain de Gabriel. Avant, Maryse était seule et elle passait beaucoup de temps avec eux, c'était plus simple. C'est pas que Laurent soit problématique, mais « pas de jugements précipités, a dit Gabriel, Laurent-à-Maryse doit faire ses preuves ! » Il s'en doute et il se force. Jusqu'à maintenant, on ne peut rien lui reprocher, il serait même plutôt parfait, mais il ne compte pas, et la deuxième raison, c'est qu'il est un homme. Sur la question de l'âge, les hommes ne comptent pas ; ils ont souvent la face barbeuse comme François et la barbe cache les rides, c'est chanceux et commode. Mais ils vieillissent eux aussi. Les hommes et les femmes, tous les adultes

vont y passer, même Marité qui bad-tripe sur la quarantaine, c'est visible. Elle est pourtant belle, Marité, comme
dans l'expression *ma mère est plus belle que la tienne*,
mais un jour, c'est fatal, elle va se défaire, se flétrir,
s'avachir, se fatiguer, elle-même a une phrase pour ça, en
latin, *sic transit* quelque chose, et ça veut dire vieillir, les
adultes sont des vieux toujours fatigués... Myriam saute
des genoux de Blanche pour l'économiser; on sait jamais
des fois, une grand-mère, si tu en prends soin, ça peut
durer encore longtemps!

Sans cesser de parler, Blanche passe la main sur sa
jupe et le tissu redevient lisse. C'est un truc d'adulte.
Myriam se rend au bout du jardin sous le pommier. Elle
ne va jamais sous l'autre arbre qui est rabougri et tout à
fait insignifiant vu qu'il n'est pas en couleur. D'ailleurs,
il n'est pas dans leur cour. Elle compte jusqu'à cent et
revient à cloche-pied. Elle va passer sur le plan incliné. Ils
n'ont pas de marches à leurs balcons, seulement des pen-
tes, en arrière comme en avant, ils ont toujours eu ça,
c'était pour son carrosse de bébé et ils l'ont conservé,
c'est pratique maintenant avec la mode des handicapés.
«C'est pas une mode, a hurlé François l'autre jour. Choisis tes mots!» Elle l'a pas ostiné, il est un peu stiff à
propos du choix des mots, c'est ce qu'il enseigne à l'université quand il n'est pas en train de se faire chier dans
des réunions. «Se faire chier», ça, il le dit beaucoup. Sur
le bon français, il diverge d'avis avec la maîtresse
Maususse, il diverge souvent. Quant aux handicapés, on
peut pas raconter n'importe quoi sur eux parce qu'il a une
sœur infirme, la tante Marie. C'est des sujets délicats mais
Myriam sait qu'elle a raison: les handicapés sont à la
mode, ils ne parlent que de ça à la télévision. Elle revient
à son point de départ derrière Marité, juste à temps pour

l'entendre demander à Blanche si elle a déjà aimé un autre homme que son mari, Charles-Émile. Blanche fait répéter la question, ça donne du temps. Ce truc-là, Myriam le connaît. Immobile sur un pied, elle fait semblant de ne pas être là, et ça réussit, sa mère ne la remarque pas.

— Ça dépend de ce qu'on entend par le mot « aimer », dit Blanche finalement.

Elle a le sens de la nuance, la grand-mère. Elle a longtemps pratiqué la restriction mentale — un truc de vieux —, elle y excellait du vivant de Charles-Émile. « C'est de l'hypocrisie », dit toujours Marité. Mais Marité est tout d'un bloc.

— Tu sais, je ne suis pas plus fine qu'une autre, dit Blanche, mais moi je n'ai jamais confondu l'amour et le mariage.

— Maudit cul, dit Marité.

Myriam perd l'équilibre et se rattrape. Blanche fait semblant de ne pas avoir compris. Elle tousse. Le cul, qu'est-ce que c'est, déjà ?

— Dis donc, Marité, lance François, si on faisait un gros party pour ta fête, m'accompagnerais-tu ?

C'est vrai, sa fête s'en vient, à elle aussi ! Marité répond très vite qu'elle n'a pas besoin d'un party. Elle sourit mais on sent que le sujet l'agace. Il y a une intonation nouvelle dans sa voix, Myriam le remarque tout de suite, François aussi l'a remarqué, elle le sait, son père François est transparent pour elle : souvent ils comprennent les mêmes choses en même temps. François n'insiste pas et la conversation dévie grâce à la chatte Belmondo qui miaule comme une perdue. Elle arrive de la galerie d'en haut, à reculons. On l'a nommée Belmondo, pensant qu'elle était un mâle et pour qu'elle soit bonne dans les cascades, mais ça ne l'a pas du tout influencée, elle est passablement poche en acrobatie. Elle s'est arrêtée au milieu du poteau et elle miaule. «Bêtement, dit toujours Gabriel, comme une maudite vache!» Il la traite de vache car il est jaloux; lui, son chat est vieux et paresseux, il se traîne les pieds.

— Ma chatte est encore stâllée, dit Myriam.

Laurent est le plus grand des hommes. Il grimpe sur le bras de la galerie et décroche Belmondo, puis il s'en va en disant: «Je reviens.» Il va chercher quelque chose chez Maryse, de l'autre côté de la ruelle, c'est commode d'avoir Maryse comme voisine. Du plus loin que Myriam se souvienne, elle a toujours habité tout près, dans Babylone-hors-les-murs, et elle n'a jamais barré sa porte; elle déteste les clés. C'est facile d'aller piquer des biscuits chez elle, on dirait qu'elle les achète exprès. Même si elle n'est pas de leur vraie famille naturelle, Maryse est la plus cool des tantes. L'autre aussi, Marie-Lyre: ce sont les plus fines. Pourtant elles sont fausses, elles sont seulement les amies de Marité, des tantes surnaturelles, on pourrait dire, mais le monde qui ne sait pas qu'elles sont rapportées ne s'en rend pas compte. Maryse regarde Laurent entrer chez elle et elle sourit.

François est revenu à sa conversation avec l'oncle Louis. Les mots sortent de leur face barbeuse d'hommes au milieu de la boucane. Marité ne fume plus depuis un an mais François n'a pas le courage d'arrêter. Il dit parfois qu'il va cesser, cela semble aussi difficile que de ne pas bouger pendant cinq minutes et il en est tout à fait incapable, faut pas lui en vouloir, il n'a pas de volonté sur ce sujet. Ils vivent donc, compréhensifs mais un peu réprobateurs, dans une maison complètement emboucanée, tous, même les innocents comme elle-même et Gabriel qui, lui, a une volonté de fer inflexible. Par trois fois déjà, il a résisté aux cigarettes tentatrices de Célestin. Peut-être même qu'en ce moment précis, il est encore en train de résister, mais peut-être aussi qu'il va succomber, là-haut, dans sa chambre enfumée où Célestin fait la loi car il est le plus grand, le plus fort, le plus toffe et le plus superlatif de tous. Gabriel est en difficulté, il faut qu'elle aille le soutenir! Elle fonce vers la maison et bute sur la grand-mère Alice qui revient de la cuisine avec un plat de fraises. Dans un long bruit de stainless steel, le plat roule sur le plan incliné. C'était pas le bon plat, heureusement qu'Alice n'a pas pris le plat chic et cassant! Sa main tremble quand elle se penche pour ramasser les fraises. Un moment, son regard a croisé celui de Myriam; elle lui a souri d'un sourire indulgent de grand-mère, mais on pouvait voir, dans ses yeux bleus comme l'eau du Bas du Fleuve, quelque chose de triste. Au même moment, Myriam a senti une pointe dans sa poitrine à elle, juste à côté de là où ils placent le cœur. Puis ça a été tout car les apparences extérieures sont revenues en force et les adultes se sont mis à ramasser les fraises répandues dans l'herbe. La porte de la galerie bat encore, cela fait clap, clap. C'est une porte moustiquaire dite «mousquetaire» parce que les deux mots se ressemblent et qu'on a le goût de la pourfendre de bas en haut. Myriam regarde les mains des adultes au-dessus de l'herbe naissante. Elles ont toutes de grosses veines bleues plus ou moins visibles. Comme des bêtes sur le point de claquer, les mains veinées cherchent longtemps, elles fouillent l'herbe, et le moment s'étire. Ne ramassant pas les fraises qu'elle a pourtant fait tomber, immobile au-dessus des mains chercheuses, Myriam en mesure le degré de flétrissure. Étrange et inquiétant! Et cela dure jusqu'au moment de délivrance où Marité crie, c'est ce qui est rassurant avec elle, quand elle crie, on a la preuve qu'elle est toute là, bien vivante et ferme. Elle crie :

— Gabriel Grand'maison, sacrament ! Figure-toi pas que tu vas recommencer ton petit jeu de l'an dernier ! Si vous pitchez encore une seule autre cochonnerie du balcon, j'vous enferme à la cave pour le restant de l'été.

— Sois pas si « colère », ma chérie, lui dit Maryse qui vient de relire la comtesse de Ségur, par pur masochisme.

Elle se bidonne.

— C'est jamais sur toi que ça tombe ! dit Marité en retirant le parachute miniature qui s'est posé sur sa tête, et a déclenché son ire. Au parachute est fixée une Mafalda en latex. D'un réalisme ! On a l'impression qu'elle va s'ouvrir le clapet d'une minute à l'autre pour reprocher aux adultes sa propre chute dans leur monde pourri.

— Sale gosse raisonneuse ! ajoute Marité.

Mais elle est déjà beaucoup moins « colère ». N'empêche que c'est choquant pour sa tête, ça, Myriam le comprend mais elle prend pour Gabriel à cause de la solidarité fraternelle...

— À quoi ça sert d'avoir un balcon, si on peut pas faire pleuvoir ? dit-elle.

Ils appellent ça faire pleuvoir.

Marité vient pour répondre car elle tombe toujours dans le piège de l'argumentation. Elle y excelle mais, paradoxalement, c'est son point faible : elle ne peut pas laisser sans réplique une question insidieuse. C'est qu'elle passe trop de temps au Palais de justice, dans des procès.

— C'est pas Gabriel qui a lancé le parachute, fait remarquer la grand-mère Blanche, mais la péronnelle, en haut...

— Péronnelle ? dit Myriam.

Par-dessus la rampe du balcon de sa chambre, on voit Marie-Belzébuth, à contre-jour. Depuis tantôt, elle scande :

— Myriam Ladouceur, viens-t'en tu-suite !

Blanche examine Marie-Belzébuth : c'est une enfant quelconque, aux cheveux fades, au menton fuyant, elle n'est pas jolie mais pas laide non plus. Pourtant, personne ne lui a déplu aussi intensément depuis belle lurette. De là l'utilisation du mot péronnelle que sa mère réservait jadis à leurs voisines d'en face, des petites garces, dans le fond.

— Quelle charmante enfant ! dit-elle.

Seul François sourit. L'embêtant avec l'ironie, c'est que les gens ne saisissent pas toujours.

— Tu ne penses pas qu'elle a un petit côté fasciste ? continue Blanche.

Depuis quelques jours, elle remplace le mot « garce », qu'elle savoure secrètement mais qui détonnerait dans sa bouche, par le mot « fasciste ». Ça marche en ce sens que personne ne réagit.

— Tous les enfants sont réactionnaires, répond François.

Et il entre laver les fraises.

Laurent est revenu avec des rouleaux de film. Il recharge sa caméra et suavement, il demande de reprendre la scène du parachute pour en faire des photos. Les autres enfants sont sortis à leur tour sur la galerie du haut. Ariane se penche par-dessus la rampe, ses longues tresses noires oscillent dans le vide. Elle rit d'un rire léger, contagieux, et tout le monde se met à rire. Soudain Myriam a un goût terrible d'être en haut avec elle : Ariane est une fille super-hyper-correcte, elle est fine, patiente et toujours game. En plus, elle joue du piano par oreille et elle est indéniablement belle, même que certains l'appellent «la belle Ariane de la rue Mentana», c'est là qu'elle habite.

— J'arrive, crie Myriam, on arrive ! On remonte le parachute.

Elle s'empare du bras de Maryse et de Mafalda.

— C'est pluss le fun en haut, dit-elle en guise d'explication.

Cela semble suffisant à Maryse.

La montée de l'escalier est interminable mais c'est seulement une impression, Myriam sait que ça n'a rien à voir avec les apparences extérieures. N'empêche, c'est bizarre. Dans cet escalier sans fin, l'expression du regard d'Alice lui revient et elle comprend alors qu'elle a bousculé sa grand-mère et renversé les fraises après avoir croisé son regard, pas avant. Il y avait, au fond des yeux de la grand-mère Alice, une telle tristesse et une fatigue tellement grande qu'elle a voulu — un court instant — ne l'avoir jamais regardée. Elle a foncé pour passer outre, mais c'était trop tard.

— J'ai le vertige, dit-elle.

Maryse lui serre la main et lui demande si elle connaît le mot désarroi. Ses talons font un bruit pointu sur le bois des marches mais sa main est chaude. Elle est parfois surprenante la tante Maryse, elle devine, elle doit avoir un truc.

— Je connais pas vraiment le mot désarroi, répond Myriam, mais je sens que ça vient.

Elles continuent de monter. Le vertige de Myriam est toujours là: c'est le vertige bleu outremer des yeux d'Alice qui est entré dans les siens. Si le désarroi ressemble à quelque chose d'autre qu'à lui-même, c'est peut-être à cela. Les talons font encore leur bruit dans l'escalier sombre puis elles débouchent en haut, à la lumière de sa chambre qu'ils ont tous désertée pour le balcon, sauf Gabriel. À travers la porte ouverte, elle leur lance Mafalda.

À leur entrée, Gabriel n'a même pas levé les yeux. Assis sur l'allège de la fenêtre, il lit — ou fait semblant de lire — un vieux numéro de *La Recherche*. C'est un garçon aux traits délicats. Il porte de petites lunettes rondes comme celles de Maryse. Il dit toujours qu'il tient ça de la tante Maryse, les lunettes rondes. Depuis tantôt, il relit machinalement la même phrase. Il a connu la revue *La Recherche* par le biais de son père, son vrai père, pas François Ladouceur qui n'est que le chum permanent de Marité et le père de Myriam. Chez Jean Duclos, son père d'origine, il y a plein de revues scientifiques : maître Duclos se tient au courant et il lit *La Recherche* d'un couvert à l'autre. Gabriel aussi. Il regarde maintenant une photo de clone de grenouille qui ressemble étrangement à son géniteur scientifique, Jean Rostand. Mais ce n'est pas à la grenouille en duplicata qu'il pense, ni même à Rostand, son héros de l'heure, il pense à son père qui n'est pas venu à sa fête bien que Marité l'ait invité comme chaque année. Jean n'a pas écrit non plus. Seule la tante Marie-Lyre a envoyé une carte de souhaits, ne pouvant pas être là aujourd'hui pour cause de répétition. Bien que Marie-Lyre ait toujours quelque chose au programme, elle n'oublie jamais les anniversaires, elle ! Mais Jean n'a peut-être pas oublié, se dit Gabriel, il va certainement donner signe de vie, il téléphonera demain ou ce soir, ou tantôt, ou tout de suite. Pourquoi pas tout de suite ? Si seulement il pouvait arrêter de le souhaiter ! Souvent, il l'a remarqué, le téléphone se met à sonner quand on a cessé d'attendre, c'est une question de décontraction, faut être relax. Il lève les yeux et, très relax, il sourit à Maryse et à sa sœur. Leur arrivée fait une heureuse diversion : *La Recherche* commençait à être un peu rasoir et il ne comprenait pas tous les termes de l'article. En temps normal, cela ne le décourage pas de lire sans comprendre ; il ne craint pas les mots. Petit, il les utilisait d'abord et leur sens lui venait par la suite, c'était sa façon de les apprivoiser. Mais aujourd'hui n'est pas un temps normal car même avec une volonté de fer, il est extrêmement difficile de se concentrer dans le bruit de la radio, du gazou et des crécelles, au milieu du vol des ballounes et des chutes louvoyantes de Mafalda, dans l'odeur amollissante des « Players » volées de Célestin. Même un adulte aurait de la misère.

— Ça sent drôle ici, dit Maryse. Ça sent la cigarette.

— Venez-vous jouer à Mafalda ? demande Ariane, dans le cadre de la porte.

Elle est en shorts, et ses cuisses sont longues et fermes, bien moulées, déjà. À neuf ans ! Myriam répond que Mafalda lui donne le vertige. Elle s'est assise sur son lit, à demi enfouie sous le monceau de toutous qui y habitent en permanence et lui font un rempart. Ariane la rejoint. Les deux fillettes tirent Maryse et la forcent à s'asseoir entre elles, adossées au mur où s'étale un poster géant de la princesse Léa.

— Tu vas pas à la répétition, toi ? demande Gabriel à Maryse. Comment ça se fait ?

C'est étrange, en effet, car la pièce que Marie-Lyre répète en ce moment est d'elle. Tassée entre les fillettes dont les mains poisseuses d'avoir tripoté trop de friandises la frôlent, Maryse répond qu'elle passera au théâtre, mais tantôt, ça ne presse pas, elle est bien ici. La chambre de Myriam est la pièce la plus agréable de la maison : elle est vaste et chaude, feutrée par une moquette épaisse et des persiennes qui dessinent des ombres mouvantes sur les murs. Cela fait rêver. C'est ici que Maryse préfère raconter ses histoires. Elle regarde les enfants et se dit qu'ils sont aimables, aujourd'hui. Reposants. Elle se repose un moment dans leur enfance. Il lui vient à l'esprit que dans ses textes, il n'y a pas d'enfants. Il n'y a que des adultes et des bébés qui meurent du choléra. Même Augustine Labelle, la petite fille de son scénario, est peu importante : une enfant trop sage, sans histoire. C'est Catherine qui est le personnage principal et le récit commence le jour de ses dix-huit ans.

— Bouge pas tout le temps, dit Ariane à Myriam. Tu fais tanguer le lit, ça fait de la houle. Han, Maryse ?

— Vous deux, même sans houle, vous tanguez ! dit Maryse.

Elle rit et ajoute :

— Vous êtes pas comme la fille de Catherine Grand'maison, sage et docile.

— Tu nous avais pas dit que Catherine a une fille ! fait Myriam d'un ton réprobateur.

— Dans le temps de Catherine, dit Gabriel, ils devaient bien être sages, ils étaient toujours habillés en dimanche !

— Ils avaient rien, dit Ariane, pas de télévision, pas de stéréo, seulement des vieux jouets laids.

Elle se demande, tout à coup, si tout cela est vraiment authentique. C'est dur à croire.

— C'est sûr que c'est authentique, dit Myriam. La preuve ? Ma grand-mère Blanche est la descendante directe de la femme aux bijoux ! Elles s'appellent Grand'maison, les deux !

Elle rit.

Déjà, on sent la présence de Catherine dans la chambre, elle est à leurs côtés, rayonnante. On entend le son grêle de son piano, quand elle en joue au *Crystal Palace*.

— Refais-nous le début de l'histoire, dit Myriam, Ariane l'a jamais entendue intégrale !

Sur le balcon, les autres s'agitent et crient, mais leurs voix forment un magma sonore, une rumeur de fête, sans plus. Maryse s'allume une cigarette. Son paquet l'a suivie comme par magie. Les fumeurs, c'est comme ça, ils sortent leurs cigarettes de nulle part. Elle prend une bouffée et commence :

— La bisaïeule Catherine Grand'maison est jolie et elle a un talent pour le piano, comme Ariane. À dix-huit ans, elle porte les cheveux en chignon et des robes de taffetas moiré. C'est un tissu qui fait du bruit quand on bouge. Elle a une dent en or, ça lui va bien, c'est comme un bijou qu'elle aurait dans la bouche. Elle veut devenir pianiste de concert mais son père dit que c'est impossible : elle est l'aînée d'une famille qui a fait fortune dans la fabrication de biscuits collants et indigestes et, depuis sa naissance, on la destine à l'héritier d'une fabrique rivale, des Anglais qui ont toujours été dans la confiture.

Gabriel rigole et dit qu'elle leur sert une version passée au sucre en poudre, pour enfants amateurs de bonbons.

— Sucrée, mais pas tant que ça, dit Maryse, vous verrez bien ! Les deux familles habitent la même petite ville de province. Étouffante. Le jour de ses dix-huit ans, Catherine rencontre Jean Labelle, un va-nu-pieds dont la famille n'est dans rien. Dès lors, elle ne veut plus entendre parler du fils confitures. Mais ses parents, eux, ne veulent rien savoir de Jean Labelle : personne ne le connaît, il n'a pas d'argent, pas de relations, pas de situation, rien d'autre qu'une belle moustache. Catherine devra épouser l'héritier des confitures ou entrer au couvent, c'est sans issue. Elle choisit l'amour fou. Sans être mariée ni rien, sans lettre d'adieu, elle s'enfuit avec Jean. Il l'enlève dans une calèche louée et elle le laisse faire, mieux, elle collabore.

La seule chose qu'elle prend en partant, ce sont les bijoux de sa grand-mère, considérant qu'ils lui reviennent de toute façon : elle est sa préférée et la grand-mère les lui a promis. Elle les emporte en souvenir. Il y a un bracelet de platine, deux épinglettes, le collier de perles de Majorque et les boucles d'oreilles serties de rubis et de brillants. Dans la calèche, Catherine met les boucles à ses oreilles. Ils roulent toute la nuit et au petit matin, ils arrivent à Montréal d'où ils prennent le train pour Portland, dans l'État du Maine. C'est au bord de la mer, pas loin d'Ogunquit...

Ici, Maryse interrompt son récit pour expliquer comment sera la séquence du train dans le film.

— Déjà, dit-elle, au milieu du siècle demier, les Québécois avaient ce désir de la mer, à tel point qu'une ligne de chemin de fer reliant Montréal à Portland a été tirée. Évidemment, il y avait aussi des considérations économiques à cela — il y en a toujours autour des chemins de fer —, mais ce n'est pas de ça que je parle, aujourd'hui. Pour une fois que je raconte une histoire se déroulant en dehors des magouilles politiques, ça nous repose !

— Oui, dit Myriam. Mais arrive à la mer !

C'est le passage qu'elle préfère parce que ça parle d'amour et ça lui fait des frissons.

— Le couple s'installe à Mourning Beach. Incognito. Ils font toutes sortes de choses défendues : ils se baignent dans la mer qui est un brasier vert et violet, ils font l'amour sur la plage, personne ne les voit, ce n'est pas la saison pour écornifler les touristes. Il pleut, et ça ne fait rien, Catherine ne le sent pas, elle est protégée par l'amour-passion-délire qui lui a tout fait quitter, c'est puissant, l'amour !

— Ah oui ! répondent à l'unisson Myriam et Ariane.

Elles pensent toutes deux à Célestin, dont elles entendent la voix sur le balcon.

— L'amour-délire peut tout te faire renier, dit Maryse. En partant, Catherine s'est déshonorée car Jean est une mésalliance, quelqu'un dont on prononce le nom tout bas. Mais ils s'en fichent tous les deux, ils le disent eux-mêmes leur nom, ils le crient face à la mer : « Je suis Catherine Labelle ! » crie Catherine. C'est fait, elle a changé de nom, un pasteur protestant les a mariés sans poser de questions. Ils sont toujours dans l'incognito. Ils sont heureux pendant une longue lune de miel puis, ils songent à rentrer. Ils iront à Montréal, là où personne ne les connaît. Ils demeureront sur la rue Sainte-Élisabeth. On est en 1908. La ville est pleine de fiacres, de trottoirs en bois, de lampadaires neufs et de maisons en construction. Ici, au parc Lafontaine, le quartier commence à se développer, il y a encore de grands espaces verts et des chats errants, il y a des cours derrière chaque maison avec des palissades et plusieurs écuries...

Maryse fait une pause. Sur le balcon, un enfant crie : « La descente de Mafalda, prise quatorze ! » Ils ont du fun.

On entend François faire les répliques de Mafalda au moment où elle atterrit dans un buisson épineux. Il sacre en espagnol. Marité rit. Maryse sourit comme si elle avait le goût de retourner au jardin.

— Laisse faire Babylone, lui dit Myriam. Reviens avec nous dans ton histoire !

— J'y pense, dit Maryse, ce n'est pas sur la rue Sainte-Élisabeth que Catherine habite d'abord, mais en haut de la Côte-à-Baron qui est vis-à-vis d'ici, un peu plus bas sur la rue Saint-Denis. Leur appartement est moderne. Dans son salon double, Catherine a fait installer un piano semblable à celui qu'elle a laissé chez ses parents en fuyant. Elle en joue tous les jours. Les petits rubis pendent à ses oreilles. Un après-midi qu'elle travaille l'*andante* d'une sonate de Mozart, elle s'interrompt soudainement, elle a une crampe au bas du dos, plus forte que la première, une vague de douleur l'envahit.

— Mais qu'est-ce qu'elle a, qu'est-ce qu'elle a, qu'est-ce qu'elle a ? dit Myriam.

— Ça fait plus d'un an qu'elle est partie avec les bijoux. Elle est enceinte et elle doit maintenant accoucher. Ça finit toujours comme ça, quand t'es enceinte.

Les filles se tordent les bras et font la grimace ; cette idée d'accouchement ne leur plaît pas.

— Il paraît que c'est douloureux-atroce ! dit Ariane.

— Paniquez pas ! dit Maryse. L'accouchement se passe bien... mais l'enfant meurt.

— Comment, elle aura pas de fille ?

— C'était un garçon...

— C'est pas important, fait remarquer Olivier, qui vient d'entrer.

Il a douze ans de télévision dans le crâne et tout de suite, il a saisi que le bébé était un personnage secondaire ;

sa mort le laisse froid, bien qu'il soit sensible et gentil. Il s'assoit à côté de Gabriel dont il est le meilleur ami.

— C'est l'année suivante que naîtra la fille, continue Maryse. Ils l'appelleront Augustine, le nom est à la mode. Par la suite, ils auront un autre garçon, Hervé. Catherine ne regrette pas d'être partie avec Jean. Elle est toujours amoureuse de lui. Elle vit beaucoup plus simplement que si elle avait épousé le fils confitures mais les mondanités ne lui manquent pas et ils sont à l'aise ; Jean s'est rapidement trouvé du travail. Les dimanches, ils vont se promener au parc Sohmers, en fiacre. La semaine, pendant la sieste des enfants, elle continue de pratiquer son piano, elle peut se le permettre car ils ont une bonne. En haut de la Côte-à-Baron, tout le monde en a une, la sienne est une petite Irlandaise qui boite. Elle la gardera jusqu'en 1914, alors que tout sera chambardé...

— Qu'est-ce qu'il y a, en 1914 ? demande Myriam.

— Première Guerre mondiale, dit doucement Olivier.

Il sait des tas de choses mais il a toujours l'air de s'excuser de les savoir.

— Plus tard, je serai objecteur de conscience, dit Gabriel.

— Moi aussi, dit Olivier.

On entend rire sur le balcon. Marie-Belzébuth entre, armée d'une fléchette, et ressort aussitôt. Myriam a peur que l'histoire s'arrête là, mais la tante Maryse recommence à parler, elle reprend sur un autre ton, un ton sombre de guerre :

— Jean est appelé au front. Restée seule, Catherine renvoie la bonne : elle n'a plus les moyens de la payer. Elle se demande comment joindre les deux bouts et si son amour survivra à la guerre. Elle écrit à Jean des lettres d'amour et d'ennui. Des lettres nostalgiques, mais pas trop ; elle ne doit pas le décourager.

Mon cher amour, écrit-elle le huit octobre 1916.

> *L'automne est arrivé en avance cette année, il fait froid et le charbon est rare. Augustine est en bonne santé. J'ai commencé à lui montrer ses gammes et elle est arrivée première en religion, mais Hervé n'est pas bien. Le docteur dit qu'il lui faudrait l'air pur de la campagne. Je n'ai pas le cœur de m'en séparer. J'ai mis une annonce dans* La Minerve *pour donner des leçons de piano. Je n'ai encore eu personne. J'espère que tu aimeras le tricot que je t'envoie. Tu me manques tellement ! Parfois, la nuit, quand je ne dors pas, je me dis que je t'ai connu en rêve : tu es un rêve de jeunesse, d'avant la guerre. Puis, je vois les enfants couchés dans leurs petits lits... Il m'arrive de penser qu'il n'y a pas beaucoup de rapport entre eux et nous. Ils sont pourtant de nous et je les aime, mais ils ne te remplacent pas. Je ne devrais pas penser des choses comme ça, mais je les pense. Écris-moi si tu le peux. Je t'aime, Jean, et ne t'oublie pas.*
>
> *Ton affectionnée,*
> *Catherine*

Maryse a dit tout cela la tête penchée comme si elle lisait vraiment une lettre. Il y a un petit silence ému et pendant ce silence, une fléchette vient se ficher au mur derrière elle, exactement sur le nez de la princesse Léa. Maryse a blêmi.

— J'ai pas fait exiprès ! dit Célestin qui suit de près la fléchette.

— On n'a pas le droit de jouer à ce jeu-là, dit Gabriel.

Sporadiquement, François Ladouceur fait des interdictions, mais il n'a pas tellement d'autorité et d'aucuns ne se gênent pas pour introduire, sous leurs gilets, du stock défendu. Olivier récupère la fléchette fatale qui a fait disparaître le sourire de Maryse et, par la porte toujours ouverte, il la relance sur le balcon. Elle se plante au milieu de la cible qu'ils ont accotée sur la rampe. Il y a des applaudissements. Célestin déclare aussitôt qu'il ne veut plus jouer à un jeu aussi débile. Un garçon propose d'aller dans la chambre de Gabriel.

— C'est pas possible, dit celui-ci, on est trop de monde !

À part les trois filles, Olivier et Célestin, il y a Laurent-le-vrai, Mathieu, Julien et deux autres individus d'identité et de sexe incertains.

— J'ai des travaux en cours, continue Gabriel, des affaires qui sèchent, faut pas déplacer l'air !

Le fait est qu'il est peu enclin à ouvrir sa chambre aux « enfants », comme il dit. Il n'aime pas les voir farfouiller dans ses maquettes d'animaux préhistoriques en posant des questions simplistes. Il réserve son Saint des Saints à Olivier ou à des grands comme Célestin. Séparément. Ou à sa sœur, quand ils sont seuls. Il aime les relations particulières et c'est toujours dans la chambre de Myriam que se forment les attroupements, les caucus et les grands projets tribaux.

— On reste ici, dit Myriam, c'est le quartier général.

— Les joueurs de fléchettes sortent ! dit Maryse.

C'est sans réplique.

Le gros de la troupe descend au jardin où l'oncle Louis chante *C'est le mois de Marie, c'est le mois le plus beau*. Louis devient toujours wézi-wézo quand il a bu. Ils sont tous plus ou moins wézi-wézo, en bas.

Restées dans la chambre, les filles prennent des airs innocents : elles s'aplatissent sur le lit et deviennent soudainement très petites filles modèles du dimanche après-midi. On a même l'impression qu'elles portent des crinolines roses. Des vraies saintes-nitouches ! Maryse les contemple un moment, amusée, et leur dit adieu jusqu'à demain ; elle continuera son histoire une autre fois. Tout à coup, elle est pressée d'aller au théâtre voir ce qu'ils font avec sa pièce.

Une fois la tante Maryse partie, la chambre est moins drôle ; les filles rangent les crinolines et décident d'aller jouer à la tague invisible au parc Lafontaine, qui est situé hors-les-murs juste en face de la maison quand on sort par l'avant. Du haut du balcon, Myriam annonce à son frère :

— Nuzautres, on s'en va au parc.

— Pas longtemps, dit Marité. Et vous restez ensemble, et vous ne parlez à personne...

— Aie pas peur, dit Myriam. On va seulement à la chasse aux sorcières.

Elle fait référence à un article de journal que Gabriel lisait hier. Il lui lit souvent les manchettes à voix haute, pour l'aider dans son instruction, dit-il. L'article s'intitulait : « La chasse aux sorcières recommence en Colombie-Britannique », c'est une figure de style, et Myriam n'est pas au courant de l'existence des figures, pas encore ; elle prend tout au pied de la lettre. Aussi n'est-elle pas étonnée quand, au détour d'une allée, lui apparaît, blanche de peau et noire de vêtements, la sorcière du parc Lafontaine. La sorcière oscille au-dessus d'un buisson de chèvrefeuille roux et elle a les lèvres aussi rouges que celles de la tante Marie-Lyre, ça doit être le même numéro de rouge à lèvres, c'est pas possible! En l'apercevant, Myriam dérape et manque de se casser la gueule; elle est en patins à roulettes car il n'y a aucun intérêt à jouer à la tague invisible à pied. Elle reprend habilement son aplomb et comprend tout de suite qu'il s'agit d'une sorcière à ce signe que la sorcière ne l'appelle pas «tite fille».

— Ne me chassez pas, Myriam Grand'maison, dit-elle, c'est pas cool de chasser les sorcières! Et je peux vous être utile.

— Je me nomme Ladouceur-Grand'maison!

— Bien sûr! reprend la sorcière en ondulant de plus belle. Mais pour moi, il n'y a de liens que matrilinéaires.

Elle-même ne connaît que sa mère, et encore, si on peut appeler ça connaître! Elle en a un vague souvenir, c'est loin, c'était du temps d'avant sa tournée des foyers nourriciers. Elle continue:

— Vous êtes une Grand'maison, descendante d'Éléonore de Grand'maison, la première venue ici au début du dix-septième siècle. Vous avez son air décidé, sa crinière abondante, ses fossettes.

Marie-Belzébuth et Ariane, patinant moins vite à cause du popsicle maison qu'elles mangent, arrivent à leur tour à la hauteur du buisson.

— C'est qui, ça? demande Marie-Belzébuth, dans un schlurp mouillé.

— Je m'appelle Joseph-Lilith-Miracle Marthe, répond la sorcière d'un ton affable. Mais c'est pas grave.

Le monde de mon ancienne gang m'appelait Miracle Marthe tout court. J'ai plus de gang.

Elle sourit et on peut voir qu'elle a une adorable canine toute en or, comme la bisaïeule Catherine Grand'maison. Mais la ressemblance s'arrête là : Miracle Marthe ne porte pas le chignon, elle a les cheveux noir punk et un côté de la bol rasé très très court. En guise de bijou, une épingle de nourrice d'un noir étincelant est bien proprement assujettie au lobe de son oreille gauche.

— Coudon, dit Ariane qui craint toujours de laisser languir les conversations, ça fait-tu mal, ton épingaressort dans la tête ?

— Les premiers jours sont durs, mais après, on le sent plus. C'est comme pour un stérilet, t'sais veux dire ?

— C'est ça, dit Myriam, on est mieux de se tutoyer, ça sera plus facile.

— Oké, enchaîne Miracle, tantôt, Myriam Grand'maison, dans le jardin de ton père, t'as eu un flash psychique au-dessus d'un plat de fraises...

— Comment tu sais ça, toi ?

— J'le sais. Tu comprends-tu ce que ça veut dire, ce que t'as vu dans l'œil de ta grand-mère ?

Myriam ne répond rien, comme prise en faute.

— C'est ça, ton don, continue Miracle Marthe. Penses-y bien, penses-y fort, penses-y longtemps, pis tu sauras comment t'en servir !

Myriam soupire : il paraîtrait qu'elle a un don, et cela l'ennuie au plus haut point. D'ailleurs, c'est pas sûr, c'est des histoires à Gabriel. Il prétend que juste avant sa naissance, il s'est passé une chose bizarre, une sorte d'hallucination collective. Tout le monde était sur les nerfs, Marité, François, les tantes surnaturelles, et tout d'un coup, pouf, au beau milieu du rush de l'accouchement, l'archange Gabrielle leur serait apparu pour l'annoncer, elle, Myriam, et dire qu'elle naîtrait viable, normale et douce. Les gens dont l'archange Gabrielle annonce la naissance ont en effet un don. À l'époque, aucun adulte n'a pris au sérieux les déclarations de l'archange un peu sonné et plus personne aujourd'hui ne s'en souvient, sauf Gabriel alors âgé de cinq ans ; la visite de l'archange l'avait grandement impressionné. Très tôt, il a mis sa sœur au courant de son destin particulier. Mais toutes ces histoires d'archange annonciatrice et de pouvoirs spéciaux n'intéressent pas Myriam ; c'est encore des patentes pour se singulariser et s'attirer les craques de la maîtresse Maususse. Il semble, toutefois, que le don ne se refuse pas, c'est obligatoire, prétend Gabriel. «C'est pas sûr !» répond toujours Myriam. Elle aimerait bien rencontrer l'archange à son tour pour en avoir le cœur net, comme on dit. Elle ne le rencontre jamais. Donc, il n'y a pas de preuves et jusqu'à maintenant, personne d'autre que Gabriel n'avait mentionné l'existence du fameux don.

— Ça va pas ? demande aimablement la sorcière.

— Ça va, dit Myriam. Ça va, mais tu te trompes dans tes prédictions ; j'ai rien de spécial, moi, chus t'ordinaire.

— Tu t'habitueras à ton don, dit la sorcière, c'est pas sorcier !

Et elle part à rire. Son rire est beaucoup plus gai que le reste de sa personne, c'est un rire d'enfant. Elle dit : «Salut, à bientôt, on se reverra !» et elle disparaît dans une allée en laissant derrière elle une trace lumineuse. Elle aussi est en patins à roulettes. Elle est toujours en patins et ses roulettes sont magiques.

— Pour qui qu'a se prend, elle ? dit Marie-Belzébuth. Moé 'si j'aurais l'air d'une sorcière, déguisée comme ça !

— Eh ! Que t'es jalouse, toi ! dit Ariane, t'es même jalouse des sorcières adultes !

— Semi-adulte ! J'te gage qu'elle a pas encore dix-huit ans !

— Entucas, dit Myriam pour couper court à une discussion qui ferait pâlir son ravissement. C'est Gabriel qui va être épaté de savoir ça ! On retourne à Babylone.

Elle pivote sur elle-même et rentre faire son rapport. Ariane et Marie-Belzébuth la suivent. Elles ont l'impression de rouler aussi vite que la sorcière. Chez Myriam, en se donnant un bon élan, on peut monter d'un seul coup la passerelle qui recouvre les marches du perron avant, c'est cool. Elles filent à cinq milles à l'heure sur le plancher de merisier du corridor, font claquer la porte mousquetaire et, survoltées, débouchent dans Babylone.

— Merde, mon plancher ! dit Marité en les voyant apparaître.

Mais elle est soulagée ; elle n'aime pas que sa fille joue à l'avant de la maison ; le parc n'est plus ce qu'il était.

Maryse a convenu avec Laurent de le retrouver à la fin de la soirée, il est resté à la fête, et elle est seule. Elle sort du métro à la station Berri-de-Montigny et prend le boulevard de Maisonneuve vers l'ouest. De petits nuages gris passent au-dessus des bâtiments délabrés et des pommetiers qu'on voit, au loin, sur la place Fred-Barry. Elle descend la rue Sanguinet. Le théâtre où sa pièce est montée est un café-théâtre expérimental tout à fait *in* et conséquemment, difficile d'accès. Il est situé au 100 bis de la rue de Boisbriand, une petite rue tortueuse qui longe Sainte-Catherine, au nord. À la porte du théâtre, pend un écriteau en fer ripoliné sur lequel on peut lire : *La Sultane de Cobalt.* C'est le nouveau nom de l'endroit mais plusieurs continuent de l'appeler « La Courre » comme autrefois ; il n'y a pas si longtemps, en effet, on y faisait du théâtre à courre et ses membres fondateurs prônaient une esthétique de l'essoufflement, de l'usure, de l'érosion, de l'incandescence et de la consumation interne de l'acteur. Mais ils ont évolué depuis. Et ceux qui n'ont pas évolué ont été remplacés. L'équipe actuelle, celle de *La Sultane,* pratique plutôt mollement une poétique de la distanciation pas toujours rigoureuse, pas toujours comprise, mais qui a l'avantage d'aider le public à se démarquer du cheap contexte socio culturel dans lequel baigne le théâtre. Car hélas, rien n'est parfait, et la rue Boisbriand n'est pas très loin de la Main guidounesque. Elle en serait même quelque chose comme les coulisses. « *Backstage* », pense Maryse, le détail l'amuse. Depuis quelques semaines, les prostituées de la Catherine sont remontées d'un cran et elles ont investi la rue Boisbriand. L'origine de ce mouvement migratoire demeure mystérieuse : on ne sait pas si les filles ont été refoulées par un escadron de plus jeunes ou si elles ont été inquiétées par les policiers du poste 33. Les citoyens du quartier déplorent cette invasion d'un secteur qui s'acharne à demeurer résidentiel, mais le personnel du théâtre accepte ce voisinage avec une certaine bonhomie ; certains y voient même une source éventuelle d'inspiration. De toute façon, les contacts entre les gens de *La Sultane* et les filles de la rue sont succincts et rares car le théâtre n'est pas spécialement voyant pour le commun des mortels : grâce à une astuce de camouflage, sa porte n'est visible que les jours pairs, sous un certain angle, et après le coucher du soleil. Pour plus de sûreté, elle est peinte en bleu ambigu. N'entre donc pas qui veut chez *La Sultane* : il faut connaître et avoir une vision esthétique. Par contre, les prostituées, elles, sont bien visibles et n'importe quel profane peut les reluquer tous les jours de la semaine, à toute heure du jour : elles font le pied de grue devant la porte invisible. Elles sont seulement quatre, aujourd'hui. Maryse les connaît toutes de vue. En passant, elle leur fait un signe de tête. Les filles ne lui répondent pas — elles réservent leur énergie pour l'éventuel client — mais on ne sent pas d'hostilité dans leur attitude.

À l'intérieur, Maryse s'arrête un moment, aveuglée par le passage trop rapide de la lumière à la pénombre. Elle ne distingue d'abord que l'îlot bleuté dans lequel Marie-Lyre est assise à même le plancher, puis ses yeux s'habituent à l'éclairage et elle reconnaît les autres comédiens en scène : Juliette, Palmyre Duchamp, Gérard de Villiers. Le reste de la distribution est dans la salle, mêlé à des gens de la production qui tripatouillent des haut-parleurs, des spots, des poulies. La metteure en scène Marie-Belle Beauchemin arpente le plateau d'un air inspiré.

Maryse s'avance discrètement vers le bar où le maître de cérémonie Duquette est déjà installé sur un haut tabouret. Il y a, incidemment, un maître de cérémonie dans sa pièce ; le personnage n'a rien à voir avec l'essentiel du propos mais ses interventions allègent l'atmosphère. Pour tenir ce rôle du MC, Marie-Belle a eu l'idée d'engager un professionnel plutôt qu'un comédien, ce qui explique la présence en ces lieux du sieur Duquette, lequel travaille habituellement dans un club de la Main. Comme si un costumier distrait avait laissé en plan son essayage, Duquette a sur le dos des éléments de costume à peine faufilés; il porte les parements pailletés de son veston de MC mais à même son tee-shirt sale et bedonnant. Il se gratte le bas-ventre.

— Comment ça va? demande Maryse.

— Ça roule comme un œuf! répond Duquette.

Il rit gras.

C'est la troisième fois qu'il lui sert cette joke-là; sa pièce s'appelle *L'œuf d'écureuil,* et il n'en revient pas. Maryse lui fait un sourire mitigé et elle salue Benoit Jusquiame qui officie derrière le bar.

— La grande Gloria Swanson est morte! dit celui-ci en guise de réponse.

Il lève les yeux au ciel.

Maryse est habituée à son numéro. Elle lui demande un Perrier, «pour noyer ça». Jusquiame entreprend aussitôt la confection du Perrier. Il met quelque chose dans son mixeur et brasse longtemps, pour bien réussir les bulles. Il fait les meilleurs Perrier du quartier. Maryse le regarde s'agiter. Même sous un éclairage doré, il aurait l'air verdâtre, il le sait et ça ne le dérange pas; il s'est assumé, personnellement. Il est rassurant, Benoit, il fait partie du théâtre, il y vit presque, passant parfois ses nuits sur un divan éventré, abandonné dans les coulisses depuis la fin d'une production qui a foiré comme il l'avait prévu. Jusquiame exerce ici plusieurs fonctions dont celle de devin: à l'instar de l'oracle de Delphes — dont il considère être la réincarnation cartésienne —, il a presque toujours raison. Il est de la première époque, celle de la Courre, il a survécu à tous les styles et son ascendant sur l'équipe est grand: il se trouve à être acteur de soutien permanent, barman en titre, répétiteur et, à l'occasion, confident. Pardessus le marché, il a de beaux yeux sombres et une voix émouvante, ce qui ne gâte rien. Il a aussi un mystérieux carnet noir dont il ne s'est pas séparé depuis l'âge de quatorze ans. Il y a probablement plusieurs carnets mais on dirait qu'il s'agit toujours du même. Sur la page de droite, il écrit les noms de personnages qu'il aimerait éventuellement jouer. Il note aussi des faits divers au cas où quelqu'un voudrait s'en servir dans un spectacle, quelqu'un comme Maryse, par exemple. Il est toujours plein d'idées, d'anecdotes, de détails marrants ou catastrophiques. Sa liste de personnages est longue mais pas infinie car il ne tient pas compte de ceux qui meurent avant la fin de l'histoire. «Des lâcheurs! dit-il. C'est déjà assez effrayant que le vrai monde meure lamentablement dans la vie!» Il s'est bien promis de ne jamais interpréter de tels rôles, ça porte malheur! C'est ainsi qu'il a fait une croix sur Hamlet, Néron, Léopold-à-Marie-Lou, Agamemnon, Banquo, John Proctor, Pyrrhus, Tarzan, et combien d'autres! Sur la page de gauche de son carnet, il écrit les noms de personnes réelles qui meurent, leur âge et la date de leur décès. Dans tous ses carnets, les pages de gauche sont pleines. Il les consulte souvent. À part cette manie, il est tout à fait normal, et charmant. Toujours brassant, il énumère à Maryse les noms de quelques nouveaux morts: «Arthur Kœstler, Peter Weiss, Groucho Marx, Gilles Villeneuve et Grace Kelly sont morts. Victor Jarra et Carmen Bueno aussi.» Le MC Duquette ne sait pas qui est Carmen Bueno, il se demande si ce n'est pas une danseuse chic de l'ouest de la ville à qui il arrive aussi de se faire descendre. Ça leur apprendra à les snober! Il ne sait pas non plus qui est Victor Jarra mais il s'en sacre, il n'est pas aux hommes, lui, il le répète souvent. «Carmen Bueno est une actrice sud-américaine de gauche», dit Maryse. Jusquiame ouvre enfin son mixeur: ça bouillonne et ça déborde, c'est un perrier-mousse, une recette qu'il vient d'inventer. En le versant dans une flûte à champagne, il reprend sa litanie : «Marie Uguay est morte, la secrétaire de Duplessis est morte, Cukor, Louis de Funès et Glenn Gould sont morts l'hiver passé, John Lennon s'est fait descendre en pleine rue et André Pagé s'est pendu chez lui, persuadé d'être un imposteur. Il y a aussi les morts des années précédentes : Hitchcock, Elvis, Abel Gance, Caroline Carpenter, Ingrid Bergman...» Mais il veut les épargner, dit-il, il n'en parle pas.

— T'oublies une certaine Célimène, morte en couches à l'hôpital Saint-Luc en novembre quatre-vingt-un, dit Maryse. La fille était haïtienne. Il y a eu un début d'enquête sur l'affaire mais ça n'a rien donné.

Jusquiame la regarde, impressionné :

— Toi aussi, t'épluches les journaux ?

— C'est bon, le perrier-mousse, dit Maryse. Mais ce serait meilleur servi dans des verres plus grands et avec un peu de sirop de cassis, il me semble. Et des glaçons...

Jusquiame n'apprécie pas qu'on discute ses recettes de drinks : il disparaît derrière son comptoir.

Maryse est dispensée d'un tête-à-tête avec Duquette par l'arrivée de Palmyre Duchamp dont l'odeur diaphane l'enveloppe aussitôt. Palmyre utilise toujours la même eau de toilette, c'est «Vent Vert» de Balmain. Elle est en robe d'après-midi et talons hauts mais elle a ses ailes. Elle les porte le plus souvent possible pour s'habituer, on se demande même si elle ne couche pas avec. Dans la pièce, elle joue le rôle de l'Ange de la Misère, c'est son premier personnage du genre et elle dit que c'est difficile de se mettre dans la peau d'un ange : c'est un rôle casse-gueule ! Pour tenir le moral, elle écluse. Elle boit des crèmes de menthe, vertes comme son parfum. Jusquiame interprète cela comme un comportement fétichiste. «Si c'était possible, dit-il, elle le boirait, son fameux parfum!» Palmyre hausse les ailes et sirote son drink, fait principalement de glace concassée et de sirop de menthe — «Pas de boisson pendant les répétitions, a dit Marie-Belle, sinon, je vous mets à l'amende!» C'est un théâtre comme ça, très *collectif autogéré*, les cachets y sont symboliques et les déboursés, nombreux. L'art ne paie pas, ils le savent, Palmyre le sait, elle étire son drink et contemple le reflet de ses ailes qui sont translucides, opalescentes et longues, même qu'elles traînent sur le comptoir pas très propre de Jusquiame. Elle les replie.

— Comment ça va, ton survol du Griffintown? demande Maryse.

— Ça va, dit Palmyre, ça ira. Je m'entraîne beaucoup, tous les jours. Mais la maquette du Griffintown est laide sans bon sens, par exemple!

— Les comédiens sont jamais contents des décors, fait remarquer Benoit, réapparu.

— Chuis comédienne-trapéziste, dit Palmyre.

Elle rit. Elle sait bien que sans ce talent particulier, elle n'aurait jamais eu le rôle de l'Ange: Marie-Belle est implacable dans son casting.

— C'est de valeur qu'on n'ait pas de musique aujourd'hui, dit Duquette pour tenter de s'introduire dans la conversation.

Gentiment, Benoit lui explique que les musiciens n'étaient pas «cédulés», aujourd'hui. Il lui remplace sa bière vide par une neuve, décapsulée. Duquette a un air de contentement profond. Sous prétexte qu'il n'est pas un acteur et qu'il joue ici son propre rôle, le MC boit comme un trou et Marie-Belle Beauchemin fait semblant de ne pas s'en apercevoir: elle n'a pas autant d'ascendant qu'elle le voudrait sur lui, mais elle se dit que c'est sans importance ; personne n'a jamais connu Duquette autrement que flottant entre deux Mols.

Palmyre se penche vers le MC. Non pas que sa compagnie l'intéresse — il lui semble passablement weird — mais par conscience professionnelle, elle essaie de le comprendre ; ils jouent dans le même spectacle, après tout ! et elle se retrouve souvent au bar avec lui, leurs apparitions sur scène étant épisodiques. Mais elle vient de renoncer à un ultime rapprochement car elle a bien vu : la petite bouteille brune est sur le comptoir, provocante avec sa balloune sur le goulot. Pour Duquette, on tolère ! Elle hésite entre l'indignation jalouse et le mépris. Mais on la réclame sur le plateau et elle est dispensée de choisir.

Maryse fait pivoter son tabouret pour la regarder descendre l'allée. Ses ailes battent doucement contre ses mollets parfaits galbés de nylon véritable. Elle passe entre des pans d'anciens décors, des rangées de fauteuils de guingois et des spots décrochés, à l'abandon. On ne dirait pas qu'il y a une représentation ce soir. «C'est une atmosphère de désordre propice à la création», dit toujours Marie-Belle. Voilà pourquoi l'essentiel des spectacles s'élabore ici, dans la salle même. Bien sûr, ils pourraient répéter en haut, dans le local prévu à cet effet, mais ça manque de feeling. Et ici, tout est si malléable ! Dans deux heures à peine, tout aura été remis en place grâce à leur équipement fabuleusement léger, rétractile, sophistiqué et entièrement escamotable. Même les cloisons sont escamotables. La salle a en effet l'heureuse propriété de se creuser à volonté et de s'agrandir par l'intérieur. Ainsi, les soirs de première, elle paraît deux fois plus vaste que d'habitude. Pour le moment, elle est parfaitement ronde avec des lieux scéniques éclatés en énormes splatches new wave dont le centre magnétique est un jardin — c'est là le décor de *L'œuf d'écureuil* —, mais tantôt, à mesure que les techniciens lui feront subir des compressions, l'espace deviendra triangulaire, étouffant et clos pour les besoins du spectacle présentement à l'affiche. On peut tout faire avec cette salle, sauf modifier son emplacement géographique. Ces dispositifs spéciaux font de *La Sultane de Cobalt* le théâtre à machines le mieux équipé de la ville. C'est là un de ses atouts majeurs mais paradoxalement, c'est là aussi son principal handicap : à leur ouverture, il y a six ans, ils ont facilement obtenu une subvention d'investissement. Une seule. Non renouvelable. Or, leurs visées se sont haussées d'un cran depuis et ils aimeraient bien s'annexer le local contigu qui présente l'énorme avantage de donner sur la rue Sainte-Catherine plutôt que dans une impasse. Pour cela, il leur faudrait une autre subvention. Ils peuvent toujours attendre ; les gouvernements ont déjà donné ! Les directeurs du théâtre sont travaillés par cette question du local voisin, bientôt vacant. Ils ne parlent que de cela, et Maryse les trouve un peu puérils ; avec pignon sur rue, les shows ne seront pas meilleurs et elle aime bien la salle actuelle, malgré son accès malaisé. Elle aime se tenir ici, cet univers de comédiens hypersensibles, à la fois égoïstes et généreux, lui est devenu essentiel. De temps en temps, elle vient y faire son tour, le soir quand elle n'a pas le goût d'écrire, pas de copies à corriger. Cela la repose du cégep et la nourrit. Quand c'est une de ses pièces qu'ils répètent, le plaisir est encore plus grand. Elle éprouve toujours une sorte de saisissement à les voir entrer dans ses chimères avec naturel et conviction ; ils y croient, les premiers, bien avant les suggestions de la publicité et la sanction de la critique... Les coudes sur le comptoir, elle sourit dans la pénombre en pensant que sa vie, comme une scène à l'italienne, a deux versants, deux côtés : la Courre et le jardin. Chez elle, son bureau surplombe la ruelle Mentana et le jardin de François ; c'est en prenant appui sur ce paysage tendre et lumineux qu'elle invente des univers qui par la suite se matérialisent ici, côté Courre. Sa pensée oscille constamment de Babylone au théâtre, mais le jardin est prépondérant ; il contient, en germe, la scène qui ne fait que le reproduire : le décor de sa pièce représente un jardin dont les coulisses seraient une salle de spectacle. Elle est donc toujours au jardin ; atmosphère verte et bleue de mai, rosée...

La fête tire à sa fin et le gros de la visite est parti ; ne restent plus que les grands-mères, Laurent et Ariane. La table est en désordre, les chaises aussi. On sent que le soleil va bientôt se coucher. D'ici, on ne le voit pas. Il y a un petit relâchement dans la conversation. François s'étire.

— Où sont leurs idéaux ? demande-t-il. Veux-tu bien me le dire ?

Il s'adresse plus particulièrement à Laurent, pas aux grands-mères dont ce n'est pas la longueur d'ondes, ni à Marité dont il connaît la réponse.

— Prends mon collègue Tibodo, par exemple, dit-il, dans le temps, il voulait changer le système, et aujourd'hui il est même pas foutu de donner deux cents piastres à Oxfam ! Ça se peut-tu qu'on se soit effoirés à ce point-là ?

— C'est un mouvement de ressac, dit Marité. Ça va revenir.

— Parce que si c'est ça, notre génération, si c'était ça, c'était de la marde !

Alice regarde son fils et trouve qu'il parle mal, devant les enfants. Mais le sourire de François la désarme.

Toujours en patins, Myriam roule entre les grands-mères. Marité l'intercepte au passage, l'assoit sur elle, la serre fort et la cajole. Elle est comme ça, sa mère, forte en gueule, prompte à se choquer, mais licheuse sans bon sens ! Quand elle vous tient, c'est pour un bon moment. Myriam se laisse faire. Elle aime.

— Demain, j'ai une journée très chargée, dit Blanche. Je vais bientôt rentrer.

— Moi aussi, j'ai une journée chargée demain, dit François. Je descends au Royaume de Pitt Bouché...

« Qui c'est ça, Pitt Bouché », a demandé Marie-Belzébuth, l'autre jour. Myriam a dû le lui expliquer sommairement, faut tout lui expliquer : « Pitt Bouché est quelque chose comme le concierge de l'université de François, donc, c'est son royaume. François dit que le véritable boss de la place — le coupable — ce n'est pas le recteur mais Pitt qui attribue à tout le monde le mauvais local et impose des horaires idiots. C'est également lui qui répartit leurs budgets de plus en plus comprimés, à tel point qu'ils ne peuvent même plus remplacer les pochettes brûlées dans leurs bureaux. » « Ré-ces-sion ! » scande Pitt Bouché en agitant son monstrueux trousseau de clés... Myriam pouffait en répétant cela mais Marie-Belzébuth a conservé son air pincé : son père enseigne à la même université et il prend sa job très au sérieux.

À l'évocation de Pitt Bouché, François s'est rembruni et maintenant il est perplexe. Son rêve de la nuit dernière lui est revenu, une image de son rêve ; du sol meuble du jardin sortait une créature horrible et le soleil était voilé comme le Vendredi saint à trois heures dans un film de troisième ordre. La créature venait d'une tombe, c'est ce que François se disait. Il avait peur. Il cligne des yeux ; ce n'est qu'un rêve, il est heureux aujourd'hui, et spécialement bien dans Babylone détrempée. Sa mère le regarde depuis tantôt, rassurante comme lorsqu'il était enfant. Il lui sourit à nouveau. Elle s'est levée pour montrer quelque chose à l'autre grand-mère, au bout du jardin.

Dans un moment d'inattention, Marité desserre son étreinte et Myriam glisse hors de ses bras. Avec Ariane et Gabriel, elle roule derrière les grands-mères qui se disent vous, «comme dans des films d'ancien temps, fait remarquer Ariane, c'est écœurant, chose ! »

— Écœurant ? dit Alice. Pourquoi ?

— Ça veut dire extraordinaire, explique Gabriel.

Le petit groupe s'arrête au fond, à la clôture. Gabriel a un drôle d'air, soudain. Myriam suit son regard et aperçoit des moineaux en train de baiser. Elle a dit ça, l'autre jour, «baiser», et cela a provoqué une longue explication avec Marité, comme quoi on doit plutôt dire faire l'amour. «C'est des différences lexicales et sémantiques, a expliqué François, et de contexte. Par exemple, dans le contexte de l'école, il est préférable de ne pas parler de baisage. » «À l'école, il est préférable de parler de rien, si tu veux mon avis », a dit Myriam. Il ne voulait pas son avis. Les grands-mères font semblant de ne pas voir les moineaux baiser. Myriam tourne la tête elle aussi mais elle regarde par en dessous ; ça n'a pas l'air très efficace, dis donc !

Comme ils sont entre eux, en famille avec les grands-mères, ils se mettent à parler des absents. Alice demande d'où vient Marie-Belzébuth, c'est pas un nom ! et elle ne l'avait jamais vue auparavant...

— Bof, fait Gabriel, elle ne compte pas.

— Marie-Belzébuth est une figurante, dit Ariane dont la mère est dans les arts théâtraux. De toute façon, la meilleure amie de Myriam, c'est moi !

— Oui, dit Myriam. Ton seul défaut, c'est d'être intermittente.

— Qu'est-ce à dire ? dit Blanche.

Myriam adore cette expression. Elle explique comment Ariane est intermittente en ce sens qu'elle vit dans les parages de Babylone la moitié du temps seulement. Elle est un cas de garde partagée : sa mère est accotée sur la rue Mentana avec le caissier surnuméraire d'une coop naturiste — ça c'est correct —, mais son père a refait sa vie à l'autre bout du monde, sur la rue Durocher, ce qui a pour résultat imbécile qu'elle perd la moitié de son temps ailleurs, dans une ville de péteux de broue, Outremont !

— La moitié du temps, dit Gabriel, Ariane de la rue Mentana est atteinte d'un trouble de la personnalité : elle devient Ariane de la rue Durocher.

— C'est pas juste pour moi, ça ! dit Myriam.

— Mais je vas à l'école ici ! dit Ariane.

Elle a l'air un peu absent, comme si, seulement par la pensée, elle était présentement là-bas avec une certaine Sara Desneiges, une rivale dont Myriam ne veut rien savoir.

— Et vos vacances, vous les passez où ? demande Blanche.

— Ben, sur l'asphalte ! dit Ariane. Sauf quand Myriam m'invite à Ogunquit, han Myriam ! Vous m'invitez-vous, cet été ?

— C'est marrant comme organisation, la garde partagée, dit Blanche. Ça doit vous ouvrir l'esprit.

Mais personnellement elle préfère que ses enfants ne soient pas divorcés. Alice aussi, mais elle dit que maintenant les enfants font leur vie à leur goût, ça les regarde. Elle a l'air essoufflée tout à coup.

— Êtes-vous tannée de nous autres, grand-maman ? demande Myriam.

— Non, non, dit Alice. Je suis un peu fatiguée.

Myriam ne comprend pas cette question de la fatigue des adultes. C'est un argument rasoir qu'ils ressortent toujours quand on commence à avoir du fun. Elle dit : « Je vous en veux pas, grand-maman. » Et elle l'embrasse. On ne peut pas en vouloir à une grand-mère qui sourit tout le temps et qui a, dans son sourire, comme un tremblement. Blanche propose de retourner s'asseoir. Bras dessus, bras dessous, les grands-mères remontent vers la galerie. Myriam les regarde s'éloigner. Elle-même tient Ariane par le bras, présentement. C'est un adon. Elle est bien, avec son amie à ses côtés. Elles sont dans une semaine faste de rue Mentana ; leur vie est rythmée par le va-et-vient d'Ariane selon l'axe fatal Durocher/Mentana. C'est là une restriction au bonheur de Myriam et une emmerde, mais pas vraiment un problème car elle y a trouvé un arrangement : tout ce qui se passe sur Durocher est faux. Illusoire ! La vraie vie est ici, dans Babylone. Elle grimpe sur la traverse de la clôture et regarde dans la ruelle ; on voit l'asphalte lézardée et des cochonneries, le monde fait pas attention. *Intra-muros*, comme dit François, c'est propre, mais *extra-muros*, c'est marécageux, surtout à ce temps-ci de l'année. On peut y circuler mais pas s'attarder, on passe par là pour aller à l'école ou chez Maryse, ou chez Elvire Légarée.

— On va-tu chez madame Légarée ? propose Ariane.

— C'est ça, dit Gabriel, on assiège la porte d'Elvire, comme à Grenade, en 1492. Let's go, les filles!

Les filles se regardent, indécises : c'est quoi, Grenade?

— On peut passer en tapinois, dit Gabriel. Est-ce que ça vous tente, le tapinois?

Il sent tout à coup le besoin de s'occuper d'elles, de les amuser. Des fois qu'elles le feraient sans lui!

— Si vous préférez pas sortir, dit-il, on peut assiéger avec des catapultes.

— C'est quoi, la catapulte? demande Myriam.

— C'est des jeux de guerre, dit Ariane. Ma mère veut pas que je jouse à ça.

— Moi je veux bien jouser, dit une voix à la hauteur de la clôture.

— Pas encore lui! dit Myriam.

— Si fait, dit la voix, si fait!

Pourtant, on ne voit personne.

— Matérialise-toi donc, Fred! ordonne Ariane. Si tu veux te mêler à la conversation!

— Ça me tente pas, dit la voix.

— Ben d'abord, parle pas en présence de Myriam, c'est pas poli!

Il y a un temps d'attente, puis apparaît graduellement un personnage de la taille d'un enfant de trois ans, juché sur la clôture : c'est l'esprit mauvais, familièrement appelé Fred.

— Vous êtes durs avec moi! dit-il aux enfants.

Il secoue ses ailes et les referme soigneusement. Comme un parapluie.

Myriam hausse les épaules; Fred ne vient jamais pour elle, c'est Gabriel et Ariane qu'il visite, allez savoir pourquoi! La plupart du temps, il lui tombe sur les nerfs, mais aujourd'hui, elle ne peut s'empêcher de claironner la nouvelle, ça lui en bouchera un coin :

— Tu sais, Fred, dit-elle, j'ai rencontré quelqu'un dans ton genre, une sorcière.

— Une vraie ? demande Fred.

— Vous êtes naïves ! dit Gabriel. Les sorcières ont toutes passé au feu il y a deux cents ans.

Et, sans laisser plus de place aux commentaires, il entre en palabres particulières avec l'esprit mauvais et Ariane. Myriam regrette d'avoir succombé à la tentation du bavassage et raté son effet. Elle n'écoute pas leur conversation ; c'est du niaisage d'enfants qui ont besoin d'anges gardiens et qui n'ont pas de don personnel. Elle se demande comment Joseph-Lilith-Miracle Marthe s'y est prise pour percer son secret. Sur la clôture, l'esprit mauvais s'ébroue. Il est tout sourire aujourd'hui, et gouailleur. Il est marrant, dans le fond. Mignon ! Comme tous les esprits, il peut faire varier sa taille mais généralement, il se contente d'être plus petit que les enfants. Aujourd'hui, il mesure à peine deux pieds. Il porte son sempiternel costume rayé rose et bleu, vaguement moyenâgeux, accompagné d'un long bonnet pointu. « Ça fait pas tellement new wave », a dit l'autre jour Gabriel. Mais Fred s'en fiche : il est au-dessus de la mode, de l'espace et du temps. Alors pourquoi pas le Moyen Âge ? « C'est le nontemps par excellence », a-t-il répondu. Il est fantasque et effronté mais malgré cela, Myriam aimerait parfois avoir un esprit familier comme lui ; c'est une assurance de ne jamais être seul, une présence. Par exemple, du point de vue de Gabriel, Fred est toujours là... sauf quand il s'absente pour aller voir d'autres protégés comme Ariane. Gabriel et Ariane ont cela en commun : ils sont protégés par Fred, ils sont ses « clients », comme il les appelle parfois en faisant des entrechats. Il est alerte et encore jeune. Il ne vieillit que très lentement, étant un esprit impur. Les esprits purs, eux, ne vieillissent pas du tout.

Myriam tient toujours Ariane par le bras. Son regard passe de Fred à la ruelle derrière lui, puis revient vers Babylone. Elle a tout son monde ici : sa meilleure amie, son frère, ses parents, les grands-mères. Manquent seulement les tantes surnaturelles, mais c'est peut-être mieux ainsi : souvent, quand les tantes sont là en même temps que Marité, celle-ci les neutralise et elles cessent de s'occuper d'elle. Si tu ne fais rien pour attirer leur attention, les adultes finissent toujours par parler entre eux de choses sans intérêt. Même les enfants ont tendance à faire ça. Elle soupire. Aujourd'hui, tout s'est passé selon ses désirs et même plus : elle a rencontré une sorcière. Malgré quelques nuages, l'air est doux, cela sent la chaleur déjà, les apparences extérieures sont parfaites et pourtant, elle se demande si c'est bien cela, la vie, ou s'il y aura autre chose quand elle aura huit ans et qu'elle sera mature. Elle le saura dans cent dix jours.

L'esprit mauvais disparaît.

— Viens, dit Ariane, on va aller se taper un gâteau chez Elvire. Tu viens, Gabriel ?

— J'ai plus le goût, dit Gabriel. C'est nul, chez Elvire, c'est plus de mon âge.

Et, à regret, il rentre faire l'inventaire de ses cadeaux.

Du mur externe de Babylone à la porte d'Elvire, il faut compter vingt-cinq pas, des pas d'enfant. Il est préférable que Marité ne remarque pas leur sortie — des fois qu'elle les rappellerait ! —, elles vont utiliser le tapinois. Doucement, les deux fillettes soulèvent le loquet...

Dans la lumière laiteuse qui l'isole des autres, Marie-Lyre tient un drap qu'elle froisse de façon convulsive ; elle est Martha-la-douleur. La bouche ouverte comme une rescapée du radeau de la Méduse, elle regarde sans la voir sa belle-sœur Kate venue lui porter son linge à laver. L'Ange de la Misère est avec les deux femmes, mais en retrait, et sur son banc trop étroit, l'aïeul aux mains rouges attend, immobile et menaçant. Bien qu'il n'y ait pas de lavoir dans cette scène, Marie-Belle Beauchemin lui a donné ce titre de travail : *Le Lavoir.* Soudain, il y a un caillot dans le fluide des répliques. Elle les interrompt et demande aux autres comédiens de monter sur le plateau. Rosemonde Giroux et Valentin se lèvent aussitôt. Duquette est toujours au bar.

— Toi aussi, Duquette, dit l'assistante de Marie-Belle. On a besoin de tout le monde.

Le MC s'exécute en marmonnant. La distribution se retrouve au complet sur le plateau central, debout. Ensemble, ils reviennent à cette partie du texte évoquant les camélias de la dame, celle qui, menstruée, se marquait de rouge comme les femmes primitives. Le théâtre de Maryse est ainsi fait : il mélange les univers, les époques, les genres. L'action principale de *L'Œuf d'écureuil* se passe sur les bords du canal Lachine, dans un taudis du Griffintown où fleurit un jardin, mais l'ombre émaciée de Marguerite Gauthier y plane par moments, rouge et blanche. Le chœur des Camélias est pour Marie-Belle un passage fétiche qu'elle reprend chaque fois qu'elle sent le spectacle déraper. «Que de sang ! dit-elle, que de rêves et que d'ellipses !» Après quoi elle ajoute invariablement : «Ça fait rien, les filles, on va en venir à bout !» Elle dit «les filles» même s'il y a deux hommes dans la distribution, sans compter Duquette. À la fin du chœur, elle demande à Gérard de rester sur scène bien qu'il n'ait pas de texte pendant le passage du lavoir ; sa présence est essentielle.

— Ça me tente pas, dit Gérard.

Marie-Belle se lève et arpente le plateau ovale. Son assistante la suit de près, notant toutes ses places. Elle note aussi ses réflexions, c'est une assistante précieuse. Patiemment, Marie-Belle explique à Gérard qu'on peut jouer sans parler. Elle sourit. C'est sa méthode de création, le sourire et la souplesse. En fait, elle a une remarquable tête de cochon. Gérard la regarde, perplexe. C'est la première fois qu'il travaille avec elle et il est un peu dérouté, ce qui le rend agressif.

— Au fait, dit Marie-Lyre, pendant qu'on est arrêté, je voulais te demander, c'est vraiment nécessaire que je pleure ?

Elle s'adresse à Marie-Belle mais c'est Gérard qui répond :

— C'est ça, braille donc un peu !

S'ensuit une discussion générale sur l'utilité des larmes au théâtre. Calmement, Marie-Belle ouvre son poudrier et se remet du rouge à lèvres.

— Je peux toujours brailler pour le même prix, dit Marie-Lyre, mais me semble que ça n'apporte rien…

Marie-Belle est d'accord ; ça enlèverait même de la force à la scène.

— Comment vous faites pour brailler ? ne peut s'empêcher de demander Duquette.

— Facile, dit Marie-Lyre, j'ai toujours en réserve une maudite bonne raison, j'ai rien qu'à y penser !

— Hon ! fait Gérard, tu joues sur ta sensibilité, c'est cheap !

— On joue sur ce qu'on a ! disent en même temps Rosemonde et Palmyre.

C'est un cri du cœur. Juliette Dessureault n'a pas bronché. Elle s'absorbe dans l'examen de son texte. «Curieux, se dit Marie-Belle, habituellement, Juliette ne jure que par Marie-Lyre et aujourd'hui, leur scène rentre mal : il se passe quelque chose entre les deux femmes.» Elle leur demande ce qui ne va pas.

— Ça va, dit Juliette.

Grand sourire. Mais elle ne regarde pas Marie-Lyre qui attend, l'air boudeur.

— Écoutez, vous deux, dit Marie-Belle, vos personnages sont plus désemparés que bêtement hostiles. C'est pourtant ce que vous me renvoyez.

Elle dit ça à tout hasard.

Marie-Lyre regarde Juliette qui, pour la première fois de la journée, soutient son regard et lui sourit. D'un sourire poli. Et froid. «Ça tourne en rond, se dit Marie-Belle, mieux vaut ne pas insister.» D'ailleurs, il est tard et ils sont tous fatigués. Elle pose la main sur le bras de son assistante qui décrète la répétition finie. Juliette s'en va aussitôt dans les loges. Rosemonde et Palmyre s'y précipitent à leur tour en chantant à tue-tête une chanson western tout à fait anti-climax ; elles ont le goût d'être tannantes. En passant, elles remarquent l'épaule nue de Maryse et lui donnent des becs chatouillants. Pressée de voir arriver l'été, Maryse a déjà sorti ses robes de coton, celle d'aujourd'hui est rose pêche. Elle fait pivoter son siège vers le bar. Dans l'atmosphère maintenant bleutée, la face de Benoit Jusquiame flotte au-dessus du comptoir comme une grosse lune.

— Comment c'était la fête à Gabriel? demande Marie-Lyre, venue la rejoindre.

— Qu'est-ce qui va pas? dit Maryse.

— Rien...

— Mais plus précisément?

— Rien.

Malgré son exubérance de comédienne, Marie-Lyre Flouée devient secrète lorsqu'elle est blessée. À tout le moins, succincte. Maryse sait qu'il faut insister. Elle insiste. Voyant qu'elle ne s'en tirera pas, Marie-Lyre déclare énigmatiquement que Juliette Dessureault la traite comme une ci-devant belle-sœur. «C'est à cause de Jean-Pierre, dit-elle, son frère chéri.» Elle a cassé hier soir avec Jean-Pierre, c'est fini, réglé, ça s'est bien passé. Mais Juliette réagit mal.

Maryse ne voit pas ce que Juliette vient faire là-dedans.

— C'est pourtant limpide, dit Marie-Lyre, depuis hier soir, onze heures trente, heure à laquelle Jean-Pierre m'a remis ma clé, je ne suis plus la belle-sœur préférée de Juliette : madame me regarde comme si on n'avait pas encore été présentées. Le monde est con et Juliette Dessureault est comme les autres ; une maudite belle-sœur-sans-mémoire !

Maryse saisit maintenant ce que Marie-Lyre veut dire. Depuis des années, celle-ci catalogue les gens de leur entourage, elle les classe et en fait des types. C'est un code entre elles. Par exemple, quand elle déclare que quelqu'un est une plorine-éplorée, un Simsolo, un gratteux-tamponneux ou une fille-de-chez-Eaton-comptoir-des-viandes-froides, on sait tout de suite à quoi s'en tenir. Dans son catalogue, il y a un personnage appelé la belle-sœur-sans-mémoire. Maryse a l'air consternée.

— Fais pas cet air-là, dit Marie-Lyre, c'est pas grave, j'ai l'habitude !

Elle attrape le sandwich et le verre de jus d'orange que Benoit lui a préparés et se sauve : elle a tout juste le temps de se maquiller pour le spectacle de ce soir dans lequel elle interprète le rôle d'une Égyptienne Ming, puis celui de la reine des gitans dans son bain, puis une variante enfin claire de lady Macbeth. « C'est une grosse job de maquillage, tout ça ! » lance-t-elle. Elle est déjà rendue dans les loges.

« C'est curieux, pense Maryse, le type de la belle-sœur-sans-mémoire poursuit Marie-Lyre jusque dans la fiction, comme si elle était vouée à toujours en croiser une ; dans *L'Œuf d'écureuil,* elle joue avec Juliette ce qu'elles sont dans la vie, des belles-sœurs. Le rapport est seulement inversé ; c'est Marie-Lyre-Martha qui est sans mémoire et sans pitié — méprisante — alors que le personnage de Juliette est compatissant. » Maryse sourit : voilà maintenant qu'elle analyse les problèmes de Marie-Lyre en regard de ses textes ! Dans le miroir du bar, elle voit Marie-Belle s'approcher, élégante dans sa robe fleurie. Ses cheveux commencent à grisonner à l'avant et elle ne les teint pas. Elle a quelque chose d'olympien dans la figure, de rassurant. Elle serait capable de tirer parti de n'importe quel micmac et d'en faire un show convenable.

— Ça va pas, hein ? dit Maryse.

— Comment ça ? dit Marie-Belle. Ça va très bien ! Et ton texte est d'une richesse !

Elle se commande un Bloody Mary. Et elle attaque doucement sur la scène du salon de coiffure.

— Oui, dit Maryse, je sais, c'est trop court.

— Trop court mais en un sens, trop long...

Maryse part à rire :

— Je te vois venir, toi! Tu vas encore me demander des coupures. Je te préviens: je vais tenir mon bout.

— C'est ça, fille, dit Benoit. Laisse-toi pas faire!

— Finalement, qu'est-ce que vous avez décidé pour la forme de la salle? demande Maryse pour faire diversion.

C'est toujours la grande question dans ce théâtre: comment disposer l'espace pour dérouter le plus possible. Parfois, ils installent un véritable café et font le service aux tables, parfois les spectateurs se retrouvent le cul sur des strapontins, quand ce n'est pas sur des coussins trop minces.

— Il y aura un bar, dit Marie-Belle, mais pas de bouffe. Une sorte de bar itinérant.

Et, insidieusement, elle revient à la scène du salon de coiffure.

Maryse la laisse parler et fait «Oui, oui». Elle aime Marie-Belle. Depuis le temps que celle-ci monte ses textes, il n'y a jamais eu de heurt entre elles. Seulement de très, très longues discussions. Pendant qu'elles se concentrent sur *L'œuf* et que la salle est remise en ordre, l'équipe de production s'installe au bar, autour d'elles. Les directeurs sortent de leurs bureaux. Ils sont deux: un directeur dit «spirituel» pour décider des axes de déploiement de *La Sultane,* et un directeur «matériel» pour la réparation des pots inévitablement cassés par ce déploiement. Encore une fois, la conversation roule sur la question du local voisin. Quelqu'un se penche vers Marie-Belle pour avoir son avis sur un problème de production; ils ne parviendront jamais à ignifuger tout le décor. Maryse ne connaît pas grand-chose aux substances non ignifuges et elle dérive vers Babylone où elle a laissé Laurent: tantôt, quand elle aura presque tout concédé à Marie-Belle et

qu'elle rentrera faire ses coupures d'auteure docile et plé-
thorique, elle n'ira pas chez elle mais chez lui, c'est là
qu'ils se sont donné rendez-vous. Il y sera déjà, sa porte
sera débarrée et lui-même, absorbé dans l'examen de cartes géographiques du Nicaragua. Les deux télés seront
ouvertes à des postes différents mais en fait, il sera en
train d'écouter un disque. En la voyant, il fermera les
télévisions. Elle lancera en l'air ses souliers blancs et se
laissera tomber dans le lit qui n'est jamais fait...

Cinq mai

Parcours

J'ai pitié j'ai pitié viens vers moi je vais te conter une histoire.

Blaise CENDRARS
Le Transsibérien

Depuis la fête de Gabriel, le soleil ne s'est pas montré et le ciel est uniformément gris, plombé, désespérant ; il pleut. Mais dans le métro ça ne se voit pas, et Blanche Grand'maison s'y promène d'un pas alerte. Elle aime le métro et ne prend pas souvent de taxi, n'étant pas pressée. Maintenant, à l'autre bout de sa vie, il lui semble que le temps s'étire et qu'elle reprend les années perdues ; elle sort plusieurs fois par semaine, seule, elle a ses comités de bienfaisance et ses vieux à visiter. Aujourd'hui, elle va voir sa cousine Hortense qui a beaucoup vieilli dans sa tête et dans son corps dernièrement, c'est fou ce que ses contemporains vieillissent vite. L'escalier roulant l'amène au deuxième niveau de la station Berri-de-Montigny et, à mesure qu'elle monte, ce qui n'était qu'une rumeur — une sorte de mirage sonore — devient plus consistant : on entend vraiment un violoncelle jouer, et le son en est plein et chaud. C'est un son rouge grenat, sans la luisance et l'acidité de la pierre. Elle reconnaît une suite de Bach que son fils Louis pratiquait autrefois. Elle s'approche du violoncelliste. Depuis la fin de l'hiver, les musiciens ont envahi les corridors du métro, d'abord timides, puis de plus en plus à l'aise et nombreux. Les autorités de la ville viennent d'émettre à leur égard un avis de tolérance. « Tiens donc ! Comme pour les prostituées », disait l'autre jour Marie-Thérèse. Peu importe ce rapprochement incongru ; Montréal redevient un endroit vivable, une ville comme celle qu'elle a connue, jeune femme. Dans le temps, il y avait des fanfares, des concerts publics, des parades musicales, il y avait même des orgues de Barbarie. Charles-Émile, alors simple avocat, appelait cela «de la musique de rue», dédaigneusement. Il venait d'acheter sa première auto, une Dodge Opera. Assise dans la Dodge, Blanche frémissait quand le hasard d'un parcours ou d'une déviation — un «fââcheux contretemps», selon l'expression de Charles-Émile —, les amenait à portée d'oreille des musiciens. Mais c'était un frémissement, rien de plus : ce goût de sa femme pour les attroupements et la musique de rue amusait Charles-Émile, mais dès qu'il le pouvait, il pesait sur l'accélérateur. Blanche repense à cela, et elle se sent libérée : maintenant, plus personne ne pèse sur l'accélérateur, elle peut faire toutes les pauses qu'elle veut. Au milieu du cercle de badauds, un homme est assis sur un pliant, les jambes écartées sur son violoncelle. Il est jeune, ses cheveux sont longs malgré la mode, il est habillé proprement. Devant lui, l'étui de l'instrument est ouvert pour recevoir la monnaie. Les gens écoutent, immobiles, baignant dans la musique de Bach. Vis-à-vis de Blanche, une jeune femme tient un enfant dans ses bras. Blanche lui sourit. La femme lui rend son sourire et se penche sur l'enfant... Autrefois, à l'entrée de Morgan, il y avait un joueur d'orgue de Barbarie. En allant faire ses achats, elle saisissait des bribes de musique, jamais un air complet ; il ne fallait pas s'attarder dans la rue. Mais un jour, au sortir du magasin, la Dodge Opera n'a pas été au rendez-vous — sans doute embourbée dans un fââcheux contretemps — et elle l'avait attendue longuement, sous la marquise, délicieusement, elle avait eu le temps d'écouter plusieurs chansons. Ce jour-là, elle aussi tenait un enfant dans ses bras, un bébé, c'était probablement Marie-Thérèse que tout le monde s'obstine à appeler Marité, cette manie d'écourter les noms ! Mais c'était peut-être un des garçons. Peu importe. Elle n'entre pas dans le détail de ses souvenirs, sachant que la mémoire reconstruit à son goût et qu'on n'y peut rien de toute façon. D'ailleurs, elle n'aime pas spécialement les souvenirs, bien qu'ils soient essentiels. Chaque matin en s'éveillant, pour vérifier l'état de sa mémoire, elle repense à sa jeunesse. Ce passé met en scène des morts et cela a quelque chose d'angoissant, elle ne s'y attarde pas ; une fois sûre de tout se rappeler, elle entame sa journée. Elle revient à la femme à l'enfant qui a la merveilleuse propriété d'être vivante ; elle est ce qui arrive, ce qui est. « Il n'y a que le présent, se dit-elle, que la fulgurance de l'instant présent. » Elle se souviendra plus tard, quand elle sera vraiment vieille et qu'elle devra ressasser, faute de mieux. Pour le moment, elle se laisse pénétrer par le son du violoncelle. La musique déferle sur elle, sur eux tous, consentants et charmés : ils oublient de remonter à la surface grise de la ville. Encore un petit ravissement ! Elle appelle cela des ravissements, ces bonheurs fugaces qu'elle ne rate plus jamais. Le violoncelliste achève le menuet et commence la gigue. La femme au bébé sourit toujours et Blanche a soudain le goût de rendre grâce à dieu sait qui d'avoir inventé la musique. Quand elle dira à Hortense qu'on joue du Bach dans le métro ! Mais elle ne dira rien à Hortense qui est devenue lente et confuse, décrépite. Elle en parlera plutôt à son amie Alice Ladouceur, son homologue, comme elle l'appelle. C'est à son tour de l'inviter à prendre le thé... Le musicien fait une pause. Elle met un dollar dans l'étui et se dirige vers un téléphone public. Elle se sent gaie et libre, libérée à tout jamais des parcours trop prévisibles de la Dodge Opera. Au moment où elle achève de composer le numéro d'Alice, elle tourne le dos au quai et ne voit pas Maryse passer tout près d'elle, le nez dans un gros livre couleur rose bonbon. Au loin, venant d'un couloir peu fréquenté, retentit le son d'un cor de chasse jouant le début de la *Messe de saint Hubert*. L'effet est saisissant mais Maryse n'interrompt pas pour autant sa lecture, et c'est seulement une fois dehors qu'elle ferme son livre. À regret. À cause de la pluie. Il mouillasse, rien de sérieux. Elle marche lentement, perdue dans ses pensées et se répétant cette phrase qu'elle vient de lire : « C'est toute la mémoire collective de la classe ouvrière qui est absente de notre connaissance du passé, même récent... »

Sur la rue Boisbriand, c'est le branle-bas de combat : les filles du jour achèvent leur journée et celles du soir ne sont pas encore en place. Il y a du flottement dans l'air. Derrière elle, Maryse entend un bruit de pas ; des talons hauts mal ajustés et traînés sur l'asphalte. Pour sa conscience toujours engluée dans le passé de la classe ouvrière, le bruit est secondaire. Les pas se rapprochent. Parvenue à sa hauteur, la fille aux talons hauts la dépasse et son sac à main lui accroche la manche, tirant une longue maille dans son gilet. Le sac est une énorme sacoche noire en cuir verni, aux coins ébréchés, un objet insolite, pour une prostituée : elles ont toujours des sacs à main minuscules.

— Sorry, dit la fille.

Elle regarde Maryse dans les yeux. C'est curieux parce que les prostituées ne regardent pas souvent les autres femmes, Marie-Lyre le faisait remarquer hier encore, elle est obsédée par l'idée de lier contact avec elles, de les connaître : son prochain rôle est celui d'une putain. Maryse n'avait jamais remarqué la fille, qui reste là, l'air étonné, palpant le coin de son sac et la dévisageant toujours. Elle craint peut-être que les flics se ramènent et que cet incident ne lui apporte des tracas supplémentaires, des problèmes que Maryse imagine mal mais qui ne sont certainement pas ceux de la classe ouvrière comme telle.

— Don't you remember me ? dit la fille.

Maryse ne la replace pas. Elle s'excuse.

— Y a rien là, dit la fille.

— C'est pas grave, pour le gilet, dit Maryse.

— Oké.

Sans un mot de plus, la fille repart sur ses talons trop fins. De dos, elle fait plus que son âge, et elle doit avoir quarante ans, au moins. Elle s'arrête juste avant la porte de *La Sultane* et elle s'appuie au mur à côté d'une autre fille.

— T'es de bonne heure à soir, Barbara !

— Faut ben.

En les dépassant, Maryse saisit ce nom : Barbara. Cela ne lui rappelle rien, sinon Prévert et Musset, des réminiscences littéraires qui n'ont pas grand-chose à voir avec la faune de la rue Boisbriand. C'est un beau nom, Barbara. Un jour, elle écrira un texte intitulé *Le Roman de Barbara*. Elle est maintenant arrivée à la porte du théâtre et elle ne voit pas comment elle pourrait logiquement s'y attarder à écouter une conversation dont elle est exclue mais qui l'intrigue. Elle entre chez *La Sultane* au moment où un musicien en sort. C'est le joueur de bandonéon. Il dit «salut, ça va ?» et il s'en va. Il n'est pas causant. Les deux filles ne voient pas Maryse passer la porte mais elles remarquent tout de suite cet homme apparu mystérieusement dans leur zone.

71

À l'intérieur, il n'y a pas de répétition et la salle est livrée à l'équipe de production. Gérard de Villiers et Valentin Lenoir sont assis au bar, à discuter de leurs rôles.

— C'est des drôles de personnages, disent-ils, au-dessus de leurs bières.

Souriant et plein de pep, Benoit Jusquiame tente de les coacher.

— C'est des personnages extraordinaires, leur assure-t-il.

— Peut-être. Mais on est tannés de jouer les écœurants, dit Gérard. On me fera pas croire que tous les hommes sont comme ça !

— Tu joues pas tous les hommes ! Tu joues le rôle de l'aïeul !

— Qu'est-ce qui se passe, demande Maryse, y a pas de répétition ?

Elle pose sur un tabouret sa serviette de professeure bourrée de copies à corriger.

— Ils ont djammé, dit Benoit. Ils sont tous partis chez eux se demander séparément comment faire passer la scène de l'aïeul aux mains rouges, sauf Lenoir et Gérard qui s'interrogent ici, sur place, sous mon égide. On cherche comment jouer la scène sans tomber dans le mélo, sans over-jouer. Tu vois ce que je veux dire, Maryse ?

Elle voit très bien et elle sait déjà ce que Marie-Belle va lui suggérer comme changements.

— Double ? demande Benoit.

Il s'adresse à Pierrette, venue prendre son scotch de fin d'après-midi. Pierrette est la calculatrice automatique de la boîte. Elle fait partie de la haute gomme, étant une des membres fondatrices, une des plus dévouées et des plus permanentes. Dans son petit bureau du deuxième étage, toute la journée, elle vérifie leurs finances. Elle calcule si l'un dans l'autre, « ça l'arrive », comme elle dit. Elle voit à peine les spectacles qu'elle produit, elle n'en a pas le temps car le plus clair de son temps passe à remplir des demandes de subventions. Certes, les gouvernements favorisent la création! Ils leur envoient même des télex de félicitations quand les critiques leur sont favorables. Ils leur envoient aussi, chaque année, des versions améliorées de formulaires de demandes de fonds. « Ah! les gouvernements! Ils favorisent en sacrament, dit-elle, mais pas au point d'augmenter le montant des subventions! » « C'est déjà beau qu'on les maintienne! » comme un fonctionnaire filandreux le lui a déjà fait remarquer. Ce gel permanent des fonds rend sa job délicate, et depuis qu'il est question d'occuper plus d'espace, elle s'arrache les cheveux — mentalement, ce n'est pas elle qui abîmerait le matériel — et elle ne boit plus que des doubles scotches.

— Certainement double, dit-elle, j'y ai droit!

Les directeurs arrivent à leur tour pour prendre l'apéro. Ils sont accompagnés du régisseur général, Rex Tétrault, lequel a un câble électrique enroulé autour du cou et un walkie-talkie à la main.

— Over, Chanelle! hurle-t-il dans l'instrument. J'veux pus entendre parler de t'ça!

Maryse a l'impression que Tétrault abuse du walkie-talkie; la salle n'est pas si grande! Il s'assoit lourdement à côté d'elle en oubliant de lui dire bonjour. Il est aussi grossier qu'efficace et aussi inévitable que Benoit Jusquiame. Les comédiens l'adorent. Ou disent l'adorer. Ils n'ont pas tellement le choix.

Les directeurs parlent de la maquette du Griffintown : pourront-ils la brûler à chaque représentation, comme le souhaitent la scénographe Chanelle et l'auteure ?

— Techniquement, c'est difficile à réaliser, dit le directeur matériel.

— Ça coûterait cher, dit Pierrette.

— Sans compter qu'on aura le service des incendies sur le dos, dit le directeur spirituel. Mais, ajoute-t-il dans le même souffle, il est trop tôt pour renoncer.

Il a les yeux brillants comme si déjà, il contemplait les flammes de l'incendie.

— Si vous me coupez mon effet, lance Chanelle, je fais une crise!

Elle apparaît sur le plateau ovale derrière le dossier d'une chaise de barbier. Elle a un grand sourire enjôleur. Elle disparaît. «Quelle emmerdeuse!» pense le directeur matériel.

— On pourrait faire une passe au service des incendies, dit-il. En étant discrets...

— De toute façon, dit Benoit, notre lot est la clandestinité.

— Comme les putes, dit Rex Tétrault.

Personne ne relève la remarque. Ils sont à la fois ennuyés et ravis de la quasi-clandestinité à laquelle le côté expérimental de leur art les confine.

— Comment doser la recherche et sa diffusion? dit comiquement Valentin. Car le théâtre, même expérimental, s'inscrit aussi dans le réseau de la consommation!

Il cite le directeur spirituel, lequel, dans une période d'accablement profond, a lu d'un couvert à l'autre *La Distinction* de Bourdieu. Six cents pages! Quand il est en rogne, il leur en recrache de grands extraits, qu'il commente. «La question est complexe et l'expérimentation théâtrale aura toujours quelque chose de fragile», a-t-il coutume de dire pour justifier ses hésitations et leurs fréquents désaccords, car ils sont divisés. Ils ne sont même pas sûrs de vouloir déboucher aux lumières commerciales de la Catherine en s'annexant le local voisin. Ils en reparlent.

Maryse examine la maille tirée de son gilet. Elle est un peu débinée d'avoir raté la répétition, mais au cégep la réunion n'en finissait plus. En face d'elle, Pierrette sourit derrière ses lunettes épaisses et elle demande à Jusquiame de mettre sa consommation sur son compte qui est déjà très élevé. Le barman n'ose pas le lui faire remarquer : ses rapports d'impôts sont en retard, ses tickets pas payés, ses assurances pas renouvelées, mais les livres de *La Sultane* sont impeccablement tenus ! Sur le plan professionnel, Pierrette est une intouchable. Elle s'empare du double scotch et remonte. Tétrault et le directeur matériel enfilent leurs bières et retournent dans la salle. Le directeur spirituel est fébrile : tantôt, il doit rencontrer secrètement d'autres directeurs aussi tourmentés que lui. Ils se font parfois des meetings clandestins, sortes de thérapies de groupe au cours desquelles chacun-chacune raconte ses déboires et prépare des échanges de personnel. Le milieu ne sait évidemment rien de ces rencontres car, officiellement, les directeurs préfèrent entretenir des rapports de rivalité qu'ils jugent stimulants pour le gros des troupes. Il embrasse Maryse, ouvre son parapluie à motif de canards boiteux et part.

La discussion reprend sur *L'œuf d'écureuil*. Benoit essaie de convaincre Gérard de revenir au texte. Calmement, chez lui. De lire.

— J'sais lire ! dit Gérard.

— Écoute, Frozen, commence Benoit.

Et il se lance dans un éloge vibrant du rôle de l'aïeul aux mains rouges.

«Frozen», répète tout bas Maryse. Gérard de Villiers s'appelle vraiment Gérard de Villiers, comme l'auteur des polars. Ça l'embête mais il a découvert l'existence de «l'autre» trop tard pour changer son nom. C'est pourquoi il se laisse volontiers appeler Frozen Food, un surnom qu'il trouve drôle mais qui dégoûte certaines filles, dont Maryse. Elle regarde le câble de trapéziste de Palmyre Duchamp, s'ennuie d'elle et de Marie-Lyre, et se demande ce qu'elle fout là.

— Le réalisme en art, dit Benoit, c'est aussi utile qu'une patate chaude dans un dry martini.

Valentin rit, se lève, fait la culbute sur la partie dégagée du comptoir, puis retrouve son siège avec souplesse. Son premier rôle important a été Arlequin et cela l'a profondément marqué. Souvent, il arrive au théâtre avec la chemise du personnage et à chaque spectacle auquel il participe, pendant les répétitions, il gesticule comme un acteur de la *commedia dell'arte* et fait des plaisanteries. Cela casse le rythme, mais tout le monde lui pardonne ses pitreries car il a une figure d'ange; il est né pour plaire.

— Le théâtre occidental est fortement sexué, dit-il. Toute la société l'est...

Ils en sont là dans leur réflexion.

— C'est faux, dit Benoit. Dans la vie, le sexe est de peu d'importance, et sur scène, il est nettement superfétatoire.

— Comment tu peux jouer si t'as pas intégré le cul? demande Frozen.

— Le cul, c'est pas les tripes, se permet de faire remarquer Maryse.

Valentin et Frozen Food la considèrent d'un œil sceptique: elle écrit des pièces mais elle n'a jamais mis

les pieds sur une scène ! Qu'est-ce qu'elle sait des tripes ?
Il y a un répit pendant lequel Benoit leur confie avec un
grand sourire :

— C'est simple, les gars, je joue pas avec mon cul !
Leur bière est finie, ça les frappe tout d'un coup.
Ils partent.

— Je savais pas que t'aimais *L'œuf d'écureuil* à ce
point-là, dit Maryse. Pourquoi tu joues jamais dans mes
shows, Benoit ?

Il sourit, énigmatique et quasi protecteur :

— Écris-moi quelque chose qui a de l'allure, un
personnage qui meurt pas, pis j'vas jouer dans tes pièces.
J'demande pas mieux.

Maryse ne répond rien. Que répondre à cela ?

— Ça me fait penser, ajoute Benoit, Georges Ba-
lanchine est mort.

Et il se plonge dans *La Presse*. Il n'y a pas grand-
chose dans le journal aujourd'hui mais ça ne l'empêche
pas de l'éplucher. Fidèlement, tous les jours de la semaine, il parcourt les trois quotidiens montréalais. Chaque
matin, il les étale sur son comptoir, plein de confiance
envers ceux qui ont écrit les articles et choisi les nouvelles : un journal, même sanglant, est une si belle preuve
d'existence ! Mais à mesure qu'il tourne les pages et que
s'accumulent les catastrophes, son humeur s'assombrit et,
inévitablement, lui saute aux yeux la funeste rubrique
nécrologique. C'est plus fort que lui, c'est un vice, une
fascination mauvaise, une fatalité : il faut qu'il passe au
travers ! Ces lectures, que lui-même trouve perverses, le
mettent à terre pour quelques heures, après quoi il remonte péniblement la côte. Jusqu'au lendemain. Ses jours
les plus heureux sont les dimanches : il prend alors congé
de lecture.

— Marie-Lyre m'a pas attendue, dit Maryse, c'est bizarre.

Benoit sursaute :

— Merde ! J'ai oublié...

Il sort de son calepin une feuille de papier froissée et la lui tend. Il a l'air tellement penaud que Maryse n'ose pas lui faire remarquer qu'il aurait pu lui donner le message plus tôt.

Chère Maryse, écrit Marie-Lyre.

Suis légèrement fuckée par les nuages persistants, le mutisme de Juliette, tout aussi persistant, et le contexte morose du postmodernisme dans lequel, paraît-il, nous végétons. Adrénaline-la-pas-fine est revenue sentir aujourd'hui. Je la hais, je l'haguis, je l'exècre et je la déteste ! En plus, je suis menstruée. Ne pouvais pas rester ici, ai le goût de sacrer mon camp à New York... Faute de mieux, suis partie t'attendre chez vous.

À tantôt,

Marie

— Adrénaline Taillefer est venue faire son tour ? demande Maryse.

— Chaque théâtre a ses parasites ! Nous autres, c'est elle. Une bitch sans envergure.

— Tu y vas un peu fort dans l'épithète...

Le nez dans son journal, Benoit grommelle quelque chose. Maryse glisse le papier dans sa serviette et, le laissant à la joie de sa lecture, elle rentre chez elle.

Dehors, Barbara et l'autre fille sont à leur poste. La pluie a cessé. Il y a de la tension dans l'air, quelque chose d'insolite. Pour se donner du temps, avec un naturel qui l'étonne elle-même, Maryse pose sa serviette par terre et se met à y chercher son paquet de cigarettes et son briquet. Elle n'a pas vraiment le goût d'une cigarette et elle hésite toujours à fumer dans la rue, vu l'opinion émise il y a maintenant une vingtaine d'années par une religieuse du Couvent de la Désolation où elle a fait ses études : la sœur Sainte-Monique trouvait suprêmement vulgaire le fait de fumer dans la rue. Pour une femme. En vingt ans, Maryse est devenue un peu vulgaire. Forcément. C'est la vie ; on se laisse aller ! Qu'est-ce que ce sera dans vingt ans ? Mais elle n'a pas le temps de se délecter davantage de sa dépravation future car la voiture que les deux filles guettaient depuis tantôt vient de s'immobiliser de l'autre côté de la rue. Le conducteur est un homme dans la quarantaine maganée, à la peau cireuse et à la barbe rare. Il suce un cure-dents d'un air satisfait. Le comparse qui est assis à ses côtés sort de l'auto et se dirige vers les filles en laissant la portière ouverte. Maryse est toujours penchée sur sa serviette, elle le voit en contrechamp ; il est habillé comme un bum portoricain dans les films policiers de catégorie C. Il porte une gourmette au poignet gauche et il sourit. La rue, qui tantôt était pleine de prostituées, est maintenant déserte : seules Barbara et sa copine y sont restées, comme si elles avaient les pieds coulés dans le ciment. Le gars sourit toujours. Il s'arrête devant elles et attend. Les deux filles sourient à s'en craquer les lèvres. Le gars joue avec sa gourmette puis, avec une précision et une rapidité inattendues, il gifle Barbara. Plusieurs fois.

— Tu vas peut-être comprendre le bon sens astheure, ma grosse câlice ! lance le chauffeur.

Maryse découvre alors qu'elle est absolument incapable de se relever pour intervenir. Elle reste là, prostrée devant sa serviette ouverte contenant le bouquin rose dont elle relit machinalement le titre : *L'histoire des femmes au Québec*. Le livre, qui propose une vision féministe de la société québécoise, et sa serviette qui représente toutes ses années d'études, sont inutiles en l'instance ; impuissante, elle assiste au tabassage de la fille Barbara. La volée de gifles est suivie d'un coup de poing assené en pleine figure, puis l'homme agrippe Barbara, lui fait traverser la rue et la pousse dans l'auto sur la banquette arrière. Elle ne fait rien pour se défendre. Au moment où la main de l'homme s'est posée sur son bras, Maryse a crié. « Mêle-toi pas de t'ça ! » a dit l'autre fille. Le chauffeur leur jette un regard méprisant et démarre. Dans l'auto, Barbara relève la tête et regarde par la vitre arrière. Son regard est implorant. Elle saigne. L'auto tourne le coin de la rue. L'autre fille s'approche de Maryse et lui répète de ne pas s'en faire.

Alerté par les cris, Benoit Jusquiame sort de chez *La Sultane*. Il cligne des yeux et demande ce qui se passe. Pour la forme. Il en a vu d'autres.

— Y a rien là, dit la copine de Barbara. C'est juss Paulo, son chum. C'est pas grave.

— Ouais, fait Benoit. J'vois ben que c'est un incident !.

— Ça pogne aux narfs, parz'emple !

— Venez donc prendre un petit remontant, propose Benoit, j'vous l'offre...

La porte du théâtre est béante. Il en sort une lumière mauve, magique. La fille regarde à l'intérieur d'un air suspicieux ; elle n'avait jamais remarqué l'endroit auparavant, c'est une drôle de place. Elle dit : « J'veux pas déranger. » Et elle se sauve aussi vite que ses hauts talons le lui permettent.

La rue commence à se repeupler.

— Son chum mon cul ! dit Jusquiame. C'est drôle que les filles aient pas l'air de connaître le mot « pimp ».

— Tu penses que c'était un pimp ?

Benoit fait une grimace désabusée : Maryse O'Sullivan est parfois étrangement naïve ! Pour une auteure.

— Tu devrais te documenter sur le milieu, fille, dit-il. Les putes, c'est des beaux sujets à traiter. C'est théâtral. Pis ici, dans la rue, t'as tout ton stock. Je peux te donner des tuyaux si tu veux...

Maryse ne répond pas. Après s'être assuré qu'elle ne veut vraiment pas de remontant, Benoit l'embrasse plusieurs fois, la sentant impressionnée, et il rentre. La porte du théâtre redevient aussitôt invisible.

Maryse ramasse sa serviette et part en courant. Elle court jusqu'au coin des rues Ontario et Sanguinet où le souffle lui manque. Elle réalise alors qu'elle est en train de remonter chez elle à pied, dans le désordre et la déroute les plus complets. Elle est mortifiée de ne pas être intervenue, tantôt. Mais ses seules armes sont rhétoriques et, dans une situation où le cul l'emporte sur la tête et le poing sur le cœur, elle ne pèse pas lourd : elle vaut à peine ses cent dix livres de chair d'intellectuelle. Elle marche maintenant d'un pas de fuite. Pour la première fois de sa vie, elle trouve la ville laide et voudrait aller vivre ailleurs. Le quartier, qu'elle connaît depuis son enfance et qu'elle aime bien, lui semble lamentable. Les maisons ont été démolies les unes après les autres et remplacées par des stationnements, des édifices bon marché ou des terrains vagues. Au fil des ans, la ville s'est effritée. Pendant ce travail de lente corrosion, pour s'en défendre, elle n'a pas vraiment regardé. Plusieurs Montréalais ont fait comme elle, s'exerçant à découper le réel et à imaginer, à partir d'un fragment épargné — une porte miraculeusement repeinte ou d'un pan de mur encore debout —, comment c'était, autrefois. Ils se retrouvent maintenant dans des parkings sordides, à évoquer des splendeurs passées : Montréal n'est plus une ville mais un souvenir que se partagent quelques-uns avec un vague sentiment de nostalgie coupable. Elle traverse la rue Saint-Denis dont les magasins et les bars ont été retapés. La réfection s'arrête souvent au rez-de-chaussée et, quand on lève les yeux, on voit que les corniches des édifices sont brisées et que le mortier des pierres s'est effrité. Personne ne l'a jamais refait. Laurent prétend que le cœur de Montréal est en train de pourrir. Il dit cela sans aucune agressivité mais il a raison ; il n'a pas, face à la ville, la tolérance de ceux qui y sont nés. Aujourd'hui, Maryse voit les choses comme lui, comme elles sont : laides — ou en train de le devenir — et violentes. Car la laideur est une forme de violence : entre l'érosion de la ville et le coup de poing infligé à la prostituée Barbara, il n'y a pas tellement de différence, c'est de la même chose qu'il s'agit : incurie et violence urbaine. C'est de cela qu'elle a parlé avec Laurent, l'automne dernier quand ils ont fait connaissance au milieu des archives de la collection Notman. Elle travaillait alors sur la lignée de l'aïeul aux mains rouges et elle cherchait des photos d'habitants de Pointe-Saint-Charles au tournant du siècle, plus précisément des photos en bonnes. Laurent était assis à une table, l'air absorbé. En l'entendant expliquer à la bibliothécaire ce qu'elle voulait, il était parti d'un éclat de rire tellement franc, tellement communicatif et déplacé dans l'endroit, qu'elle avait tout de suite été conquise. Il avait dit : « Vous savez, mademoiselle, Notman ne photographiait que les gens qui pouvaient le payer ! » Justement, elle savait : les bonnes sont celles qui ne figurent jamais sur la photo. Mais malgré cela, elle espérait découvrir une photo de bonne. Laurent en connaissait deux seulement. Se substituant à la bibliothécaire, il les avait rapidement dénichées ; elles n'avaient pas été prises à Pointe-Saint-Charles. À mi-voix, à cause du recueillement forcé du lieu, ils s'étaient mis à parler du quartier puis, de fil en aiguille, de violence urbaine, de leurs origines, d'eux-mêmes ; ils avaient haussé le ton et ri malgré l'air réprobateur de la bibliothécaire. Finalement, ils étaient sortis ensemble pour aller faire l'amour, ce dont Charles Notman pourrait être fier !... À ce souvenir, Maryse se détend un peu. La pensée de Laurent a toujours le pouvoir de l'apaiser. Il vient du Bas du Fleuve et il a le calme enjoué des gens de là-bas. Il ressemble au fleuve, le soir, quand le vent est tombé. Hier, en examinant une carte géographique, il a encore parlé des eaux fossiles d'un ancien fleuve saharien que les Romains connaissaient. Puis il a évoqué les ruisseaux enterrés de Montréal. Toute cette eau enfouie !... Elle a une crampe au bras gauche. En changeant sa serviette de main, elle s'aperçoit qu'elle tient toujours sa cigarette, complètement écrasée. Elle l'échappe sur le trottoir que les balayeurs municipaux n'ont pas encore nettoyé. Une saleté de plus ! Elle est rendue au coin de Saint-Hubert et Sherbrooke, dans la sécurité des hauteurs. Bientôt, elle retrouvera Marie-Lyre. Cela va mieux mais elle a l'impression de marcher depuis des mois et que le souvenir de la scène dont elle a été l'inutile témoin ne la quittera plus.

À peine une heure plus tôt, Marie-Lyre a fait le parcours de Maryse, mais à bicyclette. Elle ne craint pas les côtes. Arrivée à l'appartement de la rue Mentana, elle trouve la porte exceptionnellement barrée. Elle s'assoit dans les marches un petit quart d'heure, puis se tanne. Elle laisse un deuxième message à Maryse et, enfourchant sa bicyclette qu'elle vient de repeindre en turquoise, elle prend le passage qui longe la maison, traverse la ruelle et monte directement sur le perron de Marité. La porte mousquetaire est exactement vis-à-vis de celle d'en avant, laissée grande ouverte : on y voit passer les autos dans l'avenue du Parc-Lafontaine, c'est d'abord ce rectangle lumineux et grouillant qui attire le regard. Marie-Lyre habite au-delà du parc, à cinq minutes d'ici, à bicyclette. Elle calcule la durée de tous ses trajets en temps de bicyclette car, de mars à décembre, elle ne connaît pas d'autre moyen de locomotion : comme un cowboy qui ne descendrait jamais de sa monture, il lui arrive de passer directement de chez elle à l'appartement de Maryse par le biais du couloir de Marité. Si elle devait contourner la rue Napoléon, ce serait beaucoup moins drôle, et par ailleurs, si Marité et François étaient vraiment contre la circulation chez eux, ils enlèveraient les plans inclinés et mettraient des stops dans leur fameux couloir, ça tombe sous le sens ! Or, ils n'en font rien, ce qui est une incitation manifeste à utiliser leur raccourci. Tout de même, elle frappe avant d'entrer et demande s'il y a quelqu'un. Si tel est le cas, c'est pas quelqu'un de causant. Elle met sa main sur ses yeux pour se faire un écran et regarde par la moustiquaire ; dans la cuisine, une adolescente est assise sur un tabouret, de dos, elle gesticule en cadence. C'est la gardienne. Elle a un walkman sur les oreilles.

— Bonjour ! dit Marie-Lyre.

La chatte Belmondo, perchée au bord de l'évier pour regarder tomber l'eau du robinet, ne tourne même pas la tête ; de son point de vue, Marie-Lyre fait partie des animaux familiers inintéressants car elle la flatte rarement et ne l'a jamais nourrie.

— Bonjour! crie Marie-Lyre.

— Y a pas personne ici, y a juss moi! hurle la gardienne walkman. Sont au parc!

Marie-Lyre ouvre la porte et, dans un cri de Walkyrie qui trouble un moment les ondes du walkman, elle franchit le corridor et se retrouve dans la rue. Au passage, elle a cru entendre la mise en garde rituelle et un peu désabusée de Marité : «Maudit, Marie-Lyre, mon plancher!»

À l'orée du parc, Myriam joue à «guenillou touché» avec Ariane et Marie-Belzébuth. Elles sont en patins. Adroitement, elles évitent les flaques d'eau. La petite lui saute au cou et s'extasie sur sa robe :

— Wow!

Marie-Lyre est en turquoise et noir. Pour matcher avec la bicyclette, qu'elle appelle son bleu destrier. Elle aime bien matcher. Elle porte des petits souliers pointus de lutin et des collants luisants. Sa jupe est courte, ça revient à la mode et ça lui va bien : elle est haute et mince, parfaite. On aime se promener à ses côtés. Myriam l'a prise par la main.

— Tu devrais faire comme l'autre fois, suggère-t-elle, tu devrais me traîner sur ton bleu destrier.

Marie-Lyre refuse : elle ne peut pas en traîner trois, et c'est dangereux. Elle a son air buté et ses yeux fermés. Quand elle fait ces yeux-là, Myriam n'insiste pas. Elle essaie autre chose :

— Quand est-ce que tu m'amènes chez *La Sultane*?

— Plus tard, quand la pièce sera un peu plus avancée...

— Ça va-tu être bon ?

Marie-Lyre part à rire :

— Évidemment !

Son rire, sonore et flûté, a attiré l'attention d'un autre cycliste qui lui sourit largement car il l'a reconnue. Depuis qu'elle a un rôle important dans un téléroman, les gens lui sourient dans la rue. Ça lui plaît. Généralement. Beaucoup. Mais pas toujours, pas aujourd'hui, alors qu'elle aimerait bien pouvoir déconner en paix avec les enfants. Elle met la béquille de sa bicyclette et fouille dans son sac à main.

— Voulez-vous des étoiles, les filles ?

C'est ça qui est cool avec la tante Marie-Lyre ; elle apporte toujours des déguisements, des maquillages, des affaires rigoloses. Gabriel prétend qu'on doit dire rigolotes et François dit que c'est parigot, de toute façon. Myriam préfère le mot rigolose. Le jour de sa fête, Gabriel a décidé que les déguisements sont réservés aux filles : pour un gars, c'est risqué, il paraît que ça fait revirer fif ! C'est dommage, il manque les étoiles écœurantes-à-mort de Marie-Lyre, ce sont des morceaux de mica souple qui adhèrent à la peau grâce à une gelée spéciale, c'est vraiment rigolose ! Marie-Lyre leur tend les étoiles. Dans sa main, cela dessine de petites taches rouges, bleues et vertes. Les fillettes piaillent comme des moineaux. Marie-Belzébuth est de bonne humeur, aujourd'hui ; elle n'a encore rien dit de déplaisant, et les deux autres s'en réjouissent. Myriam prend une étoile de plus pour Gabriel, des fois qu'il changerait d'idée ! La sorcière Miracle Marthe, qui patinait dans les parages, s'approche à son tour. Myriam fait les présentations. Abrégées. Elle n'est pas forte sur les présentations, c'est un chiard d'adultes.

— T'es encore plus belle en vie que dans la télévision! dit la sorcière à l'actrice.

Et elle lui réclame une étoile noire.

— J'en ai pas de noires, dit Marie-Lyre. Prends-en une blanche, ça va faire comme un négatif.

D'autorité, elle lui colle une étoile argentée à la saignée du bras, par-dessus les signes cabalistiques et les petits points rouges qui ressemblent à des traces d'aiguille. La sorcière se laisse faire, l'air content et soumis. C'est curieux, dit Myriam, devant la tante Marie-Lyre, Miracle ne fait pas du tout rebelle-révoltée. Elle ne fait pas tellement «sorcière» non plus. Elle demande à Marie-Lyre comment elle s'y prend pour rester mince. Marie-Lyre dit qu'elle n'est pas mince, il faut tout le temps qu'elle surveille son régime, et c'est pas de la tarte! Miracle lui demande si elle aime ça, acter. Les yeux de Marie-Lyre deviennent brillants, elle attend d'autres questions, mais l'enquête de la sorcière semble finie; son idée est faite, Marie-Lyre est adoptée. Elle lui sourit.

— Vous devriez jouer à guenillou touché avec nuzautres, suggère Ariane.

— Coudon, avez-vous le droit d'être ici? demande Marie-Lyre, prise soudain d'un accès de zèle. Il paraît que le parc est pas sûr.

— Certain, répond Myriam. Les lundis et les mercredis, on peut jouer hors-les-murs.

— C'est safe, le parc, dit Miracle. Moi, je connais tout le monde dans le bout. Y m'est jamais rien arrivé.

— Je pense que je vais rentrer, dit Marie-Lyre.

— On fait comme la dernière fois, réplique Ariane, on fait une course, mais la première qui triche, j'y fais sauter une roulette!

Elles partent vers la rue Papineau. Près du Jardin

des Merveilles, elles croisent la gang de gars, triomphants : devant eux marche Kid Gaufrette, solidement menotté. Une belle capture ! Depuis la fin de l'hiver, le Kid est leur ennemi public préféré. Mais les filles n'ont pas le temps de s'en occuper aujourd'hui ; elles sont avec une adulte, deux même, si on compte Miracle qui les suit de loin et arrive à côté de l'attroupement. « Qui c'est, qui c'est ? demande Gabriel à sa sœur. C'est-tu elle, la sorcière ? Tu m'avais pas dit qu'elle était belle ! » Myriam le regarde, étonnée de son empressement à lier connaissance. Gabriel rougit et retourne au Kid. Myriam ne l'a pas vu rougir ; elle regarde Célestin qui ne la regarde pas. Il ne regarde pas non plus Ariane. Elle aussi est amoureuse-intense de lui, elle l'a enfin avoué ce matin, elles sont deux à l'aimer dur, si au moins il pouvait en choisir une ! La course leur semble tout à coup sans intérêt, Myriam aurait même le goût de rebrousser chemin mais pour sauver les apparences extérieures, elles repartent. « Les allées du parc Lafontaine sont cruelles », se dit Marie-Lyre qui connaît très bien le scénario, a feuilleté tous les livres d'amour et sait en reconnaître les traces ravageuses sur tous les visages, même ceux des petites filles de sept ans. Déjà ! Pour elle aussi les tourments de l'amour ont commencé à sept ans. Comme l'enfance est brève !... Même en se retenant pour ne pas aller vite, elle arrive la première au coin de Rachel et Papineau, à la limite que les enfants ne peuvent franchir sous aucun prétexte. En embrassant Myriam, elle la met en garde :

— Laisse-toi pas faire par l'amour, dit-elle. Ne te viraille pas les sens !

Myriam ouvre la bouche pour répondre mais Marie-Lyre lui cite un vers étrange qu'elle lui recommande de méditer :

— « Brûlée de plus de feux que je n'en allumai... »

Puis, de sa voix redevenue normale, elle ajoute : « Si tu vois Maryse, dis-lui que je vais lui téléphoner. »

Et elle disparaît entre deux autos.

Lentement, les filles reviennent sur leurs pas. Miracle commente sa rencontre, disant qu'elle a trouvé la tante aux étoiles à son goût. Écœuramment whizzante !

— Son nom, Marie-Lyre Flouée, ça fait MLF, dit Myriam. C'est drôle, han ?

Miracle ne rit pas.

— C'est une vieille joke, explique Myriam. T'sais, le MLF, dans le temps de mes parents...

Miracle demande si c'était un groupe rock. Myriam ne croit pas mais elle n'en est pas sûre. Marie-Belzébuth doit rentrer et Ariane déclare qu'elle va se faire garder chez madame Légarée, même qu'elle est déjà en retard, « mais ça me fout ! dit-elle, Elvire Légarée n'a pas le cadran dans l'œil et l'interrogatoire au bout des lèvres ».

— Chanceuse ! dit Myriam qui raffole des gâteaux à la crème d'Elvire — ils sont super-cochons ! — t'es donc chanceuse de te faire garder là, toi !

— C'est que moi, dit Ariane, ma mère y croit, à madame Légarée.

— Ma mère aussi ! dit Myriam. Et mes tantes surnaturelles. Mais moins...

En effet, il y a des nuances : Marie-Lyre, Maryse et Marité connaissent Elvire Légarée depuis longtemps, elles l'aiment bien, mais elles la prennent avec un grain de sel. Un grain de sucre, devrait-on plutôt dire. Elvire Légarée est une ancienne muse qui a été scandaleusement célèbre dans les années soixante-dix. Depuis, elle s'est recyclée avec bonheur dans la fabrication des enfants et des gâteaux maison. Dans son immense salon double, elle a ouvert un studio de soft-massage. Non déclaré, évidemment. S'il fallait tout déclarer! Maryse et Marité n'y ont jamais mis les pieds. Marie-Lyre y va parfois, mais elle n'est pas une fan du soft-massage comme la mère d'Ariane, par exemple, qui en raffole. Celle-ci a d'ailleurs besoin d'être constamment revigorée car elle exerce un métier épuisant où la concurrence est féroce : à la scène comme à la ville, elle est pompeuse de steam. Pour décompresser, elle a souvent recours au soft-massage, et c'est dans le studio d'Elvire que les deux femmes se sont connues et tombé dans l'œil. C'est dire comme le monde est petit, surtout dans la région du Plateau Mont-Royal! Depuis, elles sont très liées et quand la pompeuse s'absente pour cause de travail, Elvire se fait un plaisir de garder Ariane. Elle élève déjà dans son arrière-boutique une ribambelle d'enfants et elle prend, à l'occasion, ceux des autres. «Pour arrondir mes fins de mois», dit-elle. Mais on ne voit pas comment car elle les gave de gâteaux et le prix du sucre ne fait qu'augmenter. Quoi qu'il en soit, les enfants adorent se tenir chez elle, même ceux qu'elle ne garde pas officiellement; sa maison les attire.

Mais aujourd'hui, réflexion faite, Myriam aurait plutôt le goût d'un *banana split* et elle préfère rentrer.

— Tu viens-tu chez moi? dit-elle à la sorcière. J'vas te présenter ma chatte Belmondo pis on pourrait manger un banana split maison...

Miracle Marthe dit : «Non merci, chus t'occupée, faut que je fasse le ménage dans mon squat.» Mais elle reste au parc, à patiner. Le parc est payant : derrière chaque buisson poussent des trente piastres faciles à cueillir, c'est un truc de sorcière. Avec l'argent ramassé, elle ira jouer aux arcades, c'est sa passion depuis qu'elle a huit ans; chaque fois qu'elle fuguait d'un foyer nourricier avec le portefeuille du chef de famille, elle commençait par aller aux arcades.

Quand Myriam entre chez elle, il n'y a que les deux chats. La gardienne walkman ne compte pas ; elle vit dans une autre dimension et leur fiche la paix. Sans lui demander de permission, Myriam ouvre la porte du réfrigérateur...

Maryse a tout de suite reconnu, coincé dans sa boîte aux lettres, un bout du papier bleu de nuit de Marie-Lyre. Elle nourrit Mélibée Marcotte, sa chatte qui est en passe de devenir une antiquité — un vieux modèle de chat, comme dit Gabriel — et, assise par terre à côté de l'assiette, elle déplie la feuille.

> *Chère dramaturge,* écrit cette fois-ci Marie-Lyre.
>
> *Ton escalier chromé est propice à la méditation. Dix minutes passées à contempler la minoune poquée de ton voisin d'en face m'ont rassérénée. Je feel beaucoup moins « turbulence ». Ai l'impression de revenir d'un pèlerinage à la Mecque new-yorkaise. La rue Mentana est la plus grosse banlieue de New York. Son air est un baume lénifiant, elle est le havre des poètes et le refuge du pittoresque décadent. Lasse déjà de New York, je pars t'attendre chez Marité, dans le backyard. Ne pense pas que je fuie, ô Maryse ! Je suis nomade, c'est tout ! Je suis une nomade à roulettes.*
>
> *Ta MLF, la seule, l'authentique.*

La signature est suivie d'un « smack », suivi à son tour d'une étoile argentée. « C'est curieux, se dit Maryse, comme les gens dont le métier n'est pas l'écriture peuvent

facilement pondre des lettres. Et qui ont de la gueule!»
Les siennes — les vraies, pas celles qu'elle invente —
sont très ordinaires. Et rares.

Mélibée ne mange plus. Il lui reste pourtant beaucoup de nourriture. Elle mange de moins en moins, préférant les caresses de Maryse qui la flatte sous le menton
puis ouvre le reste de son courrier. Rien d'intéressant. Son
propriétaire lui annonce qu'il augmente le loyer, cette
année encore. Cette constance a quelque chose de rassurant. Elle jette un regard distrait autour d'elle; l'appartement lui semble vieux et négligé, il y a ici trop d'objets
dont elle ne s'occupe pas: elle n'a pas le temps d'écrire,
d'être au théâtre, de préparer ses cours et de faire le
ménage. Elle n'a pas besoin de tout ce fatras, elle vit dans
son bureau, face à la fenêtre, et c'est la chatte qui occupe
les autres pièces, s'y promenant lentement quand elle est
seule. Mélibée a l'air d'une petite vieille oubliée dans une
maison où les choses et les souvenirs se sont empilés au
fil des ans. Elle cherche encore à se faire caresser. Maryse
la flatte patiemment. Depuis tantôt, elle n'a pas cessé de
penser à la fille appelée Barbara, à ses yeux implorants, et
tout d'un coup, elle se rappelle qui elle est. Elle a déjà vu
ces yeux-là il y a très longtemps, les yeux étaient ceux
d'une petite fille qui ne s'appelait pas Barbara, c'est la
même pourtant, elle en est sûre, c'est sa cousine! Si elle
ne l'a pas replacée tantôt, c'est que quelque chose en elle
s'y refusait et, n'eût été «l'incident» du coup de poing,
elle n'y aurait plus repensé. La cousine a grossi, enflé —
sans doute une vengeance du corps — mais c'est bien
elle, Norma O'Sullivan, celle que son père, le fameux
Henry, a élevée à la puissance de femme à coups de pied
au cul et à coup de sacres. On disait tout bas qu'il l'avait
violée et qu'il continuait de coucher avec elle. Maryse a

tout fait pour s'éloigner des O'Sullivan et voilà que le clan refait surface et vient se faire taper sur la gueule en pleine rue ! Cette charge de souvenirs est si violente qu'elle craint d'y sombrer. Elle regarde à nouveau l'appartement ; cet univers fabriqué amoureusement, ces objets achetés avec soin ne l'intéressent plus soudain. Elle n'a pas le goût de rester ici dans son désordre de femme qui travaille trop, mais elle n'a pas le cœur de laisser Mélibée seule encore ce soir — hier, elle a découché. Elle remplace son gilet par un châle dans lequel elle enroule la chatte et sort par la porte d'en arrière.

— Y a pas personne ! crie la gardienne en l'apercevant.

— Ça se voit, murmure Maryse.

À tout hasard, elle monte à l'étage avec Mélibée. Dans la chambre de Myriam, un plat vide repose sur un coussin. C'est le plat réservé aux monstrueux *banana split* que la petite se confectionne elle-même. De chaque côté du coussin, à égale distance, Belmondo et Popsicle sont couchés ; ils se regardent et regardent le plat comme des chats de faïence. Ils bronchent à peine à l'arrivée de Mélibée : elle est sur leur territoire mais ils ne l'haïssent pas tant que ça, la vieille picouille, elle commence à être hors circuit.

Maryse se fait une place dans le lit, à côté de Myriam, parmi les bandes dessinées et les toutous, et elle lui demande comment ça va. Elle sait que les formules de ce genre ne donnent pas grand résultat avec les enfants mais elle continue de les utiliser.

— Moi ça va bien, dit Myriam. Moi personnellement je vas bien. Mais je suis tannée effrayant de l'école, par exemple !

— L'année achève, on est le cinq mai...

— Tu sais pas quoi? dit Myriam, les yeux exorbités. Y paraît que la maîtresse Maususse va monter de grade elle aussi! On l'aurait encore en troisième année!!! Ça me donne le goût de redoubler.

Maryse part à rire:

— J'gage que t'es pas capable!

Mais Myriam conserve son air tragique de princesse Léa prise dans le péril gluant de la chambre-étau. Si elle ne la connaissait pas, Maryse se laisserait embarquer.

— Pis ma grand-mère Alice est déprimée sans bon sens!

— Ah bon!

— Elle va être obligée d'aller à l'île Verte, mais dans des circonstances qu'elle aime pas du tout...

— Ah bon!

— Son frère est malade pour mourir. Pis y va mourir.

— Penses-tu? dit Maryse.

— Bien sûr! Toutes les apparences extérieures sont contre lui: il a la cirrhose en plaque. Avancée!

— Je vois le genre, dit Maryse, ça pardonne pas. Ça te fait de la peine?

— Ben non, j'le connais pas.

— Qu'est-ce qui te chicote, alors?

— Alice veut pas m'amener, à cause que mon école est pas finie. A dit ça. Mais c'est parce qu'a veut pas que je voie un mort. Personne m'amènera jamais à l'île, conclut-elle, savourant sa rancœur.

Elle sait être de mauvaise foi, elle ne veut pas vraiment partir car alors, elle s'éloignerait de Célestin.

Maryse revoit la figure ensanglantée de sa cousine Norma. À ses côtés, Myriam se remet à feuilleter sa bande dessinée mais distraitement, comme si elle attendait. Elle est jolie et le restera toute sa vie; il y a peu de chances qu'elle se déforme et se fasse ramasser, par un lointain jour de pluie, sur le trottoir de la rue Boisbriand. Elle sent l'enfant, la crème, la cassonade et la banane. Elle sent l'humidité douce de la pluie qui recommence dehors. Elle est fraîche comme le vent marin dans l'avoine en juillet à l'île Verte. Maryse a le goût de s'enfoncer avec elle dans une histoire de vent, de sel et d'eau, une histoire de campagne où il n'y aurait pas de place pour le mot sordide. Elle prend sa petite main sucrée d'enfant et la chambre s'emplit de l'eau du large, se gonfle et décolle. Il fait soleil sur les battures : elles sont à l'île Verte...

— Alice Michaud a dix-huit ans, dit Maryse. Elle a les joues rouges et rondes comme des pommes vertes et elle vient de rencontrer Antoine Ladouceur. Ses souliers vernis de maîtresse d'école enfoncés dans la vase du bout de l'île, elle regarde le bac s'éloigner, emportant Antoine. Elle n'aurait pas dû aller jusque-là ; c'est inconvenant ! On n'a jamais vu une maîtresse d'école reconduire l'inspecteur aussi loin. Elle aurait dû, au moins, rester sur le quai. Mais justement, sur le quai, il y a le curé Vézeau qui est contre elle. Dimanche prochain, du haut de sa chaire, il clamera son inconduite à toute l'île et demandera instamment à sa mère Aurélie de la rappeler à l'ordre — c'est comme ça quand on enseigne dans son propre village et quand le père est mort. Mais heureusement, Aurélie n'est pas sévère. Elle lui a dit de bien prendre son temps pour choisir ; un mari, c'est pour la vie. C'est tout choisi ! Alice regarde le fleuve et se demande quelle heureuse marée d'automne lui ramènera son inspecteur. Ce matin, elle l'a vu entrer dans sa classe et le temps s'est arrêté. Le curé Vézeau suivait de près pour les présentations : « Monsieur Ladouceur remplace l'inspecteur habituel qui a un empêchement de santé. » L'inspecteur Ladouceur lui a tendu la main. Dans l'île, les hommes ne font pas ça ; c'est des manières de la ville. Elle a rougi. Il est beau, monsieur Ladouceur, il a les cheveux bouclés et les yeux brillants. Comparé aux hommes de l'île, il est frêle, mais elle n'aime pas les colosses mal équarris. Il est plus âgé qu'elle et peut-être déjà marié. Il ne porte pas d'alliance. Il a questionné les enfants et elle n'a pas entendu ce qu'ils répondaient, elle était distraite, elle n'a pas vu passer la journée. Il est six heures maintenant et il repart. Du bac, il regarde peut-être l'île s'éloigner. Le soleil frappe l'eau et y lève des reflets mauves. Derrière elle, le champ tremble sous le vent. Elle entend bêler les moutons de Clophas Mailloux mais lui, Antoine, ne les entend pas ; il s'éloigne. Elle a le cœur gros, c'est le désir mais elle ne le sait pas encore, ce n'est pas un mot qui circule beaucoup dans l'île...

Maryse s'allume une cigarette.

— C'est encore une histoire d'amour, fait Myriam, un peu gênée. T'es t'une obsédée ! Qu'est-ce qui t'arrive depuis un bout de temps ?

— J'y peux rien ; les histoires de ta grand-mère Alice sont des histoires d'amour. De bonheur. L'inspecteur Ladouceur repasse l'automne suivant. Il n'est pas marié mais il ne s'attarde pas, à cause des convenances. Tout l'hiver, il lui écrit de longues lettres passionnées, troublantes. Le soir, quand le dernier enfant est parti et quand elle a fait le ménage de la salle de classe, Alice lui répond. Elle cherche la bonne formule pour lui faire comprendre qu'il l'intéresse sans avoir l'air de s'engager. C'est compliqué parce que son idée est faite : elle l'aime. Elle le connaît à peine mais elle voudrait être avec lui tout le temps et pour toujours. Elle lui écrit de revenir au plus vite, elle n'en peut plus, elle lui dit des choses aussi gênantes que ses déclarations à lui, mais au dernier moment, elle ne poste pas ses lettres. Elle préférerait l'avoir devant elle pour s'expliquer. Le toucher. Elle voudrait qu'il lui tende encore la main... Au printemps, il revient pour la dernière fois ; ce n'est pas sa région ici, et l'autre inspecteur reprendra bientôt son travail. Il dit : « Vous n'avez pas répondu à mes lettres, mais il y a un moyen pour qu'on n'ait pas à s'écrire. Moi, il est temps que je me marie... » À ce moment-là, Alice tourne le dos à la fenêtre et sa silhouette se découpe sur un fond de ciel calme. Antoine envisage des années de bonheur à ses côtés. Alice le regarde et sourit : il est un étranger et pourtant elle a l'impression de le reconnaître comme un jumeau retrouvé, il est fait pour elle. « Si c'est oui, dit-il, je reviendrai voir votre mère cet été pour lui faire ma demande... » Sur l'entrefaite, le curé Vézeau fait irruption dans la classe et c'est devant lui qu'Alice répond : « Oui. » Le curé ne réalise pas qu'il assiste à une demande en mariage ; c'est un gros inconscient toujours dans les patates. Malicieusement, Alice ajoute à l'intention d'Antoine qu'il pourrait aller voir sa mère tout de suite si le cœur lui en dit, son thé est le meilleur de l'île et il a le temps d'en boire deux tasses avant que la mer soit haute. C'est ça qui est extraordinaire avec les marées ; souvent, elles retiennent les gens dans l'île, il faut qu'elles adonnent.

« Bonjour », dit Gabriel.

Arrivé depuis quelques minutes, il attendait une pause pour se manifester. Il mange un impensable popsicle vert lime, d'une longueur inquiétante.

— Savais-tu ça, lui dit Myriam, qu'Alice capotait sur mon grand-père Antoine ? A lui a écrit des tas de lettres...

— Jamais entendu parler de ça ! fait Gabriel d'un ton pincé. Mais moi, c'est pas ma vraie grand-mère.

Il ouvre *La Presse* qu'il tenait sous le bras et ajoute distraitement, comme si Maryse n'y était pas : « Tu sais, Myriam, les histoires de la tante Maryse, c'est souvent repatché. Quand elle a pas de documents de première main, elle en invente. À ta place, je me méfierais des lettres, c'est peut-être des faux. »

— C'est authentique ! dit Maryse, amusée. Mes légendes des femmes de l'île sont aussi documentées que le plus long des longs films plates de l'ONF ! L'île est vraiment verte et les plantes qui y poussent sont salées, comme la salicorne. Les amours d'Alice Michaud baignent dans le sel de mer, on n'entend pas l'eau clapoter sur la falaise du nord et les moyacs crier, mais tout juste ! C'est parce que j'ai coupé le son pour raconter l'histoire à mon goût et mettre un peu de lyrisme là-dedans. Et les lettres sont vraies ; Alice a dans ses tiroirs des liasses de brouillons !

— Exact, dit Fred, apparu au même instant parmi les toutous.

Il adore contredire Maryse et la faire choquer — elle devient rouge — mais aujourd'hui, par un caprice d'humeur, il préfère abonder dans son sens et attester l'existence des lettres non postées.

— Si l'esprit mauvais et Maryse se mettent d'accord, dit Gabriel, ça devient nul.

Il feuillette *La Presse* : « Reagan admet soutenir les rebelles du Nicaragua », lit-il tout haut.

— Bof, dit Fred.

— «Les Verts font des pressions...» continue Gabriel, «Le malaise persiste à la CTCUM».

Myriam écoute attentivement sa nomenclature mais Maryse, qui a déjà subi deux bulletins de nouvelles radiodiffusées, se retranche en elle-même. Pendant un court moment, seule avec Myriam dans le début d'un amour lumineux, elle avait oublié sa cousine putain. Mais derrière le ravissement d'Alice à dix-huit ans, se tenait Barbara, elle était au large de l'île dans les embruns, hors champ mais pas loin ; il aurait suffi que la caméra dérape d'un millimètre pour qu'on aperçoive, flottant comme une méduse, son corps boursouflé... Maryse se dit qu'elle a raconté cette romance pour elle-même, pour se calmer, par pitié. Elle a pitié de sa cousine Norma et de sa propre impuissance à l'aider.

Gabriel termine abruptement sa liste de manchettes et jette le journal dans la corbeille à papier déjà trop pleine. Myriam revient à Maryse. Malgré les assertions de l'esprit mauvais, un doute l'effleure :

— Les lettres de Catherine Grand'maison, dit-elle, c'est-tu comme celles d'Alice, des brouillons pas corrigés ? Les as-tu inventées, oubedon si c'est vrai ?

— En un sens, elles sont vraies, dit Maryse. Les choses sont toujours vraies en un sens.

Gabriel a l'air songeur. Il plisse le front. Juste au-dessus de ses lunettes, il y a un espace blanc et lisse entre ses sourcils parfaits, «c'est la place des rêves», dit toujours François.

— Cher Gabriel ! dit Maryse, tu doutes, mais la lettre du huit octobre 1916 existe bel et bien ! Catherine l'a conservée, elle lui a été retournée avec les autres.

— Comment ça, retournée ?

— Le sergent Labelle ne l'a jamais ouverte ; il est mort le dix octobre, d'un éclat d'obus au front, à la place exacte des rêves...

Sur ces mots, Fred fait la grimace et disparaît.

— Petite nature, va ! murmure Maryse.

— Je serai vraiment objecteur de conscience, dit Gabriel.

Myriam demande comment Catherine vivra, sans son mari. Elle l'aimait tellement ! C'est comme la grand-mère Alice ; depuis la mort d'Antoine, elle a changé, à ce qu'il paraît, François dit qu'elle s'ennuie et qu'elle rapetisse. Est-ce que Catherine va se mettre à rétrécir ?

— Non, dit Maryse, elle sera sauvée par le *Crystal Palace*.

— Qu'est-ce à dire ? fait Myriam. Tu nous en parles tout le temps et on sait même pas ce que c'est !

— Le *Crystal Palace* est un cinéma de la rue Sainte-Catherine. Il vient tout juste d'être construit, sa marquise est encore rutilante. À l'intérieur, tout est rouge et doré, il y a des angelots et des nuages au plafond, et des frises en stuc le long des murs. La salle a deux balcons en forme de corbeille. On y vend des cornets de bonbons, des limonades. C'est gai. Ça sent le caramel. Et c'est là qu'on retrouve Catherine en 1919.

— Mais qu'est-ce qu'elle fait là ?

— Elle joue du piano, tu le sais bien ! dit Gabriel, un peu agacé.

— Catherine ne sera jamais pianiste de concert, dit Maryse, mais après la guerre, son piano deviendra son gagne-pain. Elle habite maintenant dans un petit logis sur la rue Sainte-Élisabeth. Plusieurs fois par semaine, elle retourne dans son ancien quartier pour donner des leçons de piano aux enfants des nouveaux riches, ce sont généralement de gros enfants trop nourris, indolents et sans talent. Elle n'aime pas leur enseigner, elle cherche autre chose. Tous les jours elle regarde les petites annonces dans les journaux. À force de chercher, elle tombe sur une annonce demandant un pianiste dans un théâtre de vues animées. Les films sont encore silencieux à l'époque, et pour donner de l'ambiance, dans les salles de projection, il y a toujours un pianiste. Le *Crystal Palace* vient d'ouvrir. Catherine se rend à l'audition et le directeur la choisit. Il est content ; elle joue avec aisance et elle a l'air distingué tout en étant jolie, elle est parfaite. Ses cheveux sont courts maintenant, moussants sur la nuque. Elle n'a pas vendu les bijoux de sa grand-mère bien qu'elle ait souvent manqué d'argent ; elle ne les a pas chipés pour les céder au premier coup dur. Elle les porte toujours sur des robes noires ou grises très simples. Elle a changé son répertoire et appris des musiques légères ; des mazurkas, des sarabandes, des gigues, des valses à trois temps. Quand les spectateurs sont installés, la lumière baisse lentement, l'écran s'illumine et elle commence à jouer du piano. Pendant qu'elle joue, Catherine entre complètement dans les péripéties des films, elle épouse les réactions de la salle et modèle sa musique sur les interventions du diseur de vues. Elle est heureuse.

— Un diseur de vues ? Qu'est-ce que c'est ?

— C'est une sorte de commentateur. À l'époque, il y a des inter-titres dans les films et, dans certains quartiers, les gens ne savent pas tous lire. De toute façon, ils aiment bien se faire expliquer les choses. Le diseur est celui qui sait : il lit et commente. Quand il a du talent, il en rajoute de son cru. Celui du *Crystal Palace* est un ancien acteur des Variétés, il parle les deux langues et il est fameux : à lui seul, il fait tous les personnages, prenant

101

toutes les voix et tous les tons. Il fait même les bruits. Son entente avec Catherine est parfaite : à tour de rôle, ils accentuent leurs effets pour bien rendre le drame, l'émotion, les trémolos, la passion ou la drôlerie. Cela va du grandiose des couchers de soleil sur toile peinte au cocasse des poursuites et des tartes à la crème en pleine face. Ça cavale, ça se bat à l'épée, ça danse, ça saute par-dessus des gouffres, ça pleure, ça gesticule, ça rit, ça fait rire ! Catherine aime travailler avec le diseur de vues ; c'est un beau métier qu'ils font, le contentement des spectateurs se lit sur leurs visages. Tous ses après-midi, elle les passe au *Crystal Palace*. Le soir, le diseur de vues va manger un morceau en vitesse et il revient pour le programme de la soirée, mais Catherine rentre chez elle pour s'occuper d'Augustine.

— C'est vrai, Augustine ! dit Myriam. Elle a quel âge maintenant ?

— Neuf ans. Elle est blonde, frisée et raisonnable. Catherine s'y attache de plus en plus, elles sont seules au monde, sa famille ne lui a jamais donné signe de vie, pas même envoyé une carte de condoléances à la mort de Jean. Le quartier où elles habitent est pauvre mais elles sont plus à leur place ici. En haut de la côte, elles tranchaient : après l'école, Augustine devait se rendre chez des voisins pour se faire garder et on ne savait jamais où la parquer, à la nurserie ou à l'office avec les domestiques. Car sa mère, Catherine Labelle, était une déclassée ! On se demandait tout bas ce qu'elle avait fait pour se retrouver dans la dèche avec sa petite pension de veuve de guerre, un point c'est tout ! Sur la rue Sainte-Élisabeth, il n'y a ni office ni nurserie ; les enfants se gardent tout seuls quand leur mère est à l'usine et le fait que Catherine travaille n'a rien d'exceptionnel, on ne les regarde pas de travers. Le soir, au moins, elle tient à être présente chez elle. En couchant sa fille, au lieu de lui lire une histoire, elle devient comme le diseur de vues et lui raconte les films de la journée. Elles sont dans une chambre semblable à celle-ci avec des persiennes blanches. C'est une chambre magique : tout le *Crystal Palace* et tous les films peuvent y entrer. Ravie, Augustine écoute les récits de sa mère. Dans ces moments-là, elle a l'air heureuse. Catherine donnerait tout pour qu'elle le soit toujours et que la vie lui soit facile. Ce sera peut-être plus simple pour elle ; le monde se modernise, le souvenir de la guerre commence à s'estomper et les robes à raccourcir...

— Myriam Grand'maison ! hurle tout à coup la voix de Marité. Si je m'enfarge encore une fois dans tes patins, je les jette ! Ça fait cinq jours que je vous demande de serrer vos traîneries, madame Tremblée vient faire le ménage demain, mais prenez-la pas pour votre servante !

Sa voix se rapproche dangereusement. Elle est juste derrière la porte. Elle donne un coup de pied dans un gilet rayé gisant sur le parquet du corridor et son fantasme d'autrefois lui revient : quand les enfants étaient petits, s'ils pleuraient la nuit sans qu'elle sache pourquoi — longuement et désespérément —, elle était parfois prise du désir irrépressible de les projeter sur le mur. Dans ces moments-là, elle, la bonne mère efficace et tendre, avait une compréhension fulgurante de ce qui se passe dans la tête d'une infanticide : une vague de violence déferlait en elle. Oppressée mais calme en apparence, elle attendait que ça passe, et cela finissait toujours par passer, la tentation était puissante mais brève, brusquement, la vague se retirait d'elle, tout rentrait dans l'ordre... Elle pousse la porte de la chambre et se retrouve, lasse et troublée, dans la magie du *Crystal Palace,* que Myriam essaie de faire durer :

— Comment ça se fait tout ça ? dit-elle à Maryse. Et où est passé l'autre enfant de Catherine, le petit frère ? T'en parles pas, c'est louche ! Tu l'as quand même pas fait disparaître ?

— Ça ne se présente pas comme ça, dit Maryse. Hervé était un bébé. Il est mort du typhus quelques mois après son père...

Myriam regarde les deux femmes côte à côte. Marité a une ombre sous les yeux. À son contact, on dirait que Maryse est devenue plus adulte, quelque chose a changé dans sa voix, dans son comportement : elle se raidit. Le grandiose est dégonflé.

— Je pense bien que la séance d'aujourd'hui est finie, murmure Gabriel.

Et il file aux toilettes avec l'esprit mauvais. Quand sa mère a cet air-là, Gabriel a toujours envie de pisser.

Marité est non seulement lasse et troublée, mais elle est aussi agacée : ce matin, à la Cour, elle a perdu une cause et à son bureau, un collègue la poursuit de ses avances depuis des semaines. Elle se demande si elle ne va pas lui céder pour en finir, pour se contenter, mais elle ne peut s'empêcher de lui trouver quelque chose d'agaçant : Rémy l'énerve autant qu'il l'attire. En plus, Gabriel est fuyant, ces jours-ci ; elle ne le reconnaît plus. Elle saisit Myriam par le bras et l'embrasse énergiquement.

— On salue les gens quand ils entrent, dit-elle. T'es traîneuse et tu mérites une punition.

— Chus déjà punie ! Tu nous as coupé l'histoire dans un moment grandiose.

— Grandiose, répète Marité.

Sa fille a le don de la désarçonner.

Elle lui demande si elle a fait ses devoirs, mais Myriam est dispensée de répondre par l'arrivée d'Ariane. Elle est en patins, à l'étage. « Quelle adresse ! » se dit Maryse. Ariane mange souvent ici. Quand elle se pointe, c'est qu'il est grand temps de mettre le repas en train.

— Ah oui ! le souper, dit Marité en la voyant.

— Je viens pas manger, je cherche Fred ! Chus pressée.

— Il est aux toilettes avec Gabriel, dit Myriam d'un air entendu. Ça peut être long !

Marité hausse les épaules ; elle ne prend pas très au sérieux l'existence de l'esprit mauvais. Elle se tourne vers Ariane :

— C'est dommage que tu restes pas, ce soir, on a des escalopes de dinde.

— Dans ce cas-là, dit Ariane, j'pense que j'vas l'attendre.

Elle descend au salon avec Myriam. En passant, elle laisse traîner sa main sur le piano, puis elle s'assoit et décide de pratiquer un peu. Chez sa mère, le piano à queue est mystérieusement disparu pendant une de ses absences. Par routine, Marité demande à Maryse si elle mange avec eux.

— Si tu m'invites, je reste, dit Maryse. Je peux préparer le souper, t'as l'air claquée.

— Tu ferais ça ? répond Marité, hypocritement.

En voyant Maryse dans la place, elle avait espéré une telle proposition. Faire à manger, elle aime ça, mais moins qu'avant. Beaucoup moins ! Soudain, le désordre de la maison lui semble anodin et la vie, plus intéressante. Elle récupère *La Presse*...

Dans la cuisine, François se sert un scotch.

— Il me semble que tu bois plus qu'avant, lui dit Maryse.

— Je bois toujours après une réunion inutile. Le reste du temps, ça va.

— Moi aussi je sors d'une réunion. On en a moins et pourtant, on trouve plus ça drôle...

— On n'y croit plus, dit François.

Maryse a ouvert le frigidaire. Elle ne répond pas, étant totalement incapable de soutenir une conversation, même anodine et déprimante, et faire à manger en même temps.

Quand tout est prêt, au moment savoureux où les assiettes sont bien fumantes et encore intactes, le téléphone sonne. C'est normal, c'est l'heure où les clientes de maître Grand'maison préfèrent se manifester. Marité règle rapidement le cas et revient s'asseoir. Le téléphone resonne. C'est Marie-Lyre, cette fois-ci.

— Tu téléphones tout le temps à l'heure du souper ! dit Marité. Tu nous emmerdes, MLF ! Pourquoi tu viens pas manger ici au lieu de nous tanner avec ton téléphone ?

Elle aime bien injurier Marie-Lyre. Maryse rit. François trouve qu'elles ont un drôle de sens de l'humour et qu'on devrait décrocher pendant les repas. « Si on avait un répondeur comme tout le monde ! » dit parfois Marité. Mais François ne veut pas en entendre parler, bien que personnellement répondre au téléphone l'exaspère ; ça le déconcerte drôlement quand il écrit, et même quand il n'écrit pas, ça le déconcerte de lui-même, de son bonheur quotidien. Il prend la salière en même temps que Maryse et leurs mains se touchent. Il y a un moment de trouble tellement dense que Marité, revenue à table, le perçoit. Myriam se dit : « Ouille, ouille, ouille, qu'est-ce qui se passe du côté des apparences extérieures ?» Mais cela ne dure pas. François réchappe la salière et Maryse, la conversation. Elle parle de Laurent. Abondamment, comme pour combler une brèche. Les autres écoutent et approuvent, ils aiment bien Laurent, tout le monde l'aime : il ne cherche pas à briller dans les salons et comparé à Michel Paradis, l'ancien chum steady de Maryse, il représente un immense progrès. Les enfants ne connaissent pas Michel Paradis. «C'est sans importance», dit Maryse, et la conversation prend un autre tour ; François reparle du dernier film de Forcier, qui s'appelle *Au clair de la lune*. Il paraît que la séquence du poisson rouge frit à la poêle est extraordinaire ! Il rit.

«L'autre jour, dit-il, au début d'une projection, j'ai eu le réflexe idiot de boucler ma ceinture de sécurité ! Je me sentais lousse sur mon siège !» Gabriel et Myriam se font des petits sourires en coin ; quand François est sous le charme de ses aventures de cinéphile, il devient encore plus permissif que d'habitude.

— Dans un drive-in, dit Gabriel, tu pourrais te boucler à ton goût.

Depuis des mois, ils l'achalent pour aller dans un ciné-parc. Ils n'y ont jamais mis les pieds et c'est un endroit qui les fait rêver. Mais François prétend qu'au contraire, les grands parkings tuent le rêve.

— Et ton scénario ? demande Marité à Maryse.

— Toujours sans nouvelles...

— Elle est en train de nous le raconter, dit Myriam. C'est le fun ! Pis en plus, elle me raconte des légendes de l'île Verte.

— Tu pourrais écrire là-dessus, dit Marité. Avec tout ce que tu sais !

— J'oserais jamais, dit Maryse, pince-sans-rire ; l'île Verte est le fief littéraire de Jacques Godbout.

Un des enfants demande qui c'est, Jacques Godbout, mais aucun adulte ne répond. Ils ne répondent pas toujours à leurs questions, Gabriel le remarque de plus en plus maintenant qu'il a treize ans. À tout hasard, il ira voir à la lettre G dans la bibliothèque. Tout ce dont ils parlent est déjà dans des livres.

— Je raconte les histoires de l'île Verte uniquement pour mémoire, dit Maryse, et en privé. Parce que la grand-mère Alice est une femme extraordinaire.

— Moi, mes grands-mères sont moches, dit Ariane. Et elles ont jamais rien à raconter. Elles radotent.

Ils rient. Marité plus que les autres ; elle aime beaucoup Ariane et trouve agréable sa présence soutenue à sa table. De toute façon, elle fait toujours trop de nourriture et les parents d'Ariane sont cycliques ; à eux deux ils ne travaillent que six mois par année et leurs revenus fluctuent en conséquence. Pour comble de malheur, sa mère la pompeuse de stime est accotée avec un vestige des années soixante-dix, un granola devenu tellement écologique et soft que, par un soir de brosse au vin de queues de cerises, il les a libérées de la balayeuse, du lave-vaisselle, de la télévision, du grille-pain et du blender. Ne reste plus que le frigidaire, qu'il nomme garde-manger, ça fait plus écologique. Dans le garde-manger épargné de la pompeuse de stime stagnent en permanence des sacs de graines plus ou moins germées, plus ou moins blettes. Ariane préfère le steak avec des patates et des p'tits pois. Ou l'escalope de dinde panée dans la chapelure fine.

— Dimanche prochain, dit Gabriel, il y a un encan pour les réfugiés du Salvador, avec Monique Miller en vedette...

Personne ne lui demande où il a pris cette nouvelle; il commence à avoir son réseau de références personnelles, en dehors d'eux.

— T'as changé le sujet, dit Marité.

Il se renfrogne: le Salvador est aussi important que l'île Verte! Franchement! Il commence à trouver les parents peu politisés, ou alors récupérateurs, car François enchaîne sur l'Amérique latine comme si de rien n'était. Gabriel regarde son assiette vide et les deux filles; elles aussi ont fini de manger depuis belle lurette, depuis l'histoire du poisson atrocement frit. Maintenant, elles fortillent sur leurs chaises et refusent d'absorber de la salade, arguant que c'est de la nourriture à lapins. Magnanime, Gabriel avale la salade de sa sœur. Puis il leur fait un petit signe. D'un même mouvement, les trois enfants posent leurs fourchettes et sortent de table.

— On peut-tu sortir de table? demande Myriam, suave. On irait jouer hors-les-murs, y pleut plus.

— Excellente idée, dit Maryse.

Elle aimerait parler de sa cousine Norma mais elle n'ose pas raconter la scène du tabassage devant les enfants.

— J'ai fait un gâteau, dit François, vous en mangez pas?

— Tantôt, dit Gabriel, en revenant.

Marité a très bien vu leur manège et leurs assiettes non rangées mais elle n'a pas le goût de les réprimander une deuxième fois aujourd'hui. Gentiment, elle leur suggère d'aller au diable, histoire de les laisser parler en paix, entre adultes.

— C'est justement ce qu'on avait l'intention de faire, dit Gabriel. On s'en va au Diable Vert. *Ciao!*

Le Diable Vert, qu'il ne faut pas confondre avec le Diable Vauvert — un lointain et hautain cousin français — est un authentique Montréalais ayant pignon sous rue depuis des lustres. Dans son bar underground, les murs sont en caoutchouc mousse, il y a un ordinateur à chaque table et les tarifs sont très raisonnables. Par exemple, les Bloody Marys coûtent une et soixante-neuf pour deux, les Stool Pigeons, cinquante-cinq cents chaque, les cigarettes et le lait sont gratuits. Les enfants y sont admis à la condition de ne pas être irrémédiablement cons. Malgré cela, il n'y a pas foule car le bar est l'envers rigoureux de Old Orchard, ce qui complique un peu la manière d'y accéder : si, en effet, n'importe qui peut partir pour Old Orchard n'importe quand — même en février, pourquoi pas ? —, aller chez le Diable est plus difficile. Il faut généralement attendre d'y être envoyé ou avoir la prodigieuse faculté de s'y envoyer soi-même, et cela n'est pas donné à tout le monde. Certaines adultes, comme la tante Maryse, y parviennent pourtant avec une facilité remarquable. Il faut dire que Maryse a le don d'être ailleurs quand il faudrait être là, et inversement. Elle a découvert l'endroit il y a quelques années par un soir de grande disponibilité mentale. À l'époque, Myriam était trop petite pour sortir après le souper mais Gabriel s'y faufilait déjà en catimini, avec Fred. Maryse, quant à elle, était venue y récupérer sa minoune en panne ; le bar du Diable est tout simplement situé sous un stationnement municipal. Elle en avait aperçu la porte phosphorescente devant laquelle se tenait un bouncer énorme en bas blancs, culotte de soie et livrée verte. Pas loin, un vendeur de coke bien gelé faisait les cent pas. Il avait la démarche épuisée d'un livreur de

110

glace, avait pensé Maryse, ou celle d'un porteur d'eau du siècle demier. Tout ça, c'étaient des histoires d'eau, de gel et de glace. «Alors, on devient nostalgique, pétite médame, lui avait dit Fred arrivé sur les entrefaites avec Gabriel. Entrez donc, c'est plus chaud en dedans!» Impérieusement, Gabriel avait pris sa tante surnaturelle par la main et l'avait propulsée à l'intérieur du bar, de l'autre côté des blocs de ciment ébréchés...

Ce soir, c'est Miracle Marthe qu'ils intronisent. Pour la circonstance, l'esprit mauvais a décidé de se matérialiser car il raffole des initiations de tous genres et des baptêmes, même païens. Après un vague salut au pusher et un grand sourire au portier, ils s'engouffrent dans la place et foncent vers le comptoir où Laurent-le-vrai et Célestin sont déjà installés. Marie-Belzébuth arrive à son tour. En gang, ils font pivoter les bancs pivotants pendant une bonne dizaine de minutes, puis leur frénésie giratoire décroît et Olivier aborde la question du jour: la détention de Kid Gaufrette. Juste avant le souper, ils ont dû libérer le Kid sous cautionnement, n'ayant pas d'endroit où le séquestrer et ne voulant à aucun prix lui faire connaître l'existence du bar. Par malheur, ils n'ont pas d'autre local de réunion.

— On se retrouve toujours ici, fait remarquer Célestin d'un air blasé.

— Où veux-tu qu'on aille traîner? dit Gabriel. On n'est pas des chiens...

Derrière le comptoir, dans une corbeille décatie, le chien Prince est couché en boule. Il ouvre un œil ennuyé et grogne. Pour la forme. C'est le gardien des lieux mais il n'est pas bien méchant.

— C'est vrai ça, dit Fred, y a pas de place pour

l'enfant dans la société moderne. Qui plus est, en Amérique du Nord, les bars lui sont interdits. *Prohibited.*

— Ah! fait Ariane. Toi pis tes grands mots! Parlenous donc comme du monde.

— Es-tu sûre d'être une surdouée? lui demande Fred. C'est étonnant la douance, parfois, on dirait que c'est proche de la déficience.

— *Sure* que je suis surdouée! Pour certaines choses. Chuis surdouée sélectif.

Fred se met à pouffer dans sa barbe; c'est l'idée qu'il se fait du rire moqueur.

— Tasse-toi un peu, lui dit Myriam. Que je me mette les coudes sur le comptoir.

Elle est assise à côté de lui et ne supporte pas qu'il se moque de son amie Ariane, tout esprit qu'il soit. Fred fait plus et mieux que de se tasser, il devient invisible, vu qu'il déteste se faire parler sur ce ton-là. Satisfaite, Myriam souffle dans sa paille pour faire mousser son lait grenadine. De l'autre côté du comptoir en fomme de U, les trois gars parlent toujours du Kid. Les filles n'ont pas vraiment voix au chapitre et d'ailleurs, ça ne les intéresse pas beaucoup. Elles se tournent vers Miracle. Immobile et silencieuse depuis son entrée, celle-ci fixe le verre de chartreuse que le Diable a posé devant elle.

— Tu la bois pas ta chartreuse? lui demande Ariane.

— Moi, quand je commande quelque chose, c'est pour regarder, pas pour boire.

Elle lève la tête et ses yeux croisent ceux de Gabriel qui la regarde, bouche bée. Il n'a jamais vu un aussi beau visage! Soudain, ce que racontent ses chums lui semble étonnamment puéril.

— Qu'est-ce qui prouve que t'es une vraie sorcière? demande Marie-Belzébuth à la sorcière. Tu devrais nous faire un truc de magie ou une affaire dans un chaudron avec abracadabra, j'gage que t'es pas capable !

Le Diable lui jette un regard au-dessus de ses barniques coupées. Il ouvre la bouche pour dire quelque chose, puis se ravise et continue de rincer les verres.

— Oh, je pourrais faire la sorcière, dit Miracle. Mais ça me tente pas aujourd'hui. Pis j'ai rien à te prouver, Marie-Bébelle !

Les gars pouffent de rire. Myriam et Ariane n'osent pas en faire autant vu que Marie-B. est leur amie. C'est exigeant, parfois, l'amitié ! Elles ont bien peur de ne plus jamais être capables de l'appeler autrement que «Bébelle». Entre elles. Bébelle pivote sur son banc et, quand elle revient face au comptoir, on dirait que le menton lui arrive un peu plus bas que d'habitude, bien qu'elle le porte haut. Il y a une petite tension. Miracle sent se développer dans l'air déjà confiné ce qu'elle appelle des *vibs cannibales*. Ça te rentre dans l'estomac de force. Mauvais ! À conjurer. Pour changer l'ambiance, elle annonce qu'elle veut bien leur faire une prophétie. Les enfants lui demandent si Michael Jackson viendra bientôt à Montréal et si *Raiders of the Lost Ark* sera un jour traduit en français. Laurent-le-vrai veut savoir si son père aura assez de cash pour changer son char cette année comme tout le monde. Mais Miracle ne s'intéresse ni à Jackson ni à Spielberg ni au bazou du père de Laurent. «Anyway, il choisira un citron», dit-elle, et ils ont mal compris : ses prophéties sont à rebours. Elle est plus encline à explorer le passé intime de ses clients que leur avenir collectif, elle prophétise à reculons et aime retracer les arbres généalogiques des gens qui lui plaisent : «Ce sont des arbres blancs, translucides et inversés, dit-elle en se tournant vers Myriam. Toi, Myriam Grand'maison, je te connais, je sais d'où tu viens, je te *feel*, fille de Marie-Thérèse, petite-fille de Blanche et arrière-petite-fille de Julie…

— Pis moi, pis moi, font les autres, c'est quoi le nom de ma grand-mère ?

Mais Miracle reste branchée sur Myriam :

— Entre toi et ton aïeule Éléonore de Grand'maison, la première débarquée ici au dix-septième siècle, j'ai compté treize générations. Vous venez toutes de cette femme immense à la crinière de lionne. Entre elle et toi, il y a eu treize mères qui ont réchappé soixante-treize enfants. Je ne parle pas de ceux qui sont morts en bas âge mais je compte les bâtards, nous autres, sorcières, aimons les bâtards.

Elle sourit et défile les noms des treize aïeules de Myriam. Elle les défile très vite à l'endroit, à l'envers et en diagonale, puis elle fait *rewind* et *fast forward*. Les grands-mères ont des noms étranges comme Bérangère et Philomène. Myriam sent un petit vertige la tirer vers l'intérieur d'elle-même comme un remous. Une spirale.

— Prodigieux ! dit Ariane.

— Y a du monde en maudit dans ton affaire, dit Bébelle. Comment t'as fait pour tout tchéquer ça ? C'est-tu vrai au moins ?

— Ben voyons, c'est tout tchéqué ! dit Miracle. Qu'est-ce que vous pensez, quand je patine pas, je lis ! Chuis z'une autodidacte. (Elle prononce autodidac.)

— Ah ! fait Olivier, je vois.

Il est le seul à savoir ce que veut dire le mot. Il imagine Miracle en train de lire toute l'*Encyclopédie Grolier* qu'ils ont chez ses parents. Elle lit en patinant dans les allées du parc Lafontaine. Elle a des mitaines coupées aux doigts… En fait, il n'est pas loin de la vérité : les jours de grand froid, Miracle Marthe accroche ses patins et se met à l'abri à la Bibliothèque municipale ou dans la salle des archives de l'hôtel de ville. Elle y passe de belles journées surchauffées à compulser des annales et des registres de paroisses. Elle est tenaillée par la question des origines et fascinée par la «cellule familiale élargie», c'est une expression d'un prof de secondaire cinq, elle s'en souvient très bien, il parlait justement de cela deux semaines avant qu'elle ne droppe.

— J'ai droppé, ajoute-t-elle, en guise d'explication du mot autotidacte.

— T'as droppé, répète Ariane. Wow!

C'est son rêve.

— T'as droppé pis t'as plus de gang, dit Myriam, tu l'as dit l'autre jour. Tu dois te sentir seule, astheure.

Une fraction de seconde, le sourire doré de Miracle chavire mais elle se rattrape et déclare: «À partir de maintenant, ma gang, c'est vous autres!»

Gabriel a chaud aux oreilles. Il se demande si ça paraît et d'instinct, il cherche les yeux de sa sœur qui a l'étrange pouvoir de le rassurer. Myriam lui fait un sourire et il reprend son aplomb. Elle a souri pour lui, mais aussi pour elle-même: elle est fière que la sorcière l'ait choisie pour dire la bonne aventure inversée et ravie d'avoir un si bel arbre généalogique translucide. Pendant la tirade de Miracle, Célestin a posé sur elle, Myriam, un regard intrigué. Il la remarque, il est en train de la remarquer!

— Êtes-vous féministe? demande le Diable à la sorcière.

Miracle répète le mot «féministe» avec application comme s'il s'agissait d'un terme latin ou japonais.

— Vous donnez une filiation uniquement matrilinéaire, bredouille le Diable en guise d'excuse.

Il sent qu'il a gaffé: un bon barman sait susciter la

confidence, pas la confusion. Puis il constate que c'est sans importance car Miracle s'en fout. Elle dit : « Y a rien là, man ! » et prend une cigarette dans son sac. Gabriel regrette de ne pas avoir sur lui *sa* boîte d'allumettes. Célestin brandit la sienne, mais une main d'homme tenant un *Dunhill* allumé surgit de l'ombre. C'est une main aux ongles soignés, élégante mais carrée ; virile. Une main d'annonce de cigarettes. Elle appartient à un homme vêtu d'un trench-coat mastic et coiffé d'un *Stetson* gris. Miracle s'allume distraitement. Le couvercle du briquet se referme. L'homme retire sa main, sourit, replace son chapeau d'un millimètre et lentement, retourne à sa table. Il est un habitué du bar et les enfants l'aiment bien ; c'est le gars des vues, le Diable Vert le leur a confirmé. Il ne voyage plus d'un village à l'autre avec sa boîte à images et il vient ici pour se reposer les oreilles : depuis que le cinéma est parlant, il a l'impression de devenir sourd, graduellement. C'est dans la paix et la fermentation de l'underground qu'il trouve ses meilleures idées de super-productions, il y règle toutes ses affaires. Invariablement, le Diable Vert lui sert des bourbons...

Dépité, Célestin a rangé ses allumettes.

— Ben oui, est féministe, dit-il.

Il parle de Miracle comme si elle n'était pas là.

— Est comme la mère à Gabriel, est juss pas aussi heavy que madame Grand'maison, c'est tout.

— Marité est pas heavy, dit Ariane. Pas pantoute !

Mais Célestin poursuit son idée en s'adressant maintenant à Miracle comme si les autres n'y étaient pas :

— Finalement, t'es une punk-féministe. Je savais pas que ça existait !

— En vérité, répond Miracle, « il y a plus de choses

sur la terre et dans le ciel, Célestin, qu'il n'en est rêvé dans votre philosophie».

Personne ne bronche à la citation. Elle a la tentation de leur en balancer, des comme ça, à la pelletée. Elle a découvert Shakespeare dans la bibliothèque par ailleurs absolument inintéressante de Jean-Guy Ostiguy, le chef de famille de son huitième et ultime foyer d'adoption. Mais pour leur conserver leur belle ignorance, et se disant qu'ils auront bien le temps de se cultiver, elle choisit de rire. Son rire rejoint Gabriel comme un jet d'eau mordant au moment où il allait sombrer dans la lourdeur du mot heavy, n'acceptant pas qu'on puisse aussi légèrement l'accoler à sa mère. Il s'accroche à ce rire et remonte à la surface des apparences qui, pour une fois, sont formidables. Il regarde Miracle et s'emplit les yeux de son petit visage triangulaire. Sa cigarette allume de minuscules points rouges dans le noir du bar où elle est seule à fumer avec le gars des vues. Mais soudain, le bien-être de Gabriel fond : le tracé de la cigarette de Miracle fuit à la vitesse de ses patins dont on entend le son cassant sur le terrazzo. La sorcière disparaît derrière la porte des toilettes des femmes avec sa sacoche. Le moment qui suit est absolument sans intérêt. À la radio commence *Pied de poule*, les trois filles se précipitent au milieu de la place et se mettent à danser dans l'espoir que Célestin les remarque. Mais Célestin regarde ailleurs. C'est Laurent-le-vrai qui les regarde. Absolument sans intérêt, il est trop jeune.

— Je me demande quel âge elle a, Miracle, dit Gabriel.

— Elle a l'âge des sorcières punk et de la défonce, murmure le Diable, pour lui-même.

— Elle est trop vieille pour toi, Gabriel Duclos, dit Célestin.

Gabriel regarde Olivier dont les bons gros yeux semblent dire : «Écoute-le pas, lui. Tu peux bien rêver.» Mais il continue d'écouter Célestin et de s'enfoncer dans son malheur. La chanson est finie. Vaguement penaudes, les filles reprennent leur place ; elles ont dansé pour rien. Myriam a l'intime conviction que les apparences extérieures du moment sont mornes, bien qu'elles soient dans l'underground et qu'elles côtoient la magie. Le Diable traîne ses savates et il y a un malaise entre les gars ; c'est plus facile de parler du Kid que des femmes. Miracle revient et renifle longuement, puis elle déclare que ça sent l'échec, le foirage, le vasouillage, elle cherche le bon mot.

— La détresse, peut-être, lui suggère le Diable. Ça sent le désenchantement comme dans un roman de Gabrielle Roy.

— Peut-être, dit Miracle. Je sais pas, j'ai pas lu.

— Moi non plus, dit le Diable, mais c'est tout comme : j'ai une cliente qui arrête pas de m'en parler. Une obsédée ! C'est ça que j'aime, quand je fais le barman, on apprend des tas de choses, c'est vaste, la misère humaine !

Un peu plus et il se frotterait les mains de contentement.

— Gabrielle Roy, dit Myriam, elle va bientôt mourir.

— Je gage que tu sais même pas qui c'est Gabrielle Roy, dit son frère, parle pas à travers ton chapeau !

Myriam ne réplique pas. Miracle la regarde depuis tantôt, et sous ce lourd regard de sorcière, elle rougit jusqu'à la racine des cheveux, qu'elle a brun sombre comme ceux de son père.

— T'as vraiment le don, lui dit Miracle.

— Quel don ? demande Laurent-le-vrai.

Rapidement, Myriam cherche à faire diversion, de

crainte que Miracle ne parle de son maudit don devant les gars, mais c'est inutile : la sorcière a soudainement perdu sa faconde, elle reste en panne d'inspiration, on dirait qu'elle flotte dans une autre dimension.

— Alors, si tu la bois pas, dit Ariane en zieutant la chartreuse toujours intacte, moi je goûte.

Et d'un trait, elle enfirouape le contenu du verre.

— Ça sonne, dit-elle. Je sens que la fée des étoiles va m'apparaître !

— La fée des étoiles, c'est ma tante Marie-Lyre, dit Myriam. À l'heure qu'il est, elle joue le rôle d'une tireuse de cartes au théâtre de *La Sultane de Cobalt*.

— Quelle heure qu'il est, donc, là ? dit Marie-Belzébuth.

Il est tard pour des enfants de leur âge qui ont de l'école demain matin.

— T'aurais pu nous avertir ! dit Gabriel au Diable. On va se faire chicaner !

— Chez moi, le temps n'existe pas, dit le Diable d'un air pincé.

Il jette un regard de travers à Célestin :

— Vous, je vous ai déjà demandé de pas coller vos gommes dans les cendriers, ça m'énerve !

Célestin fait celui qui n'a pas entendu.

La petite gang sort en catastrophe, Gabriel emportant avec lui l'image de Miracle Marthe, Myriam, celle de Célestin enfin attentif, et Ariane, un solide mal de cœur.

Miracle est restée au bar, immobile devant son verre vide. Elle n'entre pas pour la bonne raison que son squat est ouvert aux quatre vents : elle a trop découché dernièrement et sa place n'y est plus assurée. Le gars des vues revient au comptoir et la reluque, l'air de vouloir lui demander si elle a déjà fait un *screen test*... Discrètement, le Diable Vert sort par une porte dérobée et apparaît sur le quai du métro, à la station Beaudry. Une rame entre en gare, les portes des wagons s'ouvrent et il peut alors apercevoir Blanche Grand'maison assise bien droite sur un siège transversal. Elle a l'air aussi à l'aise que si elle était dans son salon. Le Diable tire sur sa cigarette et lui fait un grand sourire. Son visage de diable ne dit rien à Blanche, elle ne le replace pas. Ce n'est pas étonnant car c'est la première vraie fois qu'il se manifeste à elle, même s'il la connaît bien ; il adore les belles vieilles et il a un kick sur elle. Il ne rate aucun de ses passages à sa station. Les portes se referment et le métro repart. Content d'avoir vu Blanche encore une fois, le Diable retourne à son bar. Désert. Miracle et le gars des vues sont partis, mais quelque chose lui dit que ce n'est pas ensemble. Là aussi, ça sent le vasouillage.

— Exact, lui dit Prince. Elle l'a envoyé paître. En tant que sorcière, elle veut rien savoir du *star system.*

Il se rendort aussitôt. Il dort le plus possible ; il a des rhumatismes et l'underground l'emmerde.

120

Sept mai

Le jeu de la mère comblée

Je t'ai rencontrée à l'autre bout du monde, plus précisément dans un dortoir de la rue de Bullion.

Carole DAVID
Terroristes d'amour

«La musique, dit Blanche, ça nous est donné par surcroît. C'est une grâce!»

Elle reverse du thé à son amie Alice Ladouceur. Elle lui a tout raconté à propos des musiciens du métro et pas une fois Alice ne lui a dit qu'elle était une vieille toquée. Il est quatre heures et le soleil inonde la serre où les deux femmes se sont installées. C'est la pièce préférée de Blanche, un luxe qu'elle s'est payé après la mort de son mari. Non pas que Charles-Émile ait jamais manifesté quoi que ce soit contre les plantes, mais simplement, de son vivant, elle n'a pas eu cette idée de la serre... Devant elle, dans le fauteuil en osier aux coussins verts, Alice grignote un biscuit en parlant des foyers pour vieillards où elle n'aimerait pas se retrouver. «Moi non plus», dit Blanche. Elle a trop vu comment les choses s'y passaient.

— Vous êtes bien ici, dans vos choses, dit Alice. Vous êtes chez vous. C'est important, la maison.

Et elle reparle de la maison de sa mère à l'île.

— Maintenant, elle est à vous, dit Blanche.

Alice ne la détrompe pas, bien que ce soit faux: c'est Jean-Baptiste qui a hérité de la maison.

— On peut y aller tant qu'on veut, dit-elle. Jean-Baptiste reste là, mais il est avenant. Vous pourriez m'accompagner cet été...

Blanche acquiesce. L'idée de visiter enfin l'île Verte lui plaît.

— Oh, c'est pas comme le Sud, dit Alice (Blanche passe ses hivers en Floride), mais c'est beau !

— La Floride, vous savez, c'est trop chaud, l'été.

— À l'île, il y a toujours un bon vent et les nuits sont fraîches. On dort bien.

Blanche demande si Jean-Baptiste est le frère au bateau dont Alice lui a déjà parlé.

— C'est lui ! Dans le temps, les dimanches après-midi, il partait faire le tour des îles avec d'autres jeunesses de la paroisse. Nous autres, les femmes, on restait sur la grève...

Elle dit cela avec un accent de regret qu'elle-même ne perçoit pas.

— Cet été, on pourrait en faire un, tour de bateau, propose Blanche. Ce serait agréable.

— V'nez donc pas, vous là !

— Pourquoi pas ?

Elles rient. Elles adorent ce genre de conversation.

— Comme ça, vous viendriez avec moi ? dit Alice, les yeux pétillants. À nos âges ! En bateau !

— On peut commencer par Ottawa, demain. Il y a une place pour vous dans l'autobus...

Alice se retranche et ses yeux perdent leur éclat :

— Les manifestations, c'est pour les jeunes.

— Mais puisque j'y vais, moi ! Et je ne serai pas la seule vieille devant le Parlement !

Elle prononce le mot vieille avec un peu de défi.

— Vous, c'est différent, vous êtes alerte !... J'ai pas le goût d'aller m'épivarder dans les tulipes de la reine Juliana. Le boycott des missiles Cruise, c'est peut-être bien intentionné mais c'est épuisant. Et je comprends pas qu'ils aient organisé une manifestation le jour de la fête des Mères ! C'est une drôle d'idée...

Blanche ne trouve pas.

— Les enfants vont sans doute faire quelque chose, dit Alice, téléphoner. Il faut qu'on soit ici, au moins une des deux...

— Justement, la fête des Mères, ça m'emmerde, vous pouvez pas savoir comment !

Alice regarde son amie : Blanche Grand'maison a parfois d'étonnantes réactions. Sans parler de son langage déroutant. Cette façon qu'elle a d'emprunter à Marité ses pires expressions !

— S'ils veulent absolument fêter une mère, continue Blanche, imperturbable, ils ont Marie-Thérèse. Nous autres, on a déjà donné. Vous ne trouvez pas ?

C'est au tour d'Alice de ne pas trouver.

— Je ne suis pas vraiment en forme pour un voyage demain, dit-elle. Mais cet été, ça ira mieux.

Blanche regarde le ciel intensément bleu qui les entoure au-delà des vitres et des vignes-lierres suspendues, elle sourit et attaque un autre sujet :

— Et les grands-parents bénévoles, vous y avez pensé ? C'est une idée qui vient de la Colombie-Britannique. Ils s'occupent des personnes seules, des familles monoparentales, des nouveaux immigrants. Ça vous demanderait un après-midi par semaine, pas plus...

— Marité est contre le bénévolat, fait remarquer Alice. Je n'ai jamais compris pourquoi...

— Ma fille a toujours été contre un tas de choses, dit Blanche. Elle est aussi radicale que son père, finalement. Dans l'autre sens. Ce sont des individus à principes, ce qui n'est pas tout à fait mon cas.

Elle rit et ajoute : «Ma famille est un peu "straight" mais je ne leur en veux pas ! »

Elle se met à parler de feu son mari. Alice parle du sien.

— Votre mari l'inspecteur, dit Blanche avec un peu d'emphase. Il lui semble tout d'un coup qu'elle a raté son destin et qu'elle aurait été heureuse, elle aussi, avec un inspecteur d'école.

«Mon mari, mon amour», pense Alice, et cela est cuisant. De plus en plus, elle a la conviction que la mort d'Antoine a été un accident, un simple accident de parcours dans leur vie amoureuse : ce n'était pas son genre de la laisser seule si longtemps. Il y a maintenant trois ans qu'il est mort et elle ne s'habitue pas. Elle a sa douleur sourde à la tête. Quand elle pense à Antoine, souvent la douleur est là. Elle essaie de se détendre. Elle n'ose plus parler de lui, éprouvant une sorte de gêne à raconter comment il était. Elle ne veut pas déranger avec sa vieille histoire d'amour encore brûlante. C'est cela qui la stupéfie : Antoine est mort et elle l'aime toujours. Comment est-ce possible ? Peut-on aimer si longtemps un absent ? Un mort ? Peut-on aimer quelqu'un d'absent pour cause de mort ? Maintenant, elle ne le voit plus qu'en rêve, mais presque toutes les nuits, il revient vers elle.

— La nuit dernière, dit-elle, j'ai rêvé que je retournais chez ma mère, dans la maison de ferme. En réalité, je n'en étais jamais sortie. Je venais de me marier avec Antoine et pourtant, je restais encore chez la mère Aurélie. Ils étaient comme des rivaux, elle et lui. Je fais souvent ce rêve-là...

Le rêve semble également familier à Blanche. Tantôt, après le départ d'Alice, elle se souviendra que Marie-Thérèse lui a déjà dit avoir fait un rêve analogue, l'assimilant elle-même à François. Elle se demandera par quelle curieuse alchimie nocturne certaines femmes amalgament l'image de leur mère à celle de l'homme avec qui elles vivent.

Alice soupire et regarde dehors. Le soleil est encore haut ; elles baignent dans le merveilleux allongement des jours. Près de la vitre, il y a un lilas dont les feuilles naissantes luisent et, sur une branche du lilas, posée comme une fleur précoce, une petite créature aux cheveux roux se balance. La créature a des seins pointus et des ailes argentées, son visage est diaphane : c'est l'archange Gabrielle, mais Alice ne la reconnaît pas. Pourtant, elle l'a déjà aperçue il y a longtemps dans un demi-sommeil comateux. L'archange lui sourit avec compassion et disparaît.

— Quand on regarde par une fenêtre, la nuit, dit Alice, ma mère croyait qu'on peut voir sa propre mort.

— C'est possible, dit Blanche. Moi, je ne prends pas de chance, je ne regarde jamais. Je n'ai pas l'intention de partir de sitôt !

— Vous avez l'air d'une jeunesse ! Parfois, vous ressemblez tellement à Myriam que c'en est saisissant !

Elles se mettent à parler de Myriam. Une pure merveille ! Leur petite-fille commune a toutes les qualités de ses parents et aucun de leurs défauts. Comme le destin a bien fait les choses ! « Ou Dieu », dit Alice. « Mettons », dit Blanche qui ne reconnaît pas spécifiquement le style de Dieu dans la tournure de Myriam. Ce qui est sûr, c'est que Myriam Ladouceur-Grand'maison est parfaite, les deux grands-mères le soutiendraient devant n'importe quelle étrangère, mais elles ne le feront pas, elles ont trop de tact.

— Avez-vous remarqué, dit Blanche, l'air poli et distant que les gens prennent quand vous vous oubliez au point de leur parler de vos enfants ou de vos petits-enfants ?

Alice a remarqué.

— Oh, il ne s'agit pas de les ennuyer avec la réussite des enfants, continue Blanche, ce serait mesquin. Je parle seulement de mentionner leur existence. Il doit y avoir dans notre ton quelque chose comme de la satisfaction. Il ne faut jamais avoir l'air contente ; ça crispe l'interlocuteur !

Elles rient encore et, longuement, elles passent en revue leurs enfants et petits-enfants. Elles sont chanceuses, dit Blanche, elles ont encore leur descendance. Elle plaint les Folles de la Place de Mai qui manifestent en Argentine avec leurs foulards blancs et la photo de leur enfant disparu sur le cœur, les pauvres ! Elle lit tout ce qu'on écrit sur elles dans les journaux.

— Oui, les pauvres, dit Alice.

En écoutant Blanche parler de ces mères dépossédées elle regarde les plantes : des cyclamens et des violettes. Ce sont des fleurs qui ne sentent rien. Elle préfère les plantes odorantes comme la giroflée, les pivoines ou le foin d'odeur. À l'île Verte, en juillet, les battures sont envahies par le foin d'odeur qui embaume d'une façon entêtante. Ses enfants y jouaient, petits, ils passaient toutes leurs vacances sur la grève. Du bout de la galerie du sud, elle les surveillait en tricotant, les trois filles et François. Elle ne perdait aucun de leurs gestes, contente de les avoir faits et qu'ils soient si beaux. Elle les aimait. Oh, comme elle les aimait !

« C'est l'heure bleue », pense François. Ils sont dans une journée bleu printemps. Marité lui a proposé un scotch en guise d'apéritif mais il a répondu qu'il préférait la limonade, aujourd'hui. Il est au fond du jardin, à genoux devant un massif de bruyères qu'il renchausse, mais sans se presser. Après, il vaporisera son pommier. Il a posé son verre entre deux sillons et chaque fois qu'il le lève pour prendre une gorgée, un peu de terre y reste collée, faisant de petites taches sombres par-dessus l'opalescence du liquide. Sur le balcon, Marité sirote quelque chose de coloré en jasant avec Marie-Lyre. L'air est d'une douceur quasi palpable, sucrée, écœurante. Il ne vente même pas et tout est calme car les enfants sont ailleurs. François examine le coin de terre où il espère voir poindre les anacoluthes trilobées qu'il a plantées à l'automne. Mais seules les pivoines et la fougère commencent. Il faut attendre. Il n'est pas pressé. Il tient de sa mère son goût de la terre et sa patience avec les plantes. Le fait de travailler au jardin l'emplit d'une joie profonde et, dans ces moments-là, la pensée d'Alice l'accompagne. Sans en être conscient, il la voit toujours à quarante-cinq ans, alors que lui-même en avait quinze et qu'il était si fier d'avoir une mère jeune encore, mince, et qui n'avait pas besoin de se maquiller pour être belle. Avec ses yeux bleus éblouissants ! Lui, a hérité des yeux bruns d'Antoine, qu'il trouve ordinaires. Il a aussi hérité du sourire d'Alice mais il n'en tient pas compte. « Tu devrais t'aimer plus que ça, François Ladouceur, lui dit souvent Marité, on t'aime, nous autres ! » Marité est encourageante, autant que sa mère Alice l'était autrefois avec lui dans les moments où il se dépréciait systématiquement. Il pense intensément à Alice mais pas une seconde, il ne lui vient à l'esprit que demain est le jour de la fête des Mères. D'ailleurs, ces histoires-là, toute sa génération les trouve réactionnaires et cucul. Il ramasse une figurine *Famobil* à demi enfouie dans la terre et deux blocs *Lego*. Gabriel ne touche plus aux *Lego*, c'est Myriam qui aura encore tout laissé traîner. Même quand elle joue hors-les-murs, elle laisse ici des traces, comme pour leur rappeler son existence. Il sourit, attendri et nullement agacé. « C'est toi, la mère de Myriam ! » lui dit parfois Marité. Elle plaisante mais elle a un peu raison : comme une jeune mère inquiète pour son premier-né, il pense beaucoup à sa fille. Elle est toujours là, circulant dans son cerveau comme autrefois, petite, elle courait à l'aube dans le couloir du haut et se glissait dans ses rêves... Tôt le matin, il entendait le bruit de ses pas sur le plancher. Dans son demi-sommeil, il se disait qu'elle était pieds nus et qu'elle le réveillait encore une fois, mais toujours, la joie de la savoir vivante l'emportait et le tirait de sa nuit trop brève pour le précipiter dans une nouvelle journée. Encore une journée avec Myriam ! Il courait la chercher, pieds nus lui aussi, et la ramenait dans le grand lit où Marité marmonnait quelque chose de doux et chaud en se recroquevillant sous les couvertures pour profiter des dernières minutes de sommeil... La voix de Marité a toujours été chaude. Pulpeuse. Sur le balcon, sa conversation avec Marie-Lyre fait un murmure rassurant. En prêtant l'oreille, il pourrait saisir ce qu'elles disent mais il préfère poursuivre sa rêverie. De toute façon, il sait à peu près de quoi il retourne : elles discutent de la pièce de Maryse. Tout ce monde qui parle si souvent de Maryse, Maryse, Maryse ! Une petite ombre passe sur son cœur. Ils parlent tous de Maryse, au nom rouge et palpitant, comme s'ils venaient de l'inventer ! Il est pourtant le premier à l'avoir connue, découverte, encouragée et aimée. Avec le temps, le désir qu'il a longtemps eu d'elle s'est émoussé. À partir du moment où il a choisi Marité — et décidé de l'aimer —, il a renoncé à Maryse et cela a été fini. Cela est fini mais il ne faudrait pas grand-chose pour que tout recommence. Dans sa tête à lui, bien sûr. «C'est dans ma tête», pense-t-il. Maintenant, il communique avec elle par le biais de son œuvre sur laquelle il a écrit: ils sont dans l'étrange rapport du créateur et de l'exégète. Le créateur, c'est elle. Ses collègues de l'université lui disent parfois: «Toi qui es l'intime de l'auteure, tu as une lecture privilégiée de son théâtre!» Certains appuient sur le mot intime. Ils aimeraient peut-être savoir ce qu'il y a, au juste, entre la dramaturge O'Sullivan et leur collègue Ladouceur... Quand la conversation atteint ce niveau, François est tenté de leur répondre qu'il y a tout simplement Marité entre eux, et des années de bonheur tranquille, mais il dit plutôt avec un sourire railleur: «Voyons! Jamais entre deux auteurs!» Il répond cela tout en se demandant s'il est bien, lui-même, un auteur. Ce qu'on peut appeler un auteur. Il écrit lui aussi, des essais, des récits, des articles. Il devrait donc être un écrivain. Mais il l'est moins. Moins que Maryse. Quand elle est là, c'est à elle qu'on demande d'abord des nouvelles de ses textes. Il est habitué à cela et il n'est pas jaloux, d'autant plus qu'ils ont les mêmes préoccupations, Maryse et lui, les mêmes fascinations: il y aurait de singuliers recoupements à faire entre leurs écrits. Mais ces recoupements, personne ne les a jamais faits; Maryse a du succès, lui en a moins. Ils ne sont pas comparables et pourtant jumeaux. Il a toujours eu ce sentiment qu'elle était sa jumelle lumineuse, ayant commencé à être connue alors que lui-même passait abruptement du doctorat aux couches de Myriam et que son premier roman paraissait, pratiquement ignoré du grand public. Maintenant que sa fille est sortie de la petite enfance, il a plus de temps pour écrire mais la célébrité ne vient pas — il a un succès d'estime — et il n'est pas, pour les critiques, du «calibre» de Maryse O'Sullivan. Il commence à tailler un plan de genévrier et pense à cette phrase d'un ami poète : «J'espérais que nos écritures se rejoindraient...» Ça se passe entre Maryse et lui, il la rejoint. Mais autrement que prévu. Les choses se passent toujours autrement, de là cet état de stupéfaction perpétuelle dans lequel nous vivons. La vie nous étonne à chaque tournant ; même si par après il est possible d'y lire un sens déjà inscrit, sur le coup, on est soufflé ! Il a toujours été soufflé par ce qu'il vit et par ce qu'il écrit, cela lui échappe, son dernier texte lui échappera comme le reste. C'est un scénario cette fois-ci, il s'est enfin décidé à en écrire un. Il y a mis une séquence de jardin au cours de laquelle trois femmes d'âges différents cueillent des iris au bord d'un ruisseau. C'est l'aube. Tout près d'elles, un héron bleu est immobile dans l'eau. Il finit par s'envoler. Les femmes le regardent s'éloigner dans le ciel pâle, puis elles retournent à leur cueillette et on ne voit plus leurs visages cachés sous de grands chapeaux de paille... François aime cette séquence un peu onirique et il aimerait tellement que le film se fasse ! C'est ce qu'il prévoit et espère. Le réalisateur voudrait commencer le tournage à l'automne si les fonds sont levés. Mais encore une fois, cela se passera autrement, ils ne trouverornt peut-être pas tout l'argent et le projet sera abandonné ; par prudence, il n'en a parlé à personne... Il boit une gorgée, la dernière. La terre nue du jardin lui rappelle la terre remuée du cimetière de Côte-des-Neiges quand son père a été enterré. Il pense à de la pourriture mais furtivement, il s'interdit d'y penser. Il revient à Babylone, y superpose la luxuriance du jardin de son scénario et le bleu du mot héron ; ainsi entouré, il glisse facilement vers une idée entièrement agréable : hier, il a mis la main sur un volume devenu rarissime, *L'euphorie sournoise* de Diane Dardanelles. Il a hâte d'en commencer la lecture. Dardanelles ne caricature jamais, elle a horreur du loufoque, des chimères, des distorsions, des grossissements, des raccourcis et des simplifications. Son œuvre est toute en nuances et ne comporte que des subtilités. D'aucuns la trouvent fade. François, lui, s'en délecte. Il aime aussi la fadeur, de temps en temps, quand ça ne vient pas de lui. Goguenard, il pense que c'est là une forme de perversion. Soudain, il y a un blanc dans la conversation des femmes au balcon, puis Marité lance :

— François ! Ça sent le gâteau qui a l'intention de brûler ! Veux-tu que j'aille voir ?

Il laisse tomber le sécateur et court vers la cuisine en disant : « Dérange-toi pas ! » Le samedi, il fait toujours un gâteau, c'est son initiative, il ne veut pas qu'elle y touche. Il ouvre la porte du four et oublie de reculer pour ne pas recevoir la bouffée de chaleur en pleine face. Il oublie souvent car souvent, « il est dans la lune des idées pures et des histoires », comme dit Gabriel. Le gâteau est cuit juste à point.

« Chez *La Sultane,* dit Marie-Lyre, ils sont un peu anxieux, tous, toutes. Et c'est normal. Le stress est archi normal ! Ce qui l'est moins, c'est le comportement d'Adrénaline Taillefer.

— Qui ? demande Marité.

— La Taillefer. Tu sais bien, la pénible qui traîne au théâtre. Elle est toujours là, à me coller après comme une sangsue, à parler de son bad-trip sur le local d'à côté. "Des fois qu'on pourrait pas l'avoir !" Ça la regarde pas, mais madame le prend personnel. Elle dit : "Nous autres de chez *La Sultane,* faut fighter!" Elle veut fighter pour des gens comme moi, une "grande actrice dont la présence dans la distribution de *L'Œuf d'écureuil* remonte le niveau du théâtre!" Shit!»

Marité rit.

— Depuis que j'ai décroché ma continuité à la télé, je suis devenue une grrande actrice! La Taillefer me traite de sublime diva et me donne des trucs pour être encore meilleure. A me lâche pas! Je vois pas ce qu'elle veut...

— Elle cherche peut-être à te contrôler. Tu représentes tout ce qu'elle ne pourra jamais être. Avoir une emprise sur quelqu'un comme toi, ça doit être jouissant, pour elle.

— Penses-tu?

— Moi, j'ai renoncé très tôt à cette forme-là de pouvoir, continue Marité. Le contrôle des individus ne m'intéresse pas. Même avec les enfants, j'y ai renoncé...

François leur apporte de nouveaux verres.

— Le jardin sera très beau cette année, annonce-t-il.

Et il retourne à ses fleurs. Les deux femmes le regardent s'éloigner de sa démarche un peu langoureuse.

Il y a un temps.

— Au fait, il y avait une manif aujourd'hui. Pour la paix...

Elles pensent toutes deux qu'elles sont très bien ici, à décompresser. Elles rient et disent: «Tiens, on n'est pas là-bas, on s'amollit!»

— Mes problèmes avec la Taillefer dépendent d'abord de moi-même, reprend Marie-Lyre. J'ai le contact humain ardu ces jours-ci...

— Ah oui? dit Marité, comme à une cliente, pour l'encourager à parler.

— La solidarité féminine, crois-tu à ça, toi?

Marité émet un son indistinct.

— Moi j'y crois plus tellement...

— J'ai-tu fait quelque chose de pas correct ?

Marie-Lyre la rassure : c'est pas elle ni Maryse. C'est sa belle-sœur Juliette Dessureault, son ex-belle-sœur, qui n'est pas mieux que les précédentes ! Elle a l'impression de toujours revivre les mêmes relations fuckées. C'est le retour du même et de l'identique !

— Encore le vertige de la statistique, dit Marité, à moitié sérieuse. Tu généralises, MLF !

— Je généralise pas. Les gens ont toujours le même maudit comportement borné ! Les rapports mathématiques entre les événements s'imposent d'eux-mêmes : ça se passe avec Juliette exactement comme avec Louise, Lise, Armande, Esperanza, Mireille, Francine pis Rachel. Dans ma vie, les pseudo-belles-sœurs-sans-mémoire sont un paradigme, et un paradigme maudit !

Elle répète plus fort «paradigme maudit» à l'intention de François — lui seul peut apprécier l'expression à sa juste valeur — et elle enlève ses sandales pour se faire dorer les pieds ; ce sera au moins ça de pris, la terre ne va pas s'arrêter de tourner parce que Juliette Dessureault ne lui adresse plus la parole !

Sous le pommier qu'il vaporise, François n'entend pas le mot paradigme ; il porte des lunettes et un masque protecteurs et, ainsi affublé, il entend moins bien. C'est psychologique, il le sait mais ça l'arrange : il est bien dans son nuage d'insecticide.

— T'as sans doute raison, dit Marité. Il y a des constantes assez impressionnantes dans ta vie.

Il y a effectivement, dans la vie amoureuse de Marie-Lyre Flouée, un rapport troublant aux chiffres. Par exemple, chacune de ses relations sérieuses avec un homme dure exactement le double du temps de la précédente, elle l'a remarqué. En vertu de ce phénomène de progression numérique, son concubinage avec Jean-Pierre Dessureault, auquel ils viennent tous deux de mettre fin d'un commun accord, a duré exactement quatre ans et quatre jours. Normalement, son prochain non-mariage devrait durer huit ans et huit jours, c'est ce qu'elle trouve encourageant. En y pensant, elle est déjà sereine ; de ce côté-là, du côté des hommes, tout est *clean* et il faut qu'il en soit ainsi ; elle est incapable d'en quitter un sur une note agressive et ses ruptures sont des réussites. Depuis le temps ! Elle a de l'expérience en la matière et trois services complets de coutellerie dans ses tiroirs. Pour des raisons mystérieuses, lors des partages, elle se retrouve avec la coutellerie. À part cette accumulation indue et inutile d'ustensiles — d'autant plus inutile qu'elle mange la plupart du temps au restaurant —, ses ruptures sont impeccables. Elle pourrait même ouvrir une agence de counseling en divorces et séparations, n'était l'existence des belles-sœurs-sans-mémoire et des «familles Tourist Rooms». C'est ainsi qu'elle appelle tous ces beaux-frères, neveux, nièces, tantes, belles-sœurs qu'elle croise le temps d'une liaison, ces familles éphémères qui l'accueillent puis la rejettent. Tout bien additionné, cela lui fait cinq belles-mères, quatre beaux-pères, six beaux-frères, seize neveux et nièces, et huit belles-sœurs. Ces gens l'ont biffée de leur liste, mais elle est incapable de les oublier.

— Je m'attache trop, dit-elle. Je m'attache aux maudites familles Tourist Rooms qui s'évaporent comme par magie en même temps que le chum. Pourquoi elle m'a fait ça, Juliette ? De toutes mes belles-sœurs, elle est celle que j'ai le plus aimée. Je me demande même si je ne l'aimais pas plus que son frère. En tout cas ! À chaque séparation, c'est le même scénario : j'apprends que la belle-sœur venait avec le chum et qu'elle repart avec lui : elle faisait partie de *sa* famille, je dois y renoncer, j'étais seulement la blonde du moment. Une fois démise de mes fonctions, je redeviens une pure étrangère...

Elle s'arrête et reprend plus bas :

— Mon attachement est d'autant plus fort que mes rapports à ma propre famille sont problématiques, je le sais bien !

— Tu t'en tires pas plus mal qu'une autre...

Ce n'est pas la première fois que Marité lui dit cela mais Marie-Lyre a besoin de se l'entendre dire encore et d'être rassurée : étant l'aînée d'une famille de quatre enfants, elle est partie tôt de la maison, refusant d'élever la trâlée qui la suivait. Sa mère était une fin finaude ; souvent, elle partait le week-end en cure de repos à l'hôtel Albert-Prévost, la laissant avec la vaisselle et les enfants sales. Marie-Lyre n'avait pas vraiment le goût de jouer à la mère et, à l'âge de dix-neuf ans, pendant un de ces fameux week-ends prolongés, elle a pris à son tour la poudre d'escampette.

— Maryse et vous êtes ma vraie famille, dit-elle. Vous m'avez choisie et vous ne me laisserez jamais tomber.

Marité soupire :

— L'amitié, c'est mieux que la famille...

Elle pense à ses enfants, à Gabriel surtout. Ses rapports avec lui se complexifient de jour en jour. C'était tellement plus simple autrefois, quand il était petit ! Elle se rappelle la sensation chaude d'un corps de bébé dans ses bras et, absurdement, elle sent un manque. Gabriel a déjà été un bébé, qu'elle ne retrouvera plus jamais. Depuis quelques mois, il s'étire dans tous les sens comme si quelque chose poussait en lui pour faire place à un étranger enfoui. On dirait qu'il est remué de l'intérieur par un ferment et, en même temps, l'extérieur le modèle ; elle sent les pressions que la société, déjà, exerce sur lui. Elle ne sait plus comment l'atteindre.

— Gabriel devient impossible, dit-elle. Il est distant, fermé, gâté. Finalement, on fabrique des petits monstres.

— Voyons, tes enfants sont extraordinaires !

— Oh ! Gabriel est gentil avec vous autres. Mais avec moi, le charme s'étiole.

Marie-Lyre la regarde d'un air dubitatif.

— Il n'est peut-être pas heureux, continue Marité. De loin, je le vois se débattre dans des amitiés compliquées, et je ne peux rien pour lui. Il me parle de moins en moins, il mène une vie parallèle.

— C'est possible, mais ça passera. Il t'aime.

— Oui, je suppose. Quel enfant n'aime pas sa mère ? Mais j'ai l'impression qu'il me mettrait à l'écart pour peu. Un jour, il va me renier... On est loin du jeu de la mère comblée, aujourd'hui !

Elles sourient. «Le jeu de la mère comblée » est une expression de Maryse, un raccourci désignant une certaine façon brumeuse et exaltée de parler des enfants.

— Avec Myriam, au moins, c'est facile, dit Marie-Lyre.

Elles en conviennent : Myriam est petite encore, et affectueuse.

— Elle a le don d'empathie, dit Marie-Lyre. Elle se met si facilement à la place des gens ! Elle pourrait devenir comédienne, tu sais.

Marité regarde son amie, étonnée. Elle n'avait jamais vu sa fille sous ce jour. Marie-Lyre en parle comme si elle avait autant d'intimité qu'elle-même avec la petite. Comme si elle était une autre mère. Maryse aussi a une grande complicité avec Myriam. C'est bien, très bien. Elle a toujours souhaité ne pas être la seule référence pour ses enfants. Mais curieusement, l'évocation de Myriam installe un écran entre Marie-Lyre et elle, un écran transparent et mince, mais réel. Elle regarde François et se dit que pour lui aussi, elle n'est peut-être pas la seule : toutes ces années, il a très bien pu continuer d'aimer Maryse en silence, tout en l'aimant elle-même. Elle n'est pas jalouse, elle constate seulement un état de fait : il y a quelque chose de latent entre eux deux, comme entre elle-même et Rémy. Depuis tantôt, elle pense à lui ; il aime contrôler les choses et c'est agaçant, mais pas tant que ça, on s'y fait. Elle le reverra lundi.

— Qu'est-ce que tu dirais de ça, MLF, si je faisais de la politique ? dit-elle.

— T'as toujours dit que la politique, c'était de la merde, répond Marie-Lyre, toute à ses pensées.

— C'est vrai, j'ai déjà pensé ça. Mais à plaider toujours les mêmes causes, par moments, j'ai l'impression de plafonner...

Elles regardent le ciel où se promènent lentement de petits nuages roses. C'est le printemps aigu qui dit : «Je suis là ! Je dure trois jours et je ne reviendrai pas avant l'an prochain, laissez tout tomber pour moi, je suis un cas d'urgence !» Marité repense à Rémy. Ou plutôt, elle continue d'y penser ; cette idée du pouvoir politique et de Rémy, du corps de Rémy, sont liées dans sa tête. Elle aimerait bien voir ce qu'il y a sous sa chemise Pierre Cardin, plus bas que le deuxième bouton... Si elle n'a jamais trompé François, c'est peut-être tout simplement qu'elle n'en a jamais eu le goût...

— Dans le fond, dit-elle tout haut, j'ai peut-être toujours été une femme facile, légère.

— Ah bon, dit Marie-Lyre. Pourquoi tu dis ça?

Elle ne voit pas le rapport entre la politique, Myriam, et la possible légèreté de sa mère.

— Je ne m'étais jamais préoccupée de mon apparence, mais maintenant je comprends qu'il a toujours été important pour moi de ne pas être trop moche. Tout à coup, je me sens pressée de profiter de ce qui passe, de plaire. Dans quelques années, je serai plus regardable.

— T'es malade! dit Marie-Lyre. Regarde ta mère, elle est encore belle!

— Je ne veux pas être ENCORE belle!

Cela est sorti comme un cri, oppressé. Marie-Lyre la regarde, interloquée: elle ne reconnaît pas sa Marité habituelle; sûre d'elle et désinvolte.

— Ma mère est un cas, continue Marité. Un phénomène! Quand elle prétend aller dans le Sud, je me demande si elle ne va pas tout simplement se faire faire des *liftings*. Après tout, on n'a jamais vérifié!

— Tiens, tiens! dit Marie-Lyre. C'est bien possible.

Elles rient et se remettent à placoter dans le calme de l'après-midi, jouissant du fait de ne pas travailler. Elles parlent du climat politique, de la montée des Verts en Allemagne, de la situation au pays. «Quel pays?» dit Marie-Lyre. Depuis le référendum de mai 80, elle ne prononce plus le mot «Québec». Quand il lui faut absolument situer un événement, elle dit «Montréal» à la place, comme si le pays rétrécissait. Marité a remarqué ce glissement dans le discours de son amie mais elle fait semblant de rien, sachant que les «gens du pays» s'accommodent comme ils le peuvent de l'après-référendum.

Marie-Lyre revient à sa brouille avec Juliette, elle demande à Marité de ne pas en parler à Maryse, qui se ferait inutilement du mauvais sang : « L'important, c'est le show, et ça augure bien ! dit-elle. Si seulement Maryse peut arrêter de nous refiler des bouts de textes toujours améliorés ! »

Longuement, pour se donner une contenance, Maryse tourne sa cuiller dans sa tasse : cela y fait un petit remous boueux. Le café est imbuvable et elle sait qu'elle devra le boire, par politesse. Sa cousine Norma est affaissée en face d'elle sur la banquette fatiguée du restaurant et elle regarde dehors. Elle a choisi une cabine près des fenêtres pour pouvoir suivre plus commodément le manège des clients et des *beux* dans la rue. Aux tables voisines, les autres filles font des jokes bruyantes. C'est toujours ici, Chez Jean-Paul, qu'elles se retrouvent. La waitress les laisse niaiser aussi longtemps qu'elles le veulent au-dessus de leur frite qu'elles ne mangent pas pour ne pas engraisser. La plupart sont jeunes encore et jolies. Elles parlent d'aller travailler dans l'Ouest. Norma n'a jamais eu cette ambition-là. « It's just a fairy tale », dit-elle en entamant sa frite. Machinalement, elle remonte ses verres fumés miroir qui camouflent mal son *black eye* et elle tire sur le bas de son gilet jaune trop serré. Dans tout le restaurant, il flotte une sorte de poussière grasse qui reste en suspension dans le gros soleil d'après-midi. Il est quatre heures.

    — J'rêve pas en couleurs, moé, dit Norma. I don't dream anymore...

    Elle regarde dans la rue puis regarde sa montre.

    — J'te prends ton temps, dit Maryse.

— Pantoute ! C'est tranquille, le samedi après-midi. Pis ça me disait pas de travailler aujourd'hui.

Maryse voudrait parler du coup de poing de l'autre jour et des deux gars, mais curieusement les mots lui manquent. Pourtant, sa cousine semble bien disposée, elle lui sourit :

— Mary O'Sullivan ! La p'tite Mary ! J't'ai tout de suite replacée, moé ! Une crigne comme la tienne, ça s'oublie pas.

— Pourquoi tu l'as pas dit ?

Norma a un geste évasif de la main, une main un peu enflée, évoquant celle de la tante Kathleen, autrefois.

— Le monde font souvent semblant de pas me reconnaître. I'm used to that. Dans 'a famille, y me reconnaissent pus, y disent que ma p'tite est une bâtarde ! They're a bunch of bastards themselves !

Elle sort une photo de son sac à main :

— R'garde si est cute. She's so sweet !

Elle saute systématiquement de l'anglais au français. «Chus parfaite bilingue», dit-elle.

La petite est en pension, elle n'a pas le choix. Si sa mère vivait, c'est elle qui la garderait, ce serait plus simple, mais elle est morte. Elle la décrit comme une sainte, une martyre. Partie trop tôt ! Son seul tort a été d'avoir laissé ses enfants avec leur ivrogne de père, seuls si longtemps. C'est long, une enfance avec un soûlon !

Maryse se souvient que l'oncle Henry — celui qui accompagnait son père à la taverne Nowhere — était veuf et l'avait toujours été. Sa femme avait dû mourir de dégoût, d'épuisement, ou peut-être tout simplement pour se défiler des coups. Quand il rentrait enfin de la taverne, Henry fessait dans le tas, attrapant tout ce qui bouge. Il battait Norma, c'est ce qu'on disait.

— Es-tu allée à l'hôpital l'autre jour ? As-tu porté plainte ?

— Porter plainte ? Hell, no ! You must be kidding !

Maryse comprend qu'elle a posé une question idiote. Elle boit une gorgée et, en espérant que ce ne soit pas une autre question idiote, elle demande à Norma pourquoi elle se fait appeler Barbara.

— Icitte, j'marche su'l'nom de Barbara.

Elle tapote son ecchymose sous ses lunettes et ajoute : « Pour faire la gaffe, c'est mieux. Toutes les filles ont des noms de gaffe. »

Elle rit mais il y a de la résignation dans sa voix. De toute sa personne émane une sorte de désespoir latent. Maryse se demande si ce n'est pas elle qui fabrique ce désespoir, si ce n'est pas là une projection d'intellectuelle incapable de comprendre une réalité autre que la sienne. Pourtant, il y a chez Norma — ou Barbara — quelque chose de profond comme une blessure interne dont elle-même ne soupçonnerait pas la gravité : comment expliquer autrement ce qu'elle dégage ? Cela pèse et s'appesantit sur elles, malgré le printemps qui perce la vitre sale du restaurant. Mais désespoir n'est peut-être pas le mot. D'ailleurs, cela se dissipe : Norma-Barbara est revenue à sa fille et sa voix est presque gaie maintenant.

Même si elle a toujours un haut-le-corps lorsque les gens lui mettent sous le nez des photos de leur progéniture, Maryse commente docilement la photo avec sa cousine. Elle entre avec elle dans « le jeu de la mère comblée », qui est un interminable jeu de mots, un éloge à l'enfant parfait. C'est une vue de l'esprit, un parti pris, une convention ; car la mère comblée pourrait tout aussi bien se plaindre de son enfant parfait et en être déçue. Mais elle l'aime, et tout en lui la ravit ! N'importe quel adulte sain peut se livrer à ce jeu ; il suffit d'avoir un enfant et d'en être stupidement tombé amoureux, peu importe le sexe de l'enfant ou celui de l'adulte. Une fois l'auditeur accroché, la mère comblée est intarissable ; son débit est celui d'un fleuve profond nourri de toutes les eaux souterraines de la tendresse et de la complaisance. En écoutant une fois encore ce discours, Maryse se permet un furtif retour sur elle-même : si jamais elle avait un enfant — à supposer qu'il ne soit pas trop tard —, elle se demande si elle ne serait pas, à son tour, une mère comblée. Peut-être bien. Irait-elle jusqu'à exhiber la photo, comme Barbara ? Peut-être pas. La photo est une variante culturelle. À chaque rencontre importante, Barbara doit la tirer de son portefeuille comme on sort un permis de conduire, de circuler, de vivre. L'enfant est une preuve. Elle montre sa photo pour affirmer sa propre existence, sa légitimité. Mais peut-être aussi tout simplement pour afficher son amour.

— Je l'habille bien ! dit-elle. Mieux que moi. Just look at that coat !

La photo a été prise en hiver. La fillette est debout dans un escalier enneigé, elle sourit. Elle porte un manteau de sirbain bleu royal.

— Il est beau, dit Maryse.

Barbara se rengorge, puis elle est soudainement gênée devant cette cousine qui retontit sur son bout de trottoir après vingt-cinq ans. Mary a réussi, c'est pas nécessaire de lui dire le prix du sirbain, ça se voit qu'elle connaît le beau !

— Tu travailles-tu dans le bout ?

Maryse explique qu'elle est auteure dramatique : sa dernière pièce sera jouée chez *La Sultane de Cobalt*, tout près d'ici, là où elles se sont rencontrées. Barbara fait « ah bon », mais elle n'a jamais remarqué de théâtre dans le secteur, ce qu'on peut appeler un théâtre. Il y a un silence pendant lequel elle regarde dehors. Du fond du restaurant, une fille demande si Maryse est une nouvelle.

— Ya never know ! répond Barbara, très fort.

Les filles rient, la waitress rit aussi, et Maryse rougit, ne comprenant pas ce qu'il y a de drôle là-dedans et ne comprenant pas non plus pourquoi elle rougit.

La waitress pose un autre café devant Barbara et insiste pour réchauffer celui de Maryse. Comme pour éviter les autres sujets, Barbara revient à sa famille : « Ils l'ont jamais vue, ma fille ! Ont jamais voulu la voir ! Shit ! Quand on sait qu'y sont toutes sur le BS ! » Elle se grouille le cul, elle, au moins ! Si on peut dire. D'ailleurs, elle n'est pas la première à faire la gaffe...

— Prends la matante Kathleen, for example ! dit-elle. Prends Judy : comment c'est que tu penses qu'y vivaient, c'monde-là ? On est une famille de guidounes...

Maryse n'avait jamais vu les choses sous cet angle mais ça se défend, c'est une vision du monde cohérente, comme dirait l'éminent sociologue, le révérend Goldmann. Elle avait toujours pensé que la putain de la famille, c'était Kate :

— Te souviens-tu de Kate ?

Si Barbara s'en souvient !

— Était quasiment hooker ! Kate !

Il y a de la complicité dans ses yeux, comme la reconnaissance d'un lien plus profond que celui du sang. Elle prononce le nom de leur grand-tante avec fierté. Maryse sourit : la grand-tante Kate, la tante de leurs pères, tranchait sur le reste de la famille par sa beauté violente, son train de vie, le luxe de ses vêtements, sa désinvolture frondeuse. Dans le temps, elle avait été un personnage.

C'est elle qui lui a servi de modèle pour la Kate de sa pièce. Comme toujours en écrivant, elle s'est éloignée du modèle mais elle lui a gardé son nom : Kate est un nom parfait pour une putain. Le soleil tombe sur Barbara et, pendant un court moment, celle-ci ressemble à l'idée que Maryse se faisait du personnage de la putain en écrivant. Soudain volubile, Barbara donne sa version de leur grand-tante Kate, elle raconte ce qu'on en disait de son côté de la famille, ce dont elle veut bien se souvenir. Vue par elle, la grand-tante a quelque chose de presque glorieux.

— Et la chicane, dit Maryse, la chicane avec Geneviève ?

Mais Barbara ne parle pas de Geneviève. Pourtant, du côté de Maryse, c'est elle qui était le pivot du clan. Dans *L'Œuf d'écureuil*, elle l'a appelée Martha ; son nom ne faisait pas assez irlandais. C'est un personnage austère, tragique, terrible.

— La grand-mère Geneviève, t'en rappelles-tu ?

Barbara refait son geste évasif de la main :

— I just remember she was mean and nasty... Y s'aimaient pas, Kate pis Geneviève.

— Elles se parlaient pas, dit Maryse. On savait pas trop pourquoi. Elles s'étaient disputées, c'était une vieille chicane d'avant notre naissance, on savait seulement que Geneviève aimait pas les putains...

Elle se mord la lèvre, croyant avoir gaffé.

Mais Barbara rit au mot putain.

— Kate got a kid, too, dit-elle. A little girl, like me. Daddy used to say : « Aunt Katy, the bitch, and her sweet little bitch. » C'est quand j'ai commencé su 'a job que j'ai compris c'qu'y voulait dire. C'était pas fair pour la p'tite, ça, la traiter de bitch !

146

— Elle avait une fille ! répète Maryse. C'est bizarre ; chez nous, on le savait pas...

— They just didn't talk about it, that's all. It was a shame in those days ! La p'tite était en pension comme la mienne, mais moé, j'la cache pas. C'est la différence entre nos deux. La p'tite, a savait pas c'que sa mère faisait, j'pense bien. Moi non plus, j'y dis pas à la mienne. I always tell her I work in PR... Dans l'fond, c'est vrai, chus d'in relations publiques !

Maryse sourit :

— Elle disait peut-être qu'elle était commise de magasin. C'était une belle job, dans ce temps-là, « demoiselle de magasin ».

Elle a lu ça dans *L'histoire des femmes au Québec*.

Barbara n'a pas l'air convaincue :

— Tant qu'à passer huit heures debout, j'aime autant faire la gaffe ! C'est mieux que de vendre du linge que tu peux pas t'acheter avec ton p'tit salaire de cul !

Elle conclut : « J'vas y expliquer plus tard, à ma fille, astheure, est trop jeune. »

Elle s'affaisse à nouveau et la chose que Maryse nomme désespoir — faute d'avoir un mot plus approprié — revient sur elles. Elle a voulu revoir sa cousine Norma, mais pourquoi ? Pour l'aider ? La sauver ? Mais la sauver de quoi ? Du point de vue de Norma — devenue Barbara —, il n'y a rien ni personne à sauver. La fille qui l'accompagnait l'autre jour et a assisté à la scène du coup de poing s'approche de leur table. Elle s'appelle Cyndi. Elle parle à Barbara en anglais, en mangeant ses mots, par allusions, et Maryse ne saisit pas la moitié de ce qu'elles disent. Sans saluer personne, Cyndi sort du restaurant et va se poster dans l'entrée d'un magasin, bien visible. Elle fait des signes à Barbara. Maryse demande doucement si

147

Cyndi a un pimp. Barbara écrase sa cigarette. Elle en allume une autre. Ses mouvements sont lents et appliqués. Elle scrute le visage de Maryse ; les filles qui n'ont jamais fait la gaffe ont quelque chose d'innocent, sa cousine Mary a quasiment son âge et pourtant, on lui en donne à peine trente. La chanceuse !

— Pimps ? Are you kidding ? Of course not ! We're free agents.

Il y a un long silence. De quoi parleraient-elles maintenant qu'elles ont fini de ressasser leurs souvenirs ? Elles n'ont en commun que les brèves rencontres des jours de l'An de leur petite enfance. Si elles ont évoqué ce passé, c'est faute d'avoir quelque chose à partager dans le présent.

— T'as de l'instruction, toé, dit Barbara. Tu pourrais travailler dans l'Ouest, dans les gros hôtels, au chaud...

Maryse ne répond pas. Barbara regarde encore par la fenêtre, la rue est pleine d'hommes.

— Ya gotta take the money where and when you can, dit-elle. Dans chaque culotte, ma petite fille, y a un portefeuille !

Pour elle, le monde est divisé en deux : les filles et les clients. Même les *beux* sont des clients virtuels ; ils sont des hommes. Les femmes qui ne font pas la gaffe sont des épaisses ou des lucky ou des garces, ou les trois à la fois. Peu importe. Elles n'existent pas. Elles vivent dans un univers aussi inatteignable que celui de la princesse Grace de Monaco, dont le destin merveilleux s'étale dans les pages du *Paris Match* qu'elle feuillette parfois chez la coiffeuse. Des femmes de même, ça existe seulement dans les magazines. Son seul échantillon de vie luxueuse, c'est sa fille en manteau de sirbain bleu royal, sa princesse. Elle la conserve, la protège, l'économise. Elle ramasse la photo et la replace dans son portefeuille. Il est cinq heures moins vingt et le break est fini.

Comme elles sortent du restaurant, une auto de police du poste 33 débouche au coin de la rue Saint-Dominique.

— Des vraies mouches à marde, soupire Barbara. Y se donnent même pas le troub' de se déguiser en monde ordinaire, en auto « banalisée ».

L'auto passe devant elles et Barbara reconnaît à son bord les sergents Leblond et Tétrault. Des vieux de la vieille ! Elle leur sourit à tout hasard, on sait jamais de quel pied ils se sont levés le matin, c'est plus prudent ; elle a encore deux amendes impayées. Pendant que l'auto s'éloigne, une autre se pointe et pour la première fois, Maryse réalise qu'il y a vraiment beaucoup, beaucoup d'autos de police dans le secteur. Entre-temps, un homme s'est approché d'elles et il les examine avec insistance, les deux. Il demande à Maryse si elle « sort ». Barbara part à rire :

— Elle, a sort pas, mais moé, chus lib'. L'homme s'éloigne.

— Merci pour le café, dit Maryse. Barbara a insisté pour payer.

— À un de ces jours !

— C'est ça, dit Barbara. Mais si tu vois que mon chum Paulo est pas loin, t'es mieux de pas me parler, y est jaloux...

En s'éloignant, Maryse croise l'homme qui revient sur ses pas. Il la dévisage et elle baisse les yeux. Elle traverse la rue Sainte-Élisabeth, sale comme un égout charroyant des ordures et, en remontant sur le trottoir crevé, elle se tord la cheville. Elle n'ose pas se pencher car elle entend une voix d'homme l'appeler d'une auto. La voix a quelque chose d'obscène. Comme dans un rêve ancien, elle a l'impression d'être exposée nue, dans une rue liquide et boueuse. Elle aperçoit son image dans une vitrine : ses cheveux sont flottants sur ses épaules et sa robe est d'un vert strident. Elle se sent déplacée. Encore quelques pas et elle arrivera dans une autre ville, un autre Montréal, celui de l'université. Là-bas, les hommes ne la lorgneront plus outrageusement et elle redeviendra une passante ordinaire qui s'attarde parce qu'il fait beau. L'homme à l'auto est parti, il a dû partir, elle ne sent plus sa présence. Elle se remet à marcher en boitant. Elle penche un peu du côté de sa serviette de cuir chargée de copies à corriger. La serviette est un mauvais accessoire qui n'a rien à voir avec le reste de sa personne et avec le printemps ; il fait un temps de fin d'école, elle a le goût de la jeter à la poubelle. Qu'est-ce qui lui a pris de l'apporter ? Elle la traîne partout, à la piscine, à l'épicerie, au restaurant, c'est une manie. Bizarrement, comme si elle avait besoin d'être lestée, la serviette l'alourdit et la stabilise ; sans cet ancrage, elle a parfois l'impression qu'elle s'envolerait, car du bout des talons jusqu'à la pointe des cheveux, elle se sent volatile. Elle traverse la rue Saint-Denis en boitant encore un peu, c'est sans importance, elle marche d'un pas d'errance comme son père, autrefois ; lui aussi avait la tête dans les nuages. Elle est bien la fille de Tom O'Sullivan ! Devant le portail de l'ancienne église Saint-Jacques, les marronniers commencent à verdir. Pour mieux les admirer, elle traverse la rue et s'assoit en face, dans les marches de la petite église Notre-Dame-de-Lourdes. Sur le fond vert tendre de leur feuillage, elle voit défiler les visages des membres du clan O'Sullivan, évoqué par Barbara. Ces visages lui sont familiers, c'est d'eux qu'elle a parlé tout ce temps dans ses pièces; elle n'a pas cessé de les rêver. En allant à la rencontre de sa cousine, elle voulait pénétrer le présent mais Barbara ne lui a rien révélé de son existence actuelle; elle s'est dissimulée derrière le masque du passé et l'a renvoyée à la famille O'Sullivan, à son père Tom. Elle s'allume une cigarette et se met à reconstruire *L'Œuf d'écureuil*, à tout chambarder. Ainsi donc, Kate avait une fille! Du coup, ce personnage prend une dimension nouvelle. Dans la version actuelle, c'est Martha qui est importante, mais si elle pouvait réécrire la pièce, Kate en deviendrait le pivot. Elle serait aussi terrible que Barbara. En fait, elles sont le même personnage, à soixante ans d'intervalle. Ce qui avantage l'aïeule, c'est la patine du temps. La mort. La légende. Mais à quelques rues d'ici, dans un Montréal parallèle, Barbara est debout sur son coin de trottoir, lamentablement crue, obsédante, contemporaine et cheap. Suffocante. Dans l'histoire réécrite au présent, les dentelles de Kate et son panache disparaîtraient pour dévoiler sa figure flétrie. Ce serait *Le Roman de Barbara*, cruel... Maryse écrase sa cigarette du bout de son soulier et elle constate que sa cheville ne lui fait plus mal. Plus de douleur maintenant, depuis des années, elle n'a pas pleuré: il faut croire qu'elle est heureuse! Étrangement, sa sérénité la rend perméable à la détresse des autres; elle sent que sa cousine putain la hantera longtemps, avec sa version de l'histoire. Mais il lui faut encore un répit avant la première, le temps d'en finir avec *L'Œuf d'écureuil* et d'ouvrir un nouveau récit pour Barbara. D'ici là, elle doit la mettre en réserve dans un repli de son cerveau, en *stand by*. Elle a cette faculté de faire attendre les personnages et de les appeler à son heure, une fois les cours préparés et les copies corrigées. Mais leur attente est grouillante; ils mûrissent et se développent à son insu. Quand elle les retrouve, elle a parfois des surprises. Elle reprend sa marche, plus calme, cette fois-ci, la ville ne l'agresse plus. Elle a soif. Elle marche vers chez Laurent à qui elle aimerait parler de Barbara. En allant vers l'ancien chemin Papineau, elle sent comme un effluve venu du fleuve pourtant muré à cet endroit de la berge. Elle pense au fleuve et aux ruisseaux enfouis sous la ville. C'est devenu un jeu entre elle et Laurent; en se promenant ensemble dans Montréal, ils retracent pour leur seul plaisir le sillage des petits ruisseaux d'autrefois, l'histoire de leur endiguement et des gens qui les ont connus. Les veines d'eau sont profondes sous l'asphalte mais elle a l'impression de sentir leur parcours comme une soif. Ce sont des échappées vers le fleuve. Laurent travaille encore et c'est tard ce soir seulement qu'elle pourra le retrouver. Passé le métro Beaudry, elle bifurque vers le nord, traverse un terrain vague et entre chez le Diable Vert...

Elle s'assoit à côté de Myriam et commande un verre d'eau.

— C'est le happy hour, dit le Diable.

— Oui, répond Maryse.

Elle ne comprend pas pourquoi il lui dit ça. Il la regarde par-dessus ses barniques en sifflant « tsst, tsst », après quoi il fait claquer ses bretelles sur son bedon, trois fois, en signe de désapprobation. Maryse ne voit toujours pas où il veut en venir.

— Si tu commandes une affaire, explique Célestin, t'en as deux pour le même prix. Nuzautres, on prend des seven-up grenadine.

— Pis le deuxième, on le donne à Fred, dit Gabriel. Han, Fred ?

Fred ne répond pas, il siphonne.

— Alors, donne-moi deux verres d'eau, s'il te plaît, dit Maryse.

Le Diable la sert en maugréant comme un waiteur français. Il la trouve cheap. Myriam met sa bouche humide sur le bras de Maryse ; c'est frais comme le museau d'un animal domestique. Il fait sombre dans le bar, seules les petites lampes des tables et le néon vert qui court le long des murs sont allumés. C'est le noir du rêve et de l'imaginaire.

— J'gage que tu vas nous parler de la femme aux bijoux, dit Myriam.

— Oui, oui, font Ariane et Marie-Belzébuth.

— Évidemment, dit Maryse en souriant, ravie de pouvoir évacuer l'image de Barbara. C'est clair que je suis venue ici juste pour ça !

Déjà, les bijoux de Catherine Grand'maison brillent dans la pénombre. Maryse reprend l'histoire plus haut pour les mettre dans l'ambiance, elle revient à la chambre aux persiennes blanches ; ça se met à bouger de partout, la chambre se retourne sur elle-même comme un gant, elle se gonfle et s'ouvre : à l'intérieur, il y a le *Crystal Palace* où Catherine joue du piano tous les après-midi. Elle est assise là depuis des années, à côté du diseur de vues. On ne l'imagine pas autrement et les spectateurs ne l'imaginent pas ailleurs. Elle a maintenant trente-sept ans et elle est toujours belle. La mode a encore changé, les femmes sont coiffées à la garçonne ; Augustine et Catherine ont

153

les cheveux courts. Le directeur du *Crystal Palace* prétend qu'un jour ils inventeront les vues parlantes mais c'est pas pour demain, et même s'ils réussissent à faire parler les films, il n'est pas sûr que les gens aiment ça. Ils préféreront toujours un diseur de vues en chair et en os, et le piano de Catherine. C'est plus facile pour elle, maintenant que sa fille est grande ; elle n'a plus cette angoisse de la laisser seule à la maison. Quand Augustine était petite, elle l'amenait parfois avec elle. À l'époque, les enfants étaient admis dans les cinémas les jours de congé...

Maryse hésite un moment et l'esprit mauvais sent son hésitation. Elle pense — et il pense avec elle — à l'incendie du cinéma Laurier dans lequel ont péri plusieurs enfants en 1927. Elle regarde ceux du bar, suspendus à son récit, et vivants. Le sang circule, vif, sous leur peau, elle voit les petites veines battre à leurs tempes. L'histoire du Laurier Palace est trop triste pour eux, pour aujourd'hui.

Elle reprend son récit en omettant de parler des trop fréquents incendies qui ravageaient autrefois les salles d'amusement. L'esprit mauvais lui en sait gré ; il lui fait un sourire complice. Elle dit :

— Certains après-midi, au *Crystal Palace*, un garçon de treize ans se faufile dans une allée du balcon. Il vient toujours seul, dans sa famille, on n'accompagne pas les enfants au cinéma, on n'a pas le temps. Son père est occupé à boire à la taverne et sa mère fait des lavages dans sa cuisine trop petite. Il s'appelle Tom. Il ne va pas à l'école, c'est sans intérêt et il n'y comprend rien. La seule chose qu'il aime — sa passion —, ce sont les vues animées. Il habite dans le Griffintown et il se rend à pied au *Crystal Palace* en suivant la rue Notre-Dame, c'est loin pour lui, c'est comme une fugue. Il n'a pas d'argent, ça non plus, c'est pas prévu chez lui. Il entre par un soupirail au deuxième et, sans bruit, il s'assoit dans les marches.

Le projectionniste fait semblant de ne pas le voir ; il ne dérange pas. La bouche entrouverte de bonheur, tout l'après-midi, Tom regarde Catherine Labelle jouer du piano exprès pour lui. Elle porte des robes noires qui découpent ses mains et son visage, elle a toujours son long collier de perles et ses boucles d'oreilles. Dans sa tête, Tom l'appelle la femme aux bijoux, « The Lady in Pearls » — il est anglophone. « The Lady in Pearls » est pour lui ce qu'il y a de plus beau au monde. Elle est de la même substance que les films, mais ils changent d'une semaine à l'autre et elle reste. Tom est heureux quand il la regarde, il s'oublie complètement alors, il oublie qu'il est un faible d'esprit, un « arriéré », c'est ce que les gens disent. La réalité, ce n'est pas la cuisine de sa mère, encombrée du linge sale des bourgeois, ce ne sont pas les mains terribles de son grand-père quand elles s'abattent sur quelque chose, mais celles de Catherine qui font naître la musique. Ici, dans le noir, c'est comme s'il était seul avec elle. Et intelligent.

Maryse prend une gorgée. À la radio du Diable, on entend une ritournelle des années 1920. Maryse sourit de sa complaisance.

— C'est gratis ! dit Prince, de sa corbeille. Quand vous racontez des histoires positives, la maison fournit le fond sonore. Mais si vous déraillez, watch out !

— Vous me tombez sur les nerfs, dit Maryse. Vous essayez de me censurer !

— Tsst, tsst, fait le Diable.

— Pis toujours ? dit Myriam.

— Toujours est-il que par un sombre après-midi d'automne, le diseur de vues s'absente : il est malade-au-lit et ils sont embêtés, au théâtre. Qu'est-ce qu'ils vont faire sans lui ? Le directeur du *Crystal* s'arrache les cheveux, arrache sa cravate et se ronge les ongles...

— T'en mets pas un peu trop ? dit Fred qui n'a plus rien à boire.

— Peut-être, dit Maryse. À peine. Supposons qu'il ne se ronge pas les ongles. Mais il se mange le front, ce qui revient au même. Il pense aux recettes perdues et à son public qui fuira si la salle ferme quelques jours. Il est au bord de l'apoplexie. Et alors...

Elle s'interrompt pour prendre une autre gorgée.

— Alors ? disent les enfants.

— Catherine propose de remplacer le diseur de vues pour quelques jours, le temps qu'il se remette. Le directeur est perplexe mais pas longtemps, il n'a pas le choix ; il cesse de se manger le front et accepte. Quand la projection commence, Tom est en haut, à sa place habituelle. À son grand ravissement, c'est la voix de Catherine qui s'élève dans la salle, d'abord tremblante, puis de plus en plus ferme. Les yeux fixés sur l'écran, elle raconte, en ponctuant son histoire d'accords légers. Elle parle seulement en français, mais tout comme le diseur, elle en rajoute de son cru. À la fin de la première bobine, revenus de leur étonnement, les spectateurs sont conquis. À la fin de la deuxième, ils applaudissent. Même s'il ne saisit pas ce que dit la femme aux bijoux, Tom est transporté : le français est sûrement la vraie langue des personnages de l'écran ! Il essaie très fort de comprendre cette langue magique. Catherine parle, et c'est comme s'il était avec elle en bas, tout près de sa bouche ! Elle fait le spectacle en entier trois jours d'affilée. On parle d'elle en ville : ça ne s'est jamais vu, une femme diseuse. Actrice, oui, mais pas diseuse de vues ! Ces trois jours-là, Tommy O'Sullivan retourne au théâtre. Il flotte, il est amoureux.

— C'est qui, Tommy O'Sullivan ? demande Ariane. C'est-tu dans ta famille ?

— C'est mon père.

Ils font tous des oh ! et des ah ! même le Diable Vert.

— Et c'est ainsi, conclut Maryse, que mon père Tommy O'Sullivan, qui parlait seulement l'anglais, a appris le français par amour, en regardant les p'tites vues du *Crystal Palace*.

— Ah ben ! dit Myriam. C'est une histoire de ton côté ! Tu nous en parles pas souvent...

— C'est que je ne suis pas votre vraie tante. Et mon côté est un faux côté ! Vos ancêtres sont des gens chic ou honnêtes, pas les miens. Les histoires se sont mêlées parce que Catherine est une déclassée...

Maryse donne cette explication pour se justifier « sur plan de l'instance narrative », comme dirait l'autre. Mais elle sait bien qu'elle a introduit son père dans l'histoire de la femme aux bijoux à cause de sa rencontre avec Norma. Elle a basculé du côté de ses aïeules. Elle imagine la grand-tante Kate dans son bordel du début du siècle, quelque part sur la rue de Bullion. Kate est dans une chambre, seule un petit moment après le départ d'un client. Elle ne redescend pas tout de suite, elle rêve au-dessus d'un catalogue de Dupuis et Frères ouvert sur le drap froissé. Elle rêve aux belles affaires qu'elle va s'acheter à sa prochaine sortie : du linge neuf, blanc, affriolant... Maryse aimerait ajouter une séquence de magasinage à sa pièce, mais elle sait que Marie-Belle ne voudra pas en entendre parler. Dommage ! Elle sort son stylo et note tout de même l'idée de la séquence. En écrivant, l'entête d'une lettre lui vient à l'esprit :

Montréal, le sept mai 1913
Mon petit trésor...

— Qu'est-ce que t'écris ? demande Myriam.

— J'écris la lettre de Kate à sa fille.

— C'est qui c'est, c'monde-là ? dit Ariane, la bouche pleine de chips.

Maryse dit : « Pardon ? » Ariane est peu portée sur la grammaire : elle classe le vous de politesse pas loin de l'imparfait du subjonctif sur le plan de la difficulté d'apprentissage comparée à son utilité réelle.

— Ben oui, qui sont-ce, elles-zautres ? fait Gabriel pour bien montrer qu'il est tout à fait solidaire d'Ariane, sur le terrain de la grammaire du moins.

— Sont-ce-tu, par hasard, des amies de Catherine Grand'maison ? demande Myriam.

Maryse sourit :

— Non, Catherine et Kate ne se connaîtront jamais, bien qu'elles soient contemporaines. Elles ne sont pas du même monde. C'est Tom qui fait la jonction entre les deux ; dans la réalité, Kate O'Sullivan est sa tante. Elle est aussi un personnage de ma pièce. Comme on dit à l'époque, elle est une « demoiselle de petite vertu ». Une prostituée. Elle passe ses journées dans un bordel du bas de la ville.

— C'est quoi, un bordel ? demande Laurent-le-vrai.

— C'est un restaurant chic dans les vues françaises, dit Marie-Belzébuth. C'est pour la maffia.

— Ignare ! fait le Diable. On n'étale pas ainsi son ignorance !

158

Olivier est devenu écarlate : le mot bordel le trouble. Gabriel le regarde et se réjouit de ne pas rougir souvent. Il n'aime pas que Maryse aborde ces sujets-là. C'est ce qui est embêtant avec elle ; elle est tellement relax qu'elle parle de choses gluantes comme la prostitution. Insidieusement, cela lui fait penser à Miracle Marthe, mais tout lui fait penser à Miracle Marthe. Il se demande ce que la sorcière fait tout ce temps-là au parc Lafontaine. Pour avoir lui-même eu des offres, il sait qu'il s'y passe des choses, mais c'est pas son genre : de l'argent de poche, il en a, et il préfère jouer aux fesses avec sa sœur. « C'est pas ma vraie sœur », se dit-il de temps à autre, lorsqu'un doute l'assaille. De toute façon, il trouve ces histoires-là sans importance ; son principal problème a toujours été le cœur, pas le cul. N'empêche, il n'aimerait pas que la patineuse Miracle soit une « demoiselle de petite vertu », comme les appelle Maryse, elle est rigolote parfois avec ses expressions. Elle parle toujours de la grand-tante Kate, qui semble avoir eu des problèmes de cœur elle aussi, et de solitude.

— Le seul amour de Kate, dit Maryse, c'est sa fille de huit ans, mais elle ne peut pas la garder avec elle, ça ne se fait pas : à l'époque, la plupart des filles-mères donnent leur enfant en adoption. Les religieuses de l'hôpital où elles accouchent leur expliquent qu'elles sont des femmes de mauvaise vie et qu'elles ne pourront jamais élever leur enfant sans mari, sans maison, sans travail respectable. Elles n'y arriveront tout simplement pas !

— Y connaissaient pas ça, les monoparentales ? demande Ariane.

— C'était pas tellement encouragé... Kate a refusé de laisser sa fille à l'orphelinat mais elle ne la voit pas souvent : elle a dû la mettre en pension à Rosemont, chez des cultivateurs. C'est loin, Rosemont, même en p'tits chars. On est en 1913 et c'est encore la banlieue. Au bordel, les heures sont longues. Elle s'ennuie de sa petite. Elle lui écrit. Elle est analphabète et pourtant, elle écrira à sa fille. Il y a sans doute une explication à cela...

Maryse a l'air perplexe mais elle continue :

— Kate demande à un écrivain public d'écrire la lettre, ou à la matrone du bordel... non, elle déteste la matrone et ne veut pas la mêler à sa vie privée, le peu qu'il lui en reste ! Elle demandera plutôt à une autre fille, c'est ça ! Il y a, au bordel, une prostituée plus instruite que les autres et qui a une belle calligraphie. Pour pas cher, elle se charge de leur correspondance. Les matins calmes, Kate lui dicte des lettres qui commencent toutes par « Mon petit trésor ». La fille écrit le mot trésor avec un « d ».

> *Mon petit trésord*, dit Kate.
>
> *Comment vas-tu ? Moi, j'ai beaucoup de travail.* (Elle a dit à sa petite qu'elle était demoiselle de magasin chez Dupuis et Frères.) *Ils font l'inventaire et ça nous donne de l'oveur-time. La prochaine fois, je t'apporterai la robe bleue que je t'ai parlé. Je l'ai eue en réduction parce que je suis une employée. Tu vas avoir l'air d'une vraie princesse là-dedans, aussi belle qu'à ta première communion sur la photo ! J'espère que ça s'est bien passé, je n'ai pas pu y aller vu que j'ai été malade. Ma santé est meilleure maintenant. Continue d'être toujours aussi fine pour ta matante. Je te laisse, mon petit trésord.*
>
> *Ta moman Kate qui t'aime beaucoup et te serre sur son cœur.*

— À parle drôle, dit Ariane. À parle-tu comme ça dans ton show?

— La lettre est pas dans la pièce...

— C'est dommage! dit Miracle Marthe.

Tous se tournent vers elle, étonnés: silencieusement, elle a glissé sur ses patins jusqu'au bar, et personne ne l'avait entendue approcher.

— T'as raison dans ta lettre, dit-elle à Maryse. Faire la gaffe, ça produit un dédoublement. C'est pas eux autres quand y font ça, c'est pas leur vrai moi!

Maryse se demande d'où elle sort, celle-là, avec son air de punkette, sa connaissance du « milieu » et ses beaux yeux innocents. Les enfants lui expliquent que Joseph-Lilith-Miracle Marthe est sorcière de son état et membre honoraire à vie de leur gang. Maryse ne s'attendait pas au coup de la sorcière. Elle est épatée. Mais elle décide d'aller méditer cela un peu plus loin. Elle ramasse ses affaires.

— Tu pars pas tout de suite? demande Myriam, très maîtresse de maison.

Maryse la rassure: elle veut seulement s'installer à une table pour écrire plus à son aise. Le Diable lui apporte un pernod.

— Vous avez vos flashes dans des cafés, dit-il, comme la grande madame de Beauvoir!

Maryse lui demande si, par hasard, vu son réseau de connections, il n'aurait pas des nouvelles de madame Roy, Gabrielle.

— Hélas non, répond le Diable. Il paraît qu'elle est bien basse, mais je n'en sais pas plus.

Il s'éloigne. Ses pantalons de flanelle verte flottent sur ses fesses décharnées et lui font un derrière de chèvre. Il se traîne les pieds. Maryse le suit du regard en pensant que la putain Kate était peut-être une mère comblée, à sa façon ; elle idéalisait une enfant dont elle n'avait pas à supporter la banalité quotidienne... En passant, le Diable dépose de nouveaux verres devant les garçons qui se sont installés à une table et ont allumé le moniteur. Au bar, les filles sont en conciliabule avec Miracle. Elles rayonnent, Myriam surtout. Elle a les traits de son père, elle lui ressemble, en plus joli. Maryse sourit : c'est François qu'elle retrouve à chaque fois en Myriam, d'une façon troublante ; la petite en est le double rajeuni, accessible. Cher François ! Pas un jour, finalement, sans qu'elle pense à lui... On entend jouer une toune des années 1970 que le Diable affectionne et qui dit : « In the desert, nobody knows your name. » Maryse revient à la lettre de Kate, la musique lui fait un écran sonore et elle entend à peine les gars pitonner et les filles piailler.

Pourtant, elles jacassent fort car leur énervement est grand : Miracle leur a apporté ses philtres et décoctions magiques. Le kit complet tient dans une mallette à maquillage qu'elle a posée sur le comptoir. Ariane fortille de contentement : normalement, aujourd'hui elle devrait être chez son père, mais par chance, il y a eu un glissement dans la grille horaire de ses parents et elle est restée sur la rue Mentana pour la fin de semaine. Elle a déjà hâte de raconter les prouesses de la sorcière à Sara de la rue Durocher. Miracle a ouvert sa mallette ; le Diable y jette un coup d'œil de connaisseur et sourit. Les philtres sont contenus dans de fines ampoules jetées pêle-mêle parmi les rouges à lèvres, les vernis à ongles, les gelées royales, les poudres, les huiles essentielles, les crèmes pour la nuit, le jour, la rue, le stress, les rayons ultraviolets, les bleus à joues, les bracelets en limaille et les pastilles new wave. Il faut scier les ampoules, c'est pourquoi la mallette renferme aussi une panoplie de canifs de différentes grosseurs et plusieurs boîtes de lames de rasoir. Comme un voyageur de commerce, très vite et en mâchonnant ses mots, Miracle énumère son stock : philtres de vérité, de pouvoir, de dextérité, d'amour, de fertilité, de santé, de défonce, de rapidité, de science, de beauté (celui-là est présenté sous forme de crème), poudre qui rend intelligent, subtil, léger, money-maker, pilules pour flyer, pour dormir, pour devenir transparent, sirop de calmant, de jeunesse, de force, de minceur, philtres de ruse et d'insensibilité, et cetera.

Myriam demande un philtre d'amour.

— C'est mon plus gros vendeur, dit Miracle, j'en ai toujours des frais en stock.

Ariane choisit un philtre d'ubiquité pour pouvoir être en même temps ici et sur la rue Durocher, avec Sara.

— Et toi, Marie-truc ? demande Miracle.

Marie-Belzébuth s'abstient : elle doute et préfère voir l'effet avant de consommer.

— Comme madame voudra, dit sèchement la sorcière.

Elle prend deux ampoules et escamote sa mallette. Ariane et Myriam se commandent autre chose à boire, des sodas-mousse. « Le philtre ne se prend pas straight, a expliqué Miracle, il faut le verser dans un liquide qui en fixe les propriétés. » Cérémonieusement, elle retrousse ses manches invisibles et commence les préparatifs...

Du coin de l'œil, Ariane et Myriam lorgnent vers la table des gars pour voir si Célestin les regarde, mais le seul regard qu'elles croisent est celui de Gabriel. L'air malheureux, celui-ci ne parvient pas à se concentrer sur l'écran du moniteur ; les ordinateurs du bar ont tous les programmes existants, ils comprennent plusieurs langages et sont archi compatibles, mais aujourd'hui il s'en fiche.

Plutôt que de jouer à *Frogger*, il préférerait mille fois être au bar avec les filles. Là-bas, Miracle scie les petites ampoules de ses longues mains fines et elle chante mais il ne l'entend pas. Il n'entend que les buzz idiots de l'ordinateur et la voix de Célestin qui répète : « Est pas mal bête ! »

— Qui ça ?

— Ben Marité, ta mère...

Pendant qu'il n'écoutait pas, la conversation a dévié vers les parents, sujet funeste !

— Ma mère est pas bête, voyons !

Il parvient à articuler cela, mais c'est tout ; le reste est pris dans sa gorge et il ne bronche pas alors qu'il devrait sauter sur Célestin et l'égorger.

— Moi, j'trouve, dit Célestin. Quand a nous voit arriver, Marité nous parle toujours du ménage à faire en partant. Est pas ben, ben détendue. A crie.

— Moi, dit Laurent-le-vrai, ma mère chicane jamais.

Gabriel a chaud comme dans le désert de la chanson qu'on entend. Il a soif. Il vide son verre d'un trait mais ça n'étanche pas sa soif. Le néon des murs se met à zigzaguer comme un serpent du désert. Derrière le bar, parmi les bouteilles, il voit Fred évaché. Celui-ci, qui le regardait, détourne la tête.

— Ma mère, continue Célestin, est pas féminiss comme la tienne. Fait que j'ai pas besoin de serrer mes traîneries. A dit que Marité est hystérique, mais je dis pas ça pour t'écœurer.

— Tu m'écœures pas, dit Gabriel.

Il regarde autour de lui : sa sœur rêvasse au-dessus d'un verre de liqueur, la tante Maryse est perdue dans ses écrits et le gars des vues n'y est pas. Il est aussi seul que s'il était dans le désert. Il voudrait éclater comme une pierre chauffée par le soleil pendant des millions d'années, et qui fend. Il vient de trahir Marité en ne prenant pas sa défense ! Il se dit : « J'ai trahi ma mère, j'ai trahi ma mère » et il se laisse submerger par la honte.

— Tu joues plus ? demande Olivier. Gentiment.

Gabriel fait signe que non. Il ouvre un vieux numéro du *National Geographic* dont le texte, déjà pâle, se dilue dans un afflux de larmes. L'esprit mauvais s'est approché :

— Te souviens-tu de m'avoir déjà demandé, tout petit, ce que c'était que les vacheries de la vie ?

Gabriel s'en souvient ; il avait entendu l'expression à la télévision dans un film français diffusé par un après-midi creux de février. Il avait alors imaginé un immense troupeau de vaches.

— Je t'ai répondu que tu comprendrais ça plus tard, en temps et lieu, continue Fred. Ben, le temps des vacheries est commencé, pour toi.

L'esprit mauvais a l'air catastrophé. Il passe son petit bras autour de l'épaule de Gabriel qui lui dit : « Parle-moi plus, Fred, tu peux rien pour moi ! Tu m'aides jamais quand je suis mal pris, t'es-t'un flanc mou ! » Mais lui-même a la voix molle. La seule chose qui l'aide à tenir, c'est le regard de sa sœur qu'il sent à nouveau sur lui, comme une douceur...

En attendant que les philtres soient prêts, Myriam le regarde. « Il faut le bon beat, a dit la sorcière, autrement, ça fuck les *vibs*. » Lentement, elle a versé le contenu des ampoules dans les deux sodas-mousse en chantant une chanson de Kiss dont les propriétés cabalistiques ont déjà été éprouvées par une collègue. Puis, elle a brassé les mélanges avec son majeur à l'ongle long, pointu, laqué d'un noir étincelant. « Le résultat est pas garanti, a-t-elle dit. Les philtres prennent seulement sur les sujets qui ont déjà des dispositions. Comme Tristan, autrefois. » Elle a raconté l'histoire de Tristan et Iseut, l'épée nue, le serment, et tout. En abrégé. « Je capote », a dit Ariane. Elle a voulu boire son philtre mais Miracle a dit : « Wow ! pas tout de suite, faut laisser reposer la mixture. » Elles laissent reposer... Myriam regarde vers la table des garçons et aussitôt elle perçoit le désarroi de son frère ; c'est profond comme un désarroi d'adulte, déjà. Cela a quelque chose à voir avec Célestin mais elle ne comprend pas comment car l'amour l'aveugle. Il ne faut pas qu'elle tombe dans le piège de l'amour aveugle ! Elle sait que Célestin est une impasse pour elle. Non pas qu'elle soit trop jeune ; si tel était le cas, elle pourrait espérer qu'il la découvre un jour — quand elle aura des seins comme ceux de Miracle Marthe — et qu'il dise : « Tout ce temps-là, je côtoyais une fée et je ne la voyais pas ! » ou quelque chose du genre. Non, ce n'est pas ça. C'est pire : confusément, elle sent que Célestin n'a aucune disposition pour l'amour. C'est sans espoir, elle devrait se débarrasser de lui, mais à la seule pensée qu'il puisse un jour ne plus compter pour elle, des larmes lui montent aux yeux. Elle regrette ce mouvement de froide lucidité et s'abandonne entièrement à l'amour fou, comme sa mère Marité, qui lutte elle aussi contre la tentation de l'amour. Dans son cas, c'est l'amour idiot. Au-dessus du philtre bouillonnant, Myriam la voit allongée dans un lit, nue et les cheveux défaits. Sa mère est nue à côté d'un homme qui n'est pas François ! La figure de l'homme est cachée mais Myriam sait que ce n'est pas le corps de son père. La vision est brève — heureusement ! qu'est-ce que c'est que cette histoire abracadabrante ? — mais comme si le philtre permettait de mieux voir les choses, d'autres images défilent à la frange de l'écume violette — l'éclairage au néon change la couleur des choses. Plongeant dans la mousse mauve, Myriam remonte aux profondeurs de sa lignée, vers le haut de son arbre généalogique. Elle voit sa grand-mère Alice au bord d'un fleuve vert et violet, poignant comme un coup de foudre. Un homme est à ses côtés, sa silhouette se détache sur un champ de trèfle, c'est le grand-père Antoine, jeune comme sur sa photo de noces et radieux. Alice est jeune elle aussi mais rapidement son visage s'amenuise et se fane. Elle a son air de maintenant, elle est malade, ça paraît au fond de ses yeux, Myriam le voit. C'est insoutenable. Elle chasse l'image comme on change de chaîne de télévision. À l'autre poste, sur l'autre branche de l'arbre généalogique, la grand-mère Blanche arrose une violette rose. Derrière elle surgit un homme qui la regarde et sourit. Un vent de tendresse passe sur leurs figures. Myriam n'a jamais vu cet homme là ; il ne ressemble pas du tout à son grand-père le juge. C'est un inconnu. Blanche dit quelque chose à l'inconnu, mais Myriam n'entend pas, et l'image s'estompe. Au-dessus de l'écume qui retombe et s'amollit, elle ne voit plus que le chapeau ajouré de la grand-mère, rien d'autre qu'une harmonie blanche... Puis, les apparences extérieures refont surface.

— Tu parles d'un buzz, toi ! dit-elle à Miracle. Tu nous avais pas dit que les philtres faisaient voir des choses avant même qu'on les boive !

Mais les autres ne semblent pas avoir vu quoi que ce soit.

— Ça y est, dit Miracle, c'est fixé ! Attendez pas que vos drinks soient flats.

Ariane prend une gorgée et annonce que ça ne lui fait pas d'effet.

— Sois donc pas si pressée, dit Miracle. Et elle file aux toilettes avec sa mallette.

— Ses philtres, c'est de la junk, murmure Marie-Belzébuth. C'est nul !

— On va ben voir, dit Myriam.

Courageusement, elle prend son verre et se dirige vers la table des gars. Les autres la suivent. Elles sont toutes trois en patins et Ariane tient son verre serré contre elle, précautionneusement. Prince tourne sur lui-même et jappe.

— Couché ! fait le Diable.

Prince se rendort. Maryse lève la tête, sourit de voir les fillettes rouler comiquement en procession et retourne à ses écritures.

— Célestin, tu veux-tu mon cream-soda ? demande Myriam d'une voix toute petite.

Célestin regarde le verre, un peu étonné, mais les filles sont bizarres de toute façon. Il dit : « J'ai pas soif. »

— Bois-le donc, ça me fait plaisir de te l'offrir... On a gagé que t'étais capable de le boire d'un seul coup...

Debout dans l'allée, Ariane prend une autre gorgée et glisse à l'oreille de Marie-Belzébuth : « Toujours rien. » Celle-ci pouffe de rire, Ariane aussi. Elles se donnent des coups de coude.

— Vous avez bien un drôle d'air, dit Olivier.

— On n'a rien, dit Marie-Belzébuth, promis-juré !

Elle tourne trois fois sur elle-même, dérape et accroche Ariane dont le verre tombe.

— Mon beau cream-soda mauve ! fait Ariane, l'air consterné.

— C'est pas de ma faute ! crie Marie-Belzébuth.

Le Diable accourt, l'air pas content du tout. Il tend à Marie-Belzébuth un chiffon J et lui ordonne d'écoper. Il en a marre de ses gesticulations intempestives !

— C'est pas de ma faute, répète Marie-Belzébuth, chus hyperactive !

— Voyons donc, fait Olivier, y a pas de filles hyperactives ! Vous êtes ben trop smattes pour ça !

Il le tient d'un copain dont la mère a lu un bouquin sur le sujet. Lui à qui on ne passe jamais rien car il est raisonnable, il déteste les hyperactifs, qu'on excuse tout le temps. Et Marie-Belzébuth lui tombe sur les nerfs ! Celle-ci le traite de jos-connaissant, mais elle ravale tout en écopant.

— Bois-le, Célestin, répète Myriam, tout à son idée. Moi, j'ai plus soif, c'est du gaspillage...

— Pourquoi je serais obligé de boire les affaires que tu commandes quand t'as pas soif ? dit Célestin, perplexe. Chuis pas ton frère...

— Oké d'abord, dit Gabriel, je vais le boire, moi.

Et il enfile tout le liquide d'un seul coup. Ça fait des années qu'il finit les plats de sa sœur.

— Gosh, dit Ariane, fallait pas !

Les trois gars se regardent sans comprendre. Piteuses, les filles retournent à leur place. L'allée brille du soda-mousse en train de sécher. Au moment où Marie-Belzébuth balance adroitement le torchon dans l'évier du bar, Miracle revient s'asseoir à leurs côtés. Elle est souriante.

— Pis, les filles ?

— Échec total !!!

— Y a des *vibs cannibales*, aussi !

Elle se tourne vers Marie-Belzébuth :

— C'est-tu toi qui vibres négatif ?

L'interpellée hausse les épaules. Brusquement, Miracle a l'air coupable et triste.

— C'est dur d'aider le monde et de changer les destins, dit-elle. Je réussis rien, je suis une ratée !

— Ben non, ben non, disent les trois fillettes.

— L'ubiquité, fait Ariane, j'y tenais pas ; ça doit être mêlant.

C'est un gros mensonge très évident.

— On t'aime pareil, dit Myriam. On t'aime pour toi-même. Mon frère aussi t'aime...

Elle affermit sa voix mais elle est troublée : elle vient de mesurer les limites de la sorcellerie moderne ! À ses côtés, Miracle a l'air d'une petite fille vulnérable. « Des fois, elle se choque fort, a dit le Diable, et elle devient bête. Faites attention, fillettes ! » Il les a prévenues. Il doit exagérer. Mais bizarrement, elle se sent plus forte que la sorcière, pour affronter la vie et l'amour. Après tout, elle descend des Grand'maison et des Michaud de l'île Verte, hautes femmes au large bassin et à la volonté incassable. Elle aussi est une sorcière ! Elle finira bien par convaincre Célestin de l'aimer.

— Vous allez être en retard pour le souper, lance Maryse du fond de la salle.

C'est juste. Ils sont mieux de se grouiller. En sortant, ils regardent par-dessus l'épaule de Maryse et admirent les petits gribouillis de son écriture dans son carnet bleu. Elle dit qu'elle en est toujours à la lettre de Kate, elle la perfectionne. Ils ne voient pas ce qu'elle peut bien rajouter à un texte déjà parfait, selon eux, mais ils n'ont pas le temps de se faire expliquer ; ils disent « ciao ! »

Dans le parking, il y a un léger flottement ; ils plissent les yeux.

— C'est curieux, fait remarquer Olivier, le gars des vues s'est pas pointé aujourd'hui...

— Le gars des vues est jamais là en même temps que Maryse, dit Myriam.

— On se reprendra, les filles, dit Miracle. Les philtres, c'est comme le tarot ; on peut recommencer autant de fois qu'on veut, ça occupe et c'est soft.

Elle file vers le parc. Pour elle, c'est facile de remonter les côtes ; ses patins sont à vitesse et elle a mis le *full speed*. Elle donne un lift à Ariane qui est la plus pressée : elle craint que sa mère se mette à pomper contre elle. Le groupe se disperse. Myriam se retrouve seule avec son frère. Elle enlève ses patins pour pouvoir marcher à ses côtés. Ils se tiennent par la main. Personne n'est là pour se moquer d'eux, alors ils peuvent bien se tenir par la main.

— Tu sais, dit Myriam, je ne veux pas que tu ries de moi, mais je pense que mon don, c'est un don de voyance...

Gabriel répond qu'il ne rit jamais d'elle et qu'il la croit. Il ne lui demande pas si elle voit quelque chose entre Miracle et lui, il ne veut pas brûler les étapes. Pour le moment, il ne souhaite même pas que la sorcière l'aime ; son amour pour elle lui suffit. Sur le trottoir, il voit le tracé lumineux de ses patins.

— L'amour, c'est pas une bonne chose, dit Myriam.

— Je trouve pas, dit Gabriel.

— Faut s'en débarrasser, continue Myriam.

Elle va s'en débarrasser. Ça ne peut pas continuer, c'est trop douloureux, elle est malade d'amour. Elle se dit : « Myriam Ladouceur est malade d'amour pour un insensible. » Elle se jure de guérir mais avant, elle va tenter un dernier effort, elle vient d'avoir une idée ; elle lui écrira une lettre comme celles de la tante Maryse, une lettre anonyme lui dévoilant son amour et lui posant des ultimatums. Sauf que la lettre ne sera pas anonyme, cette idée lui déplaît. Alors ce sera une lettre nonyme, brûlante, persuasive, irrésistible. Si Célestin ne veut pas boire les philtres, s'il refuse de lui parler, il devra la lire, elle le poursuivra comme une folle et une entêtée ! Elle lui écrira en arrivant, ça presse, elle a soudainement un grand désir d'être arrivée en haut de la côte dans sa Babylone natale.

Aujourd'hui, elle n'a pas regardé si les fleurs avaient progressé; il faut qu'elle aille les encourager, c'est elle qui les fait pousser. Elle serre la main de Gabriel qui fait bien attention de mettre ses pas dans la trace des patins de Joseph-Lilith-Miracle Marthe, dont il se répète tout bas le nom.

Onze mai

L'impromptu de la ruelle Boisbriand

La couleur de mon rouge à lèvres est un exemple de ce qui nous attend.

Élise TURCOTTE
et Louise DESJARDINS
La catastrophe

De la porte d'entrée, Gabriel entend sonner le téléphone. Il s'y précipite, espérant que ce soit son père. C'est seulement la gardienne walkman qui les prévient un peu tard : elle a un empêchement et ne peut pas venir aujourd'hui.

— Ma sœur est même pas là ! dit-il. Pis si jamais elle arrive, j'vas la garder moi-même !

Il raccroche en se demandant où Myriam peut bien traîner et s'il va l'engueuler quand elle rentrera. Elle a dû s'attarder avec Ariane avant que celle-ci ne retourne sur la rue Durocher. Car c'est une semaine de rue Durocher. Mais sa sœur n'est peut-être même pas avec Ariane : depuis qu'il y a du Célestin dans l'air, elle est bizarre, changée. Célestin est un frais-chié et Gabriel éprouve tout à coup le besoin de protéger sa petite sœur. Si elle arrivait maintenant, avec son sac d'école, ses patins et une nouvelle tache sur son chandail, il ne lui ferait aucun commentaire, aucun reproche. Il serait seulement content de la savoir là. Pourvu qu'elle rentre, elle ou quelqu'un d'autre ! Il n'aime pas être seul à la maison. Il reprend le combiné et compose un des trois numéros de son vrai père. La secrétaire du bureau lui apprend que maître Duclos « a quitté ». Il compose le deuxième numéro pour s'entendre dire par le répondeur que « Jean Duclos est présentement absent ». La formule est bonne ; c'est bien ce que son père a toujours été pour lui, un homme présentement absent. Et important ! Tout le contraire de François Ladouceur, qui ne doit pas être très important puisqu'il a le temps d'être là. « Une vraie fée du foyer ! » dit-il parfois de lui-même en souriant. Qu'est-ce qu'il fait, qu'il ne rentre pas ? Il avait des courses de dernière minute à faire, des achats spéciaux pour ce soir, c'est la fête de Marité. Gabriel compose le troisième numéro de son père ; comme d'habitude, la ligne est occupée. Il raccroche, va dans le bureau de François chiper du papier spécial et s'installe sur la galerie d'en arrière où les deux chats le suivent. À travers la porte mousquetaire, il a cru voir l'esprit mauvais assis à califourchon sur la rampe, mais une fois dehors, il comprend que c'était une ombre, une simple illusion d'optique. Il l'appelle :

— Esprit mauvais, viens m'aider pour ma lettre...

L'esprit ne répond pas. L'orthographe de Gabriel est très moyenne et quand il écrit à son père, il ne veut pas prendre de risques : si jamais Jean trouvait des fautes, il dirait à Marité qu'elle l'élève mal et de le changer d'école, et tout ça. Marité lui dirait de collaborer un peu plus ou d'aller chier, probablement les deux à la fois, et tout ça, et il ne faut pas que ses parents se chicanent à son sujet ! Aussi, François Ladouceur est-il souvent mis à contribution ; ça lui fait plaisir, à François, c'est lui-même qui le dit, alors pourquoi se donner la peine de regarder dans le dictionnaire ? Mais il n'arrive toujours pas. En son absence, l'esprit mauvais devrait pouvoir compenser.

— Matérialise-toi, Fred, ordonne Gabriel. Ou dis quelque chose ! Si tu m'apparais, je te promets qu'on va jouer à la foi catholique, après ma lettre.

— Foi cathodique, répète Fred tout bas.

Mais il demeure invisible.

— On va pogner une bonne discussion sur les évêques en Amérique latine...

— Tu connais rien là-dedans, dit Fred.

C'est là qu'il se goure, Gabriel étant tout à fait capable de lui répéter *in extenso* la conversation qu'il a entendue hier entre Laurent et François. L'esprit devrait mordre à l'hameçon, l'Église est son sujet favori : à tort ou à raison, il prétend être un des ultimes gardiens de la foi catholique auprès des athées. Mais loin de mordre, il semble prêt à dételer, aujourd'hui.

— J'ai mal aux cheveux ! dit-il, toujours invisible. Mal au bonnet ! Ça me fait pas de prendre des cours de natation. Une affaire qui est pas innée, aussi !

— Change pas le sujet, dit Gabriel. Personne te force à faire un fou de toi. Si tu viens t'asseoir sur ma rampe, je te parlerai pas de l'Inquisition ni du pape, ni des conquistadores, seulement de monseigneur Romero, promis-juré.

— Ah, monseigneur Romero ! fait Fred.

Il y a un accent douloureux dans sa voix. Il s'arrête et enchaîne presque aussitôt : « Give me a break, Gaby... » Et il ne dit plus rien.

Gabriel espère encore un moment que l'esprit se manifeste mais, dans l'air immobile, rien ne bouge et il n'entend que le ronronnement de Belmondo, déjà installée sur le papier. Fred se fait rare depuis quelques jours. Il faut croire qu'il n'a pas le temps, lui non plus, il doit être en train de devenir important, il attend peut-être une promotion, mais il n'en parle pas. Il est cachottier. « Il se réserve, a-t-il dit, pour des clients plus jeunes comme la belle Ariane de la rue Mentana qui a grand besoin d'être guidée et aimée. » « Moi aussi, j'en ai besoin ! » a dit Gabriel. « Vois-tu, a répondu Fred, ta mère à toi est ferme et attentive, ce qui n'est pas toujours le cas de la pompeuse de steam... Or, je remplace un peu les mères distraites et absentes, sur le plan symbolique s'entend, je n'ai aucune prétention à la matérialité des choses, des chairs, à leur volupté, je devrais même dire sur le plan fantasmatique...» «Abrège», a dit Gabriel. «Donc, entre vous deux, Ariane et toi, je choisis forcément Ariane...» «Tout ça parce que j'ai une mère ferme!» a conclu Gabriel. Il ne veut pas penser à sa mère ferme, pas maintenant. Il soupire et écrit la date au haut de sa feuille: *Jeudi, le 11 mai 1983*. Jour de la fête de sa mère! Ça, il ne l'écrit pas; ce serait impoli envers Jean, il aurait l'air de lui rappeler pas très subtilement l'anniversaire de son ancienne femme. Sous la date, il commence: *Cher papa*. Il biffe *Cher papa* et le remplace par *Cher Jean*, qu'il biffe aussi. Et il recommence:

> Jean,
>
> *Ça fait deux jours que je parle à ton répondeur qui a la voix de ton avant-dernière blonde. Qu'est-ce qu'elle dit de ça, ta nouvelle blonde?*

Il s'arrête pour penser à la réponse. Dans le fond, c'est bon signe: tant que la fille n'aura pas eu l'initiative de changer le message du répondeur et d'effacer la voix de l'autre, c'est qu'elle ne se sentira pas chez elle dans la place. C'est toujours ça de pris. Car c'est elle, la blonde de son père, qui est sa véritable rivale. Il n'aime pas les blondes de son père, elles sont toujours moins belles que Marité — des vrais pichous — et faiseuses de trouble, à part ça! Mais il ne veut pas partir une chicane là-dessus avec Jean, c'est un sujet sans issue. Il met la feuille de côté et recommence sa lettre. De toute façon, celle-là n'était vraiment pas postable. «Pourquoi tu les postes jamais, tes lettres ? lui a déjà demandé Fred. Tu nous fais corriger ton français dans des lettres que t'envoies pas ! » « Comment tu sais que je les poste pas ? » Air fanfaron et assuré de l'esprit mauvais... « Quand je les écris, avait fini par bredouiller Gabriel, c'est pour les poster... mais des fois, je les perds... »

Dès qu'il a su écrire, il a entrepris une correspondance à sens unique avec son père. Au début — il avait à peine six ans —, il s'imaginait qu'il lui suffisait d'écrire la lettre pour qu'elle se rende. Marité avait montré les brouillons à Jean. Celui-ci avait été flatté. À la troisième lettre, il n'avait rien dit et à la cinquième, il avait eu l'air embêté. «Il faudrait peut-être que tu lui répondes », avait suggéré Marité. «Je suis tellement débordé, au bureau ! » avait dit Jean. Au moment même où il parlait, germait dans sa tête l'idée de mettre sa secrétaire sur le dossier. Marité — qui le connaissait bien et trouvait qu'il ne s'améliorait pas en vieillissant — avait tout de suite soupçonné son intention ; elle lui avait dit de laisser faire. Par la suite, elle a cessé de lui transmettre les lettres et elle ne lui en a plus reparlé. Aujourd'hui, quand elle en retrouve une, égarée dans la poche d'un jean, elle la met de côté en se disant que l'important, pour Gabriel, est sans doute de les écrire, ces lettres.

Chère vieille branche, écrit-il sur une autre feuille.

J'ai une nouvelle amie. Elle a un nom à coucher dehors mais on l'appelle, moi et moi-même, la fée Miracle. Elle a des gros seins. Énormes ! Pas comme ceux de Marité, mais quasiment. Si tu verrais ça ! Pour le reste, elle est petite, mince, non, petite. Elle a dix-sept ans, je pense, mais elle se tient avec nous autres quand même. Elle est pas attardée, juste un peu spéciale. Je me demande si un jour elle va m'aimer...

Il part dans la lune, longtemps. Tout est calme dans Babylone où le printemps est revenu. Son regard flotte au-dessus des massifs de chalef remplis d'oiseaux. Belmondo s'approche doucement des arbustes, elle frémit et attend, mais les oiseaux s'envolent avec leur chant. La chatte rentre en elle-même. Gabriel plie la feuille où est écrit le nom de la fée Miracle et la met dans la poche de son tee-shirt, sur son cœur. Il a le cœur lourd, soudain. Il prend une autre feuille :

Cher papa,

    Je t'écris pour te dire que c'est la dernière fois. Il faut que tu te fasses à l'idée, je n'ai plus le temps, ce sont des enfantillages. Je t'écris seulement quand j'ai la chienne, tu peux pas comprendre, c'est Maryse qui dit ça, c'est quand on a peur, tout seul, on a la chienne jaune...

Il lève la tête car il a entendu quelqu'un siffler : Laurent descend l'escalier de chez Maryse, il a l'air en pleine forme. On dirait qu'il s'en vient ici ! Il passe la barrière. Il s'en vient vraiment ici ! Gabriel sent une grande chaleur l'envahir, et que la chienne jaune de la solitude, qui depuis tantôt avait fait sa niche dans sa poitrine, pesant sur ses poumons, s'en va. Le stylo toujours à la main, il court vers Laurent et lui donne une espèce de bourrade. S'il ne se retenait pas, il lui sauterait au cou, mais on ne fait plus ça, c'est pas tellement viril, Célestin le dit. N'empêche qu'il est content : il aura Laurent pour lui tout seul et il pourra le questionner à son aise sur ce qu'il appelle «les pays du bas de la carte».

— Le Honduras, dit-il en sautillant d'une façon très peu virile, tu connais-tu ça? C'est quoi les Casques bleus?

— *Momento!* fait Laurent. Laisse-moi arriver.

Il rit.

C'est vraiment un type bien, Laurent, comme dirait Olivier dont la cousine vient de passer trois semaines à Paris. La tante Maryse a donc bien fait de le prendre pour chum! À tout coup, il met en échec la chienne jaune.

Blanche ne sait pas pourquoi elle s'est arrêtée devant ce magasin mais elle n'y pense pas, profitant de la douceur de l'air et du chant des oiseaux. Vers la fin de l'après-midi, elle l'a remarqué, les oiseaux se remettent toujours à chanter. En fait, elle s'est arrêtée pour se reposer. Le métro est fermé à cause de la grève mais il fait tellement beau qu'elle a décidé de marcher, ça se marche, il suffit de faire des pauses. Elle se demande si la grève va durer ce printemps-ci. Depuis des années en mai, les employés des transports publics déclenchent la grève. On ne sait même plus pourquoi. Au début, ça va, les gens prennent leur mal en patience puis, à mesure que les jours passent, ils deviennent moroses : ils sont en retard partout. Elle n'a pas ce problème-là... Rêveusement, elle détaille la vitrine du magasin. C'est aujourd'hui l'anniversaire de Marie-Thérèse mais elle ne va pas lui porter son cadeau ; elle a une réunion importante et Marie-Thérèse a quarante ans, tout de même! Elle, le jour de ses quarante ans, sa mère venait de mourir et on l'enterrait. C'est ce jour-là qu'elle est devenue la femme de la maison, « la » mère, puisque sans mère... Elle téléphonera à Marie-Thérèse dans la soirée. À l'intérieur du magasin, il y a deux longues rangées de bicyclettes. Dans sa jeunesse, Charles-Émile avait la Dodge Opera, ce qui excluait rigoureusement la bicyclette. Elle n'est jamais montée sur cet engin-là. Avec l'autre, son premier amour — elle l'appelle l'autre —, les choses auraient été différentes : il n'avait pas d'auto. Elle pense à lui, encore aujourd'hui. Après tout ce temps ! Les regrets sont persistants. Tout est persistant ! Sauf la peau. Elle voit son reflet dans la vitre et il lui semble que ce n'est pas elle, ce visage vieilli. Elle se sent comme à dix-huit ans. Plus loin que son reflet, comme en elle-même, elle revoit sa journée de dimanche dernier à Ottawa. Elle y repense longuement, elle déteste les raccourcis. Un moment de la journée lui plaît particulièrement et se détache des autres comme une photo polaroïd : elle est sur la pelouse du Parlement, dans la foule venue manifester contre les missiles *Cruise*. Il fait frais et sec. Les gens s'adressent la parole sans avoir été présentés. L'atmosphère est spéciale, très «camaraderie», comme dirait Marie-Thérèse. Insensiblement, les manifestants se sont déplacés, si bien que vers la fin de l'après-midi, son groupe en côtoie un autre : des gens du comité ZLAN, ce qui veut dire «Zone libre d'armes nucléaires», l'homme qui se retrouve près d'elle le lui a expliqué. Il a engagé la conversation. Tout naturellement, elle lui a répondu. Ils ne savent pas encore leurs noms mais ils se parlent comme s'ils se connaissaient depuis toujours. L'homme a des yeux bleu sombre et quelque chose de juvénile aux tempes ; un reflet argenté qui luit dans le soleil. Il sourit. Mais elle ne trouve pas de mot pour qualifier son sourire. Toutes les fois qu'elle y a pensé depuis dimanche, elle s'est arrêtée à ce sourire indéfinissable : charmeur, prenant, troublant... non, pas troublant, tout de même ! Avant de partir, il s'est présenté : Désiré quelque chose, elle n'a pas saisi le nom de famille et n'a pas osé le faire répéter. Il habite à Montréal, il est veuf et membre du ZLAN. Quel âge peut-il bien avoir ? Soixante-cinq ans, pas plus. Elle craint soudain d'être trop vieille et qu'il ne soit pas à la réunion du ZLAN, tantôt. Elle vient d'adhérer au groupe ; dans le fond, elle a toujours été contre le nucléaire... Elle recule d'un pas pour se voir tout entière dans la vitre et vérifier sa tenue, le bord de sa jupe. Les jambes sont encore fines. Un cycliste la frôle en passant ; il circule sur le trottoir mais ça ne la gêne pas. Un autre remonte la rue. Ils sont de plus en plus nombreux. «Même l'âge d'or s'y est mis, a dit Désiré. C'est tellement agréable !» En plus d'être inscrit au ZLAN, il fait partie du *Monde à bicyclette*. Il est spécial ! «Il vaut le coup», comme dirait Marie-Thérèse. Pourvu qu'il soit à la réunion ! Elle reprend sa marche.

À travers un jour du rideau, le soleil a lui un moment et elle a sombré dans ses bras. Maintenant, elle émerge. Elle regarde dans le miroir de la chambre d'hôtel où le lit se reflète et elle y voit son fantasme des jours derniers, matérialisé : Rémy tient la promesse de ce qu'elle imaginait. Il est beau, ferme, lissé... Il a l'air tellement jeune ! Elle dit : «Mets-toi debout, que je te regarde au complet ! Je n'ai pas eu le temps de te voir, tantôt.»

Il se lève, va à la fenêtre et soulève le rideau qui découvre la ville, en bas. Il vérifie l'heure à sa montre. C'est la fin de l'après-midi ; ils ont encore de longues minutes devant eux, une petite heure qui sera immense dans son souvenir à elle. Il revient vers le lit en souriant :

— Tu me plais tellement, Marité !

Elle rit. Cela s'est passé d'une façon si impérieuse ! Sans même qu'elle ait eu le temps de penser à François, elle s'est retrouvée entre deux portes, entre deux téléphones, fondante dans ses bras. Elle se serre contre lui. Un tel désir ! Si puissant qu'il évoque en elle l'image d'une digue rompue. Un tel désir, mêlé à un tel déplaisir, déjà ! Car c'est cela aussi qu'elle éprouve, de l'agacement et un peu de désillusion. Une certaine et inévitable désillusion. Les deux sensations, regret et plaisir, sont tellement inextricablement entremêlées qu'elle a soudain le goût de le lacérer et de mordre sa bouche pour la rendre encore plus rouge. Y laisser sa trace. Il a allumé une cigarette et il parle en la caressant. Elle l'écoute à peine, plus attentive à sa main sur elle qu'à ce qu'il dit. Elle pense que cela leur arrive parce qu'il le fallait. Leur aventure est simple et contraignante comme une simple histoire de cul en fonction de laquelle tout est devenu vibrant et soudainement chargé de sens. C'est curieux, ce que le cul peut faire, tout de même ! Mais ce n'est pas uniquement le cul, et ce n'est pas non plus une histoire d'amour, c'est quelque chose entre les deux, un moment d'égarement des sens. Elle succombe, elle est en train de succomber dans ses bras, et elle savoure les délices de sa chute. À cette minute même, elle frémit sous sa main et se jure de ne jamais regretter son plaisir, plus tard. Ce matin, au bureau, une cliente parlait de l'obligation de penser à soi. C'était le type même de la chômeuse instruite. « Je n'aime pas les enfants, a-t-elle dit comme pour provoquer. Parfois, je n'aime même pas le mien. Je le déteste ! Je ne crois ni à la fidélité ni à l'amour maternel. Je suis une mère dénaturée, une courailleuse... » Elle a fait une pause. « Allez-vous continuer à me défendre ? Vous être compréhensive, maître Grand'maison, mais il y a des maudites limites ! D'ailleurs, je sens dans votre œil toute la réprobation de votre classe sociale. Je n'aime pas être jugée ! » Elle est partie abruptement, la laissant pantoise ; elle l'avait atteinte en son point vulnérable : la maternité.

— Tu verras, dit Rémy à ses côtés, si je prends la direction du bureau, on pourra former une bonne équipe, nous deux. On aura facilement le contrôle.

Elle le sent tendu vers cette idée ; le contrôle de la boîte. Une fois la première évidence de la chair passée, cela lui saute aux yeux : Rémy a quelque chose de touchant et de dérisoire à la fois. Il doit considérer l'amour comme une question de territoire à conquérir et de fief à s'annexer. Satisfait de lui — et de l'avoir eue, peut-être —, il sourit. Elle se dit qu'elle couche avec lui par hasard le jour de ses quarante ans, les deux choses ne sont pas nécessairement liées ; elle est un peu comme la cliente de ce matin, fantasque, et voulant vivre. Pourquoi pense-t-elle à cela maintenant, la tête sur la cuisse de Rémy, tout près de son sexe ?

— Freud a écrit que les enfants étaient pour les femmes des substituts du pénis, dit-elle.

Rémy rit et revient à son idée :

— Galarneau est un faible...

Oui, dit Marité. Et si c'était le contraire ? Si le pénis était un substitut du bébé que vous n'avez que par procuration ? Le pénis, c'est évanescent, toujours à regonfler. Alors que le bébé, lui, ne fait que croître. Et vous échapper. Mais cela, c'est autre chose...

— Ce que j'aime chez toi, dit Rémy, c'est ta folie et ton aplomb combinés. Tu iras loin, Marité ! Ensemble, on pourrait accomplir bien des choses, on est faits pour se compléter.

Il ne parle encore que de ses ambitions. C'est donc à ça qu'il pense, à nu, au fond ! Nus, les hommes sont transparents. Du moins, celui-ci. Il doit avoir horreur du mot mou et des choses fragiles, malgré la douceur de sa peau. Tantôt, elle a tenu dans sa main son sexe gonflé. Peu à peu, le sexe est devenu petit, petit. Elle se remet à l'embrasser.

— Qu'est-ce que tu fais ? dit-il en écrasant sa cigarette.

Elle l'embrasse pour l'empêcher de parler. Dès ce soir en se couchant aux côtés de François, elle comprendra ce qui lui déplaît chez Rémy, elle se l'expliquera froidement. Mais elle conservera le souvenir de ses mains sur elle et de la pression de tout son corps. Elle n'a même pas l'excuse de le trouver intelligent ! C'est le désir brut, la peau impérieuse. Elle reprend son souffle un moment et s'aperçoit dans le miroir : échevelée, luisante d'amour, et les joues en feu. Elle relève une mèche de cheveux et descend vers son sexe, replongeant vers lui. Elle dérape, veut déraper vers ce corps qui l'affole malgré les mots naïvement prétentieux qui en sortent...

Marie-Lyre se regarde dans le miroir de la salle de bains. Les prunelles de ses yeux paraissent encore plus noires dans la blancheur cireuse du masque de beauté qu'elle s'apprête à enlever. Elle ouvre le robinet. Depuis deux jours, il y a eu une accalmie dans les répétitions et les après-midi elle est restée chez elle à se dorloter, immobile la plupart du temps, ne bougeant que pour faire les mouvements de gymnastique utiles, ceux qui retardent l'avachissement des muscles. Pendant cette retraite, elle s'est économisée ; si elle n'a pas rajeuni, du moins elle espère avoir moins vieilli. Il y a en effet des heures de stress et de grand malheur où on flétrit tout d'un coup, et d'autres, plus calmes, pendant lesquelles les tissus se régénèrent. Celles-là sont évidemment moins nombreuses! Mais elle aime penser qu'elles existent, tout en sachant qu'aussitôt passé la fleur de l'âge, le vieillissement commence. Elle met sa main sous le robinet; l'eau est à peine tiède. Elle habite au troisième, les tuyaux sont vieux et l'eau, lente à monter. C'est sans importance aujourd'hui, elle est en avance. Elle écarte sa longue chemise de soie rose pour regarder ses seins. Chaque matin, en s'habillant, elle les examine et se dit: «Encore un jour avec mes deux seins!» Elle a trente-sept ans et elle en paraît dix de moins, mais elle imagine déjà l'air qu'elle aura à cinquante-cinq ans. Si elle se rend jusque-là! Avec ou sans ses seins. Elle n'est pas du tout sûre de mourir avec. Depuis quelques années, cette obsession du cancer du sein la poursuit. Elle essaie de ne pas y penser, de peur que sa pensée ne fabrique le cancer, on dit que cela se peut. Mais dans un jeu d'association d'idées, au mot sein, elle ne joindrait pas spontanément le mot pomme ou plaisir ou lait, mais le mot cancer. La chose est là, recouvrant la rondeur lumineuse de ses seins d'un voile glauque. Ce n'est pas tant la mort qui lui fait peur que la mutilation, la flétrissure. Samedi dernier, Marité a dit: «J'ai la quarantaine», comme on dit: «J'ai la migraine.» C'est peut-être cela, le vieillissement, une migraine perpétuelle qui s'étend à tout le corps et le gruge. Du vieillissement considéré comme une déchéance... Elle se demande si les autres femmes se vérifient comme elle, chaque matin devant leur miroir. Celles qui ne le font pas doivent avoir une autre perversion. Elle pense: «Le miroir est ma folie personnelle, mon délire.» Elle ne veut pas devenir laide et vieille. Laide parce que vieille. Elle se dit parfois que les belles femmes le restent malgré l'âge, certaines le restent, Blanche Grand'maison est encore belle, Mimi d'Estée aussi, et Simone de Beauvoir le sera toujours. Mais sa mère, Déjanire Flouée, était difforme à la fin. Il faut dire que l'Institut Prévost n'est pas ce qu'il y a de mieux pour la forme physique... L'eau est brûlante maintenant. Une fois le masque enlevé, elle retrouvera sa figure purifiée, tendre et belle à nouveau. Combien de temps encore aura-t-elle cet air-là ? Elle applique la débarbouillette fumante sur ses joues et sent le masque fondre. Lentement, d'une façon quasi rituelle, elle enlève toute la crème et s'éponge la figure. Elle est régénérée ! Elle ferme le robinet. À côté de l'évier est posée une assiette contenant une pomme verte tranchée mince. Depuis deux jours, elle n'a absorbé que de l'eau d'Évian et des fruits. La pomme goûte le citron et fond dans la bouche. Elle esquisse un pas de danse, un geste lascif comme elle en faisait à quinze ans, seule devant son miroir. Elle était alors indéniablement jeune et amoureuse de son corps, un corps qui avait l'évidence impérieuse des choses parfaites. Maintenant, à peine vingt ans plus tard, cela commence à s'affaisser d'une façon aussi incontrôlable que cela a fleuri autrefois. Comme c'est court, vingt ans ! La vie passe en attente et en regrets. Elle ne veut pas être une ancienne belle. Elle soupire, engouffre le restant de la pomme et part vers sa chambre. En passant devant le miroir de la commode, elle relève ses cheveux bien fournis, toujours aussi noirs et luisants. On y voit à peine quelques fils blancs. Elle devrait peut-être les sacrifier ? Ils sont longs « pour une femme de son âge », c'était l'expression de sa mère qui trouvait toujours les autres femmes trop maquillées, trop décorées, trop colorées, trop froufroutantes pour leur âge.

Sa mère est morte l'an dernier, vieille pour son âge... Elle décroche sa robe de satin fuchsia, couleur de corrida. La robe conviendra très bien pour descendre chez *La Sultane* où quelque chose mijote, bouillonne et branlera dans les chapiteaux, Benoit Jusquiame l'a prédit. Elle a hâte d'aller à la corrida ; elle se sent assez d'énergie pour affronter six taureaux en ligne et toute une armada de matadors. Le masque était un spécial à la vitamine E qui énergise. Elle retourne au miroir pour se maquiller. Elle a toujours aimé se maquiller, mais maintenant ce n'est plus le pur plaisir de souligner les traits d'un visage parfait ; certains jours, il faut essayer de camoufler une ride naissante. Elle étale les produits de beauté devant elle et comme toujours, la question du lifting lui vient à l'esprit. Personne n'en parle ouvertement mais plusieurs comédiennes y ont recours, passé quarante ans. Cela se fait dans la honte et la solitude, cela est strictement privé, semble-t-il ; la beauté et la jeunesse sont publiques mais le vieillissement est une tare, et le refus de vieillir, un travers qu'on ridiculise. On parle du lifting des autres en souriant légèrement... jusqu'à ce qu'on ferme sa gueule bien *tight* pour éviter les rides et parce que c'est à son tour de passer au scalpel. Évidemment, pour une comédienne, le mûrissement permet d'avoir les plus beaux rôles. Elle pourra bientôt jouer Phèdre, qu'on distribue toujours à des actrices de quarante ans, allez savoir pourquoi ! En fait, le personnage a vingt ans mais on en a fait le symbole de la femme vieillissante amoureuse d'un jeune homme. Phèdre est d'autant plus pitoyable qu'elle est belle encore et s'interdit de l'être... Marie-Lyre sourit narquoisement : les hommes plus jeunes qu'elle ne l'ont jamais intéressée. L'autre jour, le fils de Marie-Belle Beauchemin était à la répétition et il ne l'a pas quittée des yeux, Benoit le lui a fait remarquer. Ce détail, auquel elle n'avait pas repensé, l'amuse ; il est tellement jeune, encore un petit gars ! Les amours de ce genre sont sans issue parce que sans projection dans le temps : à supposer qu'elle prenne un amant de vingt ans ce soir — après la répétition, par exemple —, dans huit ans, elle approchera de la cinquantaine et lui n'aura que trente ans. C'est injuste, mais c'est comme ça : navrant. Elle pose la pince à sourcils et se dit : «Voyons, MLF, retrouve tes esprits, décompresse, fais quelque chose, relaxe !» Elle met son rouge à lèvres et se colle une étoile turquoise sous chaque œil. Géraldine Chaplin, autrefois, se dessinait de petits grains de beauté sous les yeux. Si belle, Géraldine Chaplin ! Mais justement, elle ne le fait plus. Se trouve-t-elle trop vieille ? Elle jouera peut-être bientôt Phèdre dans un film de Saura. Une Phèdre mi-espagnole, mi-anglaise et terriblement bouleversante. Comme Martha, dans *L'Œuf d'écureuil...* En finissant de s'habiller, Marie-Lyre repense au théâtre. Jusquiame a été vague dans ses prédictions. Si ça grenouille côté Courre, ça ne peut être qu'à propos du local voisin ; la direction est maboule avec ses ambitions ! Mais les répétitions vont bon train. Dimanche dernier, ils ont atteint un climax terrible. Juliette était en forme et Duquette, moins mollasson que d'habitude. Même Frozen Food a fait des efforts pour être à la hauteur ! La répétition s'est déroulée dans une sorte de fébrilité heureuse sans personne pour les parasiter : Adrénaline Taillefer ne s'est pas montré la fraise. Elle est peut-être malade. Ou morte. Ô joie ! Marie-Lyre enfile ses sandales à talons hauts et regarde dans son sac à main s'il lui reste assez d'argent. Elle y trouve un gros cinq piastres froissé. Avec ça, elle peut se rendre jusque chez *La Sultane* et même plus loin, plus tard, jusqu'à l'heure où les gens se laissent taper facilement, la fatigue et la bière aidant. Elle se met à fredonner un air du show en se disant que Maryse devrait lui écrire un monologue sur les rides, ça l'aiderait à exorciser cette hantise. Ça les aiderait toutes. Mais les questions de *make-up* et de *shape* n'intéressent pas tellement Maryse qui n'a pas mis tous ses œufs dans le même panier ; si elle est belle, c'est en surplus, ce n'est pas obligatoire pour une auteure dramatique, tandis que comédienne, tu dois d'abord être belle. À moins de te spécialiser dans le genre comique, mais ça c'est une autre histoire à laquelle elle ne veut pas penser, ce à quoi elle veut penser maintenant, c'est à cette idée d'un spectacle sur les rides. Elle voit une femme de cinquante-cinq ans assise à sa coiffeuse. La femme s'appelle Florence. Elle est encore belle mais jour après jour, elle constate que la beauté se retire d'elle en même temps que la jeunesse. Il y a des miroirs partout sur scène et Florence s'y mire, seule avec son image. Ce n'est ni futile ni dérisoire, mais triste. En sortant du théâtre, même les hommes comprendraient ce que c'est que de vieillir, pour une femme... Marie-Lyre descend l'escalier en faisant balancer le bas de sa robe. Elle se dit : «Ça va faire, MLF ! La séance de panique est terminée pour aujourd'hui. Demain, on verra». Elle enfourche sa bicyclette et file côté Courre, heureuse d'être encore en vie avec ses deux seins tressautant à peine sous le satin fuschia.

«C'est personnel, dit Myriam. Ma mère comprendrait pas, pis mes tantes surnaturelles non plus, mon frère a bien assez de sa correspondance privée, pis Ariane est à Outremont. D'ailleurs, son français est poche. Avec vous, je me sens pas gênée», conclut-elle.

Elvire esquisse un sourire. Elle tasse une mèche de cheveux qui lui a glissé sur le front. Son visage est lisse et nu. Contrairement aux autres femmes adultes que Myriam côtoie, elle ne porte jamais de maquillage. En cessant de faire la muse, elle a balancé tout ça à la poubelle et maintenant, ce n'est pas qu'elle ne se maquille plus, c'est plus profond : elle est toujours démaquillée. «Commence par faire un brouillon», dit-elle en s'essuyant les mains, qu'elle a fines et blanches à cause de la farine des gâteaux dont elle dit que c'est de la «fleur».

Myriam sourit, satisfaite d'avoir gagné. Elle aime bien flâner ici; Elvire ne recoupe en rien les enseignements de sa mère et de ses tantes, elle complète sa formation. Elle pose son sac d'école sur la table et en sort une pile de feuilles colorées qu'elle étale parmi les moules à gâteaux et les emporte-pièce en forme de lune décroissante. C'est toujours un peu en désordre dans la cuisine d'Elvire, un désordre sur lequel repose en permanence une mince couche de «fleur». Trois enfants lui tournent autour en tripotant ses affaires. Ils sont petits — des bébés — et elle ne se laisse pas distraire par eux. Elle se concentre fort. Il faut que sa lettre soit aussi pâmante que celles des personnages de Maryse. *Mon cher amour*, écrit-elle. C'est un bon début. C'est comme ça que la lettre de Catherine Labelle commence... Elle mordille son stylo en regardant le gâteau cuire, on le voit par la porte vitrée du four. C'est fascinant, les gâteaux; ça gonfle tout seul comme son amour pour Célestin. Ça enfle au point de fendre. Elle se sent tendue de toutes parts, sur le point d'éclater, elle vient pour écrire *mon cœur éclate* mais elle n'en a pas le temps : Adrien Oubedon fait irruption dans la place avec ses gros sabots, sa besace et son gros ventre.

Il est poète. Sans vergogne, il trempe son doigt dans un bol de glaçage rose, il y plonge deux phalanges, au moins. «Ça s'appelle des phalangettes, les doigts», dit Gabriel. Oubedon ressort ses deux grandes phalangettes et les lèche. «Textuel!» Quand elle va raconter ça chez elle, que monsieur Oubedon met ses doigts dans les plats! Ça va capoter!

Deux autres enfants arrivent à leur tour, comme s'ils accompagnaient le poète.

— Je passais, dit celui-ci.

Il ôte son chapeau — un feutre mou à la Indiana Jones — et d'un geste désinvolte, il le pose sur la table, dans la fleur.

— Vous passez souvent, monsieur Oubedon, dit Myriam en le regardant dans les yeux avec ce qu'elle croit être ses gros yeux.

Elle était bien avant qu'il arrive, seule avec Elvire. Les bébés ne comptent pas. Elle souhaite qu'il déguerpisse au plus vite ou qu'il prenne moins de place. Mais Oubedon ne se dégonfle pas.

— C'est ma façon de dire bonjour, fillette, explique-t-il.

Et, derechef, il replonge son doigt dans le glaçage, jusqu'à la troisième phalangette, cette fois-ci. Voyant que Myriam écrit, il se penche amicalement vers elle. Il croit à la vocation des femmes-poètes — avant qu'elles n'atteignent l'âge de la puberté. Il sent l'adulte. Ils sentent tous l'adulte, mais lui plus que les autres. C'est un mélange soutenu de tabac, de bière et d'une autre chose qu'elle ne parvient jamais à identifier. Ce n'est pas désagréable, c'est spécial. Et inévitable. Il grommelle une phrase incompréhensible. Il est plus difficile à suivre que les autres adultes, il est différent. Gabriel soutient qu'il est tout à fait ordinaire, dans son genre. Il doit avoir raison, Gabriel, il a le tour de cataloguer les gens selon leur âge et leur comportement, exactement comme dans le bouquin qui traîne au chevet de Marité quand il y a des remous dans leur vie familiale. Ça s'appelle : *Le jeune enfant dans la civilisation moderne* et c'est écrit par un dénommé Gesell et par une fille, mais la fille ne compte pas, son nom vient en deuxième et Marité parle toujours de Gesell. Gabriel le consulte fréquemment pour savoir où il en est lui-même dans son développement personnel, et s'il est normal. Mais Gesell le déçoit de plus en plus : il ne parle pas des familles séparées et ses analyses sont simplistes. Quoi qu'il en soit, depuis le temps qu'il pratique Gesell, Gabriel a compris son principe de classement et s'est fait sa propre échelle d'évaluation. Selon lui, Adrien Oubedon est tout à fait *average*. «Étant donné son âge, son background, son quotient intellectuel et son revenu annuel, Oubedon est *typical*», a dit Gabriel. Myriam a compris «titpickel» et elle cherche encore le sens de ce mot.

— Vous m'avez fait perdre mon idée, dit-elle au typical poète.

Celui-ci sourit malicieusement :

— J'peux vous en fournir une autre, mam'zelle !

Il lui dit vous ! S'il ne se retenait pas, il l'appellerait princesse ! Oubedon serait-il niaiseux, par hasard ? Elle doute soudain qu'il soit un aussi bon écrivain que Maryse. Il ne doit sûrement pas être capable d'inventer des lettres d'amour, gros et tit-pickel comme il l'est ! Elle renonce à lui faire des confidences et, de sa petite main sale, elle cache son papier. Intérieurement, elle forme les mots de son texte, toute la lettre est là, dans sa tête. Ça dit :

194

Mon trésor,

  Tu me manques tellement! Des fois, la nuit, je m'éveille et je m'imagine que je t'ai connu en rêve. I love you, Célestin! Tu es le plus beau! Je te serre sur mon cœur!

  Ton affectionnée,
  Myriam Ladouceur-Grand'maison

Non, c'est pas bon. Ça ressemble trop aux lettres de Maryse qui se passent dans l'ancien temps. Célestin va rire d'elle.

  — J'ai besoin de ton avis, dit Oubedon à Elvire en fouillant dans sa besace.

Elvire soupire et sort son gâteau du four.

  — Tu sais bien que j'en donne plus, des avis!

Ça embaume le gâteau mais les deux adultes n'y portent pas attention. Bien que poète professionnel, Adrien semble avoir lui aussi des problèmes avec l'écriture. C'est renversant, tout de même! Il est en train de construire «un sinueux poème new wave», dit-il. C'est une «Ode à Maréal, ville mercantile et imaginative». «Mercantile?» demande Elvire. «Pourquoi pas?» fait Adrien en haussant le ton. «Pompe-toi pas, Adri! C'est pas une critique!» «Oké d'abord», dit Adrien, et il continue d'expliquer le fonctionnement interne de son œuvre qui sera faite des noms de toutes les boutiques de la rue Saint-Denis et de la rue Laurier, plus quelques-unes, triées sur le volet, des rues Rachel, Ontario et Mont-Royal. C'est là la matière brute, et son art de poète consiste à organiser ce magma informe, à le prendre en charge pour le renommer.

  — On dirait qu'il y a quelque chose de changé dans

notre sensibilité, fait remarquer Elvire en plantant un cure-dents dans son gâteau.

Le cure-dents en ressort propre et sec.

— C'est l'époque ! dit Oubedon. Le beat des années 80. Tu es terriblement nostalgique, Elvi. Et granola-rétro.

Il dit ça, mais il veut tout de même son avis : devrait-il mettre l'« Oiseau bleu » et le « Rat d'O » après ou avant l'« Éden » ? Délicate question ! Myriam ne saisit pas la nuance.

— Papa, papa ! hurle un des enfants en tirant sur le gilet du poète, qui fond.

Littéralement, Oubedon se met à fondre : chaque fois qu'il s'entend appeler papa, il entre en transes. Pour quelques minutes. Évidemment, il a fait d'autres enfants ailleurs, au fil des ans, mais celui-ci, prénommé Hugo, est son préféré : il est beau comme Elvire et sa voix charmeuse évoque celle d'une sirène. Encore une fois, Adrien va succomber aux joies de la paternité ! Il sort de sa besace une enveloppe enrobant pudiquement la pension alimentaire du petit à la voix de sirène. C'est le versement du mois de décembre dernier.

— C'est pas trop tôt, dit Elvire d'un ton égal. Et pour Tristan ?

Adrien ne répond pas. Il s'est assis pour prendre Hugo sur ses genoux. Il l'embrasse et le serre fort.

— Et pour Tristan ? répète Elvire.

Adrien sourit, évasif. Bien sûr, il y a Tristan, l'autre enfant qui le regarde d'un air curieux et innocent. Mais il n'a jamais voulu le reconnaître, celui-là. D'ailleurs, il ne peut pas faire des miracles avec son salaire de poète ! Il soutient que les dates ne concordent pas. « Ah, les dates !

répond toujours Elvire, ce que tu peux être trivial, parfois ! Et radin ! »

— Donne-moi encore quarante dollars, dit-elle, sinon, je te révise pas ton *Ode à Maréal* ! D'ailleurs, idéologiquement, je suis contre. J'ai l'impression que tu vires à droite.

— Merde ! dit Adrien. Moi qui venais te faire une visite purement amicale ! Où veux-tu que je vire ? Il n'y a plus de gauche... Ici, t'es déconnectée dans ton trip de sucre en poudre, mais au dehors, tout dérape.

Sur ses genoux boudinés, son fils reconnu s'agite comme un ver à chou. Plus l'enfant s'agite, plus Adrien serre fort. La strophe divine qu'il avait en tête et qu'il se promettait d'ajouter à son *Ode* vient de s'effacer de sa conscience. Au même moment, son cœur de papa-poète recommence à battre normalement et sa transe se dégonfle comme un clafoutis. Mélancolique et vaguement déçu, il pose par terre son fils reconnu, à côté de l'autre, non reconnu. Il regarde Myriam mâchouiller son crayon, tendue au-dessus de sa feuille, travaillée par une quelconque maladie d'enfant. Elle est chiffonnée aujourd'hui, et barbouillée. Il regarde les autres enfants, pataugeant dans la farine et le désordre et il se dit qu'Elvire a vraiment la vocation ; elle est devenue une muse domestique exemplaire. Ils ont cessé d'être ensemble il y a longtemps mais il n'a jamais pu se passer d'elle ; il l'aime encore. Elle a conservé son merveilleux sens critique doublé d'une écoute que d'aucuns appellent créatrice. On peut encore lui faire des confidences. Il se laisse aller :

— Il me semble que ce n'est pas ça, l'enfance ! Ces marmots-là me piègent et m'embourbent. J'ai parfois l'intuition qu'à la longue, ils me tomberaient sur les nerfs. Troublante révélation ! Ce n'est pas là l'enfance salvatrice des écrivains post-Woodstock que j'affectionne tant ! Ce n'est pas non plus l'enfance heureuse et pure décrite par Oswaldo Raimondi dans ses romans ! Ni celle de Darem Buffaro, ni celle de Derick O'Cross ! Qu'en penses-tu, Elvire ?

— Oh, vous autres, écrivains ! dit-elle en commençant à glacer le gâteau — ça fond et dégouline sur les côtés, on est tenté de le lécher —, vous repasserez, pour les verts paradis des amours enfantines ! Vous repasserez quand les p'tits seront couchés.

— Ah oui ? fait Adrien. Vers quelle heure ?

Elvire part à rire.

— C'était une joke ! dit Myriam.

Décidément, Oubedon est nono. Elle se tourne vers Elvire :

— Je l'ai, mon idée. Tu viens de me la donner avec ton histoire d'amour verte.

Elle prend une feuille verte, y trace un gros cœur et écrit : *Myriam Love Célestin*. Ça dit tout ! Adrien regarde la feuille, lève les yeux au ciel et invoque la loi 101 en des termes rigoureusement incompréhensibles. Ça doit être de la haute poésie post-Woodstock. Ils se remettent à parler du poème new wave que Myriam trouve très ordinaire à côté des histoires de Maryse. C'est sans intérêt. Par contre, elle est très contente de sa trouvaille. Elle va la montrer à Gabriel qui ne pourra qu'approuver. Elle embrasse Elvire, ramasse ses affaires en catastrophe et part. Tant pis pour le gâteau !

Au coin des rues Sherbrooke et Amherst, quelqu'un lui fait des signes d'amitié, de grands sparages. Ce quelqu'un a une vue perçante et de longs bras démesurés, il ressemble à un étudiant polonais rencontré autrefois à Paris, ou à quelqu'un d'autre... À mesure que Marie-Lyre s'approche, ses soupçons se confirment: ce n'est pas l'étudiant polonais mais l'autre possibilité, c'est bien Adrénaline Taillefer. Merde. Elle n'est donc pas morte! Marie-Lyre arrive aux côtés d'Adrénaline au moment où le feu devient rouge et elle est forcée de s'arrêter. Taillefer lui saute au cou, ravie de la voir, éblouie, comblée comme une fan venant de mettre le grappin sur Michael Jackson lui-même. Adrénaline se rend justement chez *La Sultane*, elle aussi, à pied, à cause de la grève, elles pourraient faire route ensemble, il y a des choses dont elle aimerait parler. C'est une suggestion, mais ferme. Résignée, Marie-Lyre descend de sa bicyclette. Elles marchent d'un bon pas, celui d'Adrénaline. Celle-ci pose sa main sur l'épaule de Marie-Lyre puis la retire presque aussitôt, comme pour montrer qu'elle n'insiste pas, qu'elle ne force rien. Marie-Lyre se sent bizarre, tout d'un coup, mais relativement à l'aise dans son malaise qui lui est familier et remonte à son tout premier contact avec la Taillefer: elles se sont connues dans un colloque sur la Femme, lequel colloque s'était avéré être réservé à la femme lesbienne, montréalaise et scolarisée. À ses côtés, Adrénaline sourit d'un air ambigu.

— Qu'est-ce que tu voulais me dire?

— C'est à propos de *L'Œuf d'écureuil*... Je te regardais répéter l'autre jour, de loin... Tu dégages beaucoup, Marie-Lyre! On est envoûté par ton jeu...

Elle s'allume une cigarette en prenant bien son temps.

Marie-Lyre se demande par quel chemin détourné les compliments d'Adrénaline parviendront, cette fois-ci, à la déprimer. Car c'est toujours comme ça avec elle: elle a l'admiration dégonflante et plus elle vous sourit, plus ça vous donne froid dans le dos.

— C'est vrai, reprend Adrénaline, on est envoûté, les premières fois. J'ai suivi plusieurs répétitions de *L'Œuf* et maintenant je connais bien le texte ; l'autre jour, j'ai trouvé que tu punchais pas assez. Tu punches pas, mais en même temps, tu charges. C'est bizarre, hein ?

— Ah bon ! Je charge ?

— Un tout petit peu. Ça m'a étonnée, remarque.

Marie-Lyre est étonnée elle aussi ; c'est la première fois qu'on lui fait un tel commentaire. Elle a horreur des cabotins. Soudain, sa bicyclette est lourde. Elle n'a jamais eu beaucoup de force dans les bras et la côte Amherst, qu'elles descendent, est plus raide que d'habitude.

— Il y a quelque chose de très ordinaire, finalement, dans ton jeu, reprend Adrénaline. Mais tu dois le savoir, non ?

— ...

— Bof ! Vous avez trois grosses semaines avant la première, vous pouvez encore travailler. J'en parlais hier avec Marie-Belle...

Marie-Lyre s'arrête, sidérée :

— Ah oui ? Et qu'est-ce qu'elle a dit ?

Adrénaline, elle, ne s'est pas arrêtée. Marchant toujours, elle répond qu'elles ont surtout parlé du texte. Péremptoirement et en courant pour la rattraper, Marie-Lyre affirme que le texte de Maryse est un grand texte.

— Bien sûr, fait rapidement Adrénaline. Ça risque même d'être génial ! Une fois retravaillé. Dans son état actuel, c'est un peu patriarcal.

— Comment ça, patriarcal ?

— Oh, c'est pas toi, c'est pas Maryse, c'est pas Marie-Belle, mais le projet dans son ensemble a quelque chose de... macho. Je dis macho parce que je n'ai pas d'autre mot, remarque. L'expression est tellement galvaudée !

— Ah bon ! On est macho, astheure.

— Pas vraiment, mais y a quelque chose... *L'Œuf d'écureuil*, dans le fond, c'est mâle comme imaginaire. Pour un show de femme, c'est presque racoleur. Ça me déçoit.

C'est donc cela ! Comme toujours, en la présence d'Adrénaline, Marie-Lyre se sent entachée du lourd regard du mâle, du poids de tous ceux qui ont laissé sur elle la trace de leur passage. Cette trace, qu'elle croyait aussi transparente que du sperme, l'œil d'oiseau de proie d'Adrénaline la perçoit. Elle la flaire ! Marie-Lyre a l'impression d'être souillée : elle sent l'homme ! Elle a aussi l'impression de courir derrière la Taillefer depuis des heures. Le ciment du trottoir est fendu, le pavé est croche et versant, elle a chaud et froid en même temps. Elle devrait fuir mais elle veut comprendre ce qu'il y a de racoleur dans son interprétation de Martha. Puisque quelqu'un a le courage de lui en parler...

— Tu la joues un peu vamp, continue Adrénaline, mais c'est pas vraiment ça, c'est complexe, impalpable... Au début, tu me fascinais. Et tu me fascines toujours ! Sauf que dernièrement j'ai compris : ce que tu fais, c'est un tout petit peu facile.

Marie-Lyre est confondue : tout ce temps-là, elle croyait être une bonne comédienne — on la disait bonne — mais elle est seulement inconsciente et racoleuse ! Adrénaline se tourne vers elle et constate qu'elle y est allée un peu fort, peut-être.

— Fais-toi-z'en pas avec mes feelings, dit-elle. De

toute façon, tu seras toujours une grande actrice. C'est juss que je suis rendue plus loin dans ma réflexion...

— Mais t'es rendue où, exactement?

Adrénaline a un petit rire:

— C'est difficile de t'expliquer...

Marie-Lyre commence à comprendre: quoi qu'elle fasse, ça ne sera jamais assez, elle la décevra toujours et toujours, elle aura été meilleure la fois d'avant. «Pourquoi tu y as pas mis ton poing dans la face, à la sacramente?» dira Maryse quand elle lui racontera la scène. Car elle va la lui raconter dès son arrivée au théâtre. Maryse est violente. En paroles. Mais elle ne lui parlera pas des divagations d'Adrénaline Taillefer, elle va régler le cas elle-même. Elle ne sait pas comment, mais elle y arrivera. Et d'abord, fuir! Elle en a marre de courir à côté de sa bicyclette. Elle se voit fuyant loin d'ici, très loin, pédalant vers l'ouest jusqu'au Japon. Elles traversent le boulevard de Maisonneuve. Elle remonte sur sa bicyclette et de sa voix la plus racoleuse, elle dit:

— Excuse-moi, Adrénaline, mais je viens de me rappeler que j'ai laissé un chum stationné en double hier soir à la porte du théâtre. C'est rien qu'un gros mâle patriarcal, mais il fait partie de mon fan-club. Il est trop épais pour que je le déçoive jamais, lui, et je sens qu'il va raffoler du show. Là où t'es rendue, tu devrais sûrement me comprendre!

Elle donne un furieux coup de pédale à son bleu destrier et file vers l'ouest.

«Adressez-leur pas la parole, c'est une gang de phallos! Phallocrates!»

Le mot résonne dans toute la ruelle Boisbriand qui

ne fait certainement pas plus de trente mètres carrés. La fille qui a crié — et attiré ainsi l'attention de Rosemonde et de Maryse — se tient au milieu de la chaussée; les poings sur les hanches, elle regarde à l'intérieur du local contigu au théâtre. Aujourd'hui, l'endroit est ouvert à tous: il suffit de se présenter pour qu'une agente d'immeuble vous fasse visiter. Déboulant l'escalier et scandant elles aussi « phallo, phallo ! », trois autres femmes atterrissent sur la chaussée. Comme la première, elles portent des culottes d'une couleur indécise et des *flatfoot,* elles ont le nez luisant, le cheveu rare et raide. Elles restent au milieu de la ruelle, attendant la suite qui ne tarde pas à se manifester dans la personne de trois hommes à calvitie précoce, lunettes, sacoches et poches ventrales contenant possiblement un bébé. Les hommes marquent un temps d'arrêt, se demandant tout comme les femmes s'ils doivent continuer les hostilités, et si oui, sur quel ton. Les deux groupes antagonistes se sont malheureusement croisés en haut, en présence de l'agente d'immeuble qui ne les a pas trouvés comiques mais qui n'en a rien laissé voir. Dans le petit silence, un des bébés se met à pleurer. « Donc, ce n'est pas du *fake,* se dit Maryse, les poches ventrales sont vraiment occupées ! » Ce vagissement a quelque chose de curieux dans la ruelle habituellement calme. En fait, il s'agit plutôt d'une impasse que d'une ruelle: elle est murée du côté qui devrait logiquement mener à la rue Sainte-Catherine et seul un étroit passage y donne accès entre deux édifices; c'est un raccourci boueux que les assidus de *La Sultane* utilisent à leurs risques et périls. Il n'y a que trois portes ouvrant sur l'impasse: la sortie de secours du théâtre, la porte arrière du fameux local contigu et, de l'autre côté, l'entrée principale de chez Abraham A. Goldstein, un commerçant de fourrures. Goldstein est tranquille ; il se déplace toujours en silence et en souriant légèrement pour lui-même, il ne salue jamais personne : c'est comme s'il n'était pas là. Aussi, les gens du théâtre ont-ils pris l'habitude de considérer la ruelle comme leur appartenant et d'y laisser leurs bicyclettes, ceux qui en ont. Rosemonde a barré la sienne déjà, mais Maryse cherche son cadenas qui s'égare toujours au fond de sa serviette quand elle en a besoin. Cette fois-ci, elle décide de ne pas s'affoler et de tout sortir, calmement. Outre les habituelles copies d'étudiants, la serviette contient une boîte de nourriture pour chats de marque Pamper et un demiard de crème légère pour le café de demain matin. Pourvu que ça se conserve ! Mais elle n'a pas le temps de s'appesantir là-dessus car son attention est prise par la discussion qui s'est engagée entre les deux gangs.

— Nous autres, hommes-kangourous, disent les hommes, tout ce qu'on veut, c'est dialoguer.

En parlant, ils tripotent adroitement le sac du bébé hurleur, qui se calme.

— Bullshit ! dit la première femme atterrie sur l'asphalte.

— Nous autres, fââmmes, dit la seconde, on a fini de dialoguer !

— What a nice day, dit l'agente d'immeuble descendue prendre l'air un moment.

Comme à tous les jours de sa vie, elle porte un tailleur beige et des souliers noirs en cuir verni. Ses cheveux sont abondamment laqués. Elle promène un regard gourmand sur tous ces locataires ou propriétaires putatifs, elle sourit à tous, même à Maryse et à Rosemonde. Elle sourit aussi à Abraham A. Goldstein qui sort de son entrepôt.

— Nice day! répond un des hommes-kangourous.

Et il revient à la première fââmme, celle qui semble être la chèfe du groupe : « L'endroit nous convient », dit-il sèchement.

— Si on n'a pas de local, on n'aura pas de subvention, répondent les fââmmes. Faut signer au plus vite!

— Ben nous autres, la subvention, on l'a déjà!

— Scandale! hurlent-elles. On nous bafoue!

— Pas si fort! susurrent les hommes-kangourous, les bébés dorment.

Celle-là, les fââmmes ne l'attendaient pas. Elles se taisent un moment pendant que Abraham A. Goldstein traverse la ruelle et entre dans le fameux local. L'agente sourit une dernière fois à la ronde avant de refermer la porte. Maryse vient de renoncer à trouver son cadenas. Elle laisse sa serviette ouverte sur le trottoir, méditant sur la présence insolite de Goldstein en ces lieux. Elle est la seule à avoir porté attention au Juif. Les autres, déjà, ont repris leur discussion.

— On a besoin d'espace! disent les hommes-kangourous, le féminisme nous a comprimés!

— Mort aux patriarches tripoteurs d'enfants! fait la plus jeune des fââmmes.

Ses trois aînées la regardent, fières d'elle : c'est pas mal envoyé!

— Mort aux vaches? propose Rosemonde, incapable de se contenir plus longtemps. Faites-vous pas d'illusions, ô gangs rivales! L'agente vous fait des courbettes mais le local nous est réservé à nous autres. Depuis longtemps, *La Sultane* veut s'éjarrer.

— C'est pas évident, lance un grand gars apparu au fond de l'impasse.

Une femme le suit en marchant comme une aveugle, les mains devant elle et le pas incertain. Elle s'arrête et demande :

— Oùsque je mets le pied maintenant, Maître ?

— Bouge plus, ma poussinette, répond le Maître.

Et il enchaîne à l'intention de Rosemonde :

— Qui ça, *nous autres* ?

— Tu me reconnais pas ? dit Rosemonde. Mon Dieu que t'es devenu stuck-up, toi !

Le gars porte un accoutrement de style punk de milieu défavorisé, il a la face fripée et les mains veineuses. Sa comparse est du même genre mais en mieux. Disons qu'elle fait moins dur. Elle a quelque chose d'intéressant dans la démarche, une fluidité remarquable. Sa voix est plus difficile à supporter, mais c'est sans importance : elle se définit comme actrice corporelle. Le Maître, quant à lui, est un metteur en espace corporel. La fille se fait appeler Fassbinder et le Maître se fait appeler « Maître ». Rosemonde reconnaît parfaitement Ginette Groleau qui était dans sa classe en cinquième année B à l'école Notre-Dame-des-Intempéries de Laval. Elle reconnaît aussi Gaétan Poitras dont le père jouait au bowling avec le sien à tous les maudits samedis que le bon Dieu amenait. Pour ne pas les humilier, elle décide de passer sous silence leur passé commun. Mais les ingrats n'apprécient pas et se montrent baveux :

— T'es pas représentative, dit Gaétan Poitras alias le Maître, nous autres, on l'est !

À eux deux, ils constituent un groupe de recherche à but non lucratif dont le projet de vie est un apprivoisement exploratoire de l'espace. Fassbinder avance de trois pas en exécutant un mouvement de mime sibyllin.

— *La Sultane de Cobalt,* c'est pas un véritable lieu de recherche, continue le Maître. Et vous formez pas un groupe organique comme Fass et moi-même.

— C'est vrai, dit Maryse, on n'est pas un couple !

— Mais on est une vraie gang, par exemple ! assure Rosemonde.

— Vous bougez mal, coupe Fassbinder, ne pressentant pas au-devant de quel cataclysme elle va.

— On bouge mal ? dit Rosemonde. C'est là que tu te fourres le doigt dans l'œil, Ginette Groleau-cinquième année B ! On sait bouger et crier ! Nous autres, on n'a pas la transe esthétique pognée dans le gorgoton. Tchèque ça !

Et elle se met à crier: « Fuck les bébés ! »

À son cri puissant accourent les gens du théâtre. Arrivent d'abord Juliette Dessureault et l'assistante, puis Palmyre Duchamp apparaît à une fenêtre du deuxième étage, elle porte ses ailes et, à la main, elle a son câble de trapèze. Elle fait un coucou sonore en direction d'une autre fenêtre où se tient la calculatrice automatique, bien abritée derrière ses lunettes et son verre de scotch. Marie-Belle Beauchemin sort à son tour, très calme, très leader naturelle. Elle est suivie de la maquilleuse, armée de tout son arsenal: spray net, crèmes et poudres multiples et jus rouge simulant le sang. La maquilleuse est très belle, noire avec quelques cheveux argentés, ses pantalons sont vermillon comme le rouge de sa bouteille de faux sang. Au moment où les deux femmes prennent place aux côtés des autres, Marie-Lyre débouche dans l'impasse en faisant crisser les pneus de son bleu destrier. Elle saisit tout de suite le propos. Tous les étrangers présents l'ont immédiatement reconnue à cause de la télévision qu'ils écoutent sans l'avouer. Le Maître se dit intérieurement: « Ah non, pas elle en plus ! » Il ne croyait pas que la Courre de

La Sultane était si importante ! Numériquement. Au moment où l'invasion semble finie, Benoit Jusquiame se ramène, le torchon sur l'épaule et un verre à la main, il s'affale dans le cadre de la porte et essuie ostensiblement son verre en faisant un sourire entendu aux curieux qui commencent à former un petit attroupement.

— On va jouer le rôle de la foule, nous autres, leur dit-il. Les shows sont meilleurs avec du public et vous regretterez pas de vous être dérangés. Ça promet !

Le fait est qu'il y a pas mal de monde dans la place : dix-huit personnes exactement, sans compter Goldstein et l'agente d'immeuble qui peuvent réapparaître à l'improviste, sans compter Valentin, Gérard de Villiers et Duquette qu'on attend incessamment, sans compter les bébés — vrais ou faux — qui peuvent jaillir de leurs poches ventrales. C'est comme un soir de première quand le public commence à arriver. Ou comme à la messe, dans le temps. Sous sa robe fleurie de metteure en scène smooth, Marie-Belle frémit ; elle a toujours aimé les grosses distributions ! Elle est servie.

— On pourrait tenter de s'entendre, dit son assistante en direction des visiteurs de locaux.

— Castratrice ! murmure un homme-kangourou.

— Je te reconnais, miss O'Sullivan ! lance une fââmme à Maryse. T'as aucune solidarité féminine, ça transpire dans tes textes !

— Si tu touches à ma chum Maryse, dit la maquilleuse en brandissant son arsenal, la solidarité féminine, tu vas y goûter !

La fââmme recule instinctivement ; elle est allergique aux produits de beauté. La maquilleuse profite de son avantage pour ajouter :

— Si vous déguerpissez pas, mes câlices, j'vas vous transformer la face en accident de char !

— Calmez-vous, les femmes, dit un homme-kangourou.

Mais il est interrompu par Marie-Belle qui prend la maquilleuse par les épaules et la ramène dans leur territoire en la suppliant de ne pas faire ça. Pas tout de suite ! La maquilleuse soupire et rengaine ses armes.

— On comprend votre point de vue, dit Marie-Belle aux fââmmes. Nous autres aussi on est féministes, je le suis depuis soixante-huit...

— Ça t'empêche pas d'avoir fait un enfant mâle, trace de ta copulation avec l'ennemi !

Marie-Belle sourit : elle ne pensait pas être si connue, c'est flatteur. Mais les autres filles de *La Sultane* se regardent, complètement désarçonnées par la bassesse de l'attaque. Sur l'entrefaite, Fassbinder et son Maître, ne voulant pas être en reste, prennent la relève :

— Ce que vous faites, c'est pas de l'art, dit le Maître. Vos productions sont anecdotiques ! Vous voulez plaire, vous êtes décoratives !

— Yiark ! conclut Fassbinder.

— Pas de violence verbale ! dit un homme-kangourou.

— Frozen Food !! crient à l'unisson les filles de *La Sultane,* ô Frozen ! On t'espérait !

Cette réplique est une erreur totale dont ledit Frozen Food devra supporter les conséquences pendant un long quart d'heure. Il vient d'apparaître au fond de l'impasse. Comme toujours lorsqu'il est en retard, il a pris le raccourci. Or, il se retrouve, bien malgré lui, en territoire ennemi. Le Maître s'est retourné promptement et l'a saisi au poignet.

— Halte ! dit-il. On ne passe pas ! Je te garde en otage jusqu'à ce que les gens de *La Sultane* entendent raison !

Cette longue phrase, parfaitement française, l'a épuisé. Bouche close, il récupère sans oublier de tenir fermement Gérard.

— Ça se passera pas de même ! dit la chèfe des fââmmes. Nous autres aussi on le prend en otage !

Et elle s'empare de l'autre poignet de Gérard, trop soufflé par l'accueil pour réagir. Les hommes-kangourous se tassent vers le mur, les mains sur la poche ventrale, refusant d'entrer dans « le cercle infernal de la violence ». Mais un des trois ne peut s'empêcher de frapper à la porte du local, comme si à l'intérieur se trouvait la solution du conflit. La porte reste fermée. Parmi les badauds, il y a plusieurs prostituées. Elles se regardent du coin de l'œil : elles manquent peut-être des clients mais elles ont du fun ! Elles admirent le body de Gérard étalé comme un trait d'union entre la chèfe des fââmmes et le Maître.

— Rendez-nous Gérard de Villiers alias Frozen Food ! dit Marie-Belle.

Personne ne bronche.

— Rendez-nous Gérard, les somme Marie-Belle pour la deuxième fois. On en a besoin pour le show et vous ne saurez même pas quoi faire avec !

— Y a rien à faire avec ! dit haineusement la chèfe des fââmmes. On va lui faire la peau, on va l'empailler !

Il y a un moment de silence terrible, comme à la corrida, puis Marie-Belle laisse tomber :

— Vous l'aurez voulu !

Elle retire son grand chapeau et, d'un geste élégant, elle le lance à Benoit Jusquiame qui l'attrape au vol et le pose aussitôt sur sa propre tête. La foule applaudit. Spontanément, les filles de *La Sultane* se resserrent en formant la tortue comme le fait l'armée romaine à la page 39 de la *Guerre des Gaules*. À sa fenêtre, Pierrette déroule un long châle rose, pendant que Palmyre frappe les trois coups. Un vent de passion et de folie passe au-dessus de leurs têtes. Alors, Marie-Belle déclare le jeu ouvert et annonce la couleur : « Improvisation libre de vingt minutes ayant pour titre : *L'impromptu de la ruelle Boisbriand.* »

Et cela commence. Cela commence d'abord gentiment par une chanson western dont Maryse leur file les paroles. En chantant, les filles exécutent un kata langoureux. Avec leurs mains, leurs pieds et même leurs coudes, elles imitent les instruments de musique qui leur font cruellement défaut en ce moment — elles s'en rendent compte mais les musiciens ne sont pas encore arrivés. Finalement elles s'en tirent *a capella* et leur numéro est beau comme la séquence de l'affrontement dans *West Side Story*, mais en plus punché, c'est tout dire ! D'abord figées, les gangs adverses sont rapidement entraînées par le rythme du kata et elles se mettent à riposter : la chanson se transforme en un chœur gréco-Tremblay. Chacun y va de son obsession. Les fââmmes accusent Gérard d'être le pire des machos poilus, ce à quoi les filles de *La Sultane* répondent qu'il est cependant beau. Il serait quelque chose comme leur macho préféré ! Les hommes-kangourous parlent de leur condition masculine, du vécu masculin, d'hystérie masculine, de sensibilité atrophiée masculine et de paternité masculine. De temps en temps, Benoit Jusquiame lance quelques « malheur ! » bien sentis pendant qu'au deuxième étage, Palmyre et Pierrette font pleuvoir des « tikiss, tikiss, padadam, padadam » palpitants. Tous chantent les vertus d'un local tellement exceptionnel, tellement grand, tellement bien situé, et si peu cher ! Chacun crie sa phrase en même temps que l'autre — et plus fort, de préférence — à l'exception de Fassbinder qui, elle, a choisi de mimer son propos. La séquence se termine sur un fa dièse strident et sur l'index de Fassbinder démesurément long et pointé dans toutes les directions à la fois. À la vue de ce doigt omniprésent, Marie-Belle souffle deux mots à son monde. Avec autant d'ensemble qu'une ligne de comédie musicale, les filles de *La Sultane* quittent la formation de la tortue, ôtent leurs souliers — qui sont tous à talons pointus — et prennent la position de l'écrevisse des hauts-fonds. Marie-Lyre est à la tête du groupe, c'est-à-dire à la queue. Dans l'air devenu électrique, elle brandit ses souliers phosphorescents.

— Vas-y, MLF ! crie Marie-Belle. T'es ma meilleure ! Poinçonne-les !

D'un mouvement cadencé, Marie-Lyre avance en reculant vers le fond. Menaçantes, leurs souliers à la main, les autres filles en font autant. S'ensuit une mêlée générale avec des pifs, des pafs, des baffes, des poinçons et des ratés. Après quelques passes adroites, Marie-Lyre s'écarte et, de ses talons sur le mur du théâtre, elle marque le rythme du combat en faisant des vocalises. Ses pieds nus bien posés sur l'asphalte huileuse et la chevelure répandue sur les épaules, elle a l'air d'une bacchante dont l'ardeur aurait miraculeusement été libérée du gominé et de la plastique new wave. Présentement, elle serait plutôt « new curl ». Sa voix atteint des hauteurs comparables à celles jadis fréquentées par Klaus Nomi. Troublée, Fassbinder se retrouve à ses côtés et l'empoigne par la chevelure. Prestement, Marie-Lyre se défait de son adversaire et contre-attaque. Commence alors un duel singulier, symbolique et historique. Pressentant le caractère capital de cet événement, les autres suspendent leurs manœuvres et font cercle autour des deux femmes. Fass est agile mais Marie-Lyre se défend bien pour une actrice purement vocale. «Pour mon âge!» se dit-elle mentalement entre deux prises. Bref, les deux adversaires sont de force égale. L'affrontement pourrait durer des heures, mais puisque c'est symbolique, ce n'est pas la peine. Après quelques entourloupettes, les pugilistes s'immobilisent d'un commun accord en une pose compliquée et terriblement signifiante. Il y a symbiose entre elles deux : c'est Marie-Lyre qui mime la douleur pendant que Fassbinder crie «aguioille» d'un ton tout à fait convaincant. C'est beau! Marie-Belle et le Maître échangent un regard de reconnaissance : ils ont du talent et leurs actrices sont sublimes! Ils s'approchent, prêts à passer l'éponge, mais au moment où leurs mains rivales vont se serrer, la chèfe des fââmmes tire violemment sur Gérard, toujours tenu par le Maître, lequel dérape.

— Ça va pas, la tête! dit la chèfe. La discussion est pas finie, là!

— C'est vrai, soupire le Maître. On allait décrocher...

— Enchaînons, dit l'assistante.

— Oui, enchaînez, approuvent les hommes-kangourous. C'est bientôt l'heure du boire.

— Déchaînons-nous! vocifère quelqu'un.

Et ça repart. Plus dru. Plus loufoque, plus flyé. Mais remarquablement synchronisé. Les hommes-kangourous sont toujours plaqués au mur mais les fââmmes, les filles de *La Sultane* et Fassbinder se reprennent aux cheveux avec entrain et s'injurient. N'y tenant plus, la chèfe des fââmmes et le Maître abandonnent Gérard et foncent dans le tas. «Olé!» crie Jusquiame. Un bébé se met à hurler et, au même moment, Palmyre entre en scène : agrippée à sa longue liane, elle surplombe plusieurs fois la ruelle en faisant un grand bruit d'ailes, puis elle se laisse choir en souplesse. Le bébé hurleur se tait, comme s'il avait été assommé par sa chute. La maquilleuse a ressorti sa trousse et, pendant que ses collègues tapochent joyeusement à droite, à gauche et au centre, elle arrose, vaporise et barbouille tout ce qui bouge. De sa fenêtre, Pierrette se met à lancer des poignées de plus en plus grosses d'attache-feuilles, puis elle lâche finalement le paquet. À partir de tantôt — et pendant de longues années —, elle regrettera ce geste inconsidéré de dilapidation, mais pour le moment elle s'abandonne à l'ivresse de la bagarre. Ça crie, ça grogne, ça pète, ça tressaute et ça vibre. « Olé ! » commente toujours Jusquiame en esquissant des passes de *muleta* avec son torchon. Au beau milieu de la place, rattrapant le temps perdu, le Maître s'escrime comme s'il était sur patins. Lui aussi a un body pas pire. En faisant rouler ses muscles, il attrape le demiard de crème oublié par Maryse et le lance à la figure de la fââmme en chèfe. Celle-ci encaisse et sort de sa poche revolver un livre de poche. C'est un traité de aïkido version bilingue anglais/japonais. Avec beaucoup d'aplomb, elle le lance à la tête du Maître, qui l'évite de justesse et part à rire d'un rire sardonique. Quelqu'un s'enfarge dans la boîte de Pamper qui roule comme une puck de hockey jusqu'en zone neutre et s'immobilise aux pieds des hommes-kangourous. Celui du centre s'en empare pour varger dans la porte toujours close du local fatal. Le traité de aïkido vole à nouveau au-dessus des combattantes et atterrit tout près d'un groupe constitué de deux fââmmes soudées à trois filles du théâtre. Ayant épuisé ses munitions, Pierrette s'engage dans l'escalier de sauvetage qui baisse lentement et qu'elle descend, pleine de majesté. Benoit Jusquiame crie : «Bravo, tu l'as bien descendu!» Puis, il lance un petit «olé yahou» en faisant une stépette de côté pour éviter un bracelet clouté qui lui frôle le chapeau. En touchant le sol, Pierrette attaque le Maître par derrière mais celui-ci se retourne prestement, la prend au poignet, l'enlace et l'entraîne dans un tango qu'elle n'oubliera jamais. Comme défoncée par les coups, la porte du local s'ouvre soudain sur le sourire de l'agente d'immeuble qui manque d'avaler la boîte de Pamper et chancelle sur ses talons vernis. L'homme-kangourou frappeur la relève, la soutient maternellement et lui sourit. Elle lui rend son sourire. Imperturbable, Abraham A. Goldstein retraverse la ruelle sans se presser, en évitant adroitement les pugilistes, les projectiles et les figures du tango.

— Donnes-y, donnes-y! crient les badauds.

— Donnez-nous-le! disent les filles de *La Sultane*. Lâchez Gérard!

— Lâchez-vous! disent les trois hommes-kangourous.

Mais, n'y tenant plus, ils confient leurs précieux sacs à Jusquiame et entrent dans la mêlée juste à temps pour recevoir, qui un soulier pointu, qui la boîte de Pamper redevenue roulante, qui une banane d'origine inconnue. Ils sont également gratifiés d'un jet rouge provenant du fond de la bouteille de la maquilleuse. Égarouillés et dégoulinants de faux sang, ils grimpent aux appuis des fenêtres du premier étage et s'y jouquent, figés. Ils figent, tout le monde fige, car un long sifflement vient de se faire entendre : de la porte du théâtre où il est apparu en tassant Benoit, Rex Tétrault contemple la scène.

— Ça va faire! dit-il.

Il laisse tomber son sifflet et rentre, sûr d'être obéi.

Dès qu'il a tourné les talons, Fassbinder et son Maître détalent sans demander leur reste. Pierrette tend des billets de faveur aux autres qui empochent, récupèrent leurs possessions et décident d'aller finir ça ailleurs. Le public commence à se disperser. Les filles de *La Sultane* chaussent lentement leurs souliers et rentrent sans se presser, avec juste assez de flemme pour se donner l'impression de défier le régisseur Tétrault. Au fond de l'impasse, Frozen Food est toujours debout les bras en croix, dans la position exacte où l'ont laissé le Maître et la chèfe des fââmmes quand la frénésie du combat les a enlevés. Rosemonde et Palmyre le prennent par la main et le mènent à la porte du théâtre. Il revient alors sur terre et articule ses premiers mots :

— Franchement, les filles ! Vous auriez pu me dédjammer plus vite ! Je le saurai, la prochaine fois, que les shows de *La Sultane* c'est des shows de fond de cour !

Ayant dit, il franchit dignement le seuil du théâtre.

Entre-temps, Maryse a récupéré une partie du contenu de sa serviette. Dans le groupe de curieux qui s'attardent, elle reconnaît Barbara et Cyndi. Barbara lui dit *hi* et sort une enveloppe de sa sacoche : « Found this for ya, Mary. » Elle suit du regard Marie-Lyre qui passe tout près.

— Je peux te la présenter, dit Maryse, c'est ma chum.

Barbara dit : « Non, dérange-la pas. » Mais en fait, elle aimerait bien parler à quelqu'un qui passe à la télévision.

— Ça vous a plu, la bataille ? demande Marie-Lyre en se tournant vers elles.

— Oui, oui, disent Barbara et Cyndi.

— C'est weird, parz'emple, ajoute Cyndi.

— Like as if people were on coke, dit Barbara. I saw you on T.V., last week...

Marie-Lyre est décontenancée par ce passage à l'anglais. Glacée. C'est un réflexe bêtement nationaliste mais elle n'y peut rien : depuis mai 80, toutes langues l'attirent, sauf l'anglais. Les quatre femmes se regardent un moment en silence, puis Marie-Lyre s'excuse gentiment, ramasse sa bicyclette et entre au théâtre. Chevaleresque, Benoit Jusquiame lui tient la porte.

— Qu'est-ce que c'est ? dit Maryse.

Elle vient pour ouvrir l'enveloppe mais Barbara lui demande d'examiner cela quand elle sera seule, en paix.

— I found it amazing, dit-elle. Maybe you can do something with it... Good luck, Mary.

Et elle tourne les talons.

— Good luck, dit Maryse.

Elle entre à son tour au théâtre sans avoir remarqué l'homme qui a observé toute la scène de l'autre côté du trottoir. Mais de son cadre de porte qu'il a retrouvé, Benoit le voit et voit Barbara marcher vers lui. « Who's that girl, demande l'homme, what did you give her ? » Benoit n'entend pas la réponse de Barbara car le couple est rendu trop loin. Il est seul maintenant dans la ruelle où traînent des reliquats de l'échauffourée. Venant de la rue, un car de police s'immobilise à l'entrée. Les policiers ont la vague impression d'arriver trop tard mais ils ne voient pas très bien ce qu'ils ont pu manquer, quelque chose sortant de leur ordinaire. Ils repartent.

Benoit ramasse la bicyclette de Maryse qu'elle a oublié de cadenasser et il l'entre dans le théâtre en maugréant contre les femmes dramaturges lunatiques et traîneuses. Seule parmi toutes ses connaissances, Maryse correspond à ce type mais Benoit aime bien utiliser le pluriel, il trouve que ça fait plus poli.

À l'intérieur, l'atmosphère est vibrante : c'est pas une échauffourée cette fois-ci, c'est pas une chicane, pas un brainstorming ni une bamboula, c'est pas vraiment le grand ménage du printemps, mais c'est le bordel, par exemple !

— Quel beau bordel ! murmure Benoit en se dirigeant tant bien que mal vers son bar.

Arrivés depuis peu et installés sur le plateau ovale, les musiciens accordent leurs instruments et considèrent d'un air inquiet toute la quincaillerie du théâtre étalée dans la place, sur les bancs, dans les allées, dans la plantation du décor. Comme par un fait exprès — un adon du maudit —, les réparateurs et vérificateurs de leur abondante machinerie semblent s'être donné le mot pour passer en même temps. Ils sont tous là : le responsable des effets spéciaux, le gonfleur de ballounes, le mixeur de tempêtes, la pompeuse de steam et même le gars qui, deux fois par année, vient huiler tous leurs engrenages, poulies, trappes et rétroprojecteurs. Très à l'aise, il circule avec sa canette au long bec, laissant derrière lui un épais sillage que Pierrette suit d'un œil perplexe : ça va coûter combien, nettoyer tout ça ?

— Tu parles d'un manque de timing, toi ! dit-elle au directeur matériel. Un checkup général en pleine répétition, en pleine représentation !

— J'ai pas le temps de t'expliquer, Pierrette...

— Quelle idée, aussi, de programmer un show si tard dans la saison ! Je me demande si ça va marcher. J'espère que, l'un dans l'autre, ça l'arrivera...

— Moi aussi, j'espère !

Le directeur matériel lève les yeux au ciel et aperçoit la salopette blanche de l'éclairagiste en chef perchée sur sa passerelle. Son nom est Josiane mais tout le monde l'appelle «La Cantonade», bien qu'elle ait la voix feutrée et le commentaire succinct. Elle respire le gros bon sens et la santé. De là-haut, elle a eu vent de l'échauffourée mais elle n'a pas quitté son poste ; elle a horreur du niaisage. Par contre, elle aime la création intégrale et permanente : des semaines avant la générale technique, elle est déjà sur place, à jouer dans ses spots. Quand il ne sait plus à quel saint se vouer, le directeur matériel la regarde travailler, elle le rassure, elle est une alliée. Mais aujourd'hui, il est à demi rassuré seulement car il la distingue à peine dans la colonne de fumée qui monte vers elle ; la pièce de Maryse nécessite en effet beaucoup de bruine, de brume, de neige et de boucane. Aussi ont-ils retenu les services de la pompeuse de steam pour deux mois pleins. C'est aujourd'hui qu'elle fait ses premiers essais, mais le moment n'est peut-être pas le meilleur, à bien y penser.

— Qui c'est qui fait les horaires, ici ? demande suavement Marie-Belle à son assistante.

— C'est moi, je m'excuse, bredouille l'assistante.

Elle rentre dans le plancher.

— Ça suffit pour la brume, crie Rex Tétrault, on n'est pas dans un film de Murnau !

Sur le plateau du centre, Juliette Dessureault apparaît à mi-corps, au ras du sol, devant l'attirail de rouleaux qu'ils utilisent pour les scènes marines. Elle est debout dans une trappe. On dirait Aphrodite émergeant de l'écume des flots.

— On répète-tu ici ? demande-t-elle.

Et elle disparaît sans attendre la réponse.

— C'est bon, les films de Murnau, dit quelqu'un. C'est ce qui ressemble le plus au postmoderne.

— Postmortem, fait une voix non identifiée, perdue dans la brume.

— On commence-tu ? demande Palmyre. Valentin est arrivé.

L'assistante sort du plancher et fait remarquer qu'ils ne peuvent rien faire sans Duquette.

— Maudit Duquette à marde ! dit Palmyre.

Ils attendent donc le sieur Duquette et c'est Adrénaline Taillefer qui se ramène par la porte d'en avant en disant : « Quoi, quoi, quoi ? Y s'est passé quelque chose ? »

— Il s'est rien passé du tout, ma chérie, dit Marie-Lyre, radieuse.

Adrénaline détourne la tête.

— Quand le MC sera arrivé, annonce Rex Tétrault, on enchaînera le un. En attendant, repos.

Retapées et rajustées, les actrices s'assoient dans la salle parmi les fils électriques, les treuils et les gélatines. Marie-Belle s'est allumé une cigarette. Elle n'est pas fâchée de ce répit, pourvu qu'il ne s'éternise pas. Elle en profite pour faire un retour sur leur sortie.

— Ça a été un beau moment, les filles, dit-elle. On a inventé le kata langoureux.

— Oui ! répondent les filles. Et la honte rouge, et le poinçon fatal !

— Mais il y a eu des trous dans notre performance, dit Marie-Belle.

Et elle commence à nuancer son propos. Elle nuance longuement, allant même jusqu'à leur donner des notes pour la prochaine fois. En soupirant, les comédiennes sortent leur stylo. Et notent.

— Finalement, l'*Impromptu de la ruelle Boisbriand*, dit Marie-Lyre, t'as pas trouvé ça bon ?

— C'est pas ça, dit Marie-Belle. Mais les impros de vingt minutes, ça vasouille toujours un peu.

Personne n'ose la contredire ; depuis deux ans, elle est coach intérimaire à la LNI, pour l'équipe victorieuse des Lions de la shoe-claque. Rosemonde plaisante sur le foisonnement soudain des hommes-kangourous et Valentin demande comment la chicane a commencé.

— Tout ça pour une salle dans laquelle on mettra probablement jamais les pieds ! dit Pierrette.

Fâchée d'avoir montré autant de morosité devant les troupes, elle rétracte aussitôt vers son bureau.

La conversation enclenche sur la question d'une hypothétique violence féminine. L'air réprobateur au superlatif, Adrénaline contre-attaque en évoquant son « vécu lesbien ». Elle parle d'abondance. Tous l'écoutent, se sentant vaguement coupables sans savoir pourquoi mais, dans une toute petite brèche de son discours, on entend, venu des cintres :

— Parle pour toi, maudite frappée !

Il y a un silence puis, de sa voix égale, La Cantonade ajoute : « Chuis pas plus straight que toi, Taillefer, mais j'ai rien à voir avec ton hostie de vécu lesbien ! »

Adrénaline ravale et Marie-Lyre jubile.

Ils attendent toujours Duquette mais leur tonus commence à se relâcher. En rampant sous la brume, Rosemonde monte sur le plateau central et fait une imitation de Fassbinder. Tout le monde rit. À l'arrière-scène, quelqu'un actionne les rouleaux de la mer. Avec la brume au-dessus comme de l'écume, l'effet est hallucinant. Tous les comédiens regardent, les yeux ronds ; ils n'ont pas souvent l'occasion de contempler la mer déchaînée, de face. Cela fait de très belles vagues mais aussi beaucoup de bruit. Sans compter le grondement de la *puffing machine*, ils ont aussi une *puffing machine,* une folie qui sert rarement mais dont le directeur matériel est très fier.

— Viens donc ici, dit l'assistante costumière à Valentin.

Elle sort de son cabas une paire de snow-boots et les lui chausse. Valentin déambule sur un madrier en se traînant exagérément les pieds.

— Trop grands, fait-il comme unique commentaire.

— Mais non, dit l'assistante, tu t'y feras.

Maryse demande s'il devra vraiment porter des snow-boots. Elle trouve cela hideux. Personne ne lui répond. Elle a toujours l'enveloppe de Barbara à la main.

— Coudon, dit Gérard, debout sur un échafaudage, qu'est-ce qui vous a pris de me traiter de macho tantôt ?

Il semble s'adresser *urbi et orbi*.

— C'est pas mal ce que t'es, dit Juliette.

Les filles sourient. Juliette a parlé gentiment mais Gérard le prend mal.

— Chuis un gars correct, dit-il, je fais la vaisselle ! Je voulais même adhérer à un club d'hommes-kangourous...

— Y te prendraient pas, dit Valentin. T'es pas assez en quête de quelque chose, en cheminement, pas assez « work in progress » !

Et il ajoute, à l'intention des filles :

— C'est vrai qu'on est des machos, Gérard pis moi, mais on le sait, on l'assume, c'est clair. Pis vous aimez ça !

Il fait la roue et rit d'un gros rire gras de macho satisfait. Une fraction de seconde, il ressemble à Reggie Chartrand. Les filles ne veulent pas d'une deuxième engueulade, elles font semblant de rien, mais la phrase leur trottera dans la tête. Et le rire.

— En tout cas, continue Gérard de Villiers, inconscient de leur refroidissement, on a beaucoup à apprendre des autres groupes de recherche. La performance du Maître m'a impressionné. Il est vraiment de calibre international !

— Toi, t'as le syndrome de l'otage, fait remarquer Marie-Belle. Tu sympathises avec tes ravisseurs.

— C'est vrai qu'on est provinciaux, dit l'assistante costumière. C'est ce qui fait notre charme.

Ils se mettent à parler de l'importance d'être international et de New York. Mais leurs phrases se perdent dans la boucane qui a épaissi et forme maintenant des grumeaux.

— Pompe, mais pompe égal ! dit le directeur matériel à la pompeuse de steam.

Maryse s'est approchée de celle-ci.

— J'aime beaucoup ta fille Ariane, lui dit-elle. Elle a un vrai talent pour la musique.

— C'est ce que je pense moé tou, répond la pompeuse en pompant égal. Mais son père veut pas fournir pour les leçons de piano ! Faque chus t'obligée de toute payer moi-même, avec ma broue. C't'un écœurant !

Maryse lui fait un sourire de compassion et elle se dirige vers le bar où Marie-Lyre et Palmyre l'ont précédée.

— Comment voulez-vous être internationaux si vous êtes pas de quelque part ? demande Marie-Lyre. Elle le demande deux fois mais personne ne lui répond. Dans le miroir, elle constate qu'elle a perdu ses petites étoiles turquoise au cours de la bataille. Ça ne fait rien.

— Quand tu surplombais la ruelle, dit Benoit à Palmyre, t'avais vraiment l'air d'un *deus ex machina,* fille. C'était impressionnant !

— Il faut dire : *dea ex machina*, dit Maryse en prenant place sur un tabouret.

— C'est-tu vrai ? dit Palmyre, qui a ses moments de fraîcheur naïve.

Benoit demande à Maryse si elle a remarqué la présence du pimp tantôt, dans la ruelle.

— Quel pimp ?

Benoit ne répond pas ; il a commencé la préparation d'un Bokassa frappé pour le violoncelliste et il se concentre sur sa mixture. Maryse pose son enveloppe sur le comptoir. Elle aurait aimé parler plus longuement à sa cousine mais elle n'a rien trouvé à lui dire. L'enveloppe doit contenir une photo de sa petite quand elle était bébé. Ou une photo de leur enfance. Elle verra tantôt, une fois la répétition commencée. Elle est soudainement gênée de regarder cela devant témoins. Elle se tourne vers Marie-Lyre :

— Comment t'as trouvé Barbara ? T'avais l'air pressée...

Marie-Lyre soupire :

— C'est vrai, j'avais l'air de fuir ! Avec le vrai monde, parfois, le contact est malaisé. Je ne sais pas pourquoi, mais c'est difficile de parler à une prostituée, pour une actrice.

— Pourtant, dit le violoncelliste, c'est des métiers semblables. Les gens font souvent le rapprochement.

Il ne dit pas cela méchamment.

— Je ne suis pas d'accord, dit Marie-Lyre. Moi, je contrôle ce que je fais, je possède mon corps!

— Tant qu'à ça, elles te répondraient la même chose, dit Palmyre.

Marie-Lyre la regarde, perplexe:

— En tout cas, Barbara est un «Ange de la Misère», c'est le type le plus pur que j'aie jamais rencontré. Elle a ça écrit dans la face!

— À ce point-là? dit Maryse, troublée.

— À ce point-là!

Marie-Lyre s'éclipse. Le violoncelliste la suit, avec son verre.

— Quel pimp? redemande Maryse.

Benoit lui décrit le gars. «Si c'est pas un pimp, dit-il, moi je suis vendeuse de produits Avon!» Maryse reconnaît dans sa description l'homme au coup de poing. Elle est encore plus troublée: donc, il y a bien un pimp, et son petit jeu continue! Elle se décide à ouvrir l'enveloppe qui contient seulement une feuille de papier jauni. C'est une lettre. L'écriture en est malhabile comme celle d'une jeune enfant, une enfant qui viendrait tout juste de faire sa première communion à Rosemont en 1910. La lettre, datée du 2 mai 1910, commence par ces mots:

> *Dear Mommy Kate,*
>
> *I received your letter. I am glad that you are better now. Aunty says you may come for my birthday.*
>
> *Will you?...*

Malgré la chaleur de l'air ambiant, Maryse frissonne: elle tient dans ses mains la réponse à une lettre qu'elle croyait avoir inventée! Comment le document est-il parvenu à sa cousine? Et pourquoi le lui a-t-elle remis?

Il faut qu'elle lui parle ! Elle court dehors. La rue Boisbriand est déserte comme un décor de western, à la fin, quand le héros disparaît à l'horizon.

Elle rentre.

Les musiciens se sont mis à jouer un air du spectacle, un tango. Les autres placotent mais Maryse ne parvient pas à s'intéresser à leur conversation. Ils parlent de Martha, de la tenancière du bordel, de l'aïeul aux mains rouges, et elle éprouve un sentiment aigu d'irréalité : ils parlent de ses personnages comme s'ils les connaissaient mieux qu'elle, et de son texte comme si elle n'y était pas. De plus en plus souvent, les gens discutent de son œuvre devant elle comme si elle était absente. Ou morte : elle est devenue un texte, des mots ! Sa présence physique importe peu. En retrait de ce qu'elle a écrit, à l'écart encore une fois, elle relit la lettre à Kate et pense à sa cousine Norma.

Marité rentre chez elle par la porte d'en arrière en se disant que cela est tout à fait indiqué pour une femme adultère. Dans le jardin, parmi la pervenche, elle trouve deux feuilles griffonnées qu'elle plie sans les lire. Depuis quatre ans, elle a cessé de lire les lettres de Gabriel ; après tout, elles ne lui sont pas destinées. Mais elle les conserve. Elle en a un énorme cartable marqué : « Gabriel, lettres perdues », c'est là la face tourmentée de l'enfance de son fils. Elle lui remettra le cartable un jour, pour mémoire. Plus tard... Comme elle passe la porte de la cuisine, le téléphone sonne. Elle décroche et entend la voix de sa mère, volubile et gaie. Pendant que Blanche lui parle, Marité se rend compte qu'elle l'écoute comme on écoute une enfant. Elle pense à cette phrase : « J'ai été ta fille et j'ai été ta mère. » Puis Blanche prend congé en termes fleuris.

Marité entre au salon où François et Laurent ont fini leur deuxième apéritif depuis un bon moment déjà. Les enfants sont immobiles devant la télévision. François lui demande si elle a eu de la diffculté à remonter, avec la grève du métro. Elle répond « oui ». François lui sourit. Il est beau, émouvant, réel. Mais en surimpression par-dessus sa figure, elle voit les lèvres gonflées de Rémy. Le dessin en est parfait. Soudain, Myriam décroche de la télévision, bondit vers elle et la prend par la main pour la mener à la table. Dans la salle à dîner, il y a des fleurs partout et les couverts sont mis comme pour un jour de fête.

C'est un jour de fête.

Quatorze mai

Le fleuve

Mary commença à rêver. Il lui sembla qu'un ange venait vers elle et lui disait de se lever et de le suivre. Elle se levait et le suivait jusqu'à un grand bateau aux voiles blanches sur lequel ils s'embarquaient. Ils traversaient la mer et arrivaient, à l'Ouest, dans un pays riche où le blé poussait plus haut que les hommes et où il n'y avait pas de maîtres. Elle demandait à l'ange où elle se trouvait et l'ange répondait : « Voici l'Amérique... »

Liam O'FLAHERTY
Famine

Debout dans le cadre de la porte, Maryse la regarde s'habiller. Elle dit :

— Dépêche-toi, Myriam Grand'maison, faudrait partir pendant que le soleil est là. Des fois qu'il disparaîtrait !

— Ça sert à rien de rusher, dit Gabriel, maman est pas encore levée.

Il entre dans sa chambre dont il laisse la porte ouverte pour ne rien manquer ; sous des dehors relax, il est un peu fouine. C'est un samedi éclatant, chaud enfin, et ils ont décidé d'aller faire de la bicyclette sur les bords du canal Lachine. Tout le monde y va, sauf François qui a un chapitre à terminer. « T'as toujours un chapitre à terminer », a dit Myriam. Et elle est devenue boudeuse ; pas vraiment à cause des écritures de son père — elle a l'habitude — mais parce que sa grand-mère Alice est partie toute seule à l'île Verte. Un bas à la main et l'autre à moitié mis, elle répète qu'Alice est une sans-cœur de pas l'avoir amenée. Elle n'a jamais pris le train, et si c'est comme Alice l'a dit, elle aimerait sûrement ça, le tangage des wagons sur les rails, la peluche des fauteuils, les paysages qui fuient à la vitre, le tangage, surtout ; cela doit ressembler à un manège. Elle aime les sensations fortes, la vitesse, le mouvement, les voyages. Elle n'est pas comme sa grand-mère, que les départs ont toujours déchirée...

Tassée sur son siège, Alice regarde à travers la vitre de l'autobus *Voyageur* qui s'ébranle enfin. Il est neuf heures quinze. Longtemps, elle a fait ce parcours en train, l'été, avec les siens. Les enfants étaient petits, alors, et elle-même, jeune et pleine d'énergie. Ils mangeaient toujours au wagon-restaurant, c'était l'événement du voyage, leur luxe. Elle se revoit, assise en face d'Antoine et de François, Marie est à son côté et les deux autres filles installées à la table voisine. Elles rient et se donnent des coups de coude. Pendant tout le souper, elles comptent les vaches dans les champs, elles n'arrivent jamais au même nombre, se chamaillent et parlent de la couchette où elles se reposeront tantôt, bercées par le roulis du train. En face d'elle, Antoine répond aux questions de Marie. Ils sont seulement rendus à Verchères et il a déjà sa figure de vacances... En face d'elle aujourd'hui, il n'y a rien d'autre que le dossier du siège avant, trop incliné. À son côté, un étranger obèse. Elle a demandé à Marie de l'accompagner, mais Marie ne pouvait pas laisser son travail. Elle a proposé de la rejoindre plus tard si sa présence devenait indispensable. Alice n'a pas insisté ; de ses trois filles, c'est Marie qui vient la voir le plus souvent, elle en a le temps car elle vit seule en appartement avec son infirmité. Les autres ont des familles, des maisons, des chalets... Marie est restée chez elle à potasser des documents, elle travaille dans les archives. Petite, elle lisait tout le temps... Alice regarde dehors et sourit : malgré tout, elle reprend encore une fois le chemin du Bas du Fleuve. Ce n'est pas tant un départ qu'un retour au pays ; c'est le parcours inaugural. À mesure qu'ils approcheront de Rivière-du-Loup, le fleuve s'élargira...

Comment un fleuve peut s'élargir, ça, Myriam ne le comprend pas. Elle ne le visualise pas. Maryse lui explique que les fleuves grossissent à l'approche de la mer. «À son embouchure, dit-elle, le Saint-Laurent s'évase et autour de l'île d'Anticosti, c'est déjà la mer, pleine de bêtes marines comme le marsouin, le béluga et le rorqual bleu.» Myriam ouvre de grands yeux. Maryse s'est assise sur le lit, elles sont seules dans la chambre aux persiennes blanches et plus du tout pressées; la tante Marie-Lyre vient de téléphoner, elle est passée tout droit et leur demande de l'attendre un petit quart d'heure. Il le faut bien, c'est elle qui apporte le dîner! Elles ne résistent pas au plaisir de dériver le long du fleuve, suivant Alice dans son parcours, la devançant même à l'île Verte. «Ma grand-mère doit sentir qu'on est avec elle en pensée», dit Myriam. Elle rit et ne s'habille toujours pas...

L'autobus n'est pas encore sorti de la ville que déjà Alice voudrait avoir dépassé Nicolet. Avant, il n'y a que des bungalows insignifiants sans cave ni grenier, mais après, les maisons commencent à avoir formance de maisons, elles ressemblent à celle de son enfance à l'île: deux grands étages solides peints en blanc et un toit mansardé avec des lucarnes à pignons. C'était là le domaine de sa mère Aurélie. Les hommes construisent les maisons mais ce sont les femmes qui les habitent. À l'île, les hommes étaient dehors la plupart du temps, ils avaient les champs, la pêche, les bâtiments, mais l'intérieur était le territoire des femmes. Dans chacun des logements qu'elle a occupés à Rosemont, à chaque déménagement, c'est la maison de sa mère qu'Alice a essayé de retrouver. Mais on ne peut pas reconstituer une vraie maison dans un petit six et demi qui s'étire sur un seul étage. Cela manquait d'envergure, de hauteur, de profondeur. En ville, les toits sont plats et les caves, souvent inaccessibles. Le toit de la maison d'Aurélie était voûté comme une nef et recouvert de bardeaux de cèdre peints en vert, on le voit sur la photo...

— La maison de la photo est celle de ton arrière-grand-mère Aurélie, dit Maryse. C'est son mari qui l'avait bâtie pour elle, et il l'avait faite à sa convenance. L'étage du haut était réservé à la nuit, c'était l'espace des rêves, de l'amour, des conversations privées. La visite n'y montait jamais et personne n'aurait eu l'idée d'y manger des *banana split* en cachette ou du chocolat.

Myriam rougit car dans sa garde-robe traîne une assiette sale et une tablette de chocolat entamée. Maryse aurait-elle le don de voir à travers les portes ? Peut-être, on ne sait pas. Elle continue comme si de rien n'était :

— Le bas était divisé en trois : le salon à l'harmonium pour les grandes occasions, la cuisine pour l'ordinaire, c'est-à-dire les repas, la musique, les veillées, et la petite chambre du côté pour les naissances et les décès. Mais à l'époque dont je parle, il n'y a pas encore eu de morts dans la maison qui est flambant neuve et Aurélie est sur le point d'accoucher. Elle se dirige vers la chambre du bas, décorée en bleu. C'est là qu'elle aura tous ses enfants. Elle tourne la poignée de la porte en se disant que le bébé veut naître avant son temps. Le médecin n'arrive pas et la mer est mauvaise ! Elle a les mains molles...

« Pourvu que ça traverse, se dit Alice, que la mer adonne ! »
L'autobus ne va pas si vite que ça, malgré leur publicité.
Elle aurait dû prendre le train. Dehors, elle voit Belœil
annoncé sur une affiche. Seulement Belœil ! Elle a l'impression d'être enfermée depuis des heures dans le froid
de l'air climatisé. Cela accentue sa névralgie. Malgré
l'inévitable serrement de la mort et la crainte de ne pas
arriver à temps pour Jean-Baptiste, elle ressent la même
impatience qu'autrefois à l'idée de revoir le domaine
d'Aurélie, le jardin, les plants de groseilliers redevenus
sauvages et le fleuve. Elle a hâte de respirer l'air du large.
Ils doivent être dans les grandes marées du printemps
mais elle n'en est pas sûre. Quand elle était jeune mariée,
à chaque retour de l'île, elle rapportait le calendrier des
marées. Elle y pensait toute l'année, suivant cela de loin.
Puis, après la naissance de sa troisième fille, un été, elle
a oublié de le rapporter. De toute façon, cela ne lui était
d'aucune utilité à Rosemont pour s'occuper des enfants et
de pépère Ladouceur, déchaîné sur la petite mer sèche des
berceaux de sa chaise. Peu à peu elle a cessé de penser à
la mer, d'y penser d'une façon active, et aujourd'hui, elle
a oublié les dates des grandes marées, elle, une fille de
l'île !

« Ils sont installés dans la maison depuis quelques jours
seulement quand le bébé arrive, dit Maryse. Ça sent encore le bois frais coupé et la peinture. Le jardin n'est pas
tracé.

    — A doit s'être mariée obligée ! »

Maryse part à rire et demande à Myriam où elle a pêché cette expression.

— Dans la ruelle Mentana, c't'affaire !

Elle a mis son deuxième bas et cherche ses espadrilles sous la commode ; ça progresse lentement. Belmondo monte sur le lit.

— C'est pas qu'elle se soit mariée obligée, poursuit Maryse, mais ton arrière-grand-père Achille, Aurélie ne l'aimait pas vraiment. Pas d'amour. Il est gentil et attentionné, il est très amoureux, mais elle aurait espéré autre chose, quelqu'un d'autre... Or, sur l'île, il n'y a personne d'autre. Dans les paroisses environnantes non plus. Elle accepte donc d'épouser Achille, mais elle n'est pas pressée. Elle dit : « C'est d'accord, on peut se marier maintenant si vous voulez — ils se disent vous —, seulement, tant que la maison sera pas construite, j'aime mieux coucher ici à l'école. » Car Aurélie est maîtresse d'école, tout comme sa fille Alice le sera, vingt ans plus tard. Elles sont institutrices de mère en fille, dans ta famille, du côté de ton père. Achille accepte l'arrangement, il n'a pas tellement le choix et il est trop content qu'elle ait dit oui. Ils se marient en novembre. Au printemps suivant, il commence à construire la maison. Ses frères l'aident. Il bâtit avec du beau bois bien séché et il ajoute quelques fioritures de son cru, un œil-de-bœuf et de petites dentelles en bois qui courent le long du toit de la galerie. Il en a vu de semblables à Cacouna sur les maisons des riches estivants qui viennent de Montréal. Il est peut-être un habitant mais il a sa fierté : Aurélie aura la plus belle maison de l'île ! Tout l'hiver, elle a continué d'enseigner comme une fille encore à marier qui fait la classe en attendant de s'établir. Mais au printemps, on découvre qu'elle est enceinte. Ça se voit ! Les fondations de la maison sont à peine montées que déjà son ventre pointe! Les gens ne peuvent rien dire puisqu'elle a été dûment mariée par le curé, mais ils jasent quand même: ça ne s'est jamais vu, une maîtresse en famille! Achille met les bouchées doubles. Au début de juillet, ne restent que des détails de finition et, tout d'un coup, ça lui prend, à Aurélie, elle a changé d'idée, elle ne veut plus attendre que le bran de scie soit balayé et les égoïnes rangées; il faut qu'elle s'installe au plus vite dans sa maison, c'est une fringale de femme enceinte, une urgence! En vitesse, elle y apporte ses hardes et commence à coudre des rideaux. Elle coud devant la fenêtre. Achille est retourné aux champs, les foins n'attendant pas. Ou plutôt, ce jour-là, il est sur le fleuve à reprendre le temps perdu: il est allé chercher une cargaison de rhum à l'île Miquelon avec Georges Pelletier qui habite sur la terre ferme, en face. Ils en ont pour quelques jours. Aurélie laisse tomber le morceau de cretonne fleurie qu'elle ourlait. Sa mère vient d'entrer dans la cuisine, suivie de la sage-femme. À peine dans la place, celle-ci prépare les linges et les bassines. De temps en temps, elle regarde à la fenêtre du sud pour voir si le médecin n'arrive pas. Il habite au village de Cacouna, c'est loin, le temps est mauvais et la mer est basse: il faudra attendre ce soir pour pouvoir traverser. Il arrivera peut-être trop tard et encore une fois elle aura été seule avec la responsabilité de la mère à délivrer et de l'enfant à réchapper. Les trois femmes se regardent, un peu tendues. Et elles regardent aux fenêtres, tantôt vers la terre ferme pour voir venir le médecin, tantôt vers l'est et le large pour voir si Achille ne reviendrait pas déjà, contre toute espérance. Les hommes ne sont pas très utiles dans de telles circonstances mais ça rassure de les savoir là. Cette idée, aussi, d'accoucher avant le temps! L'enfant était prévu pour septembre seulement. «Mais ça ira», dit la sage-femme. Incapable de rester immobile entre chaque contraction, Aurélie fait la navette d'une fenêtre à l'autre, regardant même machinalement — inutilement — par la fenêtre du nord qui ne donne pas du tout sur le fleuve mais sur la route. Elle n'y voit que le troupeau de Clophas Mailloux qui passe, alourdi, et se rend à l'étable pour la traite en laissant un petit nuage de poussière derrière lui. Dans le nuage, Aurélie aperçoit une créature qui ressemble étrangement à l'archange Gabrielle de l'église Notre-Dame-des-Sept-Douleurs, construite l'an dernier. Elle s'est toujours demandé ce que la statue de l'archange faisait dans une église dédiée à la Vierge et elle se demande maintenant ce que la petite créature fait sur la route, sortant toute propre et luisante du milieu du troupeau. Elle l'a déjà entrevue dans son école, voltigeant au-dessus des têtes de certains enfants. Elle ne sait pas quel est son rôle mais elle est prise d'un malaise en la voyant rappliquer. Elle se dit : «Je dois rêver, c'est le délire de la délivrance !» Mais elle ne délire pas, c'est vraiment l'archange.

— C'est une histoire de l'archange Gabrielle ! fait Myriam, excitée.

Elle va peut-être en savoir plus long sur le personnage...

— C'est elle en personne, dit Maryse. Et grandeur nature, avec ses lunettes et tout ! Elle vient se poser sur le rebord de la fenêtre et rassure Aurélie sur sa présence comme statue dans l'église. Elle dit : «Vois-tu, chère, j'ai été mise là pour soutenir la Vierge des Sept-Douleurs dans ses moments d'anxiété. Régulièrement, je lui rappelle qu'elle n'est pas seulement faite pour la douleur mais aussi pour le plaisir ; à force de volonté, elle pourrait devenir Notre-Dame-des-Sept-Joies. Mais la Vierge a de la misère à s'ouvrir à la joie, à se détendre. Et toi aussi, Aurélie Michaud, surtout un jour comme aujourd'hui où c'est pas gai, gai!» Puis elle lui tâte le pouls, lui tapote le bras et lui dit de ne pas s'en faire, ça ira. Elles disent toutes ça! Quand la sage-femme la prend par les épaules pour l'amener s'allonger, l'archange babille toujours, elle dit que ça se passe avant terme tout simplement parce que l'enfant Alice est pressée de venir au monde. Et, dans un bruit d'ailes soyeuses, elle les accompagne dans la chambre bleue...

— Ah bon! dit Marie-Lyre apparue sur le seuil, vous êtes pas rendues plus loin que ça!

Maryse la regarde, soufflée: MLF l'étonnera toujours.

— T'as un front de beu! dit-elle. C'est toi qu'on attend depuis neuf heures!

— Un front de vache, dit Myriam en lui sautant au cou.

Puis elle recule pour mieux la détailler. La tante aux étoiles porte une blouse ajourée en dentelle lilas. Personne n'aurait l'idée de s'habiller comme ça pour aller faire de la bicyclette, sauf Marie-Lyre Flouée. Le plus étrange, c'est que ça lui va bien. À elle, ça convient. Elle s'assoit sur le lit et se tasse pour faire de la place à Marité qui la suivait. Myriam constate avec soulagement que la toilette de sa mère n'est pas plus avancée que la sienne. Marité est encore en robe de chambre, la verte, celle qui fait dire à François qu'elle est la Dame du Nil. La Dame du Nil a la tignasse immense, ce matin, en bataille comme lorsqu'elle a mal aux cheveux. «Watch out, se dit Myriam, je suis mieux de me grouiller, ça peut barder!» Elle se lève pour aller prendre ses jeans dans le bas de sa garde-robe, mais elle s'arrête à mi-chemin, à temps. Il est préférable de ne pas ouvrir la porte de sa garde-robe devant la Dame du Nil, ça pourrait leur porter malheur à toutes deux et changer complètement le cours de la journée et l'allure des apparences extérieures. Pour gagner du temps, elle s'assoit sur le bord de sa fenêtre et prend un air désinvolte. Mais elle s'en fait pour rien ; sa mère et ses tantes surnaturelles ne s'occupent même pas d'elle. Entassées sur son lit défait, elles rigolent. Marie-Lyre lance un toutou dans les airs. Maryse le rattrape. Elles ont l'air de trois adolescentes. Coincée entre elles — et offusquée —, la chatte Belmondo s'obstine à rester sur le lit ; c'est sa place habituelle.

— J'aime le samedi, dit Maryse. C'est un jour faste où il n'y a pas de cégep.

Aujourd'hui, elle se sent légère, légère ; elle n'a même pas sa serviette de copies à corriger !

— Le samedi, dit Marie-Lyre, les retards ne comptent pas.

Elle lance à Myriam une panthère rose décatie.

— Vous êtes terriblement bébées ! dit Myriam.

Puis, le visage de Marité se froisse. Elle a vraiment mal aux cheveux, ce n'est pas seulement une impression de sa fille trop perspicace. Il lui vient soudain l'idée déprimante qu'elle est inutile ici, dans sa propre maison. Si jamais elle mourait, Maryse pourrait la remplacer. Ou MLF. Les enfants l'oublieraient vite...

— À quoi tu penses ? lui demande Maryse.

— À des conneries. Je manque de sommeil.

Elle n'a pas assez dormi à cause de Rémy. Elle l'a revu. Encore une fois, cela a été la fulgurance amère et tamisée des chambres d'hôtel. Maintenant, elle est down. Sa fille se dandine sur le rebord de la fenêtre. Elle leur fait de grands sourires enjôleurs comme si elle avait quelque chose à cacher. Les sourires ne s'adressent pas à elle en particulier. Elle a le goût de se retirer du tableau, puisque les tantes gâteau sont là... Elles fument effrontément dans la chambre de la petite. Elles ne se rendent pas compte !

— J'espère pour vous autres que le temps ne se gâtera pas, dit-elle. Et que vous ne rentrerez pas mouillés.

— Comment ça, « vous », dit Maryse, tu viens pas ?

— Ah, viens donc, maman !

— Une autre fois, un autre samedi...

— Oké, fait Myriam.

Marité remarque que sa fille se résigne vite à son absence. Du moment que quelqu'un, quelqu'une, est là pour la materner ! Gabriel est pareil, pire peut-être...

— Tu vas-tu enfin m'expliquer ton rôle dans *L'Œuf d'écureuil* ? demande Myriam à Marie-Lyre.

Celle-ci s'est approchée pour lui démêler les cheveux.

— L'écureuil, c'est moi, dit-elle.

Myriam rit, et Marité se sent un peu plus exclue de leur jeu. Comme si elles étaient déjà parties avec la petite. Elle dit :

— Dépêche-toi, Myriam, tu fais attendre tes tantes.

Mais Myriam fait des manières : elle leur demande de la laisser s'habiller toute seule. « C'est personnel », dit-elle. C'est une nouvelle manie. Les trois femmes quittent la chambre sans insister. Alors, très lentement pour ne pas que tout déboule, tout son fourbi de traîneries, de crinolines, de pierres précieuses et d'objets officiellement perdus, Myriam ouvre la porte de sa garde-robe. Elle déniche son jean de la veille et son tee-shirt de l'avant-veille qu'elle enfile prestement, et descend à son tour.

Ils sont tous dans Babylone à l'attendre : les deux

tantes, Laurent-à-Maryse, Gabriel, Olivier et même Ariane, revenue depuis hier soir... Tout son monde est là.

— Chanceux! leur dit François, sorti de son bureau pour leur distribuer des becs.

— Salut, disent-ils. Bon samedi quand même, François! Bon samedi plate à travailler!

Et ils partent.

— Il est tard, Alice doit être rendue pas loin de Manseau, dit Maryse.

En dévalant de la côte Amherst, les enfants s'égosillent, surtout Ariane et Gabriel, spécialistes de ce genre d'exploit. Ils demandent à l'esprit mauvais si leurs cris sont de vrais cris de sauvages comme ceux du début de la colonie, les véritables Indiens, pas ceux inventés par François Ladouceur qui papillonne autour d'une gang portant le joli nom de «l'Indien imaginaire».

— Faible écho du cri du Montagnais! répond Fred. Faudrait que vous travailliez encore longtemps les occlusives...

— J'ai pourtant du sang indien, moi! dit Ariane.

— Vous avez tous du sang indien depuis quelques années! Les sauvages sont revenus à la mode, avec le patrimoine et l'écologie...

Ariane ne répond pas: elle trouve l'esprit mauvais baveux par moments, et pédant. Il est allongé dans le panier avant de sa bicyclette, les ailes repliées et les mains sous la nuque, «dans la position de la *Maja desnuda,* dit-il, ou habillée, c'est selon, ça dépend de comment on veut voir les choses, de comment on se sent». Aujourd'hui, il se sent *desnudo*. Il veut se faire venter et n'arrête pas de supplier Ariane d'aller plus vite.

— Je connais pas la *Maja desnuda*, dit celle-ci, je lis pas *Playboy*. Et je vas petit pétant. On se promène pour rilaxer, si t'es pas content, débarque pis vole !

Ce que l'esprit mauvais s'empresse de faire aussitôt. Il saute dans le panier de Gabriel en disant : « Hue cocher, hue dada ! »

— Débile ! fait Gabriel. Si t'es pour nous jouer un numéro de ce genre-là toute la journée, endors-toi donc, Fred !

Celui-ci fait la moue et pense en lui-même : « Pupilles ingrats et ignares ! » C'est le problème avec ses jeunes recrues ; il a trop de culture pour eux et dès qu'il parle d'événements antérieurs aux années 80, ils décrochent. Il en sait des choses intéressantes pourtant, bien plus que Maryse qui prend son savoir dans des livres. Ce qu'il raconte, lui, il l'a vu en personne. Mais hélas, il ne sait pas raconter. Pas comme Maryse.

— Boude pas, lui dit Gabriel. On t'aime même si tu te goures dans tes histoires.

Il lui sourit jusqu'aux lunettes. Il est heureux, aujourd'hui : Célestin n'est pas là pour les bosser, Marité est restée à la maison, ce qui simplifie les choses, et surtout, il savoure la présence de Miracle Marthe qui s'est jointe à eux aux confins du parc Lafontaine. Ça, c'est vraiment un coup de chance ! « *Precioso* », crie-t-il. Laurent dit tout le temps cela pour commenter les affaires formidables. « *Precioso* », répète Myriam. Le groupe passe devant chez Célestin et elle est toute frémissante d'espoir ; elle attend une réponse à sa lettre. Il devrait bientôt changer d'attitude car elle a réussi à glisser subrepticement de la poudre amoureuse dans son verre de limonade. Une bonne dose. Ça devrait marcher, cette fois-ci. Elle fait crisser les pneus de sa bicyclette ; François le lui interdit mais il n'est pas là. Ils sont dans le permissif absolu sans parents pour leur mettre des bâtons dans les roues et ils roulent, rapides, sans rencontrer aucun feu rouge jusqu'à la rue Craig.

— Attention, dit Maryse, on passe au-dessus du ruisseau Saint-Martin !

— Où ça? demande Olivier.

Il rit. L'idée d'un ruisseau au beau milieu de la ville lui semble hilarante.

— Y a pas de quoi rire, dit Fred. C'est vrai. Dans mon jeune âge, il y avait ici un ruisseau qui virait en marécage dans le haut du Carré Viger. C'était un bel étang; les seigneurs de Berry-sur-Flaque venaient y faire la chasse à la sarcelle.

— Le marécage a été asséché, dit Maryse.

Et elle repart. Vis-à-vis du Champ-de-Mars, Myriam la rejoint.

— Ton ruisseau, dit-elle, c'est-tu une histoire?

— Tu n'entends pas les petits bruits d'eau sous la terre?

— Non... Je suis pas toujours sensitive! Je sens seulement les *vibs* du métro et que ma grand-mère Blanche est dans les parages. Ça sent pas l'eau fraîche, mais la grand-mère...

À ce moment précis, Blanche Grand'maison circule dans le couloir de la station Champ-de-Mars. Elle s'est trompée de direction et elle s'en fout; elle est distraite, aujourd'hui, mais d'excellente humeur. Comme elle atteint le quai, quelqu'un la bouscule. C'est le Diable Vert qui a fermé son bar en mettant sur sa porte un écriteau : «Back in a minute» exprès pour contourner la loi 101 —

il est très contourneux. Il se présente comme étant le sieur Elvert, courriériste du cœur et journaliste underground.

— Bien, mon ami, dit Blanche, très bien. Mais je n'ai pas besoin de vos services : mon cœur est bon. Et j'exècre les colporteurs.

— Ça fait rien, ça fait rien, dit le Diable en lui emboîtant le pas. Je suis pas vraiment colporteur.

Il sourit comme un travailleur social au seuil d'une maison d'assistés sociaux et il fume une cigarette russe enveloppée dans un papier noir et doré.

— Vous manquez de civisme, dit Blanche, on ne fume pas dans le métro.

Nonchalamment, Elvert secoue la cendre de sa cigarette :

— Alors, mémé, on est amoureuse ?

Blanche a un haut-le-corps. L'appeler « mémé », à son âge ! Quel manque de délicatesse !

— Vous verrez si je n'ai pas raison ! continue le Diable, susurrant et boucanant. J'ai une sensibilité de médium.

— Vraiment ? dit Blanche.

Quand il l'a abordée, elle pensait aux Mères de la Place de Mai. Elle lui demande s'il saurait où sont passés leurs enfants, vu son flair. La face du Diable se ratatine :

— Je suis positif, répond-il. Je ne fais pas de politique.

— Tout est politique, rétorque Blanche.

C'est un leitmotiv cher à Marie-Thérèse.

Le Diable soupire :

— J'ai l'impression que le Régime les a envoyés *al Diavolo Verde*, un collègue à moi. Déplorable ! Un hostie de gros sale !

— Qu'est-ce à dire ? dit Blanche.

— Écoutez, j'ai peu de contacts avec le Sud, je les comprends pas, j'ai pas la sensibilité latino. Leur littérature m'écœure à la longue, avez-vous remarqué, dans les romans sud-américains, il y a toujours une tête coupée à la traîne, généralement oubliée dans un carton à chapeau ? Ça me fait lever le cœur, moi qui l'ai tellement sensible ! C'est pas comme dans l'œuvre de madame Gabrielle Roy, pas de danger qu'on y trouve des détails répugnants, ou comme dans celle de madame Hébert, quoique là, c'est autre chose...

Blanche voit qu'elle ne tirera rien de lui sur les Folles de la Place de Mai.

— Et les musiciens du métro, dit-elle, vous les fréquentez ? Je suis sur les traces d'un certain violoncelliste...

— Vous en êtes amoureuse ?

Blanche hausse les épaules.

— Si fait, si fait, dit le Diable. Je pressens qu'on est amoureuse comme à vingt ans !

Blanche commence à en avoir marre ; Elvert mêle tout. Elle aurait le goût de lui donner vingt-cinq sous pour qu'il dégage ou de lui décocher un bon coup de parapluie : légitime défense d'une mémé agressée par un voyou ! Mais ce personnage prétentieux — et sans doute fictif — ne vaut pas la peine d'un scandale. D'ailleurs, elle n'a pas son parapluie. Elle dit :

— Si j'étais amoureuse, mon ami, ce serait comme on l'est à huit ans.

Et elle entre dans le wagon dont la porte se referme aussitôt. Le Diable soupire et reste sur le quai, la cigarette pendante au bout des lèvres. Se sentant en sécurité, Blanche lui envoie la main d'un air espiègle. Comme à huit ans. Les wagons s'ébranlent.

«Ça repart», fait Myriam, trente pieds plus haut. Elle renifle et donne un bon coup de pédale pour rattraper les autres. Mais elle n'a pas à s'en faire, ils ont promis de l'attendre au début de la piste cyclable, juste en bas de la Place Royale. Ils y sont rendus.

— Ici, dit Maryse, on est à l'embouchure de l'ancienne rivière Saint-Pierre.

Gabriel et Ariane regardent Fred pour avoir une confirmation et départager la fiction de l'historique.

— Madame O'Sullivan est dans l'historique à cent pour cent, dit Fred. Flyé, mais authentique.

— La rivière Saint-Pierre a vraiment coulé ici autrefois, dit Laurent. Avant le temps du béton, l'île était parcourue de torrents.

— C'étaient de tout petits ruisseaux, dit Maryse. Il y avait le ruisseau Saint-Martin, celui de la Côte-à-Baron, ceux de la Montagne et de Notre-Dame-des-Neiges, les ruisseaux Glen, Molson, Saint-Laurent, Prud'homme, la rivière du Portage et la petite rivière Saint-Pierre qui passait juste ici, derrière la rue des Enfants Trouvés...

— Les enfants trouvés, murmure Miracle Marthe, c'est weird. Et comment vous savez tout ça? C'est pas à la bibliothèque municipale. Avez-vous un don?

Laurent se garde bien de lui dire qu'on apprend ces choses-là après le secondaire cinq. Il sourit et sort de son sac à dos une ancienne carte de l'île.

— *Estupendo!* dit Gabriel.

C'est le mot de la journée, ils reviendront tous de la promenade en la qualifiant d'*estupendo*.

La carte est rouge et verte, rouge pour la terre et verte pour l'eau. Tous les ruisseaux que Maryse a énumé-

247

rés y sont tracés. Il y a aussi de petits étangs et des lacs comme le lac aux Loutres. L'île rouge est entourée d'un gros fleuve vert. C'est marqué *Fleuve Saint-Laurent* dans une écriture compliquée que Myriam a de la difficulté à déchiffrer. Elle demande si c'est le même fleuve Saint-Laurent que celui de sa grand-mère Alice.

— C'est le même, répond Maryse. Alice descend vers l'embouchure salée du Saint-Laurent, elle a parcouru la moitié du chemin, elle arrive à Charny, là où la route rejoint l'eau.

Toujours penché sur la carte, Gabriel demande où sont passés les ruisseaux de Montréal.

— Ils ont été drainés, dit Laurent. La rivière Saint-Pierre avait peut-être vingt pieds de large, mais ils l'ont canalisée et camouflée sous le béton.

— Si on enlevait l'asphalte, propose Marie-Lyre...

— Est-ce qu'on la verrait couler, la rivière? demande Ariane.

— Oui, dit Maryse. Parfois, elle s'écarte de son lit artificiel et fait bouger les fondations des édifices...

En parlant, elle imagine un film d'animation dans lequel les ruisseaux condamnés reprendraient leur place au soleil. Elle voit l'eau jaillir de partout et recouvrir le désert de béton qui les entoure; même l'eau des puits anciens remonte à la surface, claire comme au temps de leur forage. «Encore la nostalgie, lui murmure Fred à l'oreille. Attention, pétite médame!»

— Mais comment vous savez tout ça? redemande Miracle Marthe.

— J'ai failli devenir géographe marin, dit Laurent. Je tripais sur la nappe phréatique, la ligne de partage des eaux, toutes ces choses-là. Et mon père est sourcier.

— *Estupendo*! dit Gabriel. Comment on fait pour être sourcier?

Il aime les métiers rares et hasardeux.

Laurent rit et dit: «On y va-tu?» Il démarre. Gabriel et Olivier le suivent de près.

— Impressionnant! dit Olivier. Célestin ne sait pas ce qu'il manque!

Gabriel opine. Il conduit sa bicyclette sans les mains, comme un pro. Il ne va pas trop vite pour rester proche de Miracle Marthe dont il espère se faire remarquer. Mais il n'est pas le seul dans son cas: sa sœur et Ariane font tout ce qu'elles peuvent pour attirer, elles aussi, l'attention de la sorcière. Elles font des huit en pétant des ballounes de gomme balloune et se crient des poèmes.

— Où est-ce que vous apprenez ça? leur demande Marie-Lyre. Avec la maîtresse Maususse?

Pour la nième fois, Ariane répète qu'elle n'est pas dans la classe de Myriam. «C'est chez madame Légarée qu'est la réserve de poèmes», dit-elle. En effet, chaque bouchée de gâteau y est obligatoirement accompagnée d'un vers d'un poète québécois. Elvire croit aux vertus initiatiques de la poésie. «C'est primordial, dit-elle, dans la formation de la psyché collective.»

— Vous faites les folles, dit Marie-Lyre. Arrêtez de conduire tout croche!

— «Comme si vous étiez facile, comme si l'oiseau et l'arbre étaient faciles, comme si la route était facile... Mais quels détours!» répond Myriam.

Le ton est étrangement juste, pour une enfant. Ça ne fait pas du tout petit monstre récitant un poème, Marie-Lyre est forcée de le reconnaître.

— En tout cas, c'est la dernière fois que je vous

demande de vous calmer, dit-elle. Je suis pas ici pour faire la police, je suis la fée des étoiles !

— Ben dépasse-nous, d'abord, disent les filles. Fly !

Ainsi fait la tante aux étoiles. Elle accélère, contente du bleu du ciel, de sa blouse mauve, de la répétition d'hier, du show qui finit ce soir, d'être en pleine forme, loin du rejet de Juliette, de tout, quoi ! Elle est contente mais légèrement troublée cependant : depuis ce matin, personne ne l'a reconnue. Personne ! ! Elle n'aime pas être reconnue par l'homme de la rue — c'est agaçant — mais dès qu'on cesse de la reconnaître, elle sent un manque. « Bof, l'incognito a du bon, se dit-elle. Ça rend humble et allège. » Légère, elle accélère encore et dépasse tous les autres. Une fraction de seconde, elle se retourne pour les regarder...

Comme d'habitude, Maryse est à la queue, son rythme est lent, pianissimo, quasi vaporeux, elle a l'air de pédaler sur un nuage. « C'est que je suis dans un nuage », pense-t-elle. Un nuage extrêmement bien organisé comme toute rêverie libre, un nuage fait du moindre détail du parcours dont elle essaie de s'imprégner. La piste suit fidèlement le tracé du canal et les rails des tramways qui faisaient autrefois la navette entre la Place d'Armes et Lachine. C'était un long trajet d'eau où se reflétaient les seules structures métalliques des usines. Ils passent vis-à-vis de Pointe-Saint-Charles, un quartier qu'elle a long-temps évité : son père y est né et sa mère Irène en parlait toujours avec une aigreur dans la voix : « La maudite Pointe-Saint-Charles à marde ! Le boutte de la misère et de la gangrène ! » C'était un quartier maudit. Depuis qu'elle connaît Laurent, Maryse l'a redécouvert. Laurent s'intéresse à la formation des villes ouvrières. Par jeu, ils

ont retracé ensemble le parcours de Kate venant porter
son linge à sa belle-sœur : elle devait passer par ici, en
tramway. Dans le temps, c'était un endroit malsain aux
eaux contaminées par les déchets des moulins et des usines riveraines. Ils ont mis du gazon partout maintenant,
des arbres et des arbustes. Cela évoque la campagne, le
calme, la douceur de vivre. Dans l'eau verte, flottent un
bidon d'huile *Mazola* et quelques autres cochonneries.
L'harmonie est presque parfaite ! Maryse détourne la tête
et se creuse un cocon à l'intérieur de son nuage liquide,
elle replonge dans les eaux anciennes du canal : sortant
des profondeurs enfouies, elle voit les femmes de ces bas
quartiers dans leurs costumes d'époque. Leurs mains sont
gercées et leurs tabliers blancs, grisâtres. Elles sont de sa
race. Leurs hommes travaillent au bord du canal et elles
doivent nettoyer ce que leur travail salit. Tous les
O'Sullivan ont trimé près d'ici : Tom, le premier arrivé,
puis son fils Mathieu — c'est l'aïeul aux mains rouges —,
puis son petit-fils, Dany. L'arrière-petit-fils s'appelait
Tom, à nouveau. Ce deuxième du nom était le père de
Maryse. Il a quitté la Pointe et fui la job sale, il était
chômeur permanent. Pas question d'appeler son fils Tom,
«ça fait trop irlandais.» avait dit Irène. Elle l'a appelé
Jean-Guy. Il a réussi, aussi ! Jean-Guy O'Sullivan, c'est
une autre histoire, il est dans la mécanique spécialisée sur
le Plateau Mont-Royal, il fait de l'oveur-time tous les
soirs — comme pour reprendre en temps supplémentaire
la vie de chômage de son père Tom — mais le garage
n'est pas à son nom... Maryse soupire ; depuis la mort de
leur mère, elle n'a pas revu son frère Jean-Guy. Mais elle
ne s'ennuie pas. Elle revient aux ancêtres : pendant que
les premiers O'Sullivan s'exténuent dans des travaux non
spécialisés et salissants, leurs femmes s'épuisent à

transporter de l'eau. Elles forment une longue file de ménagères puisant leur eau à la fontaine la plus proche ou dans des puits communaux. Elles sont accompagnées de leurs filles et de leurs belles-sœurs, comme dans les obsessions de MLF. Elles sont nées O'Hara, Glass, McAllisson, Tremblay, mais elles sont devenues des O'Sullivan par mésalliance; des laveuses. De la file, se détache l'arrière-grand-mère Mary, la femme de l'aïeul aux mains rouges. Mary est morte jeune et Maryse ne l'a pas connue, mais elle l'imagine rousse comme elle et frêle. L'aïeule a la vue basse mais ne porte pas de lunettes, c'est pas nécessaire, elle ne sait pas lire et de toute façon elle n'a rien à lire. Le nettoyage est toute sa vie, elle ne sait pas pourquoi mais c'est comme ça. Enceinte de sept mois et demi, un torchon à la main, elle est debout face au mur et elle regarde la tache rouge que la grande main de son mari Mathieu y a laissée. Il a donné un coup de poing dans le mur en sortant pour aller boire, il a dû se faire très mal parce qu'il a saigné. Il est parti sans rien dire. C'est la première fois qu'il fait ce geste, la première trace rouge. Cela deviendra une habitude. Dans vingt ans, Mary mourra et Geneviève la remplacera dans ses travaux de récurage. Seule la laveuse aura changé. Pas l'aïeul. En pleurant, Mary trempe son chiffon dans l'eau froide... Laurent contestera ce détail, il dira que les ménagères d'autrefois n'avaient pas autant d'exigences face à la propreté. Il a pris cela dans *L'histoire des femmes au Québec*. Elle dira: «Si tu lis mes livres, astheure!» Elle sourit: tout le temps de sa rêverie, la pensée de Laurent l'a accompagnée, elle fixait la tache bleu pâle de sa chemise, devant. Elle a rejoint les autres à l'écluse Saint-Gabriel où ils font halte pour permettre à Myriam de se reposer.

— «Le niveau élevé de pollution des eaux du canal rend la pratique du canotage et de la baignade non sécuritaire», dit Myriam. Signé Parcs Canada.

— Qu'est-ce que tu dis? demande Maryse.

— T'as pas vu? C'est écrit sur toutes les pancartes...

— Répète donc, voir.

Myriam répète. Sidérant! Maryse sort son petit carnet en disant: «Je note. Ça, je pourrais jamais l'inventer!» Elle se demande comment les fonctionnaires arrivent à produire des textes aussi délicieusement ineptes, fades et édulcorés. «Tout ça, avec de la marde!» dit-elle.

— Tu dis souvent le mot marde, dit Myriam. T'as pas un gros vocabulaire.

— Toi, tu fréquentes trop Chez Elvire! répond Marie-Lyre, hilare.

— Ça me tente de me baigner, annonce Fred en soulevant son bonnet.

— Fais pas ça, c'est risqué! dit Miracle. La lune est en Vénus, la septième maison est cul par-dessus tête et le fanal gît dans le canal.

— Qu'est-ce que ça veut dire, ces conneries-là?

— C'est pas des conneries, rétorquent à l'unisson Ariane et Myriam. C'est de l'honnête sorcellerie blanche néo-punk!

Elles font un sourire complice à Miracle: pas plus tard qu'hier soir — c'était un vendredi treize —, elles ont fait des passes cabalistiques. Par la même occasion, elles ont consulté l'horoscope druide.

— Tchèque tes claques! dit la sorcière à Fred. Les esprits de ton département vont avoir un boutte sur la gravelle.

— M'en fous! dit Fred. Y peut rien m'arriver; chus t'immortel. J'me baigne.

Ils sont sur le pont de la rue des Seigneurs, à regarder l'eau couler. Fred s'agite dangereusement sur le parapet. D'un même mouvement, Ariane et Gabriel l'accrochent par les pleumas et l'immobilisent. Dans l'air léger de mai, l'eau fait un bruit envoûtant et tous partagent le désir de Fred: pollué ou pas, cela demeure attirant.

— Laissez-le donc aller, dit Laurent. À son âge!

— Oui, laissez-le, dit Marie-Lyre.

Elle et Laurent ont des rapports ambigus à l'esprit mauvais: Marie-Lyre ne le voit pas mais elle l'entend, alors que Laurent le voit sans l'entendre. Alors forcément, ils ne suivent pas toujours Gabriel et Ariane dans les dédales de leurs démêlés. Toujours solidement maintenu au-dessus du vide, Fred se contorsionne comme un bébé vigoureux en menaçant de disparaître. «Fais pas ça!» disent ses deux clients. Et, d'eux-mêmes, ils l'amènent se baigner.

Marie-Lyre quitte le pont pour aller s'allonger dans l'herbe en position fermée, c'est-à-dire qu'elle pose son avant-bras sur son visage et dort, ou fait semblant. Maryse aurait le goût de l'imiter, elle est fatiguée et elle n'a pas souvent l'occasion de se détendre, volant du temps à son travail pour écrire et du temps à son écriture pour vivre un peu... Elle aimerait bien vivre un peu, aujourd'hui, se laisser aller. Mais elle est la tante surnaturelle numéro un, elle se sent des responsabilités envers les enfants; elle ne s'étend pas dans l'herbe, elle s'y assoit seulement, près de Marie-Lyre. Les autres les rejoignent. Myriam s'installe sur Maryse, bien calée dans son giron.

— Si l'eau est pas propre, dit-elle, comment on fait pour la laver?

Profonde question.

Olivier se met à expliquer comment on régénère les eaux usées. «Il y a un truc pour dessaler la vieille eau», dit-il. Il a lu ça dans l'Encyclopédie Grolier. Quelle chance! Il aime de plus en plus ces livres-là qui lui permettent de briller sur les gazons et d'épater les filles. Maryse est amusée par le sérieux et la clarté de son exposé, mais l'expression «eaux usées», qu'elle trouve horrible, la ramène à son aïeule Mary.

— Autrefois, on ne filtrait pas l'eau, dit-elle. Ici, au début du siècle, la plupart des maisons n'avaient pas encore l'eau courante bien qu'ils aient déjà commencé la canalisation ailleurs dans la ville. En 1885, Mary O'Sullivan habite tout près de l'écluse Saint-Gabriel et elle doit transporter son eau elle-même jusqu'à son logis. Elle est enceinte de Kate, celle dont je parle dans ma pièce. Avec son ventre de sept mois et demi, elle s'approche du puits communautaire. Pour survivre, elle doit laver les vêtements des bourgeois en plus de tenir propre sa maison. Dans le quartier, tout est gris à cause de la fumée des usines. Dès qu'on ouvre la fenêtre, c'est foutu. «Insalubre», a dit l'inspecteur-d'ils-ne-savent-plus-quoi en examinant le logis. Mary l'a pris comme un reproche alors que c'était plutôt de la pitié. Mais la pitié est insultante et inutile: elle ne change rien à rien. Elle ne compense pas. Mary compense comme elle peut, elle a sa campagne dans la tête, c'est vague dans son souvenir, elle n'a pas vu un champ depuis l'âge de neuf ans. Mais sa voisine y va, à la campagne: une fois par année, les propriétaires de l'usine Gurds où elle travaille organisent un pique-nique pour les employés. Ils vont au bout de l'île, loin vers l'est, là où il n'y a pas encore de maisons. L'an dernier, ils ont fait faire une photo sur laquelle tout le monde sourit devant la bannière Gurds. Tous les employés ont l'air contents d'avoir de si bons patrons, même la voisine...

Laurent fait un clin d'œil à Maryse : il connaît la photo qu'elle décrit, elle est au musée McCord. Imperturbable comme Marie-Lyre quand elle joue un rôle, Maryse continue :

— Cela a été un jour de bonheur parfait dans la vie de la voisine. Une journée d'eau pure, de vent et de pain blanc mangé à belles dents sans avoir à compter les tranches : c'est la compagnie qui paie. La voisine a tellement parlé de son pique-nique du bout de l'île que Mary a l'impression d'y être allée elle-même. Elle y pense souvent au-dessus de sa cuve d'eau froide ; en y plongeant sa main fendillée, elle croit se rappeler la sensation de fraîcheur décrite par la voisine quand elle parle de l'eau du fleuve. Elle dit qu'ils se sont promenés en barque tout l'après-midi et qu'il y avait même des fleurs jaunes sous l'eau. Ça, elle doit l'inventer, ça se peut pas. Mais qu'importe ! Quand elle veut s'évader de la suie, Mary laisse traîner sa main dans sa cuve dont l'eau devient aussi claire que celle du fleuve. Elle dérive parmi les fleurs jaunes inventées...

— Va te secouer ailleurs, dit Myriam à l'esprit mauvais apparu abruptement sur le gazon.

Il s'ébroue comme un chien. Gabriel et Ariane remontent le talus à sa suite.

— On a fini de jouer à la mère avec Freddy, dit Ariane.

Gabriel lui lance une œillade assassine : elle a le don de rompre le charme avec ses explications terre-à-terre !

— Tu m'as rompu le charme ! dit-il.

Et il demande à Maryse s'ils peuvent embarquer dans l'histoire.

— C'est en plein l'endroit et le temps des embarquements, répond Maryse. Ici, à l'écluse Saint-Gabriel, il y avait autrefois un quai où accostaient des péniches.

L'histoire du canal Lachine n'est pas seulement triste, elle a aussi quelque chose de joyeux et de remuant. Sa construction est liée à l'essor du pays, au transport, au commerce...

— Quel pays ? demande Marie-Lyre.

Elle s'est relevée sur un coude, indiquant par là qu'elle a fini de faire semblant de dormir. Elle sourit, promet à Maryse de ne plus la niaiser avec des questions plates, s'allume une cigarette et poursuit le récit dans les mêmes mots exactement, comme on enchaîne un texte en répétition :

— Dès les débuts, dit-elle, la vie des gens a été liée à celle des rivières, du fleuve, de la mer, à la navigation des bateaux, des barges, des steamers, des voiliers chargés d'immigrants irlandais malades et sous-alimentés, des navires marchands descendant le fleuve et mettant le cap sur New York. Ils passeront par le canal Chambly, nouvellement creusé. Ici, à l'écluse Saint-Gabriel, les péniches pleines à craquer défilent...

— C'est ça, dit Maryse, reprenant la parole, cela s'agite dans la fumée des bateaux. C'est la descente du canal par temps mouvementé. Attention, les vannes de l'écluse s'ouvrent et l'eau va s'y engouffrer...

Ils écoutent tous et, un court moment, l'eau leur monte au cerveau et les encercle : ils se voient debout sur la péniche, une rumeur sourde monte à travers la vapeur du canal, ils entendent les bruits des moteurs, les cris des hommes au travail et le crissement du pont tournant. Tout

257

cela est mêlé au murmure de l'eau, celle d'autrefois et celle de maintenant. Cela bouillonne. Puis Maryse cesse de parler et cela se dissipe. La brume s'estompe. C'est Olivier qui reprend pied le premier, puis Myriam.

— Tiens, dit-elle, on est revenus sur le gazon de l'ici-maintenant.

Elle s'étire et dit que ses jambes commencent à être reposées. Elle ouvre un sac de chips Humpty Dumpty format familial et n'en offre pas à l'esprit mauvais qui s'est approché de Maryse :

— Vos histoires, dit-il tout bas, vous les racontez pas dans l'ordre chronologique ni intégralement, vous faites de drôles de raccourcis, vous confondez le Bas du Fleuve et le haut, les Irlandais et les Canadiens pure laine. Ça mêle le monde. Le type de récit syncopé que vous pratiquez maintenant, j'espère que c'est seulement une toquade. La postmodernité, ça vous passera.

Maryse ne répond pas. Elle n'est d'ailleurs pas sûre d'avoir bien entendu : il y avait des trous dans le texte de Fred et elle se fout bien d'être moderne ou archaïque. Elle sait qu'il est bon, parfois, de mêler les auditeurs ; étant donné le genre de trucs qu'elle raconte, certains bouts passent mieux à faible dose et inversés. Elle n'a pas tout dit de Mary et elle n'a surtout pas suivi l'ordre chronologique, trop cru. L'ordre chronologique est celui de sa sœur Maureen qui n'avait pas la langue dans sa poche, dans le temps, et qui ne doit pas avoir changé, Maryse ne le sait pas, elle ne la voit plus, ça n'adonne pas et ça n'adonnera pas de sitôt. Selon l'ordre chronologique et implacable de Maureen O'Sullivan, dans l'ordre des suppositions qu'elle faisait — car elles ne savaient pas grand-chose sur le passé et les explications étaient rares, elles devaient s'en tenir à des déductions et Maureen imaginait toujours le pire, pour plus de sûreté —, dans l'ordre brutal des choses qu'elle ressassait la nuit dans leur chambre commune, l'arrière-grand-mère Mary mourait d'une pleurésie et d'avoir été battue. Son mari aux jointures ensanglantées ne se remaria jamais, ce n'était pas nécessaire, sa bru Geneviève tenait maison pour eux, elle avait la charge de laver leur linge et les traces sur les murs, elle préparait leurs repas. C'est aussi avec elle que l'aïeul aux mains rouges couchait quand ça lui prenait. Geneviève subit son terrible beau-père pendant deux ans, jusqu'à ce que son premier enfant naisse, une fille dont elle ne sut jamais de qui elle était, de Dany ou du vieux. Et «même après la naissance de l'enfant, disait Maureen, Geneviève a continué d'accepter le vieux dans son lit!» C'est seulement après l'accident de la petite qu'elle est devenue rétive, et il y avait de quoi : «En une seule nuit, disait Maureen se référant à la brève légende familiale, Geneviève avait vu ses cheveux blanchir...» À ce moment du récit, toujours le même, elle s'interrompait, mesurant sur le visage troublé de sa petite sœur l'effet de ses paroles. Aujourd'hui encore, Maryse se sent mal en y pensant. Dans sa pièce, elle n'a parlé ni de Mary ni de l'inceste. Elle a remplacé l'accident horrible par le typhus et fait de la fillette de quatre ans, un bébé. Elle n'a pas voulu choquer inutilement les spectateurs avec des scènes de grand guignol, même conformes à la réalité... Elle sourit machinalement; Laurent a sorti sa caméra et il la photographie avec Myriam collée à elle, l'air heureux. Myriam tend le sac Humpty Dumpty à Ariane qui le garde et s'abandonne à la volupté des chips. Olivier demande si le personnage de Mary a vraiment existé.

— Mary O'Sullivan, c'est moi, dit Maryse.

Olivier a l'air perplexe.

— Maryse s'appelait Mary avant, quand elle était petite, explique Gabriel.

— Ah oui? dit Miracle Marthe, soudainement fébrile. T'as changé ton nom?

— Un tout petit peu... Ma bisaïeule s'appelait vraiment Mary O'Sullivan.

— Quand tu portes le nom d'une ancêtre, dit Miracle, le nom d'une personne qui a eu des bad lucks ou qui a fait un mauvais coup, c'est que ton destin est de supplanter l'aïeule et de faire oublier la malédiction de son nom de cochon-écœurant.

— Ah bon, dit Maryse.

— C'est la filiation par les hauts faits, continue Miracle. Toi, Mary deux, t'es née pour venger le destin de la première Mary O'Sullivan. T'es obligée d'être heureuse!

— C'est une façon de voir les choses, dit Maryse en souriant. Et elle ajoute qu'il y a en effet beaucoup de monde malheureux dans sa famille, beaucoup de laveuses tristes à venger. La première Mary O'Sullivan a fui la famine de 1839 en Irlande et elle est parvenue vivante dans l'Amérique de leurs rêves où on ne meurt pas de faim, mais elle est morte d'insalubrité, à quarante-deux ans...

— C'est pas une maladie, l'insalubrité, dit Gabriel.

— Oh oui! dit Fred. Ils appelaient cela les fièvres mais c'est pareil, sois par chipoteux sur les mots, Gaby!

L'esprit mauvais est tout chose à l'évocation du destin de Mary. Il n'aime pas les légendes du canal Lachine, les connaissant trop bien. Autrefois, il avait un jeu: il montait dans la tour du CN nouvellement construite et de là, il se laissait glisser en spirale le long de la cheminée. La vue qu'il avait des quartiers avoisinants, misérables et enfumés, des quais du canal en contrebas, des entrepôts et des usines, le ravissait et lui donnait des palpitations. C'était impressionnant et presque beau ! D'en haut. Mais chaque fois, il regrettait son jeu car à mesure qu'il approchait du sol, son angoisse augmentait. Il finissait toujours par avoir mal aux cœurs, les deux, le cœur-estomac et le cœur-qui-pleure. Il détestait le quartier, finalement, mais c'est là qu'était la cheminée-glissade ! À vingt mètres du sol, il se prenait à maudire Dieu et à le traiter d'incompétent : il fallait vraiment être incompétent ou vicieux ou imbécile pour laisser fleurir autant de misère... Il soupire. Une hirondelle passe au-dessus d'eux. Ariane s'extasie.

— Tu viens seulement de la remarquer, dit Myriam d'un air important. Nuzautres, on la tchèque depuis tantôt !

Laurent explique qu'elle a dû faire son nid sous le pont, il suffit de la regarder aller et venir pour le découvrir. Il fait de grands gestes en parlant. Maryse le regarde bouger et elle se dit qu'elle l'aime lui, «Laurent-le-pacifique», c'est le surnom qu'elle lui a donné dès le début, sans qu'il le sache. Il est tellement calme qu'on a le goût de rester auprès de lui jusqu'à la fin de ses jours et d'y être heureuse.

— Changer son nom, c'est capotant, dit Miracle, toujours à son idée. Mais utiliser le sien, le vrai, c'est encore plus cool !

— C'est quoi ton vrai nom ? lui demande Ariane.

La sorcière a un moment d'hésitation, que Gabriel perçoit tout de suite : c'est un mouvement de panique aiguë, perçante, qui le perce, lui.

— Ça te regarde pas, chose, dit-il, c'est indiscret !

— Son vrai nom est écrit au bout de la rue des Enfants Trouvés, murmure Fred.

261

Mais seuls Gabriel et Ariane l'entendent. En même temps, il leur vient à l'esprit que jamais Miracle ne parle de ses parents, de sa maison, de sa famille. Mais les adultes parlent peu de ces choses-là. Ça doit être pour ça.

— Nous autres sorcières, dit la sorcière qui a retrouvé son aplomb, nous menaçons l'ordre social, d'où que nous venions, que nous soyons punks, rockers, new wave ou skinhead.

— C'est quoi « skinhead » ? demande Myriam.

— C'est un truc complètement taré, répond Fred.

— T'as dit taré ou raté ? dit Gabriel.

Il adore le verlan.

— C'est ça, dit Ariane, on part sur le verlan !

— On part tout court, dit Marie-Lyre. C'est pas ici le pique-nique même si les chips sont déjà finies.

— Je sais pas si je vais me rendre, fait Myriam d'un air souffreteux. Je suis trop petite !

Puis, elle se rappelle qu'elle est une sorcière très capable. N'empêche, le bout de la piste lui semble inatteignable, elle a l'impression que leur promenade est aussi longue que le voyage d'Alice.

On arrive-tu bientôt, dit-elle, Alice arrive-tu ?

— Elle doit approcher de l'Islet-sur-Mer...

Alice a ouvert une revue, lu quelques lignes et constaté que ses yeux sont fatigués. Elle a sa douleur dans le dos qui s'ajoute à l'autre et devient familière. Chaque jour elle retarde le moment de prendre son calmant. Elle traite la maladie avec mépris, ce n'est pas une vraie maladie. Elle ferme la revue et revient au paysage. Au détour de la route, elle peut parfois apercevoir le fleuve. C'est de l'eau salée, déjà, une eau libre et forte dont elle a toujours aimé le remuement. Elle aime le bruit des vagues frappant contre le quai en bas de la pente, chez elle. L'an dernier, ils en ont construit un autre, en béton, et c'est dommage. Le clapotis de l'eau contre le bois des piliers faisait un petit bruit spécial, calmant. Il lui semble que l'eau et le bois ont toujours été jumelés : les piliers résineux sont faits pour émerger de la vague, comme la maison d'Aurélie a été bâtie pour reposer sur le fleuve ; c'est une maison marine, dans les grandes mers, on dirait qu'elle flotte comme un bateau vert et blanc. La nuit dernière, son rêve coutumier est revenu mais un élément nouveau s'y est ajouté. C'est à marée haute, à l'automne, partie de chez Pelletier, en face de l'île, elle retourne chez sa mère en chaloupe, le cœur léger. La maison grossit à mesure qu'elle approche mais brusquement, sans qu'ils aient eu le temps d'atteindre le quai, la mer se retire et la barque s'échoue dans la vase. Ils doivent parcourir à pied toute la longue, l'interminable grève. Et la vase les aspire. À ce moment-là, l'homme qui conduisait la barque a disparu. Elle marche seule dans la mer retirée vers la maison de sa mère. Elle marche longtemps. Une fois à l'intérieur, elle voit qu'on a démoli un des murs du salon et que la porte menant au grenier a été condamnée. Elle demande pourquoi, personne ne le sait. Elle étouffe. Elle n'est pas sûre qu'il y ait déjà eu un grenier ici, et même une pièce bleue quelque part dans la maison, au fond peut-être, vers la laiterie. Elle cherche la pièce bleue et ne la trouve pas. Elle se souvient maintenant que l'homme du bateau était Antoine, son mari. Il avait la figure d'Antoine. Au milieu du salon détruit, sa mère Aurélie est debout, sereine et souriante. Mais elles ne peuvent pas se parler... Ce n'est pas une variante agréable du rêve. À la fin, la maison était devenue liquide et floue, comme si elle avait coulé. Il n'est pas bon que le bois soit noyé sous l'eau ; il doit flotter. Elle essaie de penser à autre chose. Elle sait bien que la chambre bleue est toujours au premier en entrant et que la maison est en parfait état, entretenue par Jean-Baptiste avec l'argent que la famille lui envoie. Elle-même a toujours fourni sa part pour maintenir à flot la maison de la mère Aurélie... Après l'enterrement, elle essaiera de prendre quelques jours de repos, elle fera provision d'air salin pour le restant de l'année. À moins qu'elle n'y revienne plus tard cet été. Elle aimerait y revenir avec Myriam. Et Blanche Grand'maison, peut-être. Elles feraient le tour de l'île dans le bateau du père Beaulieu. Au milieu du fleuve, il couperait le moteur et leur petite-fille laisserait traîner sa main dans l'eau. Elles feraient semblant de ne pas la voir désobéir. Elles se laisseraient dériver longtemps sur une mer d'huile. À la fin, c'est elle qui prendrait la petite main froide de Myriam dans sa vieille main pour la réchauffer — les enfants ne conservent pas leur chaleur. L'autre grand-mère prendrait l'autre main de Myriam et ensemble, elles remonteraient lentement vers la maison marine...

Myriam et Ariane sont à la queue de la file avec Fred. Bien que ce soit défendu, elles roulent côte à côte. Elles se tiennent derrière la tante aux étoiles, proches d'elle mais dans son dos : Marie-Lyre ne les voit pas. Quand elles croisent quelqu'un, Ariane se tasse pour céder le passage puis revient à la hauteur de son amie. Elles font deux bons kilomètres comme ça, puis la tante se retourne sans prévenir ; elle va leur interdire de circuler en double et les chicaner, mais non, pas du tout ! « Dis donc, ça va vraiment dans le beau fixe, aujourd'hui, encore le permissif ! » Marie-Lyre sourit large, permissif, et ses yeux envoient des éclairs de beau temps. Elle sourit comme si elle entrait en scène dans le personnage de la reine de Saba le jour de son couronnement. Et c'est comme si elle entrait en scène dans un nouveau rôle...

De très loin, elle l'a reconnu parmi les cyclistes. Elle ne savait pas l'avoir déjà remarqué et le connaître si bien. Pourtant, son visage — et tout son corps — est imprimé en elle, à tel point qu'elle pourrait le dessiner dans ses moindres détails, si elle savait dessiner : il est élancé, ses cheveux sont noirs, lustrés, abondants et bien plantés, ses mains sont fines, il a les yeux brillants, la peau lumineuse, et sa bouche s'ouvre sur un sourire parfait. Parfait ! Il lui a souri comme s'il l'avait reconnue de loin, lui aussi. Est-il possible qu'elle occupe à ce point ses pensées ? Depuis le temps, elle sait mesurer l'effet qu'elle produit sur les hommes, mais à chaque nouvel amour, dans les débuts, elle craint de prendre ses propres désirs pour la réalité. Pourtant, il s'est passé quelque chose tantôt. Ils ont ralenti, hésité un moment, se sont dit bonjour — un bonjour appuyé — et se sont croisés. Ils n'avaient aucun moyen de suspendre le temps de la rencontre, aucune excuse. Ils ne se connaissent encore que par personne interposée, pour avoir été présentés au théâtre par Marie-Belle. Ils n'ont en commun que ce regard qu'il porte sur elle pendant les répétitions et qu'elle ne lui a jamais vraiment rendu, car elle travaille. Et c'est maintenant, tantôt, leur premier vrai regard. Après, elle s'est retournée malgré elle ; il s'était retourné aussi. Ensemble, ils ont détourné les yeux. Oh le beau jour ! Le fils de Marie-Belle ne ressemble à aucun personnage, à aucun type, à personne d'autre que lui-même. Il est neuf et leur histoire commence aujourd'hui. Elle s'accroche aux guidons de sa bicyclette pour résister à la petite tourmente qu'elle sent se lever en elle. Cela frémit. Il faut qu'elle cesse de l'appeler « le fils de Marie-Belle », c'est idiot ! Mais elle ne se souvient même pas de son prénom...

Toujours vêtue en Dame du Nil, Marité s'approche de François et l'embrasse.

— Ça t'aurait fait du bien de prendre l'air, dit-il.

Il avait pensé avoir sa journée pour écrire, et Marité est là, comme une interférence, une tentation. Il se sentait coupable de s'enfermer dans son bureau pour travailler, alors il s'est installé ici, dans la chambre, c'est moins pire, moins sérieux. Il lui sourit. Ils sont seuls dans la maison étrangement silencieuse. Il se demande s'il va vraiment tenir le coup et écrire toute la journée, il s'arrêtera peut-être tantôt, Marité aime faire l'amour l'après-midi mais cela leur arrive rarement, leurs horaires ne coïncident pas et les enfants sont toujours là... Il retravaille justement une séquence d'amour. Certes, il est plus intéressant de baiser que d'écrire qu'on baise, quoique son collègue Tibodo soutienne le contraire. Tibodo est un con.

— Si tu voulais pas que je te dérange, dit Marité, fallait pas t'installer ici...

Elle est entrée dans la chambre sous prétexte de ranger et elle se retrouve dans le lit, avec François.

— Tu me déranges pas, dit-il, tu me déranges jamais.

Elle rit. Elle est bien avec lui. Il a suffi de quelques heures de calme pour que s'estompe le souvenir du corps de Rémy et qu'elle se retrouve. François ne s'est aperçu de rien. Depuis quelques semaines, il flotte dans la brume de ses écrits et leur jette toujours un regard étonné quand il revient avec eux. Il n'a pas remarqué qu'elle-même était ailleurs, sous l'éclairage rosé d'une lampe de chevet ouverte en plein après-midi car les rideaux de la chambre d'hôtel sont toujours fermés, c'est elle qui les ferme. Mais il s'en doute peut-être, on ne sait pas, l'autre jour, en présence des enfants et de Marie-Lyre, il a dit doucement : «Reviens avec moi, Marité...» Personne n'a relevé sa phrase et elle se demande maintenant si elle ne l'a pas rêvée. Il n'a pas à s'inquiéter ; à ce moment précis, elle est bien revenue ici, dans leur chambre bleue d'infini. Elle est dans la réalité de François Ladouceur, de son corps. Elle l'embrasse sur le flanc, se retourne et froisse une feuille de papier. Il leur arrive de dormir entourés des brouillons de François, il en laisse traîner partout et ça ne les gêne pas, il leur arrive de faire l'amour dans le papier, ce n'est pas la première fois, c'est comme ça, l'amour avec lui, il n'est pas très ordonné et ne sort jamais complètement de ses textes. Elle aimerait pouvoir lui parler de Rémy. Depuis ce matin, elle a cherché la façon, l'occasion, les mots, mais elle n'a trouvé que son corps impérieux. Après toutes ces années, ce goût qu'elle a encore de lui, malgré l'autre ! En même temps que son goût pour l'autre. Elle le sent entrer en elle, profondément. Cela, au moins, est réel. C'est mieux que de parler. Combien de fois a-t-elle fait l'amour au lieu de parler ? Elle n'est plus du tout dans la chambre aux lueurs roses, mais seulement ici, maintenant, dans la réalité-François. Elle enfonce ses ongles dans son dos comme au tout début de leurs amours, pour s'ancrer en lui et ne plus repartir. Et elle crie d'un cri clair. Elle sait qu'elle va crier.

Ils ont installé la nappe sous un orme. Après le repas, Laurent a sorti une balle de son sac, il l'a lancée et les enfants sont partis à sa poursuite en disant qu'ils allaient jouer à «Manitoba crevé». Après une légère hésitation, Miracle les a suivis, laissant les trois adultes seuls, calmes et silencieux. C'est un moment de bonheur chaud à regarder pousser les feuilles et l'eau battre doucement contre la rive. Les tensions de leur travail et de leur vie sont restées au centre-ville, dans un autre temps. Puis, Miracle revient. Elle ne sait pas si elle préfère le fouillis du «Manitoba crevé» aux étonnantes conversations des adultes. Elle se méfie d'eux : l'homme ne compte pas — il est un homme — mais les femmes sont peut-être des *stools*. Elles sont trop gentilles, ça doit cacher quelque chose.

— Veux-tu du salami ? lui demande Marie-Lyre. Il en reste.

— Non merci.

— Mais t'as presque rien mangé...

— J'ai très bien mangé, merci.

Elle se dandine devant eux, leur faisant une ombre mouvante. Il fait chaud et pourtant, par-dessus sa courte jupe de sorcière et son collant, elle porte des warm-up et un chandail de grosse laine. Tout cela est noir. Marie-Lyre la regarde et se dit qu'elle a sous les yeux son personnage de Martha-la-douleur ; même les noms et la couleur des habits sont similaires. La sorcière a peut-être une aïeule oubliée lui ressemblant, l'aïeule a déposé son enfant fraîchement né et non voulu sur le parvis de la crèche des Sœurs Grises dans la rue des Enfants Trouvés et elle retourne à sa besogne de servante en cachant ses mains dans les replis de sa jupe. Tout comme cette aïeule,

Miracle est une âme en peine, elle pourrait jouer les petites bonnes pathétiques des pièces de Maryse. Mais cela ne l'intéresse sans doute pas. On se demande d'ailleurs à quoi elle s'intéresse. Elle continue de se déhancher sur ses patins, exprimant on ne sait quel vide affolant, quelle angoisse. Elle est volontairement cassante et froide, mais sous la laque noire de l'uniforme punk, Marie-Lyre sent une incommensurable détresse. Récemment, elle a lu un essai dans lequel l'auteur déplorait que ses jeunes contemporains se complaisent dans l'insignifiance et qu'ils n'aient plus d'âme, de culture... Soudain, la sorcière fait marche arrière et disparaît derrière un buisson.

— La trouvez-vous insignifiante? demande Marie-Lyre aux deux autres.

Maryse déclare que Miracle Marthe est tout, sauf insignifiante. C'est une enfant bizarre et elle aimerait bien savoir d'où elle vient...

— Centre-Sud, avance Laurent.

Il ne se trompe pas de beaucoup: trois des huit foyers nourriciers de Miracle y étaient situés.

Il se met à parler des habitudes de vie dans le quartier Centre-Sud, et d'urbanisme. Des quartiers défavorisés de Montréal, il glisse vers ceux de Managua, qu'il a déjà visités. «Il y a des chances pour que je parte au Nicaragua, dit-il. Je travaillerais à Managua mais aussi en milieu rural. C'est un projet de construire des fours communautaires et faire des travaux d'irrigation. L'expérience durerait un an.» Tout à coup, Maryse trouve que c'est long, un an.

— Chanceux, dit-elle. J'aimerais tellement ça, partir, moi aussi!

— Pars! dit Marie-Lyre Ça te ferait du bien.

Maryse ne répond pas ; MLF, qui a toujours été pigiste, ne comprendra jamais ce que c'est que d'être liée à un travail pour plus de six mois. Elle, Maryse, ne peut pas quitter le cégep, et elle est contrariée par le départ de Laurent. Elle pose la main sur son genou pendant qu'il est encore là. Elle ne veut pas qu'il parle du Sud maintenant, pas aujourd'hui.

— Comment ça va, côté Courre ? demande-t-elle à Marie-Lyre.

— Oh ça va. *La Sultane* a des vapeurs, mais légères. Frozen Food a pas l'air de comprendre dans quel genre de show il joue, il est pénible ! mais il va s'en tirer. Il nous aura écœurées en répétition, mais le soir de la première, ça paraîtra pas.

— Et Juliette, dit Maryse, ça va mieux, non ? Elle a été parfaite pendant l'impromptu.

— Penses-tu ! C'était pour la galerie. Faut la voir quand l'ennemi se retire : un mur !

Maryse a l'air navrée.

— C'est sans importance, dit Marie-Lyre.

Et elle passe à autre chose :

— Tu sais, ta cousine Barbara, l'Ange de la Misère, je l'ai revue hier. Amochée ! ! Ça faisait pitié.

— Elle est toujours un peu amochée...

— C'était pire que l'autre fois. Comme si elle avait été battue.

— Encore ! dit Laurent.

— Dis donc, fait Marie-Lyre, le fils de Marie-Belle, il s'appelle comment, déjà ?

Mais Maryse n'a pas le temps de lui répondre car la balle des enfants atterrit dans le restant de salade de fruits. Marie-Lyre crie : « Shit, les enfants, vous pourriez faire attention, merde ! » Depuis quelques années, elle dit tantôt merde, tantôt shit, «pour exhiber le fait qu'on progresse politiquement», a-t-elle coutume d'expliquer à ses fans, étonnés. Ariane rit sans pouvoir se contrôler — on ne sait pas si c'est de Marie-Lyre elle-même ou de sa colère démesurée — et tout le monde se met à rire avec elle.

— On a fini de jouer, explique Olivier. On est venus se calmer ici.

— C'est l'heure des histoires, dit Gabriel.

Ariane s'empare du restant de salade et décrète pouvoir la finir toute seule vu qu'elle est trop flagada pour les autres.

— C'est pas bon, grignoter, fait remarquer Miracle.

— Je grignote pas, dit Ariane, je prends des précautions. Chez ma mère, il y a des menaces de quiche aux épinards pour le souper. Tu te rends compte !

En mangeant, elle admire la taille de la sorcière miraculeusement mince et se demande quel est son truc. La maîtresse Maususse, qui se mêle du sort de toute l'école et gère les récréations, lui a prédit qu'elle enflerait en vieillissant, si elle ne faisait pas attention. Elle ne veut ni enfler ni vieillir, mais elle ne sait pas comment faire attention.

— Vous nous changez de mood, dit Marie-Lyre, on était chez *La Sultane*. On discutait.

— Laisse donc ta job de côté pour aujourd'hui, dit Gabriel.

La phrase est calquée directement sur celles de la nouvelle blonde de maître Jean Duclos.

— Mais j'aime ça, le théâtre ! dit Marie-Lyre. C'est pas une job, c'est un métier, le plus beau du monde...

— Ah oui, dit Myriam, pourquoi ?

— Est-ce qu'on peut avoir l'histoire de la femme

aux bijoux ? demande Gabriel. Moi, j'aimerais bien connaître la fin.

— La femme aux bijoux, répète Maryse distraitement.

Elle est ailleurs, dans *Le roman de Barbara* et à l'île Verte en même temps — Alice doit approcher de Rivière-du-Loup — mais elle pense aussi au Nicaragua : les « pays du bas de la carte » bouillonnent comme un remous et remontent vers elle, qui se croyait à l'abri dans le bonheur tranquille d'un printemps nord-américain. Elle regarde Gabriel et les autres enfants. Ils se sont installés autour de la nappe. Repus de nourriture et de grand air, ils attendent. Il est quatre heures, le soleil est encore haut, ils ont le temps. La fin de l'histoire de Catherine n'est pas très drôle mais elle ne voit pas comment elle pourrait la leur épargner. La présence de Laurent et de Marie-Lyre la retient cependant ; elle n'aime pas raconter devant trop d'adultes à la fois, devant des adultes, c'est un autre style, une autre approche. Laurent sent son malaise. Il dit : « Je vais me dégourdir les jambes. » Il part avec sa caméra. Marie-Lyre aussi a senti sa gêne ; elle reprend sa position fermée, écoutant de loin.

— Je tiens pas à la fin de cette histoire-là, dit Myriam, l'air chiffonnée. Je sais que ça finira mal, je le vois !

Elle s'est levée. Elle va s'asseoir sur une roche qui surplombe l'eau.

— Boude pas, lui crie Gabriel, t'as pas le droit ; c'est du chantage !

— Laisse-la faire, dit Maryse.

À ce moment, Gabriel constate la disparition de Fred. Ariane ne le voit pas non plus. Si l'esprit mauvais boycotte aussi l'histoire, c'est que ça se corse ! « Tant pis

pour les boudeurs, disent les autres, on veut la suite!»
Maryse commence à parler d'une façon alambiquée qui
ne lui est pas habituelle. On dirait qu'elle tourne autour du
pot en attendant de trouver la manière de raconter cette
partie de l'histoire. «Accouche», pense Gabriel. Mais il
garde pour lui son exhortation. Quelque chose lui dit que
ça serait déplacé, dans la conjoncture. D'ailleurs, ça finit
par débouler:

— En 1928, dit Maryse, la fille de Catherine a dix-
huit ans à son tour. Elle est enceinte. «C'est comme moi,
ma petite fille, lui dit sa mère Catherine. Je me suis mariée enceinte et ça ne m'a pas empêchée d'être heureuse
avec ton père. Avant ou après, ça ne change rien pour les
personnes qui s'aiment.» Augustine sourit doucement
— c'est un sourire las sur une figure de petite fille —,
elle explique à sa mère qu'il n'y aura pas de mariage
dans son cas; l'amant a disparu. «On s'occupera du bébé
ensemble», dit Catherine. Elle se sent l'énergie de recommencer une quatrième fois, elles réchapperont
l'enfant. «Ce sera un bâtard», pense-t-elle. Ça ne lui fait
rien. Elle l'aime déjà, il ne manquera de rien et sera aussi
bien élevé qu'un autre, légitime. Qu'est-ce que ça veut
dire, légitime!

— Oui, qu'est-ce que ça veut dire? fait Miracle.

— Il y a cependant une chose que Catherine voudrait éviter à Augustine, c'est d'accoucher à la Miséricorde où se retrouvent les filles-mères. Elle sait comment
on les traite. Mais elles n'ont pas le choix: le premier
médecin qu'elles consultent est rattaché à cet hôpital.
Elles en cherchent un autre et les autres les renvoient
toujours au premier. Abruptement, alors qu'elle en est
seulement à son septième mois, Augustine sent qu'elle va
accoucher. À cette époque-là, l'usage de l'éther est ré-

pandu dans la plupart des hôpitaux montréalais mais à la Miséricorde, ça ne va pas de soi : l'anesthésie — et les chambres privées — est réservée aux femmes mariées, les filles-mères attendent leur délivrance dans des salles communes et elles accouchent à froid. Elles sont «punies par où elles ont péché», c'est l'expression des religieuses qui les assistent. Quand les deux femmes se présentent à l'hôpital, c'est la nuit. Catherine est refoulée dans l'antichambre. On lui dit que sa fille est entre bonnes mains et qu'on ne laisse pas monter les gens dans les salles à toute heure du jour et de la nuit. «C'est un hôpital, ici, madame, pas un tripot !» On lui suggère d'aller attendre chez elle mais elle reste là, dans l'entrée, sous l'œil indifférent de la réceptionniste. Toute la nuit elle scrute le couloir désert où passe de temps en temps — mais rarement — une religieuse à l'air revêche. Personne ne lui apporte de nouvelles. Puis, au petit matin, l'hôpital semble s'éveiller, des médecins apparaissent et de nouvelles religieuses circulent, plus fraîches, plus nombreuses. La réceptionniste de la nuit est remplacée. Catherine s'approche du guichet et demande à voir mademoiselle Leclerc.

— C'est qui, celle-là ? dit Ariane.

— C'est la consigne : Catherine doit demander mademoiselle Leclerc. À la Miséricorde, on change le nom des filles-mères. «Pour les protéger, a expliqué la religieuse. Si elles veulent donner leur enfant en adoption — ce qu'on leur conseille fortement —, c'est plus facile ; il n'y a pas de traces.» «Ce n'est pas l'heure des visites», répond la réceptionniste. «Je le sais, dit Catherine, mais ma fille est sur le point d'accoucher.» «Toutes nos patientes sont sur le point d'accoucher», dit la religieuse. Son ton frise l'insolence, si c'était possible, pour une religieuse. «Dites-moi au moins où est mademoiselle

Leclerc, répète Catherine. Comment ça se passe pour elle ? » « C'est laquelle des demoiselles Leclerc ? fait la sœur. Aujourd'hui, j'en ai vingt-deux sur ma liste. » Catherine la regarde, incrédule : « Vous voulez dire que toutes les mères célibataires portent le même nom ? » « C'est ça », dit la sœur. « La mienne s'appelle Augustine... » La sœur consulte son registre : « Je n'ai personne d'inscrit sous ce nom-là. » Alors, Catherine se souvient qu'elles ont aussi changé le prénom de sa fille. Elle n'avait pas porté attention à ce détail, à l'enregistrement : toutes les filles-mères partagent le même patronyme, seul leur prénom les distingue, et ce n'est pas le leur. Le procédé a quelque chose de profondément humiliant. « Si c'est ça, leur miséricorde, pense-t-elle, cela ressemble plutôt à de la perversion ! » Elle dit : « C'est Laurence Leclerc. » La réceptionniste coche quelque chose dans son cahier et lui fait un sourire ambigu, à mi-chemin entre la poignée de main des condoléances et les congratulations d'un baptême. Elle lui donne le numéro de la salle en lui rappelant que les visiteurs sont admis l'après-midi seulement. La salle est au dernier étage...

Ici, Maryse hésite. Elle ne sait pas trop comment s'en tirer, cela lui arrive rarement, elle doit être fatiguée, elle a hâte que la première soit passée et le cégep fermé, elle partira en vacances au bord de la mer.

— Une fille-mère, dit Ariane, c'est une mère pas mariée ?

— C'est ça.

— Ben d'abord, ma mère en est une, reprend-elle avec un large sourire. A s'est jamais mariée, a se marie jamais !

Ils se mettent à parler des familles monoparentales, des garderies et des crèches d'autrefois. Marie-Lyre a relevé la tête, elle s'appuie sur les coudes et prend la relève de Maryse qui se retranche dans ses pensées, revoyant son histoire telle que présentée dans son scénario. Dans cette version, Catherine échappe à la surveillance de la sœur-cerbère et court vers la salle commune. Elle est oppressée. Elle pense à ses trois accouchements pénibles et elle imagine Augustine dans les mêmes douleurs, blême et le front moite. Depuis un mois, elle rêve à du sang, des mares de sang qu'elle doit éponger. Tout ce temps, elle monte l'escalier interminable. Il y a ici un montage alterné de Catherine dans l'escalier et d'Augustine étendue sur son lit puis sur la table de travail. C'est l'aube. Toute la nuit, la parturiente Laurence Leclerc a hurlé par à-coups, malgré les remontrances de la sœur surveillante qui lui a ordonné de se retenir pour ne pas déranger les autres filles-mères, celles qui ne crient pas car elles sont raisonnables. Pendant toute l'interminable nuit, Augustine a essayé d'accoucher et elle a appelé sa mère à son secours. Catherine est la seule qui lui soit douce et ne la rejette pas. Le jour se lève mais les yeux d'Augustine se voilent, il fait de plus en plus sombre. Elle croit être l'après-midi en automne, au coucher du soleil. Elle demande pourquoi il fait soudainement si noir, si froid. Elle a le sentiment que sa mère l'a abandonnée. Elle se dit qu'elle est au *Crystal Palace,* puisqu'on est en fin d'après-midi. La projection achève. Catherine a passé tout l'après-midi dans le monde des vues animées, protégée par les héros et leurs aventures sans odeurs. C'est ce qui est extraordinaire avec le cinéma, ça ne sent rien ! Ni l'odeur fade du sang, ni celle de la sueur, ni aucune odeur de maladie. Oh ! comme elle aimerait être avec Catherine, maintenant. Elle ne veut plus de ce lit d'hôpital et de ce rôle de sang, de sueur, de cris étouffés et de muscles qu'on ne contrôle plus. Tout son esprit se tend vers l'image de sa mère Catherine. Pourquoi ne vient-elle pas alors qu'elle a besoin d'elle ? Elle est la première femme à accoucher depuis le commencement du monde — pour elle, c'est la première fois —, et elle sait qu'elle n'y arrivera pas. Le monde va s'arrêter là. Elle ne veut pas que cela finisse ainsi ! Les mains agrippées aux barreaux de son lit, elle appelle sa mère. « Il est un peu tard pour appeler votre maman ! » dit la religieuse à ses côtés. Mais Augustine ne l'entend pas, elle n'écoute pas la folle qui lui retient les mains pour l'empêcher de bouger et l'injurie. Elle demande seulement qu'on la délivre, elle n'en peut plus. Les sœurs ne savent pas pourquoi l'enfant ne veut pas sortir, elles ne comprennent pas, n'ont pas à comprendre. Elles attendent, lui disent d'attendre, le médecin est arrivé, elle est rendue dans la salle d'accouchement, ils ne feront pas de césarienne, la bonne sœur lui dit : « Endurez, mademoiselle Leclerc, c'est pour racheter votre faute que le bon Dieu vous envoie cette épreuve ! » La phrase perce l'épaisseur du délire d'Augustine, cette seule phrase insensée. Puis, elle s'abîme dans sa douleur et n'entend plus la voix qui ne s'adresse pas à elle en particulier mais à une très fictive humanité pécheresse dont le nom générique est *mademoiselle Leclerc*. Dans son esprit de plus en plus troublé, une seule image s'impose et ce n'est pas celle de l'enfant à naître. D'ailleurs, elle ne veut plus de cet enfant par qui elle meurt. L'enfant mourra peut-être aussi, elle ne le connaîtra pas, il ne compte pas, tout ce qui compte, c'est l'image de sa mère qu'elle appelle. Catherine a mis sa robe noire et ses bijoux. Ses cheveux luisent dans la pénombre de la salle. Elle sourit, elle est belle, elle joue une valse de Chopin et les spectateurs sont charmés ; sur l'écran, le héros sourit lui aussi. À tout jamais, Catherine est rivée à son clavier et à la magie du *Crystal Palace.* Protégée de la mort. Intouchable! Augustine l'appelle pour être sauvée. Elle l'appelle jusqu'à ce que l'enfant naisse et qu'on le lui enlève aussitôt... Lorsque Catherine entre dans la salle, à la place occupée par le lit de mademoiselle Leclerc, Laurence, on voit un petit vide jaune sale. Augustine était une presque enfant dont l'histoire ne saura rien, sinon qu'elle est morte en couches comme des milliers d'autres avant elle...

— Pis, l'histoire d'Augustine Labelle, dit Ariane, la finis-tu?

— Augustine Labelle, dit Marie-Lyre, ça me rappelle quelque chose.

Maryse revient parmi eux. Elle aimerait aller retrouver Myriam, toujours assise à l'écart comme si elle avait pressenti la mort d'Augustine. Elle tremperait ses pieds dans l'eau avec elle. Hâtivement, elle leur donne une version adoucie de l'agonie d'Augustine mais cela leur fait de l'effet, malgré tout.

— Maudit! Pourquoi tu l'as appelée Augustine Labelle? dit Marie-Lyre. C'est le nom du personnage de Ronfard, ça me revient!

— J'ai pas pu faire autrement...

Personne ne sait de quoi elles parlent mais ils ont tous un petit vague à l'âme.

— Je vous l'avais bien dit que le fanal gisait dans le canal, murmure Miracle. Faut me croire!

— Misère! soupire Gabriel.

Il est un peu confus de la performance de sa tante Maryse. Il se demande comment Miracle la trouvera.

— C'est rien que des histoires, ajoute-t-il à son intention. La vie est pas si pire.

— La vie est pire, dit Fred. Toujours !

Et il réapparaît.

— Dis donc, Maryse, dit Gabriel, c'est curieux que l'archange Gabrielle soit pas dans ton histoire ! Comment ça se fait qu'elle a pas fait sa job d'aider Augustine à mourir ?

Maryse sourit :

— On la voit en surimpression sur le générique de la fin. C'est court, un film, on ne peut pas tout y mettre. Dans la version détaillée, l'archange ne peut pas entrer à la Miséricorde car les bonnes sœurs la trouvent hérétique et lui interdisent de séjourner dans leur bâtisse. Elle ne peut donc pas communiquer avec Augustine, bien que son rôle soit de présider aux naissances et aux morts. Mais lorsque Catherine revient à la maison, elle l'attend, assise dans un fauteuil en cuir vert. Elle ne la console pas — on ne peut pas consoler une femme qui vient de perdre son enfant —, seulement, elle lui tient compagnie et lui parle de mademoiselle Leclerc, Laurence. « C'est curieux, dit-elle, ce nom léger et transparent que les religieuses lui ont imposé ! Elles ne doivent pas se rendre compte. C'est une forme de lapsus, une victoire de la vie sur le carcan religieux et la mort. » « Peut-être, dit Catherine en pleurant. Je ne vois pas ce que vous voulez dire par lapsus. » L'archange parle un peu de l'inventeur du lapsus. C'est une conversation qui ne mène à rien mais cela distrait Catherine. Elles passent tout l'après-midi ensemble et ce jour-là, Catherine ne se présente pas à son travail : elle est trop occupée à pleurer, à parler, à préparer l'enterrement et les langes, à pleurer. Au *Crystal Palace*, Tom se demande ce qui lui arrive...

Maryse s'arrête.

— C'est tout ? disent-ils. C'est quand même pas la fin ! Ça peut pas finir comme ça !

— Et l'enfant ? demande Miracle.

— J'ai perdu sa trace...

— Fais-nous une conclusion temporaire, au moins, dit Marie-Lyre. Fais quelque chose, je sais pas, moi, mets le *follow spot* sur quelqu'un, sur Catherine, plaque-nous un accord final !

— D'accord, dit Maryse. À la mort de sa fille, Catherine Grand'maison a trente-sept ans. On est en 1929. La crise éclate et le cinéma devient définitivement parlant, c'est-à-dire bavard. Le temps des pianistes de cinéma est révolu. Tommy O'Sullivan ne sut jamais comment la femme aux bijoux était sortie du décor. Et peu à peu, il s'habituera aux vues parlantes...

Elle s'allume une cigarette. Ils sentent que c'est tout pour aujourd'hui, pour longtemps, avec cette histoire de Catherine. Le temps d'encaisser et de laisser retomber la poussière.

— Reviens, Myriam ! crie Ariane, le motton est passé.

— Chus t'occupée, répond Myriam.

Ariane lève les yeux au ciel en murmurant « bébé » et elle court la retrouver. Laurent est revenu depuis quelques minutes. Gabriel et Olivier le lancent dans une conversation sur le Salvador. Il leur explique la guérilla et le *Front Farabundo Marti* mais il a l'air de les consoler, c'est l'impression qu'on aurait si on n'entendait pas ce qu'ils disent, « si le film était muet », pense Maryse, le dialogue n'est pas si important que ça, elle se tue à le leur répéter, chez *La Sultane*. Mais venant d'elle, une auteure, ils croient que c'est une boutade.

— J'en reviens pas! dit Marie-Lyre. Pourquoi t'as repris le personnage de Ronfard?

— C'est arrivé comme ça, j'y peux rien!

Il y a deux ans, elles ont vu ensemble un spectacle intitulé *Vie et mort du roi boiteux*, une sorte de saga québécoise et moderne. Comme plusieurs, elles ont été séduites par l'univers de la pièce, flamboyant et dense. Maryse avait été d'autant plus troublée que certains tableaux se déroulaient dans la ruelle Mentana, sa propre ruelle! Il y avait, dans le spectacle, un personnage dont la seule caractéristique était d'être morte en couches et, par le plus étrange des hasards, ce personnage se nommait Augustine Labelle, comme la petite ancêtre des enfants Grand'maison.

— Si seulement la fille de Catherine avait porté un autre nom, dit Maryse, j'aurais tourné l'histoire autrement. Mais avec ce nom-là, il était fatal qu'elle meure en couches. C'est Blanche qui m'a parlé de Catherine et de sa fille, et je ne comprends pas comment, à partir de son récit, j'ai pu en arriver à raconter cela. Blanche est tellement vivante! J'aurais dû être plus fidèle à sa nature; elle n'est pas du genre à mourir bêtement en couches.

— Tant qu'à ça, dit Marie-Lyre, il y a des tas de femmes dont ce n'est pas le genre, et qui sont mortes en couches.

— Oui, dit Miracle Marthe, comme Mary Wollstonecraft.

— Si on veut, dit Maryse, un peu soufflée.

D'où Miracle sort-elle cela? Maryse pense avec lassitude à cette tristesse sanglante qu'elle a étalée dans leur journée de bonheur paisible. Une histoire triste, racontée par une femme heureuse. Car elle est heureuse.

— Dans ma prochaine pièce, dit-elle, il y aura une longue rangée de femmes enceintes de sept mois et demi. Exténuées. Elles ne parleront pas du fait qu'elles sont enceintes, elles feront semblant de rien...

— Mais elles seront là ! dit Marie-Lyre en riant. Dans chacun de tes textes, il y a une naissance...

Maryse devient rouge. Elle dit :

— Symboliquement, la naissance est liée au thème de l'eau, de la purification, du baptême, je parle tout le temps de l'eau, aussi, c'est pour ça !

Et elle ajoute :

— Tu sais, MLF, c'est rien de personnel, tout ça ! Augustine est un personnage, c'est pas moi !

— Bien sûr, dit Marie-Lyre.

Maryse se mord les lèvres. Elle se souvient avoir déclaré en entrevue qu'on ne parle jamais que de soi, on ne raconte que des histoires nous concernant ; la fable n'est pas gratuite, elle est la vie. Elle reste silencieuse. Au plus profond d'elle-même, depuis longtemps, elle craint d'être stérile... Elle se lève pour aller retrouver les fillettes. Ariane flacote dans l'eau, essayant d'attraper des têtards. De sa roche, Myriam la conseille.

— Comment t'as fait pour deviner l'épisode de l'accouchement ? lui demande Maryse.

— Je sais pas. Des fois je devine, des fois je devine pas... Je pense que j'ai un don.

— C'est le fun avoir un don, dit Ariane.

Mais Myriam ne trouve pas ; c'est incontrôlable. Elle préfère les philtres. On peut doser.

— Je boudais pas pour vrai, tu sais, Maryse, dit-elle.

Elle la prend par la main et la force à s'asseoir avec elle bien que la roche ne soit pas vraiment une roche à deux places.

— Ça veut pas dire que j'aime pas les histoires de l'île rouge, ajoute-t-elle.

— L'île rouge ?

— Ben oui, sur la carte de Laurent, l'île de Montréal est rouge.

Maryse sourit. Dorénavant, elle pensera à Montréal comme à une île de sang et de bouillonnements pourpres.

— Je voulais te dire, pour l'île Verte, dit-elle, ça finit bien. Cela, au moins, finit bien.

« Ah ! elle est venue me consoler », pense Myriam. Parfois les adultes sont limpides et à gros sabots ! Ça ne fait rien ; elle veut bien être consolée pendant que ça passe.

— Le bébé d'Aurélie arrive trois heures avant le médecin, dit Maryse. Facilement. Tous les accouchements d'Aurélie seront faciles. C'est une belle fille vigoureuse qu'ils appelleront Alice. « Une fille, pense Aurélie, pourvu qu'elle ne soit pas prisonnière de l'île comme moi, forcée de faire des courtepointes tout l'hiver pendant que les hommes traversent et vont boire à l'hôtel Lévesque, à Cacouna ! » Aurélie n'aime pas les travaux d'aiguille. « Alice Michaud sera heureuse, dit l'archange. Elle aura le don de se faire aimer et d'aimer, elle choisira le bon mari. » Aurélie écoute à peine l'archange, elle a mal partout et croit rêver. Ce serait bien un miracle que sa fille, insulaire comme elle, ait un gros choix de maris ! Mais l'archange est sérieuse et la suite des événements lui donnera raison.

— T'es sûre qu'il y a pas de complications dans cette histoire-là ? demande Myriam.

— Est-ce que ta grand-mère Alice a l'air d'une personne compliquée ?

— Non, fait Myriam.

Mais elle n'en est pas sûre.

— Aurélie aura huit enfants et elle n'en perdra aucun.

— Ah bon, ça meurt plus ?

— Bien non !

Myriam conserve son air incrédule.

— C'est que le climat de l'île Verte est plus sain que celui de l'île rouge, ajoute Maryse, et Aurélie Michaud n'est pas dans la misère... C'est tout simplement qu'elle a de la chance — on est du côté d'Alice, ne l'oublie pas —, les choses sont harmonieuses, c'est l'harmonie bleue de la mer par un jour calme...

Myriam sourit d'un sourire franc. Enfin ! Maryse prend sa main qui s'agite au-dessus de l'eau et l'emprisonne dans les siennes. Elle regarde ses propres mains. Elles ne sont ni fendillées ni rouges comme celles d'une laveuse. La sorcière Miracle a peut-être raison ; elle a renversé la vapeur car son destin n'est pas celui de la première Mary O'Sullivan. Elle se sent proche de la famille de Myriam : comme Aurélie et Alice, elle a des mains fines de maîtresse d'école. Elle embrasse la petite sur la joue sans savoir pourquoi, pour rien. Il est cinq heures trente...

En face de l'île Verte, sur les battures de Rivière des Vases, le soleil commence à baisser. Le cœur battant, et contente d'y être enfin, Alice contemple son fleuve. La mer est haute, elle va pouvoir traverser. Elle se sent pleine d'énergie. À son retour à Montréal, elle sera aussi active que Blanche, elle lui dira oui pour le bénévolat. Précautionneusement, elle monte dans le bateau du père Beaulieu. Ils mettent le cap sur l'île. Elle fixe le petit point blanc, là-bas, à deux milles, la tache blanche grossit comme si la maison enflait, c'est ce que disait François autrefois dans le bateau. Elle lui souriait et serrait la main de Marie. Ça ne fait rien que Marie ne soit pas là, ça ira ! Encore une fois, la maison enfle ! Elle sait que dans cette maison, il y a bien une pièce bleue, au premier en entrant. Son frère Jean-Baptiste y est installé pour mourir. Elle arrivera à temps, avec au cœur l'espoir fou qu'il ne meure pas cette fois-ci, pas encore ! L'eau est luisante sous le soleil, cela éblouit dès qu'on regarde trop franchement vers l'ouest. Le vent est tombé mais on sent l'air bouger. Dans le Bas du Fleuve, on sent bien l'air du large. Il y a toujours un petit vent qui vous frôle et vous rappelle que vous êtes en vie, c'est un vent qui sent la vie.

Les Chevaliers de Colomb de l'after wave

Un jour il n'y aura plus d'Espagne
les rythmes sacramentels
persistent dans les trous noirs
                              [d'Amérique
le prochain millénaire est en vue.

Paul CHAMBERLAND
Aléatoire instantané

Dans l'atmosphère saturée de vapeur, Blanche regarde le filet d'eau descendre dans le pot de violettes. Immobile et pourtant vibrante comme l'eau qu'elle verse et qui forme un jet mouvant, elle pose sa main libre sur son cœur : un flux la traverse et la porte hors d'elle, comme si l'âme lui venait au bout des lèvres et se répandait dans l'humidité de la pièce. Le flux est irrépressible, elle est violemment heureuse, cela la reprend comme avec l'autre, le premier, celui d'avant son mariage.

Hier, elle l'a revu seule à seul. En une soirée, ils se sont raconté leurs soixante ans de vie, et depuis elle n'a pas cessé de penser à lui. Elle a tout son temps ; l'amour étire les jours, les minutes, ce moment où elle arrose la violette en pensant à lui, Désiré. C'est le moment où elle réalise qu'elle est amoureuse, l'admet et s'abandonne. Désiré l'aimera, elle le sait, il l'aime déjà ! Son émoi est si intense qu'il faut bien que lui aussi l'aime en retour ! Leur amour ressemblera à une fugue. Elle se laissera emporter comme la tante Catherine, autrefois, dans le train vers Portland. Elle a toujours été du côté des choses défendues, elle tient cela de Catherine Labelle...

Elle regarde la chair fragile de la violette et il lui semble que ses pétales s'ouvrent un à un et grandissent sous ses yeux. Les fleurs ont l'évidence foudroyante de la vie, la beauté des choses possibles. Le présent est un éclair interminable. Elle murmure : « Je suis ravie ! Blanche Deslandes est ravie. » Elle a son sourire de dix-huit ans, celui d'avant la noce. C'est un ravissement profond cette fois-ci et sans limites. Un long vertige doré.

Dehors, il tombe une petite pluie chaude de printemps qui pénètre la terre. On est lundi, jour des commencements.

Il mouillasse, il a mouillassé toute la journée. C'est un lundi moche que François a perdu en palabres inutiles au Royaume de Pitt Bouché. En plus, c'est la fête de la Reine et il a toujours détesté Victoria, personnellement. Le fait qu'elle soit morte depuis quatre-vingt-deux ans importe peu ; la reine-mère est morte et cependant détestable. C'est aussi la fête de Dollard, mais tout le monde s'en fiche. Nonobstant ce double anniversaire, l'université était ouverte. Vers quatre heures, François a constaté qu'il n'avait plus rien à y faire, et a décidé de rentrer.

À la maison, il n'y a personne d'autre que le chat Popsicle. Belmondo doit être partie couailler. Les enfants aussi. Il se verse un scotch et monte à son bureau, suivi de Popsicle. Sur sa table de travail, il trouve deux enveloppes adressées de l'île Verte. Quand sont-elles arrivées ? Il ne saurait le dire. Souvent, les enfants ramassent le courrier et le mettent dans des endroits bizarres. Ils ne sont pas parfaits ! La première lettre est d'Alice. Elle a utilisé une carte postale fatiguée représentant le fleuve, elle a écrit des deux côtés de la carte, sur le blanc jauni et sur l'eau pâlie. Son écriture est incertaine :

Cher François,

Comment vas-tu ? Moi, ça va mais ici, il y a bien du barda et du chagrin dans l'air. Le docteur ne donne pas plus que trois jours à ton oncle Jean-Baptiste. Il lègue la maison à Gédéon. Il ne se rend pas compte que lui parti, Gédéon ne s'en occupera pas; il va laisser aller les bâtiments. Je suis la seule que cela intéresse. Heureusement que ta sœur Marie est là! Elle est arrivée hier et a pris les choses en main. Nous autres, on est tous des petits vieux pas très vigoureux. Tout devrait être fini d'ici une semaine. Il fait un temps pas pire pour la saison. Je t'embrasse, ainsi que Myriam.

Ta mère

François a une drôle de sensation : sa mère n'a pas l'habitude de griffonner sur des bouts de papier écornés et d'en dire si peu. Son laconisme — et sa négligence — sont étranges. Il ouvre la deuxième lettre.

Cher François, écrit sa sœur Marie.

Je freak littéralement parmi tous ces vieux qui n'ont pas grand-chose en commun avec maman; elle est vraiment la mieux de la famille. Les mononcles sont pas drôles quand ils sont paquetés et ils boivent tout le temps. Je constate maintenant à quel point Jean-Baptiste a toujours abusé de nos parents; chaque été, papa passait ses vacances à faire des travaux dans la maison et à la tenir en état. Pendant ce temps-là, maman cuisinait pour tout le monde qui rappliquait. Ils parlent beaucoup de cette époque-là et c'est ce qui ressort de leurs sous-entendus et de leur jargon parabolique. Comme s'ils avaient une fortune à se partager, ils

291

*ne discutent que d'argent. Jean-Baptiste a réuni la
famille autour de son lit. C'était quelque chose
comme numéro de sortie! C'est étrange de se retrouver, de but en blanc, dans le contexte rural du
Québec des années quarante. C'est pourtant cela,
notre famille, cela existe encore: le partage des
biens s'y effectue selon un ordre figé, immuable,
archi-prévisible. Pour Jean-Baptiste les choses sont
simples: après sa mort, Gédéon sera le plus vieux
des fils vivants, conséquemment, c'est à lui que la
maison revient. L'idée que maman puisse en hériter
ne semble pas l'avoir effleuré. Le fait qu'elle soit
l'aînée ne compte pas, elle est seulement l'aînée des
filles. En tout cas, t'aurais dû voir la scène!*

François se l'imagine très bien; il sait que Marie
n'exagère pas, au contraire! Il se souvient des oncles,
assis sur la longue galerie, le dimanche, et de la maison
baignant dans la verdure. Pour lui, l'île a toujours été
verte, il ne la connaît que l'été, ne concevant pas qu'elle
puisse seulement exister pendant les autres saisons et
prendre une autre couleur. C'est l'île des étés de son enfance. Il a toujours voulu y retourner avec Marité mais
d'une vacance à l'autre, il a remis le voyage... Il revoit
Alice, debout au coin de la galerie, appelant les enfants à
table. Ils font semblant de ne pas avoir entendu, l'été
achève et ils n'ont plus que quelques jours à jouer dans
les champs, libres et heureux, pieds nus dans leurs souliers. Devant lui, et plus vive que lui sur ses longues jambes brunes, sa sœur Marie court. Il n'essaie même pas de
la rattraper, il préfère la regarder courir. Marie ne porte
pas d'appareil orthopédique; ils sont dans leur petite enfance et la poliomyélite n'existe pas... Il boit une autre
gorgée et revient à sa lettre:

Maman est triste de ne pas hériter de la maison mais elle n'en parle pas. Elle n'admettra jamais que la famille ne lui pardonne pas d'avoir épousé un homme instruit. Gédéon m'appelle encore « la fille de l'inspecteur » ! Il m'écœure mais je ne veux pas t'ennuyer. Je te téléphone en rentrant. Je repars tout de suite après le service. Je t'embrasse.

Marie

P.S. : Maman n'est pas bien. On ne la voit pas tous les jours, alors, on ne se rend pas compte. Il faudrait insister pour qu'elle se fasse examiner.

P.S. : J'ai fini hier soir le texte que tu m'avais passé. J'ai beaucoup haï ça ! ! Pourquoi tu me fais lire des affaires de même ?

Francois sourit : le texte en question est un essai apocalyptique sur le désenchantement des années quatre-vingt, les années « décentrées ». Il adore les réactions de sa sœur à certains discours ! « Bonjour ! » crie la voix lointaine de Marité. Il l'entend se diriger vers la cuisine et ouvrir la radio. Il grommelle quelque chose, relit le mot de sa mère et roule le carton en boule. Il aimerait avoir Alice devant lui pour la prendre par les épaules et la secouer. Pourquoi s'entêter à désirer un bien qui lui revenait sans aucun doute, mais qui lui est refusé ? Mais il la connaît : ce n'est pas tant la possession de la maison qui lui importe que le fait de ne pas la laisser aller à l'abandon. « Je suis trop sentimentale », dira-t-elle dans un sourire mouillé. Il voudrait pouvoir lui dire qu'il sait ce qu'elle ressent, qu'elle n'est pas seule. À son retour, il ira la chercher à la gare. Il a trop peu parlé avec elle depuis la mort de son père. Elle vient souvent ici mais c'est pour

Myriam. Curieusement, elle se livre davantage à Marité et même à Maryse. Mais Maryse a le don de faire parler les vieux, elle attire leurs confidences. «C'est plus facile quand ce ne sont pas nos propres parents», a-t-elle dit l'autre jour en boutade... Popsicle monte sur le bureau, fait tomber la carte postale et la roule dans le couloir. François le suit du regard un moment puis il descend rejoindre Marité qui a déjà mis le souper en train.

Dans la petite poêle, elle fait fondre des oignons et cela sent bon. Elle se tient debout devant la cuisinière, ses hanches sont étoffées par le tablier. François y pose ses mains et lui demande comment ça va. «Ça va bien!» Ils ne sortent pas ce soir, n'ont pas de réunion, pas de comité. Rien! Ils pourraient même décrocher le téléphone une fois les enfants couchés... Il a un petit sourire amusé : quand elle parle de décrocher, c'est qu'elle a le goût de faire l'amour.

— Je voudrais te parler, François, dit-elle. On m'a proposé quelque chose, je suis tentée d'accepter mais ça n'a pas de sens. Ce serait une réorientation de carrière...

Pour une fois dans sa vie, elle est indécise, et surprise de l'être. Elle a voulu demander conseil à Maryse et à MLF, mais elles ne sont pas parlables, occupées qu'elles sont avec leur show, ces jours-ci.

— Il faut que tu m'aides, François, dit-elle. Je ne sais pas ce que je veux.

Il sourit mais il fixe le téléphone : il a toujours l'impression que des tas de gens veulent leur parler au moment précis où Marité décroche. Il déteste cet appareil-là et pourtant, il est incapable de le laisser sonner longtemps ou de le débrancher ; ça pourrait sonner pour des choses importantes, pour Alice ou pour les enfants.

— Au fait, dit-il, où est-ce qu'ils sont passés, les enfants ?

Marité ne le sait pas, elle croyait qu'il leur avait donné la permission d'aller se faire voir ailleurs. Il est bientôt six heures et aucun des deux n'est rentré.

— Ils vont se faire parler dans le cass ! dit-elle. Elle réserve les oignons et sort la poêle bleue, celle qu'elle n'aime pas nettoyer.

Elle ajoute :

— Ils perdent rien pour attendre !

— T'as l'air féroce, la poêle à la main ! dit François.

Elle éclate de rire. Lui aussi.

Ils doivent encore être au Diable Vert, dit-il. L'odeur du souper devrait les attirer.

Mais il se trompe.

Car les enfants ne pensent pas du tout au souper et à l'odeur des oignons frits. Ils sont chez *La Sultane de Cobalt*, dans le permissif artistique. Ils ont laissé un message dans la chambre de Gabriel et ils se pensent « tiguidou ». Maintenant, c'est tiguidou. Aujourd'hui était un lundi de congé décevant avec pluies sporadiques et bottes de caoutchouc obligatoires. Ariane est sur la rue Durocher, Olivier à son chalet et Célestin, inaccessible. Ils ont traîné à la maison tout l'après-midi, Myriam en patins à roulettes dans l'espoir d'une éclaircie — elle n'a pas mis les bottes — et Gabriel tournant autour du téléphone. Puis, vers quatre heures, alors que la gardienne avait terminé son shift, la tante Marie-Lyre est apparue, ruisselante et souriante sur son bleu destrier. Elle les a ramassés en disant qu'elle les détournait vers l'artistique. Depuis le temps qu'ils voulaient voir une répétition !

C'est à partir de ce moment-là que les apparences extérieures sont devenues intensément rigoloses. Tiguidou !

En arrivant au théâtre, Marie-Lyre avait un essayage dans les loges et, soudainement timides, les enfants sont restés dans la salle où des gens s'affairent, niaisent et parlent tous en même temps. Ça a l'air pas organisé, on se demande si c'est toujours comme ça, aussi brouche-brouche.

— C'est pas encore commencé, explique Rose-monde Giroux.

Assise à leur côté, elle fume une cigarette.

— C'est pas grave que tu fumes, dit Myriam, on est habitués.

Gabriel lui donne un coup de pied.

— Vous pouvez aller vous promener, suggère Rosemonde. Tant que la répétition est pas commencée, c'est permis.

Mais ils ne bougent pas. Ils se sont assis au fond, dans ce qui peut constituer une sorte de paradis. Aujourd'hui, la salle est disposée en hémicycle et la pente du plancher est prononcée ; on dirait que la salle plonge vers la scène.

— On observe, dit Gabriel, on est venus pour.

Y a de quoi. La plupart des comédiens sont déjà arrivés. Gérard de Villiers, Palmyre et Duquette attendent au bar où Jusquiame se meut avec componction. Marie-Lyre sillonne le plateau avec Valentin. Ils discutent. De temps en temps, ils regardent dans la salle : Valentin lance une œillade énamourée vers la première rangée à droite où sa nouvelle flamme, une petite personne insignifiante prénommée Linda, étale son anatomie étale. Marie-Lyre, elle, a l'œil sur les enfants. Elle tente aussi d'apercevoir le fils de Marie-Belle dont elle devine la présence dans la pénombre, pas loin derrière eux, qui regardent au plafond, bouche bée. Là-haut, La Cantonade est installée dans les cintres et elle tripote ses spots. La scénographe Chanelle l'y a rejointe. Elle déclare qu'elle scéno-graphiera de haut, dorénavant, du point de vue de Sirius et que tout le spectacle mériterait d'être considéré sous ce jour. Marie-Belle Beauchemin hausse les épaules : du moment que le décor sera prêt à temps — et ce n'est pas sûr ! — c'est toujours la même histoire à chaque production, elle se laisse prendre par le charme de la scénographe et le stock ne sort pas ! Subrepticement, le directeur spirituel apparaît côté jardin. Il porte des bottines neuves et feutrées. « Je ne fais que passer », dit-il. Durant sa trajectoire, il sent l'ambiance effervescente, le stress et la panique naissante. Il essaie de prendre un air encourageant et décontracté mais qui ne serait cependant pas paternaliste, un air suggérant que le spectacle marchera à coup sûr et qu'il n'a jamais douté d'eux. Curieusement, la salle est encombrée de gens qu'il ne connaît pas et l'atmosphère est celle d'une avant-première. « Vous avez encore dix jours de travail, dit-il en sortant. Vous avez le temps. »

— Dieu merci ! répond Marie-Belle. Et la pompeuse de steam qui n'arrive pas !

« Cool ! » pense Myriam, elle va voir la mère d'Ariane ! C'est pas Ariane, mais c'est mieux que rien. Comprenant qu'il est un peu comme eux, pas vraiment du milieu, elle se tourne vers le fils de Marie-Belle :

— Tu sais, Marie-Lyre Flouée, la fée aux étoiles, c'est notre tante à nuzautres.

— Ah oui ? dit le fils de Marie-Belle. Vous avez une belle tante ! Vous devriez me la présenter. Je m'appelle Renaud Beauchemin.

— Enchantés, disent Gabriel et Myriam.

Et, mine de rien, sans comprendre comment ils en viennent à parler de cela, ils se mettent à raconter les prouesses de leur tante Marie-Lyre; comment elle vit, comment elle est, sa couleur préférée, l'importance des étoiles dans sa destinée, si elle a un chum et si elle prend la pilule. Ils racontent même qu'elle s'appelle MLF pour les intimes. Ils savent tout sur MLF, surtout Myriam. Puis, au risque de passer pour un naïf, Gabriel n'y tient plus: il demande quel est le rôle des gens assis pas loin d'eux et armés de cahiers cartonnés et de crayons rouges pointus. Renaud ne le sait pas.

— C'est les stagiaires de *La Didascalie péremptoire*, dit Rosemonde, une revue spécialisée dans le réflexif esthétique.

— Je comprends pas qu'on admette des critiques en répétition, dit Renaud.

— C'est une nouvelle formule, un essai pour rapprocher la théorie de la pratique.

Renaud fait un sourire incrédule: il a trop entendu sa mère déblatérer sur le sujet pour ne pas douter.

— Eh oui, explique Rosemonde, depuis l'hiver dernier, ici, chez *La Sultane*, la gang de *La Didascalie* assiste à toutes les répétitions terminales. Pour mieux cerner le processus créateur, vois-tu. Ils sont bien intentionnés, ils ne dérangent pas.

C'est vrai, en un sens: jamais déplacés, les scribes de *La Didascalie* s'assoient côte à côte et ils notent. Ils ne regardent pas les spectacles, ils les écoutent et les écrivent. Certains reviennent plusieurs fois pour décortiquer à fond le show et en saisir toutes les failles. Il y en a une, la frisée aux cheveux gris, dite «la grise», qui tricote sans arrêt quand elle ne note pas. Elle tricote de longs chandails trop grands, tous du même modèle et faits au point de jersey uni — c'est facile à travailler dans le noir —, seule la couleur de la laine change d'un spectacle à l'autre. Les soirs de première, elle offre le chandail à la personne la plus méritante. Recevoir le chandail de la grise est un honneur à la fois souhaité et appréhendé. La couleur qu'elle a choisie pour *L'Œuf d'écureuil* est un bleu strident.

— C'est juste, dit Rosemonde, c'est une bonne lecture de la pièce. Les Didascaliques sont gentils, conclut-elle, mais entre nous, on les appelle les «Vents contraires».

— Ah! c'est ça, l'air froid qu'on sent? dit Myriam.

— Non, ce froid-là ne sort pas des pages de *La Didascalie*. Il provient d'une fuite intestine.

Depuis l'échauffourée de la ruelle Boisbriand, il y a en effet une atmosphère frisquette au théâtre. Ça baigne tout le monde par petites secousses, par petits frissons. Mais Rosemonde s'en fiche.

— On vit avec, dit-elle, on s'habille chaudement. Attachez vos foulards, ça commence bientôt!

Elle écrase sa cigarette et va rejoindre Marie-Lyre sur le plateau. Au même moment, la costumière sort des loges avec son galon dans le cou et sa cigarette au coin des lèvres. Elle ignore l'usage des cendriers mais cultive le sacre et l'invective avec bonheur. Elle est ronde, joviale et autoritaire. Depuis sa plus tendre enfance, tout le monde l'appelle madame Faribeau. Elle se dirige vers Palmyre dans l'intention de lui rajuster les ailes, mais celle-ci ne la voit pas venir; elle monte sur un tabouret, attrape son câble et s'élève à la hauteur du paradis. Ses petites culottes sont roses. Madame Faribeau reste en attente dans l'allée. Émerveillés, les enfants regardent Palmyre faire l'ange, ils se tortillent sur leurs sièges et chuchotent.

— J'ai pensé à ça, dit Gabriel à sa sœur. J'aimerais mieux que tu fréquentes pas Célestin, c'est pas un gars pour toi.

— Pis toi, d'abord, avec Miracle Marthe !

Pourquoi lui parle-t-il de Célestin juste comme elle venait de ne plus penser à lui depuis cinq minutes ?

— Moi, c'est pas pareil, dit Gabriel, c'est platonique.

Myriam ne sait pas ce que cela veut dire, elle n'ose pas répliquer.

— Ah ben Christ ! lance madame Faribeau en direction de la porte. Pas lui ! Pas « l'unique objet de mon ressentiment » !

Autrefois, elle a rêvé d'être comédienne mais ça n'a jamais adonné, alors quand l'occasion se présente, elle en place une bonne, de préférence du répertoire, des trucs injouables. Pourquoi se priver ? Elle n'a pas la citation cheap.

« L'unique objet de mon ressentiment » se tient immobile dans le pseudo-portique du théâtre, sans doute pour s'habituer à l'éclairage.

— Pas Antonio Ram Crouze ! disent les Vents contraires. Pas lui zici ! Quel frisson, quel émoi, quelle émôtion !

Le théâtre n'est pas si pouilleux finalement, puisqu'il est honoré par la visite du célèbre metteur en scène leptoplastique !

Antonio Ram Crouze vit à Paris depuis quinze ans, ce qui ne l'empêche pas de faire de fréquents séjours à New York. Il ne s'appelle évidemment ni Antonio, ni Ram ni Crouze, ayant été affublé à sa naissance d'un nom impossible, aux souches multiples et scabreuses. Il a coutume de se définir lui-même comme étant « l'homo europeanicus ». Pour simplifier, les membres de sa chapelle parisienne ont pris l'habitude de l'appeler Tonio. Ainsi font les Québécois. Très élégant dans son blouson de cuir tendre, Tonio descend l'allée. Il porte des verres fumés bien qu'il soit sept heures passées et, depuis quelques jours, le soleil un phantasme. Adrénaline Taillefer, qui était assise dans la même rangée que les enfants, les enjambe en faisant ploc ploc sur leurs orteils et, goulûment, elle se précipite sur l'arrivant : « Par ici, Tonio très cher ! » dit-elle. Pour le moment, elle n'est plus du tout aux femmes. Avec grand fla-fla, elle le présente à tout le monde comme si personne ne le connaissait. Valentin fait une cabriole et retourne sa veste ; apparaît son costume d'Arlequin. Il rit comme Woody Woodpecker. « C'est dingue ! » dit Tonio en souriant. Il serre la main de Gérard de Villiers qui se rengorge et de Marie-Belle qui implore son assistante du regard : qui l'a programmé ici ce soir, lui ? L'assistante fait un geste d'impuissance après quoi elle se met à fourrager dans ses notes en se disant que la répétition est bien mal partie. Parvenu au bord du plateau, Tonio baise la main de Marie-Lyre qui se trouve à sa portée. Toujours accrochée à son bras, Adrénaline le fait pivoter et l'assoit juste devant les enfants qui disent « mausus, on verra rien ! » se lèvent dignement et se décalent de trois sièges vers le fond.

— On prend du recul, disent-ils.

Myriam a ses patins à roulettes aux pieds — Marie-Lyre a dit : « Venez comme vous êtes » —, elle l'a prise au mot et a gardé ses patins. Renaud Beauchemin sourit : enfant, il a toujours voulu faire du patin à roulettes, mais il n'a jamais osé en réclamer une paire ; c'était un jeu de filles. Il regarde Marie-Lyre et rêve qu'elle va l'inviter dans une roulothèque.

— Quelle merveilleuse petite salle ! dit Tonio, très fort.

La calculatrice automatique, venue prendre un dernier apéro avant de rentrer, esquisse un sourire.

— Ouf ! dit-elle au directeur matériel qui la suit toujours de près, on a passé le test Ram Crouze ! Mais qu'est-ce qu'il fout ici ? Il n'est pas à Québec, lui ?

— Il sévit, répond le directeur matériel. C'est à notre tour d'en être encombrés.

Ram Crouze est au Canada depuis une semaine et trois jours, probablement à cause du festival de l'AQJT qui a lieu présentement à Québec, mais peut-être pas. On ne sait plus trop qui a eu l'idée de l'inviter, s'il a seulement été invité et quel organisme paie sa chambre d'hôtel, mais il est partout. Il trouve le café québécois exécrable et qu'il pleut tout le temps. Question température, il a raison, mais comme il ne raconte rien d'autre dans ses entrevues, les gens du milieu commencent à le trouver un peu pesant. Il arbore une barbe de cinq jours, quelque chose de vraiment sloppé et dégueulasse que Palmyre Duchamp examine de loin et interprète comme le signe du plus parfait mépris : Tonio ne se rase pas parce que chez les ploucs, fatalement, on se laisse aller ! Inutile de se forcer, de toute façon, les ploucs l'idolâtrent...

À son tour, Renaud Beauchemin va se chercher un verre au bar et il entend Gérard déclarer qu'Antonio Ram Crouze est un très grand metteur en scène européen, très articulé, le maître de la leptoplastie moderne.

— Il est très fort ! fait Linda.

Renaud retourne vers son paradis. En marchant, il perçoit comme un durcissement de l'air, si c'était possible. Et ce l'est ; il y a un malaise, soudain. Le plus curieux, c'est que les gens du théâtre font semblant de rien. La répétition commencera bientôt, les musiciens sont prêts et la pompeuse de steam aussi, elle vient d'arriver. Ils n'attendent plus que Juliette. Les comédiennes ont entrepris leur mise en train. Elles font des push-up variés. Mais pas Frozen ni Duquette.

— Envoie, Frozen, dit Marie-Belle, entraîne-toi !

— Pftt ! fait l'interpellé. Chus pas payé pour ! On n'est pas des lutteurs, t'sé ! *L'Œuf d'écureuil* est pas un show physic.

— T'es dure avec nous autres, Marie-Belle, dit Valentin.

Il ne bouge pas lui non plus : le warm-up, ça doit plus beaucoup se pratiquer en Europe, et il ne voudrait pas avoir l'air cocombe devant la visite. Mais il n'a pas à s'en faire, Ram Crouze est exclusivement aux femmes et c'est Marie-Lyre Flouée qu'il lorgne. Celle-ci exécute ses exercices avec adresse mais en évitant son regard. Dès qu'il est apparu dans le vestibule, elle l'a catalogué : ce gars-là est un Simsolo-à-poil-mou, c'est-à-dire le type même du gourou faiseux et fumiste. À Vienne, dans les années soixante-dix, un certain Jean-Paul Simsolo lui est tombé sur les nerfs pendant une longue soirée. Comme le maître de la leptoplastie, il avait la barbe mollassonne et une très haute idée de lui-même. Or les hommes du type Simsolo ont la propriété étrange de la faire sortir de ses gonds qui ont déjà du lousse, ces jours-ci. « Ram-quelque-chose est mieux de se tenir tranquille », se dit-elle, car elle est galvanisée et chauffée à blanc comme Franca Rame, dont elle a vu la performance hier à Québec. Époustouflant ! Elle a bien fait d'y aller — un voyage de fou, cinq heures d'autobus entre deux répétitions — mais ça valait le coup ! Curieusement, Franca Rame lui a fait penser à sa mère, à ce que sa mère Déjanire Flouée aurait pu avoir de positif et de férocement vigoureux si elle avait été une autre, c'est étrange comme rapprochement, mais Marie-Lyre se comprend. Elle change son poids de jambe et vérifie la présence du fils de Marie-Belle. Oui, il y est toujours et, dans la pénombre, son verre luit. Elle se demande ce qu'il boit, ce qu'il aime boire. Elle sourit : imbibant sa pensée, la portant et dirigeant ses mouvements, leur donnant de l'ampleur, elle sent son regard posé sur elle. Il est le nouveau, le prochain, le suivant, même s'il l'ignore, et c'est le moment merveilleux d'avant le début. Il s'appelle Renaud, ça lui est revenu. C'est son troisième du nom. Elle est une femme à hommes et ne comprend pas qu'on puisse passer sa vie avec un seul. Ce serait comme jouer un seul et même rôle toute sa vie, c'est pas la peine d'être comédienne ! Régulièrement, elle tombe en amour, elle est en train de tomber en amour avec Renaud. «Dire que tout cela est chimique ! se dit-elle, et que le coup de foudre est une triviale histoire de glandes ! » Mais malgré cela, elle croit au singularisme de chaque individu et à son existence en tant que sujet original. Aujourd'hui, elle croit même au libre arbitre ! Renaud est irremplaçable et unique au monde, chaque expérience amoureuse est particulière, voilà pourquoi elles sont si nombreuses dans sa vie ! D'une fois à l'autre, sa conviction de vivre une aventure singulière est renouvelée. Elle secoue sa main gauche, son sang y descend puis remonte vers son cœur. C'est un jour où elle est jeune. Elle plie les genoux souplement mais soudain, elle est distraite d'elle-même et du plaisir de bouger devant Renaud par une remarque de Gérard :

— *L'Œuf d'écureuil* est trop local, dit-il, c'est toute en français.

— Local ? fait Marie-Belle.

— T'as bien entendu, dit Marie-Lyre, faut réagir.

Elle pousse un « Wow » strident dont elle a le secret, ayant appris jadis en Pologne comment déplacer sa voix : cela sort de partout à la fois. Puis, elle répond à Gérard en polonais. Devant l'air ahuri de celui-ci, elle passe à l'italien. Derrière son comptoir, Benoit Jusquiame est mort de rire. Il cause italien couramment. Tonio Ram Crouze également, semble-t-il, car à mesure que Jusquiame crampe, il verdit.

— On le sait que tu parles plusieurs langues, dit Gérard. Tu nous fais assez chier avec ça, Marie Lyre Flouée ! Mais qu'est-ce que ça donne, si ça sert pas sur le stage ? Si c'est pour jouer des p'tits personnages cheap comme ceux de *L'Œuf d'écureuil* ?

— Pas devant l'auteure, voyons ! dit quelqu'un.

— L'auteure est pas dans la salle, annonce Adrénaline.

— J'ai lu les textes de Maryse O'Sullivan, dit Tonio, c'est très intéressant — il fait une pause — mais cela manque de raisonnance internationale. On me dit que le dernier est plus fort, plus intense...

— Faut pas croire ça, voyons, dit Palmyre en souriant.

— On refoule beaucoup le local ces années-ci, dit Marie-Belle. On refoule le régional, le national, l'intime, la peau, la chair, le sang, les tripes. Je le sais, ça va en refoulant ! Mais moi je préfère être à contre-courant, et O'Sullivan aussi. On aime le brut, le raide, le profond, le vernaculaire, le particulier, le saignant-vif.

Elle se tourne vers Tonio :

— Vous savez, la leptoplastie, c'est rien qu'une mode !

— Dans le panorama de l'art international, commence Tonio...

Mais madame Faribeau l'interrompt:

— Fais attention à toi, mon beau, tu vas peut-être te faire arranger le portrait pis ça me ferait de la peine, t'es décoratif!

— Je m'adressais pas à vous, répond Tonio, mais à madame.

Il désigne Marie-Belle, sentant qu'elle est la leader du groupe, bien que femme. «Ah! l'Amérique!»

— On vous a pas dit que les filles de *La Sultane* étaient féroces? demande Rosemonde.

Or, Tonio ne pige pas parfaitement le français local. C'est pourquoi, malgré ces avertissements très clairs, il continue sur sa lancée et déplore longuement l'absence de recherche de pointe dans l'art québécois et dans la société nord-américaine en général, sauf à New York. Les gens l'écoutent patiemment. Il conclut par cette maxime: «Le paradigme international est ce qui manque le plus au Québec.»

— Pouvez-vous répéter, s'il vous plaît? demandent les gens de *La Didascalie*.

Ils ne veulent pas citer n'importe comment et les oreilles leur frisent. La grise ne tricote plus.

— Y dit qu'on est des trous de cul, traduit Jusquiame.

— Vous tombez mal, dit Marie-Belle à Tonio, on est rushés aujourd'hui. C'est dommage que vous vous adressiez à moi spécifiquement, car j'ai juss pas le temps de vous recevoir.

— C'est sans importance, répond Tonio, nous autres Européens, avons une intuition spontanée des codes culturels.

— Vous autres, sous-fifres européens qui débarquez ici, dit Marie-Lyre, c'est pas l'intuition qui vous caractérise !

Elle a hurlé comme si on lui avait marché sur l'intuition féminine où sur la sensibilité d'actrice, ou les deux à la fois. Elle a trouvé ses compatriotes beaucoup trop polis, pendant la tirade de Tonio. Prestement, elle remonte jusqu'au fond du plateau ovale et se place dans le halo d'une frenelle sémillante à laquelle La Cantonade a couplé un gobo alternatif. Le résultat est saisissant : des rayons semblent lui sortir de la tête, c'est l'effet « Moïse sur le mont Sinaï », elle adore et se sent énergisée, inspirée, ludique : elle fait un signe aux musiciens, et le batteur lui donne quelques mesures syncopées.

— Wow ! dit madame Faribeau en s'assoyant dans l'allée, on s'embarque pour le sublime !

Elle est une fan de Marie-Lyre et pressent ce qui commence. Elle a tout juste le temps de s'allumer une cigarette que ça vient, ça enclenche, ça démarre, ça sort dru. Ça va du particulier au général, du provincial au capital et du local au sidéral en passant et repassant par l'ici-maintenant de la Courre de *La Sultane*. Cela s'adresse à Tonio et, à travers lui, à tous les envahisseurs culturels présents, passés et futurs, qu'ils soient conscients ou non, coupables ou innocents, bien intentionnés, habiles, malhabiles, retors, pervers ou naïfs. C'est une mise en garde à propos de la culture québécoise, un mode d'emploi. L'exorde repose évidemment sur le postulat qu'il y a une culture québécoise. C'est flyé comme discours, étant donné le jour, l'heure, le moment, l'époque où ça se passe, étant donné la situation même du peuple québécois en ce mois de mai brumeux de l'an 1983. Ça rayonne dans la brume, les faisceaux lumineux se détachent de sa tête et irradient. Ça ressemble à du rap, c'est un morceau de rap agressif, heurté, lancinant. Depuis quelques mois, elle rêvait d'en composer ! Elle dit à Ram Crouze d'aller se faire foutre avec ses recettes de commis voyageur de l'art. Elle dit : « J'en ai marre de ces survenants venus nous évangéliser et de leur regard d'anthropologues compréhensifs ! » Elle n'a toujours pas digéré le rapport Durham ! Elle en a marre de jouer les guides touristiques et de traduire le Québec aux visiteurs de marque. Elle ne veut plus lire leurs rapports et les nuancer. Qu'ils écoutent d'abord ! Elle dit : « Vous autres Européens, vous nous regardez sans nous voir et vous nous parlez sans nous écouter. Y a pas de raisons, pourtant ! Toi, Ram-lepto et ton Europe agonisante, si tu penses qu'on connaît pas ta chanson ! Mater Europa ! Nous en arrivons. Il n'y a pas si longtemps, nos ancêtres lui ont tourné le dos, y laissant une vie de misère. Nous sommes tous des fils et des filles d'immigrants ! Alors, ne nous fais pas le numéro de l'étranger la sacoche pleine d'œuvres d'art véritables ! Tu ne nous impressionnes pas avec ta culture impériale venue de là où tu prétends que cela se passe. Ça se passe là où on vit, là où on veut, ça se passe ici maintenant, si on veut ! Ce n'est plus le vieux style. Ce n'est pas mieux, ce n'est pas pire, c'est différent. Ici, on adapte, on transforme, on assimile. On n'est pas nécessairement amnésiques, seulement, on n'a pas le temps de regarder en arrière, on est ce qui continue, audelà de la nostalgie, ce qui survit. Vous autres Européens restés là-bas, l'Amérique vous travaille, et vous la réduisez à du folklore pour conserver vos certitudes. Mais attends avant de juger ! Essaie seulement de comprendre la langue de l'indigène ; des fois que cela aurait un sens ! Des fois que ce petit pays flou et inculte serait en train d'exister ! Ne viens pas démolir nos cabanes au Canada en débarquant à ton tour... » Elle s'arrête, ayant prononcé le mot « pays » et, par-dessus, le mot « Canada ». Cela la déconcentre. La musique ralentit.

— Come on, dit le batteur, faiblis pas, Marie-Lyre, du nerf !

Elle dit : « Oui, du nerf ! J'en ai marre qu'on ne se tienne pas debout ! Ici, on est prêts à s'oublier soi-même à la moindre vague nouvelle déferlant de Paris, de New York ou d'ailleurs ! Et on se bat la coulpe, et on se trouve xénophobes et on n'ose pas être francs, au cas où ça désobligerait ! » Elle sort de son spot, s'avance au bord du plateau et ramasse le tout en un envoi en forme de légende autochtone, juste pour amuser la galerie :

— Seigneur Ram Crouze, dit-elle, toi pas toujours suivre moi sur sentier raboteux de la culture québécoise. Pas grave, normal que toi, petit tomahawk dressé dans le froid des cafés européens sans chauffage central, comprennes pas tout immédiatement. Moi avoir fait le coup des rayons lumineux pour frapper ton esprit parce que, sous dehors vernis, toi esprit primitif et zongles sales, de notre point de vue d'indigènes hygiéniques noyés dans le *speech and span* de l'après-référendum, faute d'avoir money-makers dans nos rangs et œuvres d'art vermoulues dans le patrimoine. Des fois qu'on se priverait de jacter, non mais ! On cause ! Et même en français, si ça nous chante ! On l'a pas oublié, vot' patois, seulement, on cause plus large ! Toi réfléchir à tout ça à tête reposée de retour dans ta cagna avec cargaison de pelleteries et de jokes provinciales !

Elle dit, et va en coulisses. Les applaudissements fusent. C'est Renaud Beauchemin qui part la claque. Tonio applaudit comme les autres. Il se lève et crie :

«Bravo, mademoiselle, vous êtes magnifique! Quelle excellente performance et quel sens de la diversion!» Marie-Lyre revient en scène. «Vous avez été éblouissante, continue Tonio. C'est dans le texte, toute cette audace coléreuse?»

— Non, fait Marie-Lyre en soupirant, c'est de mon cru. Je suis une beauté convulsive et il faut croire que je m'adressais pas à vous mais aux indigènes.

— Oh, je vous ai comprise! dit Tonio en s'inclinant bien bas devant l'indigène rebelle. Mais je ne savais pas qu'on pratiquait le rap au Québec, c'est new-yorkais, non?

— C'est pas parce qu'on vit en banlieue qu'on n'écoute pas la radio, dit Palmyre.

Elle s'approche de Tonio et lui assène un coup de tapette à mouches sur la main droite. C'est tout ce qu'il mérite!

— Mon accessoire! hurle l'accessoiriste. Salissez pas mon accessoire avant la première!

Marie-Belle ne se souvient pas avoir demandé une tapette pour le show. Tonio se frotte la main et sourit à Palmyre en disant: «Quelle belle énergie! J'aime! J'aime!» Et la bataille ne va pas plus loin; ils considèrent tous en avoir assez fait pour l'accueil du Conquérant.

— Y a de la recherche là-dedans! continue l'accessoiriste en époussetant la tapette.

— Sûrement, dit Maryse, c'est le modèle directoire épileptique.

Elle est arrivée depuis peu, en même temps que Juliette Dessureault. Ram Crouze se demande qui elle est et d'où elle sort. Il n'apprécie pas ce genre de nénette, jolie mais à lunettes et avec prétentions intellectuelles. Une emmerdeuse et une intouchable.

— C'est l'auteure de *L'Œuf d'écureuil*, murmure Adrénaline à son oreille.

— Je suis une célébrité locale, dit Maryse. Faites pas attention.

Elle se détourne pour embrasser les enfants et leur demande ce qu'ils foutent là, dans le vif de ses histoires et des emmerdes culturelles.

— On a beaucoup de fun, tu sauras ! dit Gabriel. On est avec MLF, on a le droit !

— Il est sept heures trente, heure locale ! vocifère Rex Tétrault dans son walkie-talkie.

— En place pour le deux, dit l'assistante.

Marie-Lyre réalise tout d'un coup que le deuxième tableau commence par la scène du bordel. Cela est peut-être un peu cru pour les enfants. Mais c'est trop tard : les acteurs prennent place et ça démarre.

Sur l'avenue du Parc-Lafontaine, il est sept heures trente, heure locale, et le téléphone n'a pas sonné une seule fois encore. Même pas pour un appel qui n'aurait rien à voir avec les enfants, juste pour leur prouver qu'il fonctionne et qu'il pourrait, à tout moment, leur donner des nouvelles d'eux. Le souper est prêt et François a fait un gâteau mais ils sont incapables de manger. Et ils n'ont plus le goût de faire l'amour. À huit heures moins quart, n'y tenant plus, Marité se met à téléphoner partout ; chez leurs copains, chez Elvire Légarée, chez Maryse. Elle téléphone même à Blanche, au risque de l'inquiéter pour rien. Elle vient pour appeler la police quand François lui demande d'attendre un peu : avant de faire rire d'eux et de retrouver Gabriel chez son père et Myriam dans le portique, il propose d'aller patrouiller dans les environs. Il ira, lui. Elle restera ici au cas où ils se manifesteraient, car ils vont sûrement arriver dans la minute et il ne faut pas que la maison soit vide à leur retour, il ne sera pas parti longtemps, il va les ramener. Il embrasse Marité et sort par en arrière.

Dans Babylone, tout est tranquille. François descend la ruelle Mentana, débouche sur la rue Napoléon et se dirige vers le parc. Dans chaque silhouette qu'il croise, il croit reconnaître ses enfants, mais ce n'est jamais eux. Il les voit morts, frappés par une auto, étendus sur la chaussée mouillée. Sous eux, la mare de sang s'étend lentement, comme pour les chattes Cossette et Trudelle, l'autre hiver. Il s'approche des petits gisants et à leurs visages se substitue celui de son père Antoine dans son cercueil. Toujours cette obsession de la mort ! Et la hantise des catastrophes. Les enfants sont un perpétuel souci, un contrat à vie. Avant que Myriam atteigne ses trois ans, il lui consacrait beaucoup de temps. Il a peu produit à cette époque — des textes courts — et un roman qui n'a pas marché. Évidemment, il s'est repris par la suite, il aurait pu se reprendre, il n'en tenait qu'à lui, ils ont eu quelques années sans alarme ni maladie ni rien, et maintenant sa fille et Gabriel le laissent écrire tout ce qu'il veut, même qu'ils sont de moins en moins présents ! Même qu'ils ne rentrent plus ! Ils ont manqué de surveillance, dernièrement, il faudra rallonger les heures de la gardienne ou alors rentrer plus tôt. Mais justement aujourd'hui, il est rentré plus tôt et Myriam n'y était pas. Elle n'est même pas foutue de venir souper ! À sept ans et demi ! Elle va se faire serrer les ouïes ! Il va la serrer très fort contre lui, et l'autre aussi, le grand fafoin. Il s'occupera davantage d'eux. Il écrira moins, c'est tout, pour ce que ça donne, pour ce que ça vaut ! Les enfants sont mille fois plus importants. Il ne faut pas qu'il leur soit arrivé quelque chose... Il n'y a aucune trace d'eux dans le parc et il ne rencontre aucun de leurs copains. Généralement, il n'aime pas s'immiscer dans leurs affaires mais aujourd'hui est un cas de force majeure : il descend la côte, traverse le parking à grandes enjambées et entre au bar du Diable Vert en coup de vent.

— Tiens ! de la grande visite, dit l'esprit mauvais.

Il volette au-dessus des bouteilles de spiritueux.

François lui demande en quel honneur il n'est pas avec Gabriel, à le surveiller.

— Gabriel Duclos s'émancipe, répond Fred, j'y peux rien.

Il sourit et rétracte vers les toilettes des hommes. Derrière son comptoir, le Diable Vert sourit également, plein de tact et onctueux comme c'est pas possible.

— Long time no see, dit-il. Very long time.

— Ça fait trois ans, dit François que le sujet n'intéresse pas.

Sa dernière visite ici remonte à mai quatre-vingt : le lendemain du référendum, il y était descendu prendre une brosse. Malade ! Enfin, c'est de l'histoire ancienne.

— Je suis venu récupérer les petits, ajoute-t-il.

— Pas de chance, dit le Diable. Il ignore l'emploi du temps des enfants, il ne les a pas vus depuis trois jours.

Découragé, François se commande un scotch soda. C'est alors qu'il remarque un client qui lui fait un clin d'œil appuyé et l'invite à sa table.

— Qui c'est ? demande-t-il au Diable.

— Il est pas dangereux, c'est un bon jack un peu fumiste sur les bords. Mais le contact vous sera peut-être utile, on ne sait jamais, avec vos aspirations !

«Quelles aspirations?» se dit François. Tout ce qu'il veut, c'est retrouver les enfants, et l'hostie de Diable Vert se mêle d'appeler ça des aspirations! Faut pas gratter loin, sous chaque waiteur affable, se cache un malotru et un jaloux! N'ayant rien à perdre, François prend son verre et se dirige vers la table de l'inconnu qui se présente comme étant le gars des p'tites vues du coin. Aujourd'hui, il a l'accent de Groucho Marx. Il tire sur un cigare imaginaire et François voit apparaître sur sa lèvre supérieure la moustache de Groucho très proprement dessinée. Il n'en revient pas! Il doit s'agir d'une illusion d'optique, dans une pareille boîte, c'est fréquent. Mais toute la boîte est une illusion d'optique! C'est même pour ça qu'il se fait rare ici: tout compte fait, il préfère le réel, le trois dimensions, le *plain,* le plein, le plein-jour. Ici, il fait noir comme chez le diable, et il a peur du noir. À son âge, il a toujours cette vieille peur gênante devant les enfants.

— Don't worry, dit le gars des vues, they're not lost. Anyway, there are too many kids in this damned world. I hate kids!

François adore Groucho Marx, mais sa verve iconoclaste appliquée à ses propres enfants le hérisse, surtout dans un pareil moment.

— Vous avez la gueule de Margaret Dumont dans *Night at the Opera*, dit le gars des vues en français cette fois-ci et en effaçant sa moustache. Faites pas cet air-là! À l'heure qu'il est, je gagerais que votre concubine est sur le point de les récupérer, vos mioches, et de leur passer un savon. Vous n'aurez même pas à vous en mêler. So take it easy! They're probably just gone to the movies or something...

— Occupez-vous de vos oignons, dit François en se levant.

Mais le gars des vues le rattrape par la manche :

— Ah les auteurs ! Ah les scénaristes ! Que vous êtes donc susceptibles ! Vous êtes bien Franco Soave ?

— Si on veut, dit François. C'est moi en italien.

— Eh bien, j'ai une primeur à vous annoncer : votre scénario sera tourné l'an prochain. Évidemment, ils vont changer le titre et des babioles mais rien de fondamental. Je vous promets que le tournage aura lieu et que le film va marcher. Vous allez même faire du fric avec ça !

François vide son verre d'un trait et dit : « J'ai la berlue ! »

— C'est déjà l'éblouissement des spots du plateau que vous sentez, dit le gars des vues, ça grille ! Over.

Il rit et plonge le nez dans son bourbon. On ne voit plus son visage à cause de son feutre mou.

« C'est toute une gang de fous ici, se dit François, ça se peut pas ! » Mais tout de même, il se prend à espérer un tout petit peu, pour les enfants et pour son scénario. Il remonte chez lui au pas de course.

Incapable de faire quoi que ce soit, Marité a erré dans la maison. Elle se retrouve dans la chambre de Gabriel, assise à son pupitre, le nouveau qu'ils viennent tout juste de lui installer, ça ne pouvait pas attendre l'automne prochain, l'autre avait l'air d'une miniature. Gabriel a beaucoup grandi durant l'hiver, elle ne peut plus le prendre dans ses bras pour le consoler, pour se consoler elle-même. Par contre, il est encore bébé ; son cartable neuf est déjà tout barbouillé et taché d'aquarelle. Un papier froissé y traîne. Elle a le goût de pleurer : le désordre de son fils l'a toujours plus amusée qu'irritée, c'est un désordre inventif qui l'étonne chaque fois, elle est plutôt rangée, elle, heureusement ! elle est la seule de son espèce dans une maison bordélique. Soudain, elle prend conscience de ce qui est écrit sur le papier qu'elle lisait depuis tantôt machinalement :

> Maman et François,
>> On est partis chez La Sultane de Cobalt avec la tante M. pour une répé. Salut !
>> G. et M.

La note est agrémentée d'un dessin évoquant vaguement une punk chevauchant une bicyclette à vapeur. «Qu'est-ce qu'ils sont allés foutre chez *La Sultane*? Et qu'est-ce qu'ils peuvent y trouver d'intéressant?» pense Marité. Ils vont se faire ramasser, et Maryse aussi ! Pour elle, la tante «M.» désigne forcément Maryse. Elle griffonne à son tour un mot à François et descend au théâtre en auto. Elle ne tombe que sur des feux rouges et ces délais augmentent sa rage. Car c'est de la rage qu'elle ressent, maintenant qu'elle sait les enfants en sécurité, elle se laisse aller : des vagues de violence hautes comme des maisons la traversent. C'est à Maryse surtout qu'elle en veut. Il n'y a qu'elle pour manipuler les enfants à ce point, mais cette fois-ci, elle a dépassé les bornes ! Elle lui fera savoir en temps et lieu qu'elle doit prendre ses distances. Mais d'abord, récupérer les enfants : le théâtre n'est pas un endroit pour eux.

Ce n'est pas du tout leur avis pourtant : ils sont aux anges ! Les histoires de la tante Maryse en direct et en personne — «incarnées», comme dit Renaud —, c'est instructif et sérieusement capoté.

Ils ont enchaîné la scène du bordel et celle de l'orphelinat, puis Marie-Belle demande une reprise. «En y mettant un peu plus de cœur», dit-elle. Ils recommencent mais ça tourne à vide. Gérard s'arrête au milieu d'une phrase :

— Chuis incapable de jouer avec elle, dit-il en désignant Marie-Lyre. On n'est pas sur la même longueur d'ondes et c'est trop gros, ce que tu me demandes de faire.

Il y a un temps pendant lequel Maryse se dit : «Ça y est, ça foire, ça se déglingue, le show va foirer ! Pourquoi j'écris du théâtre, aussi, un roman, ce serait tellement plus simple !»

Le silence dure et père dur.

— Coudon, je le feel pas, ce personnage-là, déclare finalement Frozen Food.

— Moi non plus, je la feel pas pantoute la scène, dit Valentin. C'est des personnages trop caricaturaux.

Marie-Belle, Marie-Lyre, Rosemonde et Juliette leur répondent quelque chose de véhément, mais comme elles parlent toutes ensemble, on ne comprend pas grand-chose, sinon qu'elles divergent, désapprouvent et déchantent. Malgré ce brouillage temporaire des pistes sonores, brouillage dû à trop de synchronisme, les Vents contraires ont tout entendu distinctement et noté chacune des répliques. Ils sont les maîtres du traitement de texte et la polyphonie ne les rebute pas. Ils font aller leur claquette en signe d'approbation. Quel processus de création riche en imprévus ! Ils sont radieux. Ils se tournent vers Maryse qui n'a encore rien dit :

— Avez-vous quelque chose à déclarer ?

Maryse reste muette.

— Pas de mot d'auteure, dit la grise, tant pis !

— On l'inventera, disent les autres, en chœur. C'est toujours nous qui faisons la job et qui c'est qui a les crédits ?... C'est pas nous, en tout cas, abrègent-ils en se tournant vers la scène car c'est là que ça se passe.

Gabriel et Myriam se sont avancés sur le bout de leurs sièges pour ne rien perdre des prouesses de leurs tantes surnaturelles. Ils sont sûrs qu'elles ont raison et qu'elles gagneront à la fin, mais la fin est encore loin car elles n'ont pas le dessus et c'est Frozen Food qui attaque. Il s'adresse à Marie-Belle Beauchemin : c'est elle, après tout, la grande responsable du show !

— Il est temps de réhabiliter le mâle québécois, dit-il. Ça se peut juste pas, un personnage de même ! C'est une vision démodée.

— Démodé toi-même ! rétorque Marie-Belle. Tes vapeurs insécures sont totalement périmées, passé dues, obsolètes. Vous êtes obsolètes, dit-elle en direction de Gérard, Valentin et Duquette qui se sont regroupés en un trio serré. Vous lisez tout au premier niveau, c'est pour ça que vous avez de la difficulté à jouer dans *L'Œuf* ! Faut prendre le texte au deuxième degré, au moins, et par la bande, la diagonale, toutes mes mises en scène sont d'ailleurs taillées sur le biais, avez-vous remarqué ? De toute façon, quoi que je fasse et dise, je suis toujours interprétée de travers !

Et toc pour *La Didascalie péremptoire* ! Les gens de la revue notent sans broncher ; cela sera retenu contre elle dans leur prochain dossier, c'est tout ! Mais pour le moment, elle s'en fiche : « La diagonale, conclut-elle, c'est la ligne de force des années quatre-vingt ! »

— Ça veut dire quoi, obsolète ? demande Myriam à Gabriel.

— Ça veut dire con dans le sens de pas fin, comme Célestin.

— Bon, fait Myriam, tu le sais pas.

Quand son frère doute du sens d'un mot, il traduit par « con ». Elle repense à Célestin, à qui elle a envoyé trois lettres déjà ; il fait semblant de ne pas les avoir reçues ! Elle l'imagine lisant ses lettres et les montrant à ses chums, des vieux de treize ans qui ricanent et se moquent. Comme s'il avait suivi le fil de ses pensées, Gabriel lui prend la main et dit : « Excuse-moi, Myriam. » Elle revient au théâtre où des mots incongrus revolent dans l'air mauve. Les choses ont pris la tournure d'une joute oratoire que Gérard mène avec entrain. Soutenu par Duquette et Valentin Lenoir pour lesquels il se sent soudain une immense compassion fraternelle, il a repris son aplomb.

— Je refuse de jouer un personnage masculin aussi négatif, dit-il. Je ne serai pas le complice de vos machinations castratrices !

— Moi itou, moi itou ! disent Duquette et Valentin.

— « La mutinerie des machos ! » annonce Palmyre Duchamp en battant des ailes.

Elle est installée au comptoir du bar et ses longues jambes flottent dans le vide.

— Yes sir ! réplique Gérard. Tu crois pas si bien dire !

Il se tourne vers les deux autres :

— Les gars, on fait la grève sur le tas.

— Da, da, da, répondent les gars.

De petits nuages noirs passent au-dessus de leurs têtes. La pompeuse de steam ponctue ainsi chacune de leurs répliques. « C'est joli comme effet, dit Tonio à Adrénaline. J'aime ! » Gérard lance un autre argument et relance les gens de la salle qui répondent à qui mieux

mieux. Tout y passe : le machisme, le vérisme, le coolisme, le postmodernisme, le misérabilisme, les tarifs de l'Union, le prix du pétrole, le prix de la livre de beurre, l'écologie, le matriarcat, les pratiques gouvernementales en matière de dépannage artistique, l'opportunisme, la loi 101, la parlure scénique, les niveaux de langue, le référent théâtral, le référent théâtral, le référent théâtral, c'est là que ça bloque !

— C'est toujours des clichés d'Irlandais, avec Maryse O'Sullivan, dit Adrénaline. C'est pas ça, les vrais Irlandais de l'IRA ! On escamote le référent et sa charge politique ! Je me plaindrai à la Commission des droits de la personne...

— Bullshiteuse comme que t'es ! dit Marie-Lyre.

— Toi, Marie-Lyre, continue Adrénaline, t'as pas mentionné les autochtones, dans ton morceau de rap. C'était biaisé ! T'as pas tenu compte de l'impérialisme américain !

Marie-Lyre pâlit et dit « shit ». Pour elle-même.

— Madame Taillefer est un peu simpliste, dit Maryse, et jamais contente ! Laisse tomber, MLF, donne-toi pas la peine de lui répondre.

Marie-Lyre sourit à Maryse et suit son conseil. Adrénaline a l'air dépitée ; elle trouve la dramaturge O'Sullivan inutilement cinglante, avec un zeste de vulgarité : elle serait même capable de l'envoyer chier devant Tonio ! Tant qu'à se faire écorcher, aussi bien périr sous une main plus élégante ! Rageusement, elle se lève et décide d'aller se faire casser la gueule au bar où Palmyre l'attend les ailes déployées. Cela la distraira de sa honte, car elle meurt de honte ; leur comportement à tous transforme la répétition en chicane de famille !

— Le show est trop *basic*, continue Gérard.

— Sic, sic, sic, clament ses acolytes.

— *La Pocatière leptoplastique 2*, dit Linda, ça, c'était de l'art antibasique ! C'était le pied !

— Qu'est-ce que c'est, *La Pocatière* ? demande Tonio.

Parce que si c'était vraiment leptoplastique, il eût fallu l'en aviser : c'est lui qu'a le visa de la leptoplastie mondiale...

— C'était un show dont le propos était la justification verbeuse de l'absence de propos, dit Marie-Belle. Un show remarquable par son utilisation purement gratuite de diapositives mal cadrées et hors foyer.

Elle ajoute, à l'intention de Tonio et Linda :

— Au fait, si vous embarquez dans la mutinerie ne nous faites pas perdre le beat !

Mais Gérard y veille. Il arpente le plateau en répétant que plus jamais une femme ne lui tripotera l'humanité, la sensibilité, la disponibilité, la vacuité, la virilité, le gué, ô gay ! Il a l'air d'un écorché vif que de méchantes sorcières plumeraient depuis des siècles et des siècles d'injustice sociale. Maryse comprend qu'il n'attaque pas seulement son texte, mais que son mal vient de plus loin, de plus creux, cela remonte peut-être même au Moyen Âge. Elle l'imagine, déambulant dans un Moyen Âge de bande dessinée, il traîne sur la place de Grève, sans son haut-de-chausses, il n'a que son chandail qui ressemble étrangement à une combinaison, il se lamente et il porte une combinaison crasseuse... Du fond de la salle, Rex Tétrault fait maintenant écho au réquisitoire du trio en lançant des yiak yiak aigus ! « De quoi je me mêle, toi ? lui murmure l'assistante dans son walkie-talkie. On est des personnages *low profile*, oublie-le pas ! » Puis elle lui demande s'il n'aurait pas plutôt le goût de faire sa job et

321

d'aller séparer les deux pugilistes du bar. «Je touche pas aux femmes, répond Tétrault, ben bon pour la Taillefer!» En fait, il a le kick sur Palmyre et il ne voudrait pas être obligé de la disqualifier; il n'est pas sûr que ses manœuvres soient tout à fait orthodoxes. Elle tient Adrénaline solidement collée au comptoir que Benoit a dégagé pour la circonstance. Adrénaline fume trop et ne s'entraîne pas assez, Palmyre a nettement le dessus, elle l'aveugle de ses ailes de cellophane... Sur le plateau, ça continue de chauffer, c'est devenu très physique tout en n'étant pas du tout *basic*. Gérard arpente toujours la scène, mais il fait des variantes. Il s'élance sur le mur de gauche, peint en vert Frankenstein, puis vient au centre, se frappe le front, fait mine de s'enfoncer les doigts dans les yeux et se précipite sur le mur de droite. C'est une pratique courante, chez *La Sultane*, d'utiliser ainsi les murs. Dans chaque spectacle, si novateur soit-il, il y a une séquence que l'éditorialiste de *La Didascalie* appelle malignement la «phase du mur»: pour une raison ou pour une autre — ou sans raison —, les comédiens s'y précipitent invariablement. Ils ont développé une grande habileté à le faire. Depuis son entrée au théâtre, Gérard de Villiers s'est plié à cette règle et il est devenu relativement habile avec ses pieds. Entre chaque lamentation, il imprime sur un des murs la marque de ses souliers à un mètre du sol. Puis, les deux autres gars répètent en substance son propos et en font autant. C'est beau! Mais affublés de combinaisons beige sale comme ils le sont — Maryse a maintenant imposé la combinaison aux trois —, ça manque de sérieux. «Je me défends comme je peux, se dit-elle, avec de petites combines.» Nullement conscient du costume ridicule dans lequel il performe, et conséquemment nullement atteint moralement, le trio continue de plus belle, même que ça commence à faire un peu beaucoup. «C'est du temps perdu ça», dit l'assistante au directeur matériel qui passe par là. «Du niaisage, répond le directeur, parle-moi-z'en pas, je fais du sang de punaise!» «Du niaisage de Chevaliers de Colomb», pense Maryse: dans leurs combines abîmées, Frozen et ses acolytes ressemblent à des Chevaliers de Colomb en pleine séance initiatique, c'est ainsi qu'elle a toujours imaginé la chose. Ils sont les Chevaliers de Colomb de l'after wave, les Seigneurs du ressac. Il ressort du discours de Gérard qu'il eût préféré travailler avec un grand metteur en scène mâle américain plutôt qu'avec une petite metteure en scène femelle montréalaise. La situation est claire: après quinze ans de féminisme et d'affirmation nationale, les preux chevaliers remettent les choses à leur place, le juste sens des valeurs revient!

— Je comprends pas où tu t'en vas avec ta mise en scène, dit Gérard. Prends Bob Wilson, par exemple, on dirait que t'as pas vu ce qu'il fait! On dirait que t'as pas lu Stanislavski!

— J'ai vu et j'ai lu! dit Marie-Belle. Seulement, moi, je fais autre chose!

S'il y en a encore un seul qui lui cite Wilson, elle pense qu'elle va l'égorger!

— Je m'habituerai jamais à l'eau, dit Gérard. Je vois pas le rapport avec le texte.

— Le bassin d'eau est un symbole, dit patiemment Marie-Belle. Il représente tous les lavoirs, tous les éviers, tous les lacs du pays, du monde entier.

— Je m'habituerai jamais au sang! Y en a trop, c'est monté trop réaliste et je vois pas le rapport avec l'eau...

— C'est pas du vrai sang, voyons, Gérard! C'est

un baril de teinture rouge, et vous vous trempez ostensiblement les mains dedans après chaque mort. Si c'est ça que tu trouves réaliste !

— Mais la scène de la fontaine, je la sens pas ! Je la vois pas et je vois pas le rapport...

— Je vais te faire un aveu, dit Marie-Belle : JE M'EN FOUS ! Si tu vois rien, fais-nous voir quelque chose, si tu sens rien, tâche de nous faire sentir quelque chose ! FAIS SEMBLANT, c'est ça ton métier !

Gérard est debout au milieu du plateau, désarçonné par autant de cynisme. Les nuages noirs s'amoncellent autour du trio. La machine de la pompeuse s'est emballée et elle ne parvient pas à l'arrêter. Il y a un silence et, dans ce silence, métallique et désarmant, le patin de Myriam, retenu trop mollement à son pied droit, se détache et descend jusqu'au milieu du plateau. Il s'immobilise aux pieds de Gérard dont la tête est complètement voilée par les noirs nuages.

— Ça va faire la steam ! hurle Rex Tétrault à la pompeuse. T'as jamais eu de tact !

Benoit ramasse le patin et le remet à Myriam en lui faisant de gros yeux de marlou.

— J'haïs les enfants, dit quelqu'un. Qu'est-ce qu'ils foutent ici à cette heure-là, avec tous les problèmes qu'on a, par un jour pareil ? Me semble que c'est pas leur place !

— C'est bien mon avis, dit Marité, apparue à leur côté.

Elle les accroche par les pleumas.

— Voyons, maman, disent les enfants, laisse-nous faire, on est aux anges, ça se voit pas ?

Mais leur mère a son air terrible de responsabilités maternelles accrues. Ouche ! Ils sentent déjà la marque de ses doigts courroucés à leurs bras. Ils s'examineront dès qu'elle les aura lâchés, si jamais elle les lâche. Ostensiblement, elle ignore Maryse et Marie-Lyre. Les enfants font un air navré à Renaud Beauchemin dont le sourire leur dit qu'il les comprend et sympathise. Et ils sortent, Myriam tenant toujours son patin droit à la main. «Elle marche comme doña Prouhèse retournant à la Vierge d'un pas incertain», pense Marie-Lyre, mais elle n'a pas le temps de s'appesantir là-dessus; il est clair qu'elle a fait une gaffe en amenant les enfants ici, elle ne comprend pas pourquoi, mais elle sait qu'elles ne sont pas sorties du pétrin, Maryse et elle, représentantes du permissif absolu et des nananes culturels. Elle regarde Maryse pour essayer de la rassurer mais celle-ci est entrée dans son cocon qui aujourd'hui est fait du velours noir des fauteuils et de sa crainte d'avoir écrit un texte mauvais, injouable et trop localement réaliste. Pendant l'intermède du patin, Marie-Belle a sorti son poudrier compact et elle a retouché son maquillage. Elle fait claquer le couvercle du poudrier et dit, très cool:

— Bon! On a bien rigolé, on s'est bien exprimés, on a fait les cons devant la visite, devant la critique et devant l'auteure! Maintenant, on va me jouer la scène comme elle est écrite et comme je la veux. Jusqu'à preuve du contraire, ce show-là, c'est moi qui le leade. Si je me goure, vous vous en tirerez individuellement. Si j'ai raison, c'est encore vous qui ramasserez les fleurs. Donc, on fait comme j'ai demandé. Je prierais la visite et les parasites d'office de s'abstenir de. Autrement, je serai forcée de faire évacuer.

— On enchaîne, dit l'assistante.

— On manque tout ça, dit Gabriel en reniflant.

Au toucher de la main de sa mère, il a craqué et il pleure en se répétant intérieurement qu'il l'a trahie. Cela s'est passé il y a maintenant deux semaines, il a essayé de classer l'affaire, mais pas moyen. Sans rien dire, ils rentrent à la maison, où François leur demande à quoi ils ont pensé de partir comme des écervelés, il leur dit qu'ils n'ont pas plus d'allure que de jarnigoine et d'autres choses du même genre, toutes les injures du Bas du Fleuve y passent, toutes les vieilles expressions d'Alice. Il est bourru, mais on le sent tendre, lui au moins, prêt à fondre. Il dit qu'ils vont avoir une explication tous ensemble. L'explication commence. Les enfants essaient de faire comprendre à Marité qu'elle leur a coupé la magie de *La Sultane*, mais Marité ne saisit pas. Elle découvre que c'est Marie-Lyre et non pas Maryse qui a pris l'initiative de les sortir, mais curieusement, cela ne lui enlève pas son ressentiment pour Maryse, et elle les met toutes les deux dans le même sac. Elle revient aux enfants et leur demande ce qu'ils ont.

— On n'a rien, dit Gabriel.

— J'ai des problèmes, dit Myriam, mais ça se parle pas !

— Même pas à moi tout seul ? demande François.

Myriam fait signe que non. Pas question de raconter qu'elle est amoureuse pour la première fois de sa vie et qu'elle est mal tombée ! Surtout pas à François qui lui, est bien tombé ! La journée a été bizarre, finalement. Chez *La Sultane*, elle est passée du ravissement de la scène de l'orphelinat à l'amusement de la joute oratoire, au désenchantement de sa sortie boiteuse. Elle déteste ces mélanges de sentiments. Et toujours, l'image de Célestin la poursuit ! Cela, elle le subit sans le comprendre. Elle déteste également ne pas comprendre. « Vivement l'adolescence », dit-elle tout bas à son frère. Il lui a confié l'autre jour que l'adolescence était l'âge de la contradiction enfin énoncée, il a lu ça dans un pseudo-Gesell. Mais il n'est pas d'accord avec elle, pas pressé d'énoncer quoi que ce soit. « J'te gage qu'on va y arriver presque en même temps, dit-il, feignant comme que chuis ! » Il aimerait tant que tout reste innommé et douillet comme dans sa petite enfance, et que sa mère le comprenne à demi-mot. Mais Marité a l'air butée ce soir. Ils n'arriveront à rien... À la fin, les parents se lèvent. Personne n'est vraiment satisfait mais l'explication est terminée, a l'air terminée, avec les parents, on ne sait jamais, parfois, on pense que leur laïus est fini et ça repart, il leur vient une autre idée, mais pas ce soir.

— Couchez-vous comme ça, dit François. Il est tard.

Marité ne dit rien, ne le contredit même pas. Pourtant, elle est bonne là-dedans et pourtant ils sont très sales ; les larmes ont fait des rigoles claires sur leurs petits visages. François les borde et s'assoit au bord du lit de Myriam. Il est chaud et lourd et il ne dit rien. Il lui lisse les cheveux et part rejoindre Marité, il faut qu'il la voie : « Elle n'est pas bien », dit-il.

Marité est devant la télévision ouverte, elle ne l'écoute pas. Elle ne parle pas non plus. « On est un vieux couple », se dit François. Il lui caresse la main et pense à l'étudiante qui s'arrange toujours pour être sur son chemin depuis la fin des cours. Elle est très attirante. Il embrasse Marité. C'est tout ce qu'il peut faire pour elle, ce soir, l'embrasser et la caresser d'une main distraite. Elle se redresse soudain :

— J'ai pas embrassé les enfants avant la nuit ! C'est la première fois.

— Ils doivent pas dormir encore, dit François.

Mais Marité ne bouge pas de son fauteuil, blessée et pleine d'une colère qu'elle ne comprend pas.

Myriam trouve étrange que sa mère ne l'ait pas embrassée et elle a le cœur gros : François est resté moins longtemps que d'habitude. On lui demande d'être plus raisonnable que Marité ! C'est pourtant elle la plus jeune ! Elle s'assoit dans son lit et flatte Belmondo en réfléchissant au fait qu'elle est une sorcière, dans le fond. Elle se demande s'il y a des sorcières-actrices comme Marie-Lyre. Par sa porte entrouverte, elle voit une boule de papier sur le plancher du couloir. Elle court la chercher sur la pointe des pieds. C'est une lettre qu'elle va lire sans vergogne, Alice ne lui a pas appris à lire pour rien, c'est d'ailleurs elle qui écrit, tant mieux ! elle aura des nouvelles, ils ne lui disent jamais rien, il faut qu'elle se renseigne elle-même et qu'elle s'aide un peu pour deviner, toutes les sorcières ont des trucs !

Elle lit, et regrette d'avoir lu.

Si Alice n'a pas la maison, elle ne pourra jamais la visiter ! Accroupie, elle pleure en pensant à Célestin qu'elle devrait chasser de sa pensée, c'est ce qu'elle se dit. Célestin a de longs cils et des yeux noirs profonds, profonds qui lui font mal quand elle les croise et même juste à y penser. Elle est prise dans une histoire d'amour compliquée, mais peut-être toutes les histoires d'amour sont-elles compliquées ? Il faut que cela cesse, elle va demander à Miracle un philtre contraire, un antidote. Elle essaie de communiquer avec la sorcière par télépathie, elle regarde l'eau de la carte postale et pense à toutes les grands-mères merveilleuses de son arbre généalogique translucide, elle murmure des incantations qui sont des annonces télévisées inversées et combinées autrement. Mais rien ne se passe ; elle ne se débarrasse pas de l'image des yeux de Célestin qui demeurent là, comme un tourment. La seule chose qui arrive, c'est que les yeux bleus tristes de sa grand-mère Alice se superposent par-dessus comme un regret. Elle pense aussi, confusément, à quelque chose ayant trait à *La Sultane* et qui l'a bouleversée, mais elle ne sait pas ce que c'est au juste, elle ne comprend pas. Elle en a ras-le-bol de tout ça, elle court rejoindre Gabriel dans son lit pour se faire consoler. Mais ça non plus, ça ne marche pas car Gabriel est lui-même en train de pleurer. Elle soupire et lui dit : « Fais-moi une place, Gaby, je m'en viens te consoler. »

Quand Marité entre dans la chambre de Gabriel dans l'espoir qu'il s'éveillera avec ses yeux d'enfant et qu'elle pourra s'excuser de ne pas l'avoir embrassé, elle les trouve endormis tous les deux. Elle s'assoit et les regarde longtemps en pensant à sa vie, depuis qu'elle les a, depuis la naissance de Gabriel. Bien qu'elle soit en passe de devenir une avocate célèbre, ils sont ce qu'elle a fait de mieux. Elle s'en fout, de sa brillante carrière, et ce soir, la vie lui semble décevante et incertaine : sa relation avec Rémy commence à lui peser, on lui a demandé de se présenter aux prochaines élections mais elle se méfie du pouvoir qu'on lui propose de partager, quant à sa fameuse amitié avec Maryse et Marie-Lyre, elle se dit que c'est de la foutaise, elle leur en veut et n'a plus le goût de les voir, elle s'enfermera dans son ressentiment. Seuls lui restent

François et les enfants. C'est eux qu'elle préfère et ils s'échappent dans le sommeil. Ils ont l'air heureux, détendus. Elle veut dormir à son tour, s'endormir dans les bras de François pour se réveiller calmée.

Chez *La Sultane*, les gars se sont dégonflés : tout bien considéré, leur carrière, l'intérêt du public et les représailles que Marie-Belle leur a fait entrevoir, il n'a plus été question de grève. La répétition a repris sans steam, on pourrait dire à froid, et cela s'achève sans histoires. La Cantonade, la pompeuse et Chanelle partent en même temps. Certains comédiens vont se changer et Maryse se retrouve au bar avec Marie-Belle. Pour la nième fois, elles rediscutent du spectacle et se rassurent mutuellement.

— Si on n'avait pas eu ce casting-là, demande Marie-Belle, qui t'aurais choisi pour jouer l'aïeul aux mains rouges ?

Maryse n'a pas le temps de répondre à Marie-Belle car celle-ci part en coulisses où madame Faribeau la réclame à grands cris : quelque chose cloche et poche dans un costume. Pierrette et Linda arrivent au bar.

— Vous travaillez bien tard, dit Linda.

— Mon ordinateur fait le fou, répond Pierrette, il a été long à débugger...

Et elle parle du local d'à côté : c'est probablement foutu, ils n'ont plus grand'chance et c'est dur à prendre.

— C'est le milieu qui est dur, dit Benoit.

— Quel milieu ? demande Maryse.

— Les deux, fille ! Le milieu du théâtre et le milieu tout court. Depuis quelques jours, la Main déteint sur nous autres, il y a quelque chose de cheap dans l'air. C'est toffe de rester sweet dans ce contexte-là !

Maryse pense furtivement à Barbara. La dernière fois qu'elle est venue ici, elle ne l'a pas vue, et sa copine Cyndi ne savait pas ce qu'elle devenait. Cyndi était réticente, durcie. Mais le durcissement n'affecte pas que les gens de la rue Boisbriand, il est partout, on dirait. Ils en sont à l'après-révolution, au post-féminisme, à l'after wave. Elle se demande si sa pièce témoigne suffisamment de ce mouvement de reflux et ce qu'elle fout personnellement sur terre, en 1983. Elle se dit que *L'Œuf d'écureuil* n'est pas assez politique, c'est pas la peine d'écrire pour évacuer les questions importantes. Dans le miroir, elle aperçoit derrière elle le maître de la leptoplastie, assiégé par les scribes de *La Didascalie* qui prévoient déjà lui consacrer une entrevue de douze feuillets avec photo pleine page. Adrénaline ne semble pas tout à fait remise de sa lutte avec l'Ange mais elle colle au maître et le tire fermement vers le vestibule. Ne voulant pas laisser échapper Tonio aussi bêtement, les didascaliques leur emboîtent le pas. *Exeunt.*

Linda sort un numéro de la défunte revue *Travail théâtral*. Pierrette range ses lunettes dans leur étui. Ses yeux, qu'on voit rarement à nu, sont comme du miel. Elle rentre se coucher.

Benoit se penche derrière le comptoir et en remonte avec une coupure de journal qu'il tend à Maryse. C'est un article de *La Presse* du dix-sept mai dont la manchette se lit comme suit : « Un professeur congédié prend vingt otages avant de se tuer. » Benoit sourit ; pour une fois, la mort ne le déprime pas, il a même l'air de trouver ça drôle. C'est son côté agaçant.

— Tu vois à quoi ça mène le chômage, dit-il d'un ton docte. Toi, t'haïrais pas ça, cesser d'enseigner, mais y en a qui le prennent mal !

Maryse a l'air bouleversée. Benoit lui demande s'il a dit une connerie.

— Pas vraiment, dit-elle. Mais je suis congédiée moi aussi. «Mise en disponibilité.» Je l'ai appris aujourd'hui, personne le sait encore.

— Merde, dit Benoit.

Il se lance dans la confection d'un drink de circonstance qu'il va boire avec elle.

— C'est pas grave, Benoit, dit-elle. Je m'en fiche.

— C'est pas grave, répète Benoit nerveusement. Ça va te laisser du temps pour écrire.

— Je travaille là depuis dix ans, continue Maryse, et j'étais la dernière arrivée. Après moi, ils n'ont engagé personne. C'est étrange.

— Tu vas tenir le coup, dit Benoit, t'as pas d'enfant, rien, pis tu dépenses pas beaucoup, tu dois avoir de l'argent de côté...

— Tu résumes bien, dit Maryse, en pensant que les résumés sont cruels.

Peu à peu, les comédiens reviennent des loges. Madame Faribeau les suit, apparemment satisfaite et au-dessus de ses affaires. Marie-Lyre s'assoit à côté de Maryse sur le seul tabouret libre. Juliette est en face d'elle, l'air absent. Elles devaient aller à Québec ensemble, voir Franca Rame, elles se le promettaient depuis des semaines. Mais quand il a été temps de confirmer les réservations de chambre d'hôtel, son ex-belle-sœur avait changé d'idée, ça ne lui tentait plus. «Prouve-moi que tu m'aimes un peu, a dit Marie-Lyre, et que tout ce temps-là, j'ai été autre chose pour toi que la blonde de ton frère.» Juliette a dit : «C'est pas ça, ça n'a rien à voir!» Et elle a préféré manquer le festival. Triste! Et un peu exagéré. «Les fins d'amitié sont aussi tristes que les fins de liaisons amoureuses, pense Marie-Lyre, même plus ; elles ont lieu sans grand discours et sans cérémonial, sans lieu ni date. Elles se terminent dans l'à peu près, le non-dit, le malentendu.» Elle revoit l'air fermé de Marité, tantôt. Il ne faut pas que leur relation se dégrade. Elle décroche le combiné qui est en face d'elle et compose son numéro. C'est occupé. Déçue, elle raccroche. Marie-Belle est revenue.

— C'était beau, MLF, ton monologue, dit-elle. Extra ! Mais en faisant l'envoi dans un autre style, t'as introduit une rupture de ton qui a brisé le rythme. Si jamais tu le reprends, faudrait choisir.

— Ah, laisse-moi souffler, dit Marie-Lyre.

Et abruptement, sans montée dramatique ni rien, elle se met à pleurer.

— Mais pleure pas, dit Marie-Belle, t'es bonne !

Marie-Lyre se tourne vers Maryse qui a l'air aussi malheureuse qu'elle. Plus que l'intermède loufoque avec Antonio Ram Crouze, plus que la mutinerie des machos, c'est la froideur de Marité qui les glace, son silence. Collée à Maryse, elle pense qu'il ne leur sert à rien ce soir de se connaître et de s'aimer ; elles ne sont l'une à l'autre d'aucune utilité, pas même capables de se consoler et de s'écouter, prises qu'elles sont dans le même bourbier. À mesure que le temps passe, les choses deviennent plus compliquées, elles n'apprennent pas à vivre, elles sont seulement plus vieilles, elles approchent de la quarantaine et ont probablement vécu plus de la moitié de leur vie. Elle n'a plus de temps à perdre avec des imbéciles ou des gens distants, elle n'a plus de temps pour les malentendus. Tant pis pour Juliette et son dédain. Vivement la prochaine belle-sœur, le prochain ! Vivement le repli dans un autre amour, le suivant sera Renaud, c'est pour lui surtout qu'elle a fait son monologue, Tonio n'en méritait pas tant. Elle a parlé pour s'affirmer, pour dire ce qu'elle avait sur le cœur depuis longtemps, mais en même temps, pour accrocher Renaud. Le séduire. Il n'a pas de sœur, c'est ce qui est merveilleux avec lui, aucun risque de belle-sœur attachante dans le décor ! Elle sourit puis cesse de sourire : mais il a une mère, par contre ! Et toute une ! Avoir Marie-Belle Beauchemin pour belle-mère, ça doit être spécial ! Tellement spécial que cela n'aura pas lieu. Ce serait ridicule. Elle aurait l'âge de sa belle-mère, à peu de choses près ! Elle n'est pas superstitieuse mais elle voit des signes : à sa sortie des loges, Renaud avait disparu. Tant mieux, il est trop fragile pour elle, encore un enfant. Elle boit un peu d'orangeade et se demande pourquoi elle commande toujours cela, elle n'aime plus l'orangeade et soupçonne Benoit d'y ajouter du sucre, ça fait grossir pour rien, sans plaisir. Autour d'elle, ils échafaudent encore des projets à propos du local d'à côté, elle s'en fout, ils n'auront probablement pas leur subvention. D'autres parlent de politique et disent espérer que le PQ rentrera aux prochaines élections. « Il rentrera faiblement, disent-ils, mais il rentrera. » Elle s'en fout également, elle annulera son vote, elle aura une engueulade avec Marité, c'est tout ! Ce soir, elle a l'impression que tout dérape. Elle a le goût d'aller brailler chez elle, à son aise, en pensant à Renaud interdit, mais au moment où elle vient pour se lever, Gérard de Villiers rapplique. Il est debout à côté du bar. Pour ce qu'il a à leur annoncer, il préfère rester debout.

— Je reviens pas demain, dit-il à Marie-Belle, assez fort pour que tout le monde l'entende. Mon texte est dans les loges, démerdez-vous, j'ai fini de faire le cave !

Personne ne l'ayant supplié de rester, il part.

« I'll drink to that ! » dit Palmyre.

— Dis-moi pas, estie, que je vas avoir un costume à recommencer ! fait madame Faribeau.

— Eh oui ! dit Marie-Belle.

Elle sourit mais elle est en beau fusil ; Gérard a flanché comme elle l'appréhendait depuis quelques jours. De toute façon, il était une erreur de casting, la première de sa longue carrière. Elle enfile son verre et déclare : « On va le remplacer par du solide. »

— Pis du rapide, toi, chose, dit le directeur matériel en roulant de gros yeux d'apocalypse. Va falloir retarder la première !

— Don't panic ! dit l'assistante.

Sa voix a monté de trois crans.

— Je panique pas pantoute, dit le directeur, je procède avec célérité ! L'estie va nous le payer cher, son bris de contrat ! Nous faire ça à dix jours de la première !

Il dit, et court téléphoner au directeur spirituel dont la nuit de repos est sans doute compromise, mais l'heure est grave.

— Y a personne qui panique, commente Jusquiame. On fait juss nager dans 'a marde.

Marie-Belle regarde Valentin pour savoir avec qui il est, Barabbas ou elle. Valentin lui fait un sourire franc. Malgré cela, Maryse a l'impression que le plancher se dérobe sous ses pieds. Les acteurs ne veulent plus jouer ses textes ! Souvent, ils lui mettent sur le nez ce que d'autres font, disent, écrivent. Comme si elle-même était une nullité ! Elle se tourne vers Valentin :

— Tu sais, dit-elle, moi aussi je raffole de la

commedia dell' arte. C'est extraordinaire ! Mais je suis pas Goldoni, moi ! J'écris différemment...

— Je sais, je sais ! dit Valentin.

Il a l'air d'Arlequin pris au collet et faisant du sur-place pour échapper aux coups de bâton.

— Je m'excuse mille fois ! ajoute-t-il. Je me prosterne, je rampe, je balaie la piste, je déroule le tapis rouge, je lèche l'asphalte comme un pape voyageur !

Il fait la pirouette et grimpe à une poutre à laquelle il reste comiquement accroché la tête en bas. Son ample manteau s'est retourné et on en voit la doublure bleu cobalt. Encore une fois, il a retourné sa veste avec une aisance désarmante ! Maryse sourit, il parvient à la faire sourire malgré la chienne jaune qu'elle sent approcher à grands pas. Benoit a raison, hélas, ils sont mal pris. Tout ce micmac découle de son texte malaisé et de sa vision trop cruelle du Griffintown. Elle présente Montréal comme une île rouge et fangeuse, elle raconte des histoires atroces qui ne la satisfont même pas...

— Le problème de Frozen Food, dit Valentin toujours dans les airs, c'était pas le texte mais le mouvement et le silence ; il est incapable de se taire ou de bouger sans paniquer.

— C'est vrai, dit quelqu'un, *L'Œuf d'écureuil* permet une ouverture sur l'espace et le geste. Ça brise les codes...

— Pour ça, dit madame Faribeau, O'Sullivan est briseuse de codes en sacrament !

Encore une fois, ils discutent de son texte comme si elle n'y était pas. Ils font son éloge mais elle n'y croit pas. « Qu'est-ce que je fous ici ? se dit-elle. Je devrais faire comme certains auteurs et ne pas me mêler des répétitions. »

Marie-Belle lui demande si elle voit quelqu'un pour remplacer Frozen Food.

— J'ai écrit le rôle pour Benoit...

Il y a un temps ; Benoit est disparu depuis quelques minutes, on ne sait pas où. Dans le vestibule, quelqu'un fait craquer le plancher. C'est Laurent. Avec tous ces émois, Maryse avait oublié qu'il venait la chercher ! Elle embrasse Marie-Belle et Marie-Lyre, s'excuse de partir aussi précipitamment, et part.

— Je t'appelle, lui lance Marie-Belle, abasourdie.

Frozen Food lui a fait dans les mains et son auteure préférée détale ! Elle s'en souviendra, de ce show-là.

Dehors, Maryse s'appuie au mur du théâtre, elle est complètement chavirée. Laurent essaie de savoir ce qu'elle a et lui demande si elle veut rentrer. Non, elle ne veut surtout pas rentrer. Elle n'a pas non plus le goût d'aller prendre un verre. Elle passerait la nuit dehors à marcher, que ça ne la calmerait pas ! Il veut bien se promener avec elle. Il est seulement minuit et demi, la rue est en ébullition, pleine d'autos, de motos, de filles ; après tout, c'est un soir de fête, il faut bien que ça paraisse un peu ! Barbara n'est pas là, elle a peut-être pris congé... Maryse et Laurent détachent leurs bicyclettes et descendent lentement vers le canal Lachine.

Les cuisses serrées dans sa jupe fourreau, les pieds enflés, Barbara est assise devant le sergent Leblond. Elle se triture les lèvres. Heureusement qu'elle est tombée sur lui ! S'il avait fallu que ce soit l'autre, Chaussé-le-sale, celui qui bat les filles avec des bottins téléphoniques pour ne pas laisser de traces, elle ne sait pas comment elle aurait fait ! Même comme ça, c'est déjà difficile. Le sergent installe une feuille dans sa machine à écrire et commence à dactylographier.

— What are ya writin' ? dit Barbara. I haven't said anything yet !

— J'écris les formules de routine, répond le sergent. Énerve-toi pas.

Il la regarde et essaie d'être cool. Il sait qu'elle a peur. Il n'aime pas les gens qui ont peur — leur contact ne lui procure aucune satisfaction — et il déteste rédiger des dépositions. La nuit sera longue, il est seulement une heure cinq.

— Tu t'es fait ramasser ben vite, dit-il. As-tu quelque chose à nous dire ?

Barbara ne répond pas.

— As-tu quelque chose à déclarer ? répète le sergent.

— Maybe.

— Y t'arrivera rien, on va te protéger...

Barbara rit et dit : « My ass ! »

— Si t'as rien à me dire, dit le sergent, je te remets au trou.

— Ya know, Leblond, I always said I'd quit the racket at fourty...

— T'as quarante-quatre ans passés ! Dans nos dossiers, en tout cas.

— So what ? dit Barbara, amère.

Elle réclame une cigarette.

— À ta dernière comparution, t'as eu une interdiction de séjour dans le secteur. Comment ça se fait qu'on t'a retrouvée chez Harvey's au coin de Saint-Laurent ? Qu'est-ce que tu faisais là ?

— Chus venue voir des amies.

— C'est un bris de condition...

338

Barbara hausse les épaules, allume sa cigarette et demande au sergent s'il connaît Shirley.

— Shirley-les-boules?

— C'est ça.

— Est ben tranquille depuis la descente du Capuccino Bar...

— Est mal pris, par exemple...

— Mal pris?

— I think she's got a pimp...

— Tu penses ou t'es sûre?

— Chus sûre.

— A te l'a dit?

— Non, mais je le connais, son pimp.

— Ah, bon! Tu pourrais l'identifier?

— ...

— Le connais-tu « intimement » ?

— Écoute, Barbara O'Sullivan, je veux bien t'aider, mais fais ton bout de chemin.

— ...

— Pour ce qu'on gagne à poursuivre des pimps, murmure Leblond, des réclusions de six mois au mieux! Fais-moi pas perdre mon temps.

— I don't wanna bother you, dit Barbara.

Elle se lève mais Leblond lui ordonne de se rasseoir. Il transpire.

— Finis ta déposition, dit il. Tu vas te sentir mieux après, je te le garantis.

— Don't give me that shit! Peut-être que je me suis faite ramasser exiprès.

— Fais pas attention, on est sur les nerfs, avec la gang de négresses de Buffalo qui viennent de débarquer...

— Ça t'intéresse pas, ce que j'ai à dire...

Le sergent lui fait un sourire entendu et cochon :

— Les pimps de Buffalo, tu les connais-tu?

— Je couche pas avec des nègs!

— Si on revenait à Shirley, comment tu sais ça, qu'elle a un pimp?

— C'est ma roommate.

— Son pimp, ça serait pas le même que toi, par hasard?

— Paulo, c'était mon chum! lance Barbara, avec ressentiment. But I got tired of beatings and black eyes, I decided to turn him in. But then I changed my mind.

— Ton bris de condition, ça peut s'arranger...

Il y a un long temps.

— Come on, dit le sergent, dis-moi son nom de famille. C'est pas ben long, un p'tit mot. Après, t'as juss à signer.

Il y a un autre temps. Le sergent regarde l'heure. Barbara écrase sa cigarette et dit le nom de famille de Paulo. Le sergent s'active sur sa machine à écrire. Il relit la déposition, Barbara la signe et retourne à sa cellule.

Elle a donné Paulo aux beux, elle y pensait depuis des mois comme à une libération, et pourtant, elle ne se sent pas mieux.

À l'écluse Saint-Gabriel, ils ont bifurqué vers Pointe-Saint-Charles, attirés par l'animation des rues, les lumières, la musique des ghetto blasters. L'atmosphère est celle d'une manif mal organisée. Depuis des années, le soir de la fête de la Reine, les gens du quartier allument des feux et chahutent. Maryse n'y était jamais venue ces soirs-là. Serrée contre Laurent, elle regarde les flammes d'un brasier fait d'un amoncellement de détritus, de vieux meubles et de pneus usés. Par prudence, ils ont laissé leurs bicyclettes sur une rue limitrophe et ils ont patrouillé à pied. Ils sont fatigués mais ils restent sans trop savoir pourquoi. Il est deux heures trente et la rue est encore pleine de gens : des femmes en bigoudis et manteaux de cuir raide, des hommes, la chemise ouverte sur des camisoles fatiguées et tachées, des motards buvant de la bière, des enfants surexcités. Il y a aussi des chiens trop gras, il y a presque autant de chiens que d'êtres humains, comme si les résidents du quartier en faisaient l'élevage. Régulièrement, des autos de police circulent, les fenêtres fermées malgré la chaleur ; les gens les huent et frappent les carrosseries avec des chaînes et des bâtons. D'autres, accoudés à leur balcon, lancent des bouteilles vides qui atteignent parfois un badaud. Maryse regarde tous ces visages éclairés comme en plein jour par les feux d'une fête dont le sens n'est clair pour personne. On ne sait pas trop si les gens célèbrent ou s'ils contestent, s'ils sont du côté de la Reine ou de Dollard, ou de personne. Ils sont d'origine irlandaise pour la plupart, ou « cf », ce sont là les deux souches de Maryse, son monde, du monde travaillant dans des usines ou ne travaillant pas et vivant de leur chèque de « Bonheur Social ». Les citoyens plus aisés qui depuis quelques années ont repris en main le quartier pour tenter de lui redonner un sens, ne sont pas là ce soir. Ils doivent essayer de dormir dans leurs maisons fraîchement rénovées. Ils laissent la rue aux manifestants, des gens qui boivent leur bière en n'espérant rien. Qui gavent des chihuahuas avec leur chèque de Bien-Être... Maryse a mis sa main dans la poche de Laurent et celui-ci joue avec ses doigts en parlant. Il a lié conversation avec un homme. Elle n'entend pas ce qu'ils disent : l'homme parle bas et l'air est plein de bruits ; le feu crépite et de légères parcelles de suie retombent sur la foule. En se tournant vers la gauche, elle voit un autre brasier allumé à une autre inter-section. De jeunes garçons se promènent avec des bom-bonnes à souder allumées. Ça sent le caoutchouc brûlé. Avec douleur, elle repense au visage fermé de Marité et à la défection de Gérard de Villiers. Elle n'en a rien dit à Laurent. En face d'elle, une femme la dévisage comme si elle était un animal bizarre, puis elle se détourne pour passer un commentaire à sa voisine qui semble être sa sœur. Les deux femmes ont quelque chose d'usé avant l'âge, comme la tante Kathleen autrefois et comme la cousine Norma, devenue Barbara. Maryse ne serait pas étonnée de la retrouver ici ce soir, elle habite peut-être encore la Pointe, mais peut-être pas. Elle ne connaît pas sa cousine putain et ne comprend toujours pas pourquoi celle-ci lui a remis la lettre à Kate. Un abîme la sépare d'elle et des gens qu'elle côtoie ce soir. Pourtant, c'est eux qu'elle décrit dans sa pièce. En parler est une chose, les endurer, une autre. La femme a raison de la lorgner ; avec ses vêtements bien coupés et ses cheveux vaporeux, elle a l'air d'une touriste. Elle est d'ailleurs, d'une autre Amérique, dorée, élégante et repue. Elle se regarde regar-der ces gens, incertaine et doutant de tout, en équilibre instable sur le bord du trottoir, son éternelle serviette à la main, et elle se met à rire d'elle-même. Laurent se tourne vers elle et lui sourit. L'homme les quitte pour aller se chercher un coke au dépanneur qui est ouvert toute la nuit. Ils reprennent leur errance d'un feu à l'autre. Ils croisent des groupes de plus en plus bruyants, survoltés et bagareurs — soûls — et des autos de patrouille de plus en plus nombreuses. Ils circulent longtemps, allant et venant d'un feu à l'autre, fascinés et de plus en plus imprégnés du malaise qui se dégage de cette manif désespérante et minable. Comme ils débouchent au coin des rues Mullins et Charlevoix, ils se retrouvent en pleine bataille, bousculés et séparés. Deux autos de patrouille arrivent et se stationnent sur le trottoir. Il y a un moment de panique dans la foule, comme un remous, et Maryse est projetée au milieu de la rixe dont le cœur dérive vers le brasier. Le jet d'une bombonne lui frôle la joue, elle sent une morsure et pense absurdement aux sorcières du Moyen Âge transformées en torches vivantes ; le feu a pris à ses cheveux. Elle aperçoit la face hagarde du gars qui tient la bombonne et essaie de la contrôler, puis quelqu'un lui lance un manteau à la figure et le feu s'éteint. Elle passe sa main sur sa joue intacte, elle cherche Laurent, ses lunettes sont tombées et quelqu'un marche dessus, elle ne sait pas, cela va trop vite, les policiers fouillent les gens et les arrêtent. Laurent l'agrippe et ils parviennent à sortir de la cohue. Ils courent vers l'endroit où ils ont laissé leurs bicyclettes, ce n'est plus très loin, ils étaient revenus sur leurs pas. Ils retournent vers le canal Lachine, elle se tenant derrière lui parce qu'elle ne voit pas très bien sans lunettes, avec ses cheveux embroussaillés, à cause des larmes, elle ne sait pas. Elle a soif. Ils ne s'arrêtent que rendus au bord de l'eau. De la main gauche, Laurent prend la gourde qu'il a toujours sur sa bicyclette et la lui tend. L'eau est tiède et fade et cependant désaltérante. Il frotte sa main droite avec sa main gauche, attentif à sa douleur et à l'engourdissement qu'il ressent. Il a l'impression d'avoir la jointure disloquée, « Comme l'aïeul aux mains rouges », dit-il en souriant. Il sourit parce que ce n'est pas si pire ; ils en sont quittes pour des ecchymoses, quelques accrocs, ils ont perdu des détails comme des boutons et des lunettes, mais ils ont échappé à la fouille. Maryse n'a même pas laissé tomber sa serviette ! Ils rient.

— Je dois avoir un drôle d'air, la tête comme ça, dit-elle.

Elle a le côté droit de la chevelure complètement grillé. L'odeur de roussi commence à s'estomper.

— T'es toujours belle, répond Laurent.

Avec le coin de sa chemise, il lui essuie les yeux parce que le rimmel dilué n'ajoute rien à sa beauté. Elle s'allume une cigarette, ils se caressent doucement, ils parlent de la peur qu'ils ont eue et du comportement des gens de la Pointe.

— Leurs feux ressemblent à des feux de rage, dit Maryse. Pour ma pièce, j'ai tenu à ce que la maquette du Griffintown soit brûlée à chaque représentation, et j'avais raison ; c'est un quartier qui s'enflamme souvent...

— C'est décidé ? dit Laurent. Mais comment vous vous arrangez avec le service des incendies ?

— À l'amiable ! Ils nous ont seulement imposé la présence d'un pompier.

— C'est une farce ?

— Même pas !

Maryse sourit, et ne raconte rien des problèmes de la production. Ils se mettent à parler d'eux-mêmes. Ils se connaissent depuis un an à peine et ils s'aiment, ils peuvent dire qu'ils s'aiment. Ils se sont assis sur le parapet et regardent vers l'eau dont ils sentent la fraîcheur. Ensemble, ils voient l'horizon pâlir. « On est sauvés ! dit Maryse, c'est l'éclaircie qui suit le passage du cheval de quatre heures. » C'est une expression à elle, un personnage qu'elle a inventé. Des filets de brume glissent sur le canal parmi les herbages naissants ; cela est d'une douceur poignante. La barre du jour est rose. Elle l'embrasse sur la bouche et lui annonce qu'elle a été congédiée ce matin même, c'est-à-dire hier, c'est déjà hier. Il se détache d'elle pour la regarder, ne sachant pas quoi penser et si elle plaisante. Elle ne plaisante pas, mais elle part à rire sans contrainte.

— On est très bien, près de l'eau, dit-elle pour s'expliquer, on respire mieux !

Elle rit encore et ajoute qu'elle se sent libérée de l'enseignement. Elle n'aurait peut-être jamais osé quitter le cégep d'elle-même, mais puisque cela lui arrive, elle fera le saut, elle vient de le comprendre.

— Mais tu aimes ça, enseigner, dit Laurent, tu aimais ça !

Elle répond « oui ». L'enseignement perpétue la mémoire du monde et lui redonne quotidiennement son sens, une parcelle de sens. Oui, elle a toujours admiré les maîtresses d'école, les vraies, celles de la petite école qui peuvent se vanter d'avoir appris quelque chose à quelqu'un ; les lettres fondamentales et les chiffres. De là sa fascination pour Alice Ladouceur ! Mais elle-même a fini de faire la maîtresse, et puis elle en a assez de se battre contre des décrets et des lois-cadres ! Elle prendra un temps d'arrêt pour écrire à son aise, après, elle verra. Elle n'écrira peut-être pas toute sa vie non plus, elle ne voudrait pas toujours faire le même métier, elle pense qu'on devrait avoir le droit de mener successivement plusieurs vies, si on le veut, et elle le veut, elle se sent fébrile.

Elle aurait le goût d'écrire un long roman dans lequel tous les personnages seraient amoureux. Un roman de désir. Laurent lui sourit. Il a l'air fatigué et la barbe longue, mais il est beau. Pendant son absence, elle écrira en pensant à lui : *Le roman de Barbara* lui sera dédié. Un oiseau se met à chanter, d'autres lui répondent. Elle dit : « C'est quoi, cet oiseau-là, Laurent ? » « C'est tout simplement un merle », dit Laurent. Elle répète « un merle, tout simplement ». Railleusement. Il n'aime pas les merles, les trouvant trop ordinaires. Il connaît bien les oiseaux, leurs habitudes, leurs vrais noms.

— Au Nicaragua, dit-elle, il doit y avoir plein d'oiseaux rouges et rares.

Laurent sourit et dit qu'il y retrouvera aussi les nôtres, dans leurs quartiers d'hiver. Ça lui rappellera le Québec.

Il se masse encore la main. Elle repense à la défection de Gérard. Ils frissonnent. Ils ont faim.

— C'est vrai que t'as un drôle d'air comme ça, dit Laurent, on dirait une punk à frisettes !

Elle l'embrasse avant qu'il ait fini sa phrase et se demande quelles autres bouches il embrassera dans le brasier du Sud.

Vingt-quatre mai

Le troisième sous-sol des revirements

Écoute pas ce que je dis. Touche-moi. Touche-moi, bébé.

Denys ARCAND,
*Le déclin
de l'empire américain*

«Moi, je suis libre vingt-quatre heures sur vingt-quatre, dit Marie-Belle. On va travailler sans les autres, ça te donnera une chance.

— Donnerait, dit Benoit, donnerait! J'ai pas l'âge du personnage...»

Il déplie *Le Journal de Montréal* dans l'intention d'y lire le compte rendu des événements de Pointe-Saint-Charles annoncé à la une. Marie-Belle sourit: la question de l'âge est sans importance, Jusquiame a la trentaine maganée, or l'aïeul a quarante-cinq ans à peine. Le théâtre n'a pas une maquilleuse permanente pour rien!

— Mais c'est un personnage qui meurt, fille! Je peux pas jouer ça...

L'objection n'impressionne pas Marie-Belle, qui poursuit son argumentation. Benoit la laisse parler et rince le verre vide de Pierrette.

— Fais-toi pas prier plus longtemps, dit celle-ci, on a assez de troubles comme ça!

Et elle énumère leurs problèmes: ce matin, la guichetière a rendu son tablier mais elle est partie avec la petite caisse; à l'heure du lunch, la nouvelle s'est répandue que Abraham A. Goldstein aménagerait sous peu dans le local d'à côté, lui seul offrait les garanties idoines, les arrhes, les à-valoir, la préemption, le cash flow pour les

349

rénovations, le dimmer cash pour l'entretien, le bataclan mobile et bien d'autres choses encore dont elle leur épargne la nomenclature. Goldstein s'apprêterait à signer un bail emphytéotique de quatre-vingt-dix-neuf ans.

— Quatre-vingt-dix-neuf ans, sacrament! C'est long, dans la vie d'un théâtre d'Art, dit-elle.

Malheureusement, il n'est pas question de demander un moratoire ou de réclamer une quelconque subvention d'urgence pour damer le pion à Goldstein. Dans le contexte actuel, avec les coupures qui deviennent un style de gestion, quand elle reçoit enfin la réponse à ses demandes de subvention, on lui signale invariablement qu'elle n'est pas dans les «priorités»!

— Pourtant, dit Benoit, si le monde nous avait pas, nous les damnés de l'industrie culturelle, ils étoufferaient encore plus! On divertit! On est utiles! Ça, même le vieux Bertolt l'a avoué en toutes lettres, *Petit Organon*, verset troisième.

— C'est tout ce que t'as retenu de Brecht? dit la calculatrice, scandalisée.

Elle a déjà eu sa période «En lutte».

— Ben oui! L'assurance d'être utile en divertissant, c'est à peu près tout ce qui reste aujourd'hui des enseignements de Bertolt. C'est l'essentiel! Moi je dirais qu'on fait partie des «services essentiels».

— En plus, il fait froid comme au mois de mars, dit Pierrette, revenue à sa liste de catastrophes.

— Camarade Jusquiame, dit Marie-Belle, saisis cette occasion inespérée d'être essentiel! Toi seul peux sauver le show!

— Envoye, Jusquiame, lance La Cantonade. Ça fait trois heures que Marie-Belle te cuisine! Déguedine!

Sa voix vient d'en haut.

Benoit lève les yeux au ciel et dans un souffle, il dit :

— Oké, d'abord, les filles. Mais c'est ben juss pour dépanner !

Il replie *Le Journal de Montréal* et disparaît derrière son comptoir où il farfouille un moment ; il a de la difficulté à ne pas sourire car, pour la première fois de sa carrière, il va interpréter un personnage qui meurt, et ça ne le trouble pas ! Il est en train de devenir mature, serein, détendu, ou peut-être tout simplement moins fou. Wow, fille ! L'aïeul aux mains rouges sera le rôle de sa vie !

— Quel texte on va lui donner ? demande l'assistante de Marie-Belle. Je trouve pas celui de Frozen.

Avec une rapidité de prestidigitateur, Benoit pose la copie de Frozen sur le comptoir.

— Qu'est-ce à dire ? interroge l'assistante.

— Boah ! Je l'ai un peu potassé la nuit dernière, au cas où... De toute façon, j'ai assez bûché sur Frozen en le coachant que ses lignes, je les sais par cœur !

Marie-Belle sourit à Benoit et les fleurs de son chapeau passent de l'indigo au rose tendre. « J'annonce la nouvelle à l'auteure », dit-elle. À l'autre bout de la ligne, personne ne répond. Elle raccroche.

Maryse est chez elle, pourtant, mais elle laisse sonner. En entrant ce matin, elle a décidé de ne pas aller au cégep. Elle a dormi quelques heures et, à peine levée, elle a sorti ses vieilles lunettes et s'est précipitée sur sa pile de copies à corriger avec le sentiment de faire ce travail pour la dernière fois. En lisant, elle se penche au-dessus de la chaufferette qui fonctionne à pleine capacité. Au mois de mai, tu parles ! On ne sait plus comment s'habiller. Elle s'habille n'importe comment. Elle porte un haut de pyjama d'homme, une jupe légère, légèrement démodée et un gilet orange brûlé, couleur qui ne lui va pas tellement. Elle est en souliers à talons hauts avec des warm-up. À mesure que la journée passait et que le froid persistait, elle a ajouté des morceaux au hasard sans aucun souci d'esthétique, l'important est d'en finir et de passer au travers des cent trente-trois copies de dix pages chacune dont la plupart sont désespérantes d'insignifiance. Elle lève la tête un moment et regarde Mélibée Marcotte qui se tient collée à elle, vieille et implorante. Tellement vieille ! Elle caresse la chatte en repoussant l'idée de sa mort inéluctable. Le téléphone sonne, elle ne répond pas ; c'est peut-être une mauvaise nouvelle et ça se conserve, si c'est autre chose, ça peut attendre également. Sa mauvaise nouvelle de la journée, elle l'a eue dans le courrier de ce matin, c'est suffisant ! La réponse de la SKINÈ à sa demande de subvention est claire et élégante : la lettre dit qu'elle est une « chère madame » et que son projet de scénario est refusé, dans son état actuel, du moins. Le jury ne nie pas son grand talent de dramaturge et son habileté de dialoguiste mais doute de sa maîtrise du langage cinématographique. Le jury fait remarquer 1) que son histoire de la femme aux bijoux se passe au début du siècle et que cela fait un peu « terroir », 2) que l'avortement et la libération de la femme ne sont plus des problématiques très urgentes. Le jury trouve l'ensemble du projet trop cru et trop dur pour le public cible. En conclusion, le jury affirme que si jamais l'action — remaniée — était transposée dans les années soixante-dix et située au bord de la mer uniquement, on pourrait en tirer un bon film car il y a là des images saisissantes. Le jury ajoute, en note au bas de la page, qu'il n'est pas très habile d'appeler un personnage « fleur de rhétorique », personne ne comprendra cette allégorie. La lettre se termine par un encouragement à réécrire le tout, des regrets et des sentiments distingués. Maryse regarde le papier posé sur son bureau. Elle écrit dans son coin depuis huit ans, c'est la première fois qu'elle demandait une aide pécuniaire, et cela lui est refusé ! Avec la bourse, elle aurait pu se libérer du cégep pendant quelques mois. Mais il est vrai que depuis hier, elle est libre, de toute façon. Le téléphone resonne. Elle enlève ses lunettes, dépose Mélibée dans sa corbeille, accroche le premier manteau qui lui tombe sous la main et traverse chez Marité.

Marie-Lyre est déjà dans la place. Les deux femmes sont dans la cave où est installée la machine à laver. C'est une cave à moitié finie et encombrée. Au fond de la pièce qui fait office de lavoir, une petite porte. Face aux éviers, une télévision noir et blanc est ouverte sur les débats de l'Assemblée nationale. Il y a des piles de linge sale par terre, des chemises propres sur des cintres et de l'électricité dans l'air.

— Est-ce que je vous dérange ? demande Maryse. Je ne veux pas déranger...

— Pas du tout ! répond Marité. Seulement, tu m'excuseras de pas vous recevoir au salon avec les petits fours ; madame Tremblée est pas venue cette semaine et j'ai une famille à torcher, moi !

— Je m'excuse pour la troisième fois ! dit Marie-Lyre. Qu'est-ce que tu veux que je fasse de plus ? Que je te le dise en turc et à quatre pattes ?

Elle échappe sa cendre par terre et dit «shit». Il n'y a pas de cendrier dans la pièce. Elle est assise sur le bras d'un fauteuil éventré et ses jambes, moulées dans des collants léopard, ont l'air plus longues que d'habitude.

— Ce que je prends pas, continue Marité, c'est que, par-dessus le marché, la rue Boisbriand soit envahie par les prostituées ! Tous les journaux en parlent.

— Mais qu'est-ce que ça peut faire ?

— C'est pas une place pour les enfants.

— T'es donc ben « law and order » tout d'un coup !

— Toi, tu t'en sacres, c'est pas tes enfants !

— Voyons, dit Maryse, tu dis pas ça pour vrai...

— D'où tu sors, toi, dit Marité, attifée comme ça ?

Les cheveux de Maryse sont vraiment très écharognés. Depuis la nuit dernière, elle ne les a pas touchés.

— T'as l'air de la Charlotte-prie-Notre-Dame au lendemain d'un tremblement de terre, dit Marie-Lyre.

— Si on veut, dit Maryse. Tu pourrais pas ôter tes verres fumés, MLF, qu'on te voie un peu les yeux ?

— Je suis pas « on stage » dans une de tes pièces ! J'aurai ben l'air que je veux !

— Mais qu'est-ce que vous avez toutes les deux ? Qu'est-ce qui se passe ici ? Qu'est-ce que j'ai fait ? Je vous préviens, j'ai les nerfs en boule.

— Nous autres aussi ! dit Marie-Lyre.

Et elle ajoute à l'intention de Maryse :

— Figure-toi donc qu'après avoir raconté pendant des années que c'était merveilleux d'avoir des matantes rapportées pour ses enfants, Marie-Thérèse Grand'maison nous accuse d'empiéter sur son territoire ! On pataugerait dans sa vie privée, dans son bonheur domestique, dans son cul-de-sac personnel ! Comment est-ce qu'on en est arrivées là, je le comprends pas, mais je sais qu'on y est, profond !

— J'ai rien à voir là-dedans, moi, dit Maryse.

354

— Peut-être pas dans l'imbroglio d'hier soir, dit Marité, mais les autres fois, oui! Toujours! Tout le temps! Depuis des années!! Vous êtes deux pareilles, deux matantes bubble gum, deux magiques! Vous avez du fun avec mes enfants, mais moi quand je les récupère, il me reste les punitions, les maladies, et les jeans déchirés! Pendant ce temps-là, vous autres, vous vous rechargez, vous bambochez, pis vous avez pas de problème de gardienne. Vous êtes des célibataires, des hosties de célibataires!

— Peut-être, dit Marie-Lyre. Mais on pourrait être des célibataires bitches qui ignorent les enfants ou qui les détestent. Aimerais-tu mieux ça?

Marité ne répond pas. Elle enfourne une brassée de linge mouillé dans la sécheuse et en prépare une autre. Maryse s'assoit dans les marches en se demandant pourquoi elle a traversé; elle n'était pas si mal chez elle, au-dessus de Babylone.

— Tu pourrais pas fumer un peu moins? demande Marité à Marie-Lyre. On dirait que tu fais exprès pour me faire rechuter.

— J'arrêterais certainement pas de fumer à cause de toi! Tu veux tout régenter, mais il y a des limites!

Elle tire ostensiblement sur sa cigarette et se met à tousser. Marité hausse les épaules. Elle a ouvert un robinet pour humecter du linge. Marie-Lyre reprend son souffle et, à cause de l'eau, elle pense à sa mère; pendant de longs mois, de sa chambre d'hôpital, Déjanire Flouée a regardé couler la rivière des Prairies sans rien faire d'autre. «L'eau est la chose la plus reposante au monde, lui a-t-elle avoué un jour, vers la fin, en préparant sa valise pour un autre séjour à ce qu'elle appelait "l'hôtel des égarouillées". L'eau coulante calme.» Marie-Lyre se dit que ses relations avec les autres femmes sont brouillées par son rapport ambigu à sa mère. Elle voudrait tellement que l'amitié soit simple ! Elle écrase sa cigarette.

— Il y a une chose que j'aimerais vous demander, dit Marité : y aurait-tu moyen que vous nuisiez pas au semblant d'éducation que j'essaie de donner aux enfants ?

— C'est ça ! dit Marie-Lyre, nous y revoilà ! Comment respecter l'amie-mère-de-famille, son nid douillet, ses petits nenfants, son système, ses horaires, son chum ? Comment montrer de l'estime à celui-ci sans aller trop loin ? Shit ! ! !

Elle allume une autre cigarette en pensant que la vue de l'eau ne l'a pas du tout calmée.

— Arrête, dit Maryse. Je ne veux pas qu'on se chicane.

Marie-Lyre part à rire :

— Pauv' toi ! Mais qu'est-ce que tu penses qu'on fait, là ? Depuis une demi-heure, on se chicane comme des belles-sœurs du Plateau Mont-Royal. Avec l'autre qui fait son lavage, en plus ! On a l'air d'être dans une buanderette !

Maryse pense à Martha, hostile et blessée au-dessus de son bac d'eau. La cave de Marité évoque pour elle l'appartement lavoir de son personnage. Elle a horreur des sous-sols, et elles sont au troisième sous-sol des revirements ! Elle ne veut pas se mêler à la querelle, mais Marie-Lyre l'englobe dans son propos, disant à Marité qu'elles se sont attachées à ses enfants, depuis le temps !

— Quand t'as besoin de nous autres pour garder, tu nous sonnes, dit-elle, mais quand tu reviens, t'aimerais bien qu'on disparaisse dans un placard et qu'ils nous oublient ! Ça marche pas comme ça, Marité !

Celle-ci répond quelque chose de véhément et ses mots se retournent contre ses propres enfants; elle est tannée de tout, y compris d'eux, d'elle-même, d'elles trois!

— C'est ça, dit Marie-Lyre, soyons des amies très chères, de celles qui se disent des choses féroces! Vive l'amitié bitche!

Elle paraphrase un texte de Maryse.

— Arrête de toujours me remettre sur le nez ce que j'écris! dit celle-ci.

— Oui, arrêtez donc! dit Marité. Quand vous parlez, c'est toujours par citations!

Et elle reparle de Myriam et Gabriel.

— Reviens-en, Marie-Thérèse! dit Maryse, excédée à son tour. On n'a rien fait, et tes enfants sont pas si pires!

— Ah, pour en être revenue, j'en suis bien revenue! Vous pouvez pas savoir comment ils sont décevants parfois: ils disent de plus en plus de platitudes et de choses blessantes, ils me considèrent comme une machine à produire, à fournir, à payer — à payer, surtout! —, c'est terrible, des enfants, ça use, ça gruge, ça divise! Ces jours-ci, Gabriel a son air d'orphelin battu et Myriam l'imite «par solidarité». Ils ont plus de complicité ensemble que moi avec eux. Je leur fournis le gîte et le couvert, je lave leur linge, mais ça s'arrête là. C'est tout ce que je peux leur donner, des choses matérielles, je suis la mère-auberge! Vous pensez peut-être que j'exagère, mais vous pouvez pas comprendre. Vous les gâtez, vous voyez pas leurs défauts.

— C'est pas vrai, dit Maryse, on s'en rend compte que Gabriel est têtu et que Myriam est fouine.

— Si tu veux savoir, dit Marie-Lyre, puisque tu en

parles, ils ont pas de manières à table, ils mangent la bouche ouverte, ils me tombent sur les nerfs, des fois !

— Ils sont ostineux sur les mots, tatillons, prétentieux.

— Ils sont snobs !

— Dites donc que j'ai élevé des monstres ! ! !

— On n'a pas dit ça ! disent Maryse et Marie-Lyre. Et on les aime pareil.

— Tu peux parler contre tes enfants, mais pas nous, dit Marie-Lyre. C'est encore le jeu de la mère comblée, mais inversé. On a seulement le droit de t'écouter, c'est ça ?

— C'est ça ! Et j'ai pas fini !

Elle prend son respir, il y a une petite accalmie meublée par le seul bruit des machines et de la télé, et on entend alors le ministre Garon parler de la dépollution éventuelle de la rivière Saint-François.

— C'est celui à convection qui est le meilleur, dit Marie-Belzébuth.

— Y sont en spécial à La Baie jusqu'au trente mai, marmonne Gabriel par-dessus son journal.

— Nous autres, on va peut-être en avoir un l'an prochain, dit Laurent-le-vrai.

— Nuzautres, on l'a ! dit Célestin. C'est pratique pour les repas du midi.

Il fait rouler son skate devant lui. Il est arrivé chez le Diable Vert avec skate et ghetto blaster, qu'il a posés sur le comptoir pour que le Diable — et tout le monde — les voie bien.

— Tu me le passes-tu, ton skate ? demande Olivier.

Célestin fait «oui, oui» évasivement et il allume le

ghetto blaster. Le gars des vues sursaute et la grande brin-
gue assise devant lui en perd son face-à-main.

— Tut, tut ! fait le Diable. Le son, c'est moi qui le
fournis ici.

Il éteint l'appareil et l'ambiance redevient normale,
ce qui n'est pas si mal : la radio jouait déjà à dix-huit
virgule dix-huit, leur poste préféré qui ne diffuse que des
commerciaux et des *hits*.

— Moi, je m'en sak des fours micro-ondes, dit
Myriam. Ma tante Maryse dit que la bouffe cuite là-
dedans goûte la bouette molle.

— Toi pis tes matantes ! fait Marie-Belzébuth.

Ariane lève le nez du cahier où elle s'abîmait depuis
tantôt pour prendre la part de son amie, mais celle-ci lui
fait signe de s'abstenir : elle est capable d'encaisser, elle
sait que Marie-Bébelle est dans une journée de jalouserie
aiguë et que les apparences extérieures sont à la tension,
de toute façon. Elle salue l'esprit mauvais qui vient de se
matérialiser au bout du bar et qui entame un sac de chips
barbecue sans en offrir à quiconque. Il a beau jeu, le sac
est resté invisible.

— Ça sent drôle, dit Miracle Marthe, ça sent la
vieille graisse, le cœur me lève.

— Tu devrais pourtant aimer ça, dit Fred, les punks
aiment les affaires qui pusent.

— Shut up, dit Gabriel.

— Je peux te le passer, mon skate, dit Célestin à
Olivier, si tu m'invites à regarder des vidéos chez toi.

— Oké, dit Olivier.

Il fait une pause et ajoute en rougissant :

— Mais on n'a pas, de magnétoscope, par exemple.

— Vous n'avez pas ? dit Célestin. Comment vous
faites ? Ma mère trouve ça tellement pratique !

— C'est vrai, ça, dit Myriam.

Elle sourit à Célestin, puis se mord les lèvres et se tourne vers Miracle pour lui demander si ça vient. Elle n'en peut plus d'attendre !

— Rush-moi pas, répond cérémonieusement la sorcière. Ça pourrait tout compromettre.

— De quoi vous parlez ? demandent Laurent-le-vrai et Olivier.

— C'est des affaires de femmes, fait Miracle dans un sourire, c'est pour initiées.

Olivier rougit à nouveau mais la sorcière ne le remarque pas ; elle s'affaire à préparer l'antidote que Myriam lui a réclamé à cor et à cri, elle l'a accrochée, tantôt, à l'orée du parc, survoltée comme une junkie en manque, véhémente. « T'as pas besoin d'un antidote, a dit Miracle, c'est pas toi qui a bu le philtre, c'est à Gabriel qu'il faudrait le donner. » Myriam a dit : « Je veux l'antidote pour moi ! » Elle se sent un peu responsable de l'étendue des ravages de l'amour sur son frère, mais elle doit d'abord régler son cas, il faut qu'elle boive avant de changer d'avis ; si elle tarde, elle va flancher car Célestin est encore plus beau que d'habitude dans son polo alligator tout neuf. Il a mis du gel dans ses cheveux, il est « super-cool écœurant » ! Tout bas, elle demande à la sorcière de lui promettre que l'amour n'est pas une maladie incurable et que les antidotes sont efficaces à deux cents pour cent.

— Je voulais vous demander ça, dit Gabriel au Diable, le *Popol Vuh* des Mayas Quichés, ça vous dit quelque chose ?

— Peut-être, répond le Diable en s'essuyant les mains sur son tablier. Pourquoi ? Et d'où le connaissez-vous ?

— C'est Laurent-à-Maryse qui y a montré ça, dit Myriam, c'est du charabia.

— Ces jours-ci, j'essaie de l'entrer dans votre TRS 80, pis ça bugge, dit Gabriel. Ils ont pas assez de K, vos ordinateurs, c'est décevant. Le nôtre en a plus.

— Gabriel Duclos, dit l'esprit mauvais, excuse-toi tout de suite, espèce de mal élevé !

Gabriel ne bronche pas.

— Si tu t'excuses pas, le grand Vert va nous renvoyer chez vous, pis j'ai pas le goût de remonter là-haut, y a une tempête de marde.

— Laissez, mon ami, fait le Diable en soupirant.

— Chez nous, on a un 620 K, dit Célestin.

— Le nôtre, c'est un Apple Two, dit Marie-Belzébuth.

— Vous en avez donc ben des gadgets ! dit Ariane. Moi, tout ce que je voudrais, c'est revoir mon piano.

— Un piano ? dit Célestin. C'est pas ben ben utile. Tu peux pas te faire à manger avec ça, pis y a même pas d'images ! Avez-vous vu le dernier vidéo de Stevie Wonder ?

— Vidéos ! 620 K ! dit le Diable. Et quoi encore ? Vingt-trois canaux de tévé, des gants Michael Jackson, un teeshirt Ghostbusters, un rouli-roulant, trois jeux électroniques, Sutton l'hiver pis Cape Cod l'été ! Bullshit !

Il regarde l'esprit mauvais qui souffle dans son sac de chips déjà vide, le fait éclater et dit :

— Moi, chus t'en train de m'habituer.

— Chips, coke, chocolat ! continue le Diable, Univers de gomme balloune ! *Ô tempora* !

— Mets-en, toi ! reprend l'esprit mauvais. Mets-en : bike, moto, motocross, mobilette, radio réveille-matin, cadran qui jappe, deuxième tévé couleur, câble-ô-sélecteur, *transformer*, *converse*, gilet Benetton, tourne-disque au laser, cassettes vidéo, beaucoup de cassettes vidéo, patins Bauer neufs de cette année — j'avais porté les autres juss deux fois, c'est-ti dommage ! —, jeu de billard, jeu de ping-pong, jeux électroniques, cours de ballet-jazz, cours de natation, cours de banjo, cours de saxo, magnétoscope, répondeur automatique, téléphone cellulaire, chalet quatre saisons, hors-bord, piscine autonettoyante, sauna, skis alpins, dix vitesses, bottines Fisher pivotantes, monte-pente, billets de saison, ski de fond...

— Le ski de fond, c'est nul, dit Gabriel. Ça va pas assez vite.

— Êtes-vous un yuppie ? demande Miracle Marthe au Diable.

— Pourquoi dites-vous ça ? fait le Diable, offusqué.

— Je sais pas, un feeling. Vous écoutez l'autre parler, pis on sent comme de l'envie au fond de votre œil.

— Mon œil ! dit le Diable en sifflant. Mon œil et ses reflets concupiscents ne vous regardent pas, espèce de punkette ! Faites attention à vos réflexions !

— Les nerfs ! dit Miracle.

Mais le Diable est déchaîné :

— Attention, fillette, sinon, je montre les crocs : êtes-vous majeure, Joseph-Lilith ? Avez-vous votre carte de l'Union, Joseph-Lilith ? Je devrais vous rapporter aux *Sorcières inc. de la rue Wolfe*, vous savez ! On pourrait vous couper les vivres, vous comprenez ce que je veux dire ?

À ce moment, comme par hasard, le bouncer entre se réchauffer. Aujourd'hui, il porte des culottes vertes à carreaux.

— Ça va, Buddy, lui crie le Diable, tout est sous contrôle, je me suis échauffé juss pour le fun ! J'adore les concours de sottises.

Il sourit et va porter quelque chose à une table. Joseph-Lilith-Miracle Marthe ne lui répond rien mais son macaron « I hate you too » se met à clignoter.

— *Estupendo* ! dit Gabriel. Comment tu fais ça ?

— Par la pensée, dit Myriam. A fait ça par la pensée.

— Qu'est-ce que t'as écrit, toi, demande Marie-Belzébuth à Ariane.

Elle aussi a un cahier étalé devant elle. Les deux sont dans la même classe, celle de la maîtresse Lebœuf, et elles doivent remettre demain matin leur texte libre avec sujet imposé. Le sujet est : « le printemps ».

— J'ai pas commencé, dit Ariane, je sèche. J'haïs le printemps, y mouille tout le temps.

— Que non, dit l'esprit mauvais, vous auriez dû connaître celui de 1910 !

— Tes toujours décidée ? demande Miracle à Myriam. J'ai préparé une double dose.

Celle-ci fait un tout petit oui.

— Vos gueules, s'il vous plaît, hurle une cliente que personne n'avait encore remarquée. C'est ma toune qui commence !

Le volume de la radio monte comme par magie.

— C'est la voix ! disent les enfants.

Le Diable Vert fait souvent jouer une chanson peu connue. « Ce n'est pas encore à la mode, dit-il, mais ça mériterait de l'être ! Ça le deviendra ! » Et c'est ainsi qu'avec quelques mois d'avance sur la réalité, dans un silence religieux, ils écoutent Cyndi Lauper gueuler *She Bop* à pleins poumons.

Estupendo !

« Je passe mes journées à écouter les confidences de mes clientes, dit Marité, mais c'est jamais mon tour ! Ça fait une semaine que j'essaie d'avoir votre avis. Vous prenez, mais vous donnez pas souvent. »

— Mais parle ! dit Maryse. Et cesse de nous faire des reproches. Qu'est-ce que c'est, ton histoire ?

— C'est pas une « histoire » ! Et je suis pas un personnage ! Pour toi, la vie est un récit plus ou moins punché ! Tu vis pas, tu « transposes » !

— Eh, que t'es injuste, Marie-Thérèse Grand'maison !

— Mes récits, c'est ma façon de me défendre, dit Maryse, de rester en vie. Et je raconte même pas la bonne histoire, la vraie, celle qui soulage ! La plupart du temps, j'ai l'impression de passer à côté de la question.

— C'est vrai, dit Marie-Lyre. Tu racontes des faits bruts, tu parles de moins en moins de toi, de ce que tu ressens.

— Mais j'ai rien de spécial à dire sur moi ! dit Maryse. Je suis heureuse, banalement heureuse !

Elle est au bord des larmes.

— Qu'est-ce que t'as fait à tes cheveux ?

— Rien...

Pourtant, elle a la tête dans un état lamentable. Et Marité a sa figure des mauvais jours ; on sent la naissance des rides qu'elle aura dans quelques années. Cela désespère Marie-Lyre, qui vérifie son maquillage dans le miroir surplombant l'évier.

— C'est ça la vie, continue Maryse, c'est violent, asymétrique. Chus punk ! J'espère que ça vous dérange pas !

— Ça me dérange pas, dit Marité, je m'en fous. On parlait de moi et on a encore dévié. C'est toujours comme ça avec vous deux.

— Maudit que t'es injuste, répète Marie-Lyre. C'est toi qui as dévié ! Nous autres, on demande pas mieux que de t'écouter. Assis-toi donc cinq minutes ! Cesse de taponner ton linge au moins ! On se chicane dans la guenille, on a l'air de Gervaise au lavoir.

— Y t'est jamais passé par la tête qu'on pouvait avoir l'air de nous autres, tout simplement ? dit Marité. Arrêtez de parler de choses qui existent nulle part ailleurs que dans des livres ! Présentement, c'est moi qui ai un problème, c'est nous autres, pas vos maudits personnages ! J'en suis venue à penser que ma vie ordinaire de femme ordinaire, qui ne fréquente pas « le » milieu, est sans intérêt. Mes deux meilleures amies sont « créatrices », mais pas moi ! Elles racontent des histoires à mes enfants, mais pas moi, j'ai pas le temps ! J'aurais aimé ça, écrire, moi aussi, ça m'a déjà tentée.

— Ce que j'écris, c'est mauvais, dit Marie-Lyre. Mes monologues sont pas publiables.

— C'est ça, dit Maryse, cale-toi, ça va nous aider !

Elle dit cela par dérision mais elles sombrent toutes les trois. Marité dit qu'elle ne voit pas quel intérêt elles prennent à sa conversation ; quand elle rentre du travail, elle est tellement fatiguée qu'elle déparle. « C'est ça, le problème, dit Maryse, la fatigue, la surcharge, la course, la double journée, le temps volé ! » Leur amitié rentre mal dans leur grille horaire, leurs rencontres ne sont pas directement productives, ce n'est pas facile. « L'amitié, dit Marie-Lyre, c'est gratuit, c'est louche, ça marche jamais, c'est comme avec les belles-sœurs d'emprunt, ça va foirer et on se retrouvera chacune chez soi, seule ! » Elle sera seule, pas les deux autres qui se rabattront sur leurs chums, elles font partie d'un couple ! Un maudit couple-bunker impénétrable ! Face à cela, elle se sent comme une intruse. «En plus, Marité a des enfants !» dit Maryse. «Oui, dit Marité, j'ai la maison à tenir, mais quand j'arrive au bureau, mes collègues s'en fichent ! Ils sont sans pitié» «Mais t'es pas toute seule, dit Marie-Lyre, t'as de l'aide, François est là !» «François est dans les nuages. Il fait des gâteaux, des gâteaux, des gâteaux, mais il sait même pas ce qu'on mange ce soir ! C'est moi qui ai la maison sur le dos. C'est comme ça quand on a des enfants, le monde se divise en deux : celles qui en ont, et celles qui n'en ont pas ! On n'est pas rendues plus loin qu'au jour du jugement de Salomon !» «C'est faux, dit Marie-Lyre, maintenant, il y a celles qui ne veulent pas en avoir ! Des enfants, j'en veux pas, j'en ai pas, et je ne souffre pas de ne pas en avoir ! Est-ce clair ?» C'est clair, mais Marité demeure avec l'impression qu'elles veulent lui prendre les siens. Leurs rapports seraient tellement plus simples si elles en avaient, elles aussi ! Mais peut-être pas. De toute façon, personne ne sait comment se comporter avec eux. «On fabrique des monstres branchés uniquement sur la consommation et l'argent, dit-elle. On ne le dit pas. En parler, ce serait reconnaître que toute l'Amérique du Nord s'est trompée dans sa façon d'élever ses petits et d'envisager l'avenir. L'éducation est la chose la plus importante, dans une société ! Il me semble parfois que les hommes font de la politique pour compenser, parce qu'ils n'élèvent pas les enfants...» Marie-Lyre part à rire nerveusement, elle dit :

— À ce compte-là, je suis moins que rien, j'ai pas d'enfants et je ne fais pas de politique ! Pauv' moi !

— Je ne peux plus rien vous dire, dit Marité, vous le prenez contre vous-mêmes...

— Tu ne fais pas de politique ? dit Maryse. Et ton monologue d'hier ?

— C'était de la merde ! dit Marie-Lyre.

Et elle repart de plus belle : « J'ai pas tenu compte des autochtones et du fait que les colons européens ont été des envahisseurs eux aussi ! J'ai pas parlé des États-Unis, de leur présence menaçante, du déséquilibre Nord-Sud, des réfugiés, des migrations actuelles de population... »

— Voulez-vous bien me dire où vous êtes rendues ? demande Marité. Je vous préviens, si ça continue, je vais me remettre à fumer !

— On est dans le vif du sujet, dit Maryse, dans le fin fond du creux du down.

Marité lui prend une Craven A et la pose au bout de sa planche à repasser.

— Une chose est sûre, dit-elle, on est de plus en plus branchées sur des petits bonheurs individuels. Nos vies n'ont aucune dimension politique...

— Moi, dit Marie-Lyre, mon bonheur individuel a vingt-trois ans et je me crisse de la politique !

Myriam fixe le philtre mousse que la sorcière a posé devant elle. L'écume est verte, cette fois-ci. Mais peut-être est-ce dû à l'éclairage ? Tout est vert aujourd'hui.

— Sauf le printemps, dit Ariane.

Dehors il neigeouille et dedans, cela s'intempérise. La radio ne joue plus, le Diable l'ayant débranchée nerveusement après *She Bop*. Il est dans une mauvaise journée, on dirait.

— Il est peut-être sur le point d'être menstrué, murmure Myriam, comme ma mère. Il est peut-être une diablesse à barbe.

— Il n'y a pas de diablesses, dit Laurent-le-vrai.

— Ou alors, il y en a si peu, dit Joseph-Lilith, en riant clair, si peu !

— De toute façon, dit Gabriel, il n'y a pas de femmes, en enfer. Dans l'iconographie traditionnelle, les damnés sont des hommes, c'est Laurent-à-Maryse qui m'a dit ça.

— L'iconographie traditionnelle est tarte, soupire le Diable. Et mensongère. Prenez moi, par exemple, je n'ai pas du tout l'aspect classique du diable...

— Vous, vous comptez pas, dit Myriam d'un air entendu.

Elle hoche la tête et retourne à la contemplation de son soda-mousse en pensant aux lettres qu'elle a fait parvenir à Célestin. Elle aimerait lui donner une dernière chance de se déclarer avant de consommer le breuvage fatal, mais le philtre est attirant comme l'écume de la mer, l'été à Ogunquit, au bout de la pointe appelée Perkins Cove, là où il y a des rochers à crabes, et les vagues viennent s'y briser en formant des franges d'écume, on a le goût de la manger, de s'y perdre, elle regarde dans son verre et y voit la bouche parfaite de sa tante MLF qui pourtant ne les a jamais accompagnés à Ogunquit. La tante aux étoiles n'est pas au bord de la mer mais dans la ville sale de Montréal, elle circule à bicyclette avec des verres fumés opaques, on ne voit pas du tout ses yeux, elle porte un collier extravagant et des collants léopard, le reste de son habillement est noir, mais l'image est mouchetée de blanc dans son ensemble, comme si Marie-Lyre roulait dans une boule magique qu'on retourne et qui fait neiger, il neige sur elle, à bicyclette dans les rues de Montréal et pourtant, on est en mai. Qu'est-ce que c'est, encore, que cette énigme ? MLF dit « shit » et échappe sa cendre de cigarette qui tombe en neige grise sur un vieux coussin, la neige est grise maintenant, MLF est chamboulée, elle pleure sous ses lunettes, par compassion, ce sont des lunettes pour pleurer. Myriam se demande ce que peut bien bretter sa tante MLF en ce moment précis sous la neige de mai, mais l'image s'estompe et elle aperçoit son autre tante, Maryse, qui entre en coup de vent dans un magasin chic où tout brille, il n'y a plus du tout de neige mais un gros soleil et un air de défi amusé sur le visage de Maryse, elle s'approche du comptoir où ne lui sourit pas la vendeuse, à la main, elle tient trois petits objets luisants mais Myriam ne voit pas ce que c'est. Elle voit maintenant sa mère entourée d'une foule. Marité sourit, apaisante, mais pourtant quelque chose se serre dans le cœur de Myriam, au point de l'étouffer, les vagues clapotent durement contre le rebord du verre.

— Te noies pas dans ton cocktail, dit Laurent-le-vrai.

Il la regarde depuis tantôt.

Myriam repousse les images sous la mousse verte, c'est pas le moment ; maintenant, il lui arrive quelque chose à elle en particulier, ça ne marche pas mais ça lui arrive tout de même et il faut qu'elle s'en occupe. Elle se concentre sur son histoire d'amour non réciproque et douloureuse, c'est prioritaire, elle va boire l'antidote pour en finir avec Célestin. Il lui faut du courage ! De l'autre côté du comptoir, son frère lui sourit. Comme d'habitude, les gars sont assis d'un côté et les filles de l'autre. « La société humaine est encore terriblement compartimentée », dit souvent le Diable, il les regarde alors comme un sa-

vant curieux regarde des rats, comme un « logue ». Il doit
s'être défâché puisque la radio se remet à jouer en sour-
dine. Ça joue *A Man call a Horse*.

— Encore ! dit Marie-Belzébuth.

— Eh oui ! fait le Diable. Si ça vous plaît pas, allez
sécher ailleurs.

Il dit et va retrouver la cliente qui tripe sur Cyndi
Lauper.

— Ça fait cheap de s'asseoir avec les clients, fait
remarquer l'esprit mauvais. Quel manque de classe !

Le Diable ne daigne pas lui répondre.

— Demandes-y, pour les lettres, souffle Ariane à
Myriam en lui donnant un coup de coude. Laisses-y encore une chance, une penultième. Parles-y de la plus
grosse.

Myriam entoure son verre de soda-mousse de ses
deux mains comme pour s'y agripper, elle s'éclaircit la
voix et dit :

— Célestin Lacasse, chus t'obligée de te le demander devant tout le monde : as-tu reçu mes lettres ?

Dans le silence qui suit, on entend le Diable parler
au loin, sur fond musical. Il a étalé un parchemin jaunâtre
devant l'admiratrice de Cyndi Lauper.

— Ma chère Fatima, dit-il, je vous propose une lecture personnalisée de la carte des Enfers. Pour la version
abrégée, tracée à gros traits et ne mentionnant que les
grandes artères, c'est trente-cinq piastres la shot. En argent américain évidemment. Pour le détail, les rues trans-
versales et les ruisseaux afférents, c'est quinze piastres *US*
du quart d'heure, mais ça vaut le coup !

— Je vas commencer par la générale, répond la
cliente.

— Franchement, il exagère, le grand Vert ! dit Gabriel. Quel charlatan ! Ma tante MLF, quand elle est en forme, se transforme en tireuse de cartes pour beaucoup moins cher. Entucas !

Il se tourne vers Célestin :

— Ma sœur t'a posé une question, chose, as-tu l'intention d'y répondre avant le prochain référendum ?

Il regarde Célestin et il a l'impression de s'adresser à son père personnel, Jean Duclos. Il n'y a aucune ressemblance entre les deux, mais il aimerait tellement poser la question de Myriam à son père : pourquoi t'as jamais répondu à mes lettres, celles du début, quand j'étais petit et m'ennuyais de toi ? Soudainement, alors que tout allait si bien vu la présence de la fée Miracle en face de lui, il se sent mal, il a le goût de gifler Célestin et il doute de tout, même de Miracle : s'il lui écrivait à elle plutôt qu'à Jean, est-ce qu'elle répondrait ? Peut-être pas.

— Quelles lettres ? demande Célestin.

Myriam est devenue toute blanche.

— Tu le sais bien, dit Ariane.

— Je vois pas de quoi vous parlez...

— C'est de la mauvaise foi, ça, murmure Ariane.

Comment Célestin peut-il nier avoir reçu des lettres, une lettre surtout, la dernière, qu'elle a grandement aidé à remanier, mettant dans ce travail de rewriting toute son amitié pour Myriam et tout son amour pour lui ? Une fois l'enveloppe cachetée, c'est elle-même qui est allée la porter et la lui a remise en mains propres, ou sales, c'est selon, c'est une expression, peu importe, il l'a bien reçue, c'est trop fort, ça ! Célestin Lacasse est un fourbe, un menteur, un crosseur, un ingrat et un abject. Il l'aura voulu ! Elle se lève pour le défier en combat singulier de aïkido junior. Depuis bientôt trois mois, elle prend des

371

cours de aïkido dans le but secret de péter la gueule à quelqu'un. Le temps z'est venu !

— Tention, Ariane ! dit Fred. Ton tsuki est pas assez nerveux.

Elle lui lance un œil noir :

— Toi, Freddy, je t'ai pas sonné !

En fait, elle est en froid avec l'esprit mauvais. Depuis quelques jours, elle réévalue son rendement. Elle aussi le trouve mou, et même pas féminin ! Alors, il n'est pas très utile. « J'ai pas d'images de femmes assez fortes, a-t-elle confié l'autre jour à Marité en dégustant ses linguini Alfredo, pas étonnant que je me rabatte toujours sur vous ! » « D'autant que t'haïs pas mon spaghetti », a repondu Marité.

— Qu'est-ce que tu me veux, au juste ? demande Célestin, presque gentiment. T'es un peu jeune pour moi, tu sais.

Il ne comprend pas où elle veut en venir, ne concevant pas qu'elle puisse vouloir le battre, toute fille qu'elle est, et tout amoureuse de lui qu'elle soit !

— Fais-nous pas croire que tu sais pas de quoi elles parlent, dit Gabriel.

— Hon ! Le tit gars défend sa tite sœur !

— Ma sœur vaut bien mieux que toi ! Je sais pas ce qu'elle te trouve, t'es con, t'es prétentieux, pis t'es menteur ! Ce que t'as dit de Marité l'autre jour, tu vas le rentrer ! Toi, ta mère crie jamais, est juss pas là ! A t'achète des bébelles pour la remplacer !

— N'en mets pas trop, dit Fred, ta sœur va tomber dans la compassion, tu sais comment elle est !

Mais Gabriel ne l'écoute pas et sans plus de façons, il assène à Célestin un coup de poing sur la tronche. Celui-ci encaisse, s'étonne et riposte. Gabriel l'évite et réussit à lui donner un coup de genou dans les couilles. Profitant de ce que le traître est en position de faiblesse, Ariane lui envoie un coup de pied dans les jambes.

— Yé ! s'extasie Marie-Belzébuth, ça va saigner ! Ça va chier !

— Help, somebody ! fait l'esprit mauvais en couinant.

À cette exhortation, le Diable se ramène à grands pas. Les basques de son habit flottent derrière lui et font flica-flaque, flica-flaque.

— Pas moyen d'avoir la paix cinq minutes, gueule-t-il. Pas moyen de faire la moindre petite passe sur la job ! Aussi bien fermer boutique !

Il doit tout faire lui-même : son bouncer est disparu aux chiottes — c'est comme les flics, y sont jamais là au moment de l'action — et malgré le raffut, Prince continue de dormir sous le comptoir, ou pire, il est parti bummer. C'est tout un chien de garde qu'il a là ! Il va lui botter le cul à la première occasion, au prochain break !

À son arrivée au bar, Gabriel a perdu ses lunettes mais ça ne l'empêche pas de tapocher l'adversaire et de tirailler son polo alligator.

— Voyons, les gars, répète Olivier en essayant de les séparer, voyons, vous êtes pas matures !

Comme s'il avait encore seize ans, le Diable enjambe le comptoir et, de sa grande main grise parcheminée, il ramasse les pugilistes par le fond de culotte et les aplombe sur leurs sièges respectifs.

— Ma mère est épatante ! hurle Gabriel. Je le dirai jamais assez !

Il récupère ses lunettes.

— Fifi ! laisse tomber Célestin.

373

— Vous, Jérôme-Célestin Lacasse-Labrèche, dit le Diable, sortez !

Sa langue est devenue fourchue comme une langue de vrai diable.

« Toi, MLF, dit Marité, tu te crisses tellement de la politique, que depuis le référendum, on peut plus en parler sans que tu grimpes dans les rideaux !

— Tu deviens schizo, dit Maryse.

— Ah toi, je t'en prie ! dit Marie-Lyre. Continue donc d'haïr Lacan en silence pis analyse-moi pas ! »

Maryse sourit ; elle la trouve bonne, malgré tout ! La laveuse et la sécheuse cessent de fonctionner presque en même temps, elle vient pour parler de son scénario refusé, elle y pense un moment, mais par-dessus la voix du président de l'Assemblée nationale rappelant ses pairs à l'ordre, elle entend Marité déclarer qu'elle songe à faire de la politique.

— Quoi ? fait Marie-Lyre comme si elle s'étouffait.

— Je suis tannée de gagner des causes de pensions alimentaires pour des femmes qui n'en voient jamais la couleur...

Il y a un silence.

— Ma décision est pas prise, continue Marité. Qu'est-ce que vous en pensez ?

Maryse et Marie-Lyre demeurent muettes.

— Le pouvoir m'apparaît comme une tentation... j'ai peur de me casser la gueule...

— Tu serais pas pire qu'eux autres, dit Marie-Lyre en montrant la télévision. Tu serais aussi performante que l'envoûtant député de Pointe-aux-Beignets !

Elle désigne ainsi la première flamme de Maryse qui apparaît maintenant à l'écran, charmeur et persuasif dans son costume bleu bien taillé, les tempes à peine grisonnantes.

Maryse demande pourquoi la télévision est ouverte au milieu de la journée, bêtement.

— J'essaie de me tenir au courant, dit Marité. Avant que vous arriviez, j'écoutais les débats de l'Assemblée nationale. J'ai pas le temps de lire, alors, j'écoute.

— C'est un maudit show plate, dit Marie-Lyre, je vois pas l'intérêt.

— C'est pas un show !

— On peut-tu la fermer, la télévision ? demande Maryse, de plus en plus agacée.

Avant même que la caméra ait été braquée sur le député Michel Paradis, elle avait reconnu sa voix, qu'elle n'oubliera jamais.

— Voilà quelqu'un qui a réussi ! dit Marie-Lyre. Voilà quelqu'un qui, cet après-midi même, ne se pose aucune question. Il n'a que des certitudes ! Il est devenu ce qu'il a toujours rêvé d'être : un personnage très exposé.

Le fer de Marité est toujours en attente sur la planche à repasser. Elle sort une brassée de linge de la sécheuse et la pose devant les deux autres.

— Le fais-tu exprès, de me comparer à Paradis ? dit-elle. Tu penses que c'est toutes des Michel Paradis, là-dedans ? Vous méprisez la politique ? Vous trouvez que c'est salissant ? C'est ça ?

— Mais non, dit Maryse. Pas vraiment.

— De toute façon, c'est bizarre qu'on pense à moi seulement maintenant. Ils ont besoin de femmes candidates, je servirais de caution féminine, rien d'autre. Pour la première fois de ma vie, j'ai peur de faire le mauvais choix...

— On a si peu souvent le choix, dit Maryse. Quand ça nous arrive, on est prises de court. Généralement, les choses nous échappent, on vit dans l'à peu près, le compromis. La politique, c'est la pratique du compromis.

— C'est ça, ton avis ?

— J'en ai pas, d'avis ! J'ai seulement des feelings. Quand j'étais petite, je pensais qu'une fois adulte, j'aurais moins de difficultés à décoder les choses, mais il me semble que c'est pire maintenant. Les critiques disent que j'ai une «vision du monde» et pourtant parfois, je ne comprends pas ce qui se passe, ou je crois comprendre et je découvre après coup que je n'avais rien compris...

Marie-Lyre dit : «Voyons, Maryse, arrête de te caler !» Marité commence à repasser une blouse de Myriam. Sa planche est installée devant la télévision à laquelle elle tourne maintenant le dos. De l'angle où Maryse la regarde, on dirait qu'elle est à l'avant-plan de l'Assemblée nationale, comme si elle y siégeait déjà et comme si, efficace et expéditive, elle avait décidé d'y apporter son repassage pour ne pas perdre tout à fait son temps. Derrière elle, le député Paradis parle d'abondance. Maryse n'en veut pas à Michel Paradis. Seulement, elle n'écoute jamais les débats de l'Assemblée nationale et quand il apparaît aux nouvelles dans son rôle de député, elle ne se précipite pas pour l'entendre. Elle ferme la télé et retourne s'asseoir en pensant qu'elle parle moins souvent d'elle maintenant, Marie-Lyre a raison ; elle ne dit rien du cégep, du scénario refusé, du brasier de Pointe-Saint-Charles, de sa pièce qui dérive. À la place, elle dit :

— Vous savez, pour la scène du lavoir, tout le temps, j'ai pensé à une histoire atroce que j'ai transposée.

En réalité, Martha s'appelait Geneviève. La dernière fois que je l'ai vue, j'avais à peine six ans, j'étais juchée sur les épaules de mon père qui me faisait danser, c'était comme si j'avais été sans pieds, j'avais mes yeux à moi, mais les pieds de mon père pour danser. Par-dessus les têtes, je voyais la grand-mère Geneviève et l'arrière-grand-père Mathieu, l'aïeul aux mains rouges. Ils regardaient ensemble les danseurs. Mathieu était un grand vieillard droit sur sa chaise de cuisine. Il était là, résistant comme une bête blessée à mort qui tient encore debout, une bête en train d'être grugée vivante par une autre bête et qui comprend ce qui lui arrive et le subit, impuissante et attendant que cela finisse. Ses mains rouges étaient posées sur ses genoux, inertes. Geneviève était assise à son côté comme si elle avait été sa femme. Elle était alors dans la soixantaine, Mathieu avait quatre-vingt-dix ans peut-être, mais pour moi, enfant, ils étaient deux vieux sans âge, les grands-parents, et je croyais qu'ils étaient mari et femme. Je l'avais toujours cru, mais il y a quelques années, à la suite d'une allusion de ma mère, j'ai compris mon équivoque et compris aussi pourquoi Geneviève avait brusquement mis fin à la danse en nous renvoyant chez nous. Il émanait d'elle une profonde impression de fatalité. Elle était belle, pourtant, avec ses cheveux blancs. Ma sœur Maureen prétendait que ses cheveux avaient blanchi en une seule nuit au début de son mariage, je ne voulais pas la croire mais je pense maintenant qu'elle avait raison. Elle disait que Geneviève était bizarre à cause de ce qui était arrivé à sa fille, la petite morte. C'était avant la naissance de mon père, à l'automne, vers 1906, il faisait froid, ils avaient été obligés de chauffer même si le bois était cher. L'enfant jouait dehors avec ceux des voisins. Elle était normale, en bonne santé, elle jouait dans la rue, près des rails, ils avaient les tramways dans le quartier, c'était nouveau, ils n'y étaient pas encore habitués. La petite était assise à même le sol, sur la voie ferrée, elle avait seulement quatre ans...

Ici, la voix de Maryse se brise, elle a mal au cœur mais elle continue :

— Un tramway passe et lui arrache les pieds. Ils la ramènent à la maison, dans une maison de pauvres, mais propre. Ils la laissent sur une civière improvisée et posent ses pieds coupés sur le tapis ciré de la table de cuisine. La maison est pleine de gens inutiles et l'enfant crie. Geneviève est affolée. En attendant l'ambulance, elle se met à nettoyer. Comme toutes les femmes de ma lignée, elle est une obsédée du ménage. Elle ne sait pas quoi faire pour soulager sa petite fille et elle ne peut pas supporter de l'entendre crier. Elle se met donc à faire de l'ordre et, dans sa manie de tout ranger, dans son énervement, elle prend les pieds et les jette dans le poêle allumé. Quand elle réalise ce qu'elle a fait, il est trop tard. D'ailleurs, à quoi serviraient les pieds coupés ? Elle met tout le monde à la porte et reste seule avec l'enfant agonisante qui geint sur la civière et meurt pendant que ses pieds brûlent. C'est la nuit suivante que ses cheveux sont devenus blancs. Toute sa vie, elle a été hantée par le souvenir des pieds coupés de sa fille, j'en suis sûre. Geneviève ne dansait pas. Et elle ne voulait pas qu'on danse...

Maryse se tourne vers Marité :

— Je ne sais pas si tu dois te lancer en politique, Marité, je ne sais pas si le pouvoir est seulement une tentation, tout ce que je sais, c'est qu'il faut bien finir par passer aux actes et faire ce qu'on trouve important, avant de mourir. Il faut bien en venir aux aveux, aussi. Je n'avais jamais raconté à personne cette histoire des pieds coupés, et pourtant elle me poursuit depuis mon enfance !

Elle arrête de parler et se met à plier du linge, mécaniquement, comme gênée. Il y a un temps.

— Il faut que je parte, dit Marie-Lyre.

Elle se tourne vers Maryse :

— Tu sais, tes histoires, c'est pas vrai qu'elles sont à côté de la question.

Elle sort sa brosse à cheveux et marche vers le miroir ; à l'arrière-plan de son image, elle voit ses deux amies. Elle commence à se brosser les cheveux.

— Moi non plus, Marité, je ne sais pas ce qu'on doit faire, dit-elle. Je sais seulement qu'on arrive sur l'autre versant de la vie. Trois ans après l'écroulement d'un rêve national, on s'aperçoit que le temps nous est compté. On vieillit et on doute. On piétine. On ne sait pas de quel côté se retourner. Mais ça va passer, on va redevenir normales et se remettre à fonctionner. On a rêvé grand. Mais qu'est-ce qu'on s'était imaginé ? Le monde, c'est rien d'autre que des individus comme nous, avec nos faiblesses, nos limites. C'est ça, la vie. Moi aussi je m'attendais à mieux ! Les adultes laissent souvent entendre que ça va s'arranger, plus tard, quand on sera grandes. C'est un truc pour que les enfants ne se suicident pas. La société actuelle, c'est nous autres, c'est ça, la maturité, on y est. Il n'y aura personne pour nous en sauver. Le messie n'est pas venu, et nos hommes politiques se dégonflent.

Elle se donne un dernier coup de brosse et ses cheveux se déploient lentement comme dans un commercial de shampoing. Marité pense aux cheveux de Myriam, quand elle les peigne longuement, quand elle en a le temps. Sans aucune gêne, Marie-Lyre rajuste ses collants, s'examine dans le miroir et leur sourit ; toutes trois se regardent dans le miroir. Puis Marie-Lyre se retourne :

— Laissez-moi pas tomber, les filles ! dit-elle. Vous êtes les seules avec qui je peux parler, vous êtes mes contemporaines !

Et elle part.

À mesure qu'elle monte l'escalier, sa robe noire disparaît, puis ses longues jambes parfaites et ses souliers luisants. On l'entend marcher dans la cuisine, puis, plus rien.

— Tu sais, dit Marité, quand MLF peigne Myriam, ça me fait mal, comme si j'étais jalouse.

— Je comprends, dit Maryse, mais sois raisonnable ! Tu as tout ; des beaux enfants, une carrière, François Ladouceur. C'est toi qui vis avec François, finalement !

Il y a un soupçon d'envie dans sa voix. Marité la regarde, étonnée.

— Tu sais, continue Maryse, des enfants, j'en aurai jamais. Et toi, tu m'emmerdes ! Si tu savais ce que tu peux m'emmerder, aujourd'hui ! Tu te plains le ventre plein. Fais-en de la politique, si ça te tente ! T'es bien capable de réussir là aussi. Moi, j'ai mal au cœur. Je vais partir.

— C'est la première fois qu'on se chicane, dit Marité. Je ne sais pas ce qui m'a pris...

Maryse s'excuse d'avoir encore parlé de ce qu'elle écrit. Elle prend son manteau, mais au lieu de monter, elle se dirige vers le fond de la pièce. Marité la regarde ouvrir la petite porte condamnée et s'engouffrer dans le couloir lumineux qui se creuse à la place du placard habituel. Elle se dit : « J'ai des visions maintenant. » Mais elle ne s'en fait pas ; avec Maryse, c'est souvent spécial, dès qu'on entre dans son jeu. Elle déniche un carton d'allumettes dans un tiroir. Elle allume la Craven A et la fume lentement, l'esprit vide. C'est très bon, la cigarette, qu'est-ce qu'elle avait à s'en priver ? C'est déjà l'heure de préparer le souper. Elle débranche le fer et monte à la cuisine en se demandant comment atténuer toutes les bêtises qu'elle a dites. Elle regrette la tournure que la conversation a prise et l'isolement dans lequel elle se retrouve. Mais elle ne voit pas comment s'en tirer. Puis elle se dit que si jamais elle devenait députée comme Michel Paradis, pas plus que lui, elle n'aurait le temps de faire son lavage.

Maryse marche dans le couloir bas où circulent d'énormes tuyaux colorés. Il en sort des bruits étranges. À tous les trente pieds, une veilleuse rose. Les murs et le sol viennent d'être repeints, ses pas résonnent sur le ciment, ça sent la cire fraîche comme dans un couvent. Par bonheur, elle ne rencontre personne. Elle a mal aux tempes et, comme autrefois au couvent lorsqu'elle prenait le passage souterrain reliant les cuisines à la salle des fournaises, son cœur bat. Peu d'élèves connaissaient ce passage situé en territoire défendu, dans la partie de la bâtisse réservée aux vieilles sœurs non enseignantes et mourantes. Maryse étudiait alors la versification latine — les spondées et les trochées — et elle se représentait *Les Enfers* de Virgile comme ce couloir opportun, délicieusement épeurant, long, vrombissant, et qui débouchait sur une petite porte située à deux pas de l'entrée des communs. Pour aller fumer des cigarettes au restaurant du coin sans être repérée, il fallait passer par les «Enfers». Elle sait encore de longs passages de Virgile évoquant la progression de ses héros sous une lune obscure. C'est ainsi qu'elle se sent, aujourd'hui, circulant au troisième niveau des errances et des aveux, ayant touché le fond de ce mois de mai fiévreux et y marchant comme au fond de la mer. Elle s'est échappée du lavoir de Marité, mais elle ne remonte pas encore. Elle marche comme on descend aux enfers, sous une lune étriquée : sur un mur bleu marine, quelqu'un a accroché une lune de papier d'argent, dérisoire. À un tournant, apparaît la grande ourse, éclatée, c'est le long éclatement des certitudes, le revirement vers une chose qu'on n'aperçoit pas encore. Soudain, le couloir devient liquide, elle passe un petit pont, s'arrête et retourne s'accouder au parapet, écoutant son cœur battre. Sous le pont, des poissons rouges à queue d'ange et des carpes ondulent dans un mince filet d'eau trouble : c'est le Styx. Comme il a rétréci depuis Virgile ! Comme son enfance est loin !

— Ce n'est pas le Styx, dit Prince, apparu à ses côtés. C'est un de ses affluents québécois, le ruisseau Molson, dévié de son cours.

— Vous en êtes sûr ?

— Et comment que j'en suis sûr ! Je connais le coin ! Faites attention, vous, chose, Mary : vous êtes chargée de dire le monde, c'est votre métier, ne racontez pas n'importe quoi !

— Excusez-moi...

Au parapet est fixée une hampe immense portant des panneaux de signalisation fléchés indiquant les directions possibles : Henri-Bourassa, Sèvres-Babylone, Achéron, Soho, Champs-Élysées, Manhattan, Mercadet-Poissonnière, Poma de Ayala, Place Ville-Marie, Tasqueña, Cocyte, tout cela est raccordé par les Enfers ! Montréal a le réseau underground le plus développé au monde !

— Je vous accompagne pas, dit Prince. Vous trouverez bien toute seule, vous êtes tellement fantasque !

Il se gratte les puces et disparaît. Maryse sourit.

Prince n'est pas un vrai chien, il n'est pas jaune et il est rassurant ; il porte un masque de raton laveur. Elle l'aime bien. Elle reprend sa route vers le métro Beaudry, soutenue par les vers ailés de Virgile. À un coude, une tête de monstre sort brusquement du mur et y rentre comme dans la maison des horreurs. L'effet est un peu raté et Maryse se sent à nouveau oppressée, malgré Virgile ; la fin du couloir est toujours invisible. Pour un raccourci, c'est plutôt long ! Elle se met à courir, échevelée et frémissante, elle a chaud, elle a hâte d'être rendue chez le Grand Vert, dans le noir apaisant du bar.

— Ma mère est épatante ! crie Gabriel.

— Fifi ! laisse tomber Célestin.

— Vous, Jérôme-Célestin Lacasse-Labrèche, sortez ! dit le Diable. Il a mis les poings sur ses hanches.

— Pourquoi moi ? dit Célestin en saisissant la poignée de son ghetto blaster à tout hasard, c'est plus prudent. C'est lui qui a commencé, ajoute-t-il en montrant Gabriel. C'est pas juste !

— Tu penses quand même pas que je suis là pour être juste ? crie le Diable. Chus le Diable, câlisse ! J'espère que ça me donne le droit de faire les choses à mon goût ! C'est Gabriel Duclos qui a commencé, mais c'est toi qui vas sortir d'ici « sur un flat-car », comme disait un ancien client. Tu m'énarves ! Quand je pense à ce que tu vas devenir plus tard, j'en ai la chiasse. T'es un imbécile chronique !

Il crie au bouncer revenu à son poste d'ouvrir la porte, empoigne Célestin par le chignon du cou, le met sur son skate et lui assène un solide coup de pied au cul. Ainsi propulsé, Célestin Lacasse roule vers son destin qui, à ce moment précis, se sépare définitivement de celui de Gabriel. La porte se referme sur son air incrédule et son attirail d'aspirant yuppie. Marie-Belzébuth saisit alors son cartable et se lève.

— Vous partez déjà ? dit le Diable. Vous prenez pour Célestin, vous, là...

— Pas vraiment, fait Marie-Belzébuth. Pour le moment, je me désolidarise. Je vais rédiger mon texte en paix.

Elle s'assoit à la table la plus proche.

Le Diable fait « bof » et se met à rire dans sa moustache : c'est marrant de pouvoir chasser des gens de son paradis, à l'instar de Dieu le père ! « Mon Dieu ! constate-t-il tout bas, serais-je en train de faire un power trip sur des enfants ? Misérable que je suis ! » Mais il n'aime pas l'introspection et se fout de ses états de conscience et de sa conduite ; il ne déteste rien tant que d'être conséquent. Il jette un regard attendri à son chien Prince revenu dans sa corbeille depuis peu et repart le juke-box. « Je suis trop bon, murmure-t-il, je passe trop de choses à ce maudit chien-là ! » Mais c'est plus fort que lui, il aime les bêtes. Et les enfants ! Ceux qui sont aimables, évidemment. Il sourit à Gabriel qui est en plein son genre et qui a remplacé Marie-Belzébuth à la droite de Myriam.

— C'est à la vie à la mort, dit celle-ci, je parlerai plus à Célestin Lacasse. Plus jamais ! Ni demain ni la semaine prochaine, ni au party de fin d'année à l'école, ni même dans vingt ans quand on siégera sur les mêmes comités niaiseux...

Deux grosses larmes tombent dans son verre. Gabriel l'entoure de son bras.

— Bois ton cream-soda, dit Ariane, ça va t'aider. Bois-le avant que l'effet s'évapore, c'est peut-être comme la vitamine C.

Lentement, Myriam boit le liquide tiède. Elle dit : « J'aime plus ça, le cream-soda. »

— On trouvera autre chose, dit Gabriel. Demain, je vas te montrer à jouer au bilboquet double, j'vas te laisser mon bike toute la journée. Les apparences extérieures vont se clarifier, tu vas voir.

— Je crois pas, dit Myriam. Je vas toujours avoir de la peine.

Gabriel comprend ce qu'elle ressent, mais il sourit malgré lui et regarde à la dérobée la fée Miracle. Aujourd'hui, il se sent digne d'elle, lavé, net ; il a affirmé bien haut son amour pour Marité. Pour une fois, il s'aime ! Il prend la main de Myriam dans la sienne. Il y a un petit silence pendant lequel l'esprit mauvais fait des entrechats sur le comptoir, puis le gars des vues se lève précipitamment, l'air traqué :

— Waiter ! lance-t-il, waiter, put that on my bill, please. I'll see you later.

Et il sort au pas de course, laissant sa convive seule et pantoise. On voit encore son soulier droit et le bout de son imper lorsque Maryse débouche derrière le comptoir par la petite porte dérobée.

— *Espantoso* ! fait Gabriel.

— J'aime pas que le vulgaire emprunte l'entrée des artistes, dit le Diable, sèchement.

Il plonge des verres sales dans l'eau savonneuse. Il est redevenu *busy body*. Maryse promet de ne plus recommencer.

— Qu'est-ce que t'as fait à tes cheveux ? demande Ariane. Ça fait crape.

C'est la nouvelle expression à la mode.

Laurent-le-vrai rit et Myriam sourit un tout petit peu. L'atmosphère se détend. Maryse s'installe au bar, dans le creux du U, juste en face de Prince qui lui sourit discrètement de sa corbeille. Sa queue traîne dans un bac à vaisselle.

— C'est pas propre, dit Olivier.

Le Diable fait « tsst, tsst » : il n'a jamais eu de problèmes avec l'inspecteur des sanitaires, et ça va rester de même.

— T'as pas l'air à l'aise, madame O'Sullivan, dit Miracle, la tête te penche d'un côté. Veux-tu que je t'égalise ça ?

Elle le propose si gentiment que Maryse, qui pourtant a horreur des coiffeuses, accepte. Complaisamment, le Diable offre de lui recouvrir les épaules d'une nappe, mais la sorcière dit : « J'ai ce qu'il faut. » Elle ouvre sa mallette laquée — c'est la trousse aux miracles — et en sort des petits ciscaux d'argent en forme de cigogne.

— Wow ! fait Ariane, où t'as chipé ça ?

— J'ai rien piqué, dit Miracle, c'est héréditaire. Dans ma famille, le ciseau d'argent est notre emblème. Les miens appartenaient à mon arrière-arrière-grand-mère qui était couturière.

Elle ment visiblement mais avec beaucoup d'aplomb.

— Et ta mère, dit Gabriel, c'est quoi, son métier ?

— Ma mère était coiffeuse, répond Miracle.

— Nuzautres, dit Myriam, notre emblème familial, c'est le pendant d'oreille ! Un jour, j'vas les avoir, les pendants d'oreilles de Blanche.

— Ce sera pas long, dit Miracle à Maryse, nous autres sorcières, avons le doigté.

Dans le miroir en face d'elle, Maryse la voit lui poser sur les épaules une cape translucide. Elle lui mouille les cheveux et lui dit de ne plus bouger.

— Sak, fait Ariane, je sais vraiment pas quoi écrire ! Aidez-moi, le monde !

Elle est retournée à son pensum dont elle a choisi le titre : « Ode au printemps ». Maryse la voit du coin de l'œil, tirant la langue au-dessus de son cahier. Elle ne résiste pas au plaisir de l'aider :

— « Le mai le joli mai en barque sur le Rhin

Des dames regardaient du haut de la montagne

Vous êtes si jolies mais la barque s'éloigne », commence ta composition comme ça, dit-elle, ça va pogner.

— Penses-tu ? dit Ariane. La maîtresse va trouver que c'est pas bon.

— Parlons bas, fait Myriam d'un air de conspirateur, Marié-Bébelle nous épie.

— Bête comme ses pieds ! la maîtresse Lebœuf, continue Ariane, pas ouverte, pas cool, ostineuse, elle m'ostine toujours sur la poésie ! Elle est craquée : quand je copie, a s'en aperçoit pas. L'autre jour, j'ai écrit : « La rivière a repris les îles que j'aimais », c'est un poème de chez Elvire, ben elle a trouvé que ça se pouvait pas, pis a m'a mis soixante-cinq pour cent !

— Ton savoir m'étonne toujours, dit Gabriel à Ariane.

Il est sincèrement épaté.

— Tu lis jamais et tu sais des tas de poemes. Comment tu fais ?

— J'écoute, c't'affaire, dit Ariane, pas mécontente de lui en boucher un coin. Quand j'aime quèque chose, je m'en rappelle !

— Elle est de tradition essentiellement orale, dit l'esprit mauvais, ça revient à la mode.

Miracle demande qui est cette Elvire Légarée dont elles parlent souvent, quel âge elle a, si elle fait partie

d'une consœurerie, si elle aime le patin et si sa bibliothèque est ouverte à tout le monde.

— Madame Légarée tient une fabrique de gâteaux,
dit Ariane, des gâteaux sucrés-cochons trois étages.

— Ah! fait Miracle.

Et elle retourne à sa coupe de cheveux. On ne sait
pas si elle est déçue ou intéressée.

Le Diable pose un grog au genièvre devant Maryse
qui dit: «J'ai encore rien commandé.»

— C'est la maison qui vous l'offre, dit le Diable.
Vous avez besoin d'un remontant, ça se voit. Madame
Gabrielle Roy serait pas fière de vous!

— Toujours sans nouvelles?

— Toujours.

Miracle interrompt un moment son travail pour permettre à Maryse de prendre une gorgée. Le Diable se tient
devant elle, louvoyant et tanguant sur ses pieds pointus. Il
chuchote:

— Alors, on quitte l'enseignement?

Maryse est estomaquée mais elle n'en laisse rien
paraître. Elle prend une gorgée, puis une autre.

— Les institutions nous tuent lentement, dit-elle.

— Ouais, fait le Diable en suivant son idée, mais
que vous arrivera-t-il astheure? Quoi maintenant?

— Eh oui! *Quid*? susurre l'esprit mauvais juché
sur son épaule. T'aimerais bien savoir ce qui va arriver à
ta pièce, pétite médame O'Sullivan! Savoir la suite de ta
propre histoire, celle dont tu ne peux pas influencer le
déroulement! T'aimerais savoir si Laurent va t'oublier
dans le Sud, ou le contraire, comme tu l'espères secrètement...

Maryse ne bronche pas.

— Donne ton âme au Diable, continue Fred, et tu sauras tout !

— Allez vous faire foutre, répond Maryse. Si vous pensez me posséder avec un verre de genièvre à peine buvable ! Vous avez mis trop de clous de girofle dedans.

— Un gars a bien le droit de s'essayer, dit le Diable, nullement déconfit. Vous m'êtes tombée dans l'œil, savez-vous.

— Ils disent tous ça !

— Penche la tête, s'il vous plaît, dit Miracle.

Maryse penche la tête et voit une nappe de cheveux jonchant déjà le sol asphalté. Elle a toujours détesté qu'on touche à ses cheveux mais cette fois-ci, elle se sent en confiance : Miracle a la main douce. Sa mère était peut-être coiffeuse, après tout... Elle lui fait une curieuse coupe étagée, très longue à exécuter et, à mesure qu'elle enlève des cheveux, Maryse se sent redevenir légère. Demain, elle téléphonera à MLF et à Marité pour leur dire qu'elle les aime et les prend comme elles sont : impulsives et entières. Mieux, elle leur écrira.

Miracle sort un séchoir.

— Je vais te blower un peu, dit-elle.

Ainsi fait-elle. Les cheveux de Maryse se mettent à mousser.

— T'es bien bonne, Miracle ! dit Gabriel. Vas-tu me couper les cheveux à moi aussi ?

— As-tu pris des cours ? s'enquiert Marie-Belzébuth de sa table.

La sorcière ne répond pas.

Maryse se voit floue dans le miroir mais elle aime bien sa nouvelle silhouette, elle a l'air jeune. Elle reprend confiance.

— T'es une bonne sorcière, dit-elle à Miracle, tu calmes.

Miracle a l'air étonnée ; actuellement, elle est plutôt sur le gros nerf mais elle parvient à le cacher. À force de raconter qu'elle a des pouvoirs, elle est peut-être en train d'en développer !

Ariane a délaissé son *Ode au printemps* pour ramasser une poignée de cheveux qu'elle répand sur son cahier.

— T'as un cheveu d'une qualité exceptionnelle, dit Miracle en rangeant son kit de salon de coiffure.

Maryse rit. Elles se mettent à parler mode et coiffure, sujets que Maryse n'aborde jamais car elle les trouve futiles, mais ici, rien ne porte à conséquence. À intervalles réguliers, Olivier dit : «Parlons bas, Marie-Belzébuth est à l'affût ! » Ils ont du fun. Ariane prétend que sa mère la pompeuse de steam est capable de lire l'avenir dans les mèches de cheveux coupés.

— Dis donc, dit Gabriel à Maryse, y a un truc que j'ai pas compris dans ta pièce, c'est quand les cheveux de MLF blanchissent. Comment vous allez faire ?

— C'est un effet spécial.

— Je sens pas du tout l'effet spécial du cream-soda, dit Myriam.

— Ça va venir, dit la sorcière, sois patiente.

— Effet spécial, dit Gabriel, c'est pas une réponse. Explique-nous.

Mais Maryse refuse de divulguer le secret des cheveux blanchis. «Faut pas raconter tous ses trucs », dit-elle.

— La pièce nous a semblé un peu heavy, dit Gabriel, surtout à ma sœur, hein, Myriam, t'as trouvé ça pas mal raide ?

— Pas du tout ! C'est triste mais j'aime ça pareil. C'est ultra-triste !

Maryse soupire : tout comme Marité, elle aurait préféré que Marie-Lyre n'emmène pas les enfants au théâtre, pas avant la première, et même à ça ! Il faut maintenant qu'elle estompe la cruauté de la scène du lavoir.

— Je peux vous expliquer certaines choses, dit-elle. Vous donner la version intégrale. Comme ça, quand vous la verrez pour vrai, vous comprendrez mieux.

— Oh oui, raconte-nous ta pièce ! dit Ariane. J'ai manqué ça, moi, la répétition !

— Moi aussi, disent les autres, moi aussi !

Ils laissent tomber leurs bébelles, jeux électroniques, pitonneuses, BD, et se tournent vers Maryse, immobiles comme devant la télévision, crédules. Tant de confiance a quelque chose d'émouvant.

— Au début du siècle, dit Maryse, il y avait dans les quartiers en bordure du canal Lachine, aux abords des rues Saint-Patrick et Charlevoix, une meute de chiens errants. Des chiens jaunâtres et galeux qui étaient quasiment devenus comme des loups tellement ils étaient affamés.

Prince grogne dans sa corbeille.

— Couché, Prince ! dit le Diable. Laisse couler la fiction !

— Martha est dans la maison de son beau-père Mathieu. Elle veille son enfant et elle entend les chiens-loups hurler. Machinalement, son regard erre dans la pièce trop exiguë, elle compte les chemises qu'il lui reste à repasser avant demain matin. Les deux hommes de la maison sont souvent en chômage et, pour payer le loyer, elle entretient le linge des bourgeois de la Côte Saint-Antoine. Sa cuisine est comme une buanderie : il y a en permanence des cordées de vêtements mouillés qui sèchent mal dans l'air trop humide. Martha a toujours peur que les hommes salissent son linge frais lavé. Elle n'aime pas tellement laver pour les autres. Tant qu'à travailler, ce qu'elle aurait voulu faire, c'est demoiselle de magasin comme sa belle-sœur Kate qui est vendeuse chez Dupuis et Frères, c'est là qu'elle prend ses jupons brodés en réduction et ses blouses de dentelle. Elle en parle toujours quand elle vient les voir, elle raconte comment c'est, et toujours, elle prend le bébé dans ses bras et joue avec. Le bébé est tout petit, une vraie poupée, Martha en est fière, mais elle n'a pas le temps de s'amuser à catiner, le travail n'attend pas et les tracas non plus : elle vient de découvrir que sa belle-sœur Kate n'est pas une demoiselle de magasin mais une putain. Elle l'avait toujours soupçonné mais, depuis quelques jours, cela est devenu évident. Elle y pense en soignant son bébé atteint d'une maladie «grave», a dit le médecin qui est venu une seule fois, mais trop tard. Martha veille le bébé toute la nuit et, au matin, il meurt. Elle court sur la rue Notre-Dame acheter du tissu pour l'enterrer pendant que Mathieu fabrique le cercueil avec des bouts de planches. Ce n'est pas son mari Dany qui fabrique le cercueil, Dany ne sait rien faire, il dit : « Je suis bon à rien, je fais des enfants qui meurent ! » et il reste là, à regarder son père clouer rageusement le petit cercueil. Quand Martha revient avec le tissu, le logement est plein de curieux faussement sympathiques, elle met tout le monde à la porte, même Dany qui s'assoit sur le banc de la galerie sans protester, même Mathieu qui part vers la taverne en secouant la rampe de l'escalier. Une fois seule avec son enfant, Martha taille le tissu, elle commence à le coudre quand on frappe à la porte. C'est sa belle-sœur Kate venue lui porter son linge à laver. Elle lui offre sa sympathie. «J'ai pas besoin de la sympathie de votre famille, dit Martha, vous êtes du monde effrayant, vous autres Irlandais !» Elle dit des choses violentes et injustes : « Ton frère Dany est quasiment un arriéré mental et ton père est un ivrogne, un vicieux qui passe son temps à me faire peur, pis toi, t'es rien qu'une guidoune, Kate O'Sullivan ! Parle-moi plus jamais du magasin Dupuis et Frères, j'ai bien pu pas te trouver la fois que chus allée te voir !» Kate se met à pleurer. « Tu sais pas ce que c'est que d'avoir un enfant, continue Martha. Tu ne peux pas comprendre !» Or Kate est enceinte, ça ne paraît pas encore mais elle le sait. Elle est enceinte de la petite fille à qui elle enverra les lettres, plus tard. Elle essaie de consoler Martha mais celle-ci se durcit. Kate a posé son linge sur le coin de la table. « Reprends tes guenilles, dit Martha, je fais pas le lavage pour une traînée comme toi ! Je lave seulement le linge du monde respectable. Dans ma famille, au moins, on n'a pas de guidoune !» « Je suis désolée de la mort de ton enfant et de t'avoir scandalisée, dit doucement Kate, mais si tu savais, tes bourgeoises, c'est leurs maris et leurs gars qui viennent au bordel, et ces soirs-là, y nous trouvent ben correctes. Fais pas ta fraîche, Martha, laisse-toi consoler ! Je t'aime, moi !» Mais Martha refuse la compassion de la seule femme qui aurait pu être son amie. Elle lui remet son paquet de linge, la refoule vers la galerie et ferme le loquet. Elle regarde le corps de son bébé bleui par le froid et la mort. Elle le prend dans ses bras, longuement. Elle l'aimait, cet enfant-là, c'était le sien, le premier, il souriait toujours, c'était un enfant facile. Elle le berce et lutte avec l'ange de la mort venue le chercher. Elle sait qu'il est trop tard, elle ne pleure pas, elle est brisée. La nuit va tomber à nouveau. Elle entend la voix de la putain Kate sur la galerie et celle de Dany qui lui répond par monosyllabes, la putain et l'idiot ! Elle aurait aimé être seule une dernière fois avec son enfant avant qu'on l'enterre, mais il fait froid, elle ne peut pas laisser les autres dehors indéfiniment, elle entend le pas de Mathieu dans l'escalier, elle serre le bébé contre elle. L'aïeul aux mains rouges se met à frapper dans la porte en criant qu'on le laisse voir son petit enfant, il y a droit, lui aussi, une dernière fois, et Kate dit faiblement « stop that, daddy », mais Mathieu continue de frapper tellement fort que la porte et les murs se mettent à vibrer. Martha pense à une seule chose : ils lui ont volé jusqu'à son dernier moment avec son enfant. Mathieu frappe toujours dans la porte, elle se dit qu'il a dû trop boire à la taverne, sauf qu'il n'a même pas bu ; il est soûl, mais de rage. Au loin, on entend la meute de chiens hurler à la mort. Les voisins reviennent sur la galerie et Martha ouvre la porte avant que l'aïeul ait tout détruit, car il en est bien capable. La horde envahit à nouveau l'appartement. Il n'y a pas de chien, mais Martha pense à des chiens, elle leur trouve un visage de chiens charognards, des hyènes...

Prince, qui s'était endormi, se réveille en sursaut et se met à grogner.

— Excuse-moi, dit Maryse, je parlais pas pour toi. C'est après l'entrée de la meute qu'il y a l'effet spécial des cheveux et les trois blagues du MC...

Elle ne dit plus rien. Le Diable lui sert un autre grog.

— Ah, sainte ! la journée va-tu finir ? dit Ariane. Ma mère avait prédit ce matin que ça serait une maudite journée de marde.

— Elle est pas mal psychique, ta mère, dit Miracle.

— C'est oké, dit Gabriel à Maryse. C'est correct que tu nous aies tout dit, c'est ben ben correct !

Mais il n'a pas l'air très convaincu. Maryse lui sourit. Quand il était petit et qu'elle le gardait, elle se prenait souvent à penser qu'il pouvait mourir brusquement. Chez elle, l'angoisse se cristallise toujours autour de la mort d'êtres jeunes et vulnérables. Il y a quelques années, un enfant de six ans est tombé au fond d'un puits de forage, dans une mine en Italie, personne d'assez mince n'a pu descendre pour aller le chercher et il est mort. Jusqu'à la fin, sa mère s'est tenue en haut, à l'exhorter de la voix et, pendant les deux jours où il a espéré, l'enfant a crié sans arrêt. Son cri la hante encore : elle se l'est toujours représenté sous les traits de Gabriel. Elle regrette de leur avoir raconté aussi crûment la mort du bébé de Martha.

— Vous en faites pas, lui dit le Diable, qui a suivi ses pensées. Les enfants peuvent en prendre plus que vous ne le pensez. L'idée de la mort leur est familière ; ils en arrivent, par l'autre bout.

Maryse le regarde, perplexe. Il s'éloigne. Elle se retranche dans ses pensées qui la portent vers sa cousine Norma : *Le roman de Barbara* commence à se construire dans sa tête, de la même façon que s'est tissé, il y a quelques mois, le destin de Catherine Grand'maison et celui de sa fille Augustine. Mais l'histoire de la femme aux bijoux ne verra probablement jamais le jour car son texte s'ajoutera aux piles de scénarios jamais tournés. Ces histoires avortées sont les plus frustrantes...

Myriam se rapproche. C'est bizarre, mais il lui semble qu'elle peut lire dans les pensées de Maryse, elle a cette faculté, parfois. Elle sent émaner de sa tante une telle charge de tristesse qu'elle a le goût de la serrer fort. Elle se colle à elle, et se mêlent dans son esprit deux tristesses : celle de Maryse et celle de Marité, car Maryse pense maintenant à Marité, qui doute, seule en haut de la côte.

— Sak! dit Ariane. Je m'ai trompée de maison! Avec leur manie de changer mes horaires, aussi!

Elle ramasse ses affaires en catastrophe : ce soir, c'est sur la rue Durocher qu'elle devait aller. Pas sur la rue Mentana.

— Ça va chier! fait Marie-Belzébuth.

— Je pars avec toi, dit Myriam. Comme ça, on sera plus longtemps ensemble.

Elle embrasse Maryse en lui ordonnant de cesser d'être triste. Les deux fillettes passent devant Marie-Belzébuth sans la saluer, le nez bien haut. Miracle Marthe les accompagne car elle a à faire dans «les buissons ardents du parc Lafontaine», dit-elle.

Déçu de ce départ soudain de la sorcière et ne trouvant pas d'excuse pour rentrer avec les filles, Gabriel se renfrogne. Il ne pense qu'à une chose : Miracle est atrocement belle mais imprévisible. Trop souvent, elle se dérobe. Il aimerait qu'elle soit toujours près de lui comme une sœur.

— On devrait rentrer nous autres aussi, propose Laurent-le-vrai.

— Je sortirai d'ici quand il fera beau, dit Gabriel, boudeur. Quand il fera un vrai ciel bleu et un printemps vert. Et ça, c'est pas pour demain!

— Meu non! dit Prince en bâillant, dès demain il fera beau, vous verrez. Et vert, et bleu! Et trop chaud; je vais me remettre à souffrir.

Il jappe un petit coup et se rendort dans l'intention de faire un rêve de glace.

Dehors, le temps est déjà plus doux, il ne neige plus mais le vent s'est levé; il vente à écheveler un punk.

— Fais le soleil, demande Ariane à Miracle. Pour que ce soit le vrai printemps.

— Je sais pas comment! La dernière fois que j'ai essayé, j'ai blowé.

Les fillettes sont déçues. Pour les consoler, la sorcière propose de leur donner un lift. Elle met sa mallette en bandoulière et, tendant ses bras comme des anses, elle dit: «Accrochez-vous!» Elle a bloqué ses patins en deuxième vitesse et ça file. Ainsi, elles remontent sans effort la longue côte Amherst. Ariane rigole.

— Ma mère est pas bien, dit Myriam. Il faut que j'aille la consoler. De ce temps-ci, elle est nounoune sans bon sens; c'est simple, j'ai plus d'allure qu'elle! Des fois, j'ai l'impression que c'est moi, la mère.

— Peut-être que dans une vie antérieure, t'as déjà été sa mère, explique Miracle, et elle ta fille.

— Moi aussi, ma mère a pas d'allure, dit Ariane. Par bouts, a pompe la steam pour rien. «En pure perte», comme dit le poète.

Elle se tourne vers la sorcière:

— Ta mère à toi, est-tu bébée?

Miracle répond très vite: «Oui, oui, c'est toutes des irresponsables aux petits ciseaux dans ma famille, toutes des couturières filles-mères! C'est pas comme chez vous, Ariane, des granolas respectables, c'est pas comme du côté des Grand'maison!» Et elle se met à murmurer les noms des femmes Grand'maison, refaisant l'arbre généalogique translucide de Myriam, mais à l'endroit cette fois-ci et parfaitement audible. Cela coule comme une prière:

— Eléonore de Grand'maison, l'aïeule à la crinière de lionne, donne le jour à Bérangère, qui donne le jour à Philomène, qui donne le jour à Françoise, laquelle a pour fille aînée Élisabeth, née en l'an de grâce 1725. Trente ans plus tard, Élisabeth accouche de Jeanne qui meurt en donnant naissance à Bérangère, la deuxième du nom. Bérangère deux a pour fille Angélique-aux-longues-mains, laquelle donne naissance à Arthémise, d'où vient Julie, d'où vient Blanche qui fait Marité qui te fit à l'été soixante-quinze. Le nom de Grand'maison, que portait Éléonore, a été perdu dès la deuxième génération, et par le hasard des alliances, ta grand-mère Blanche l'a repris en épousant Charles-Émile. Entre-temps, la particule est tombée, c'est sans importance ; les femmes de ta famille n'ont que des prénoms, Éléonore, Bérangère, Philomène, Françoise, Élisabeth, Jeanne, Bérangère deux, Angélique, Arthémise, Julie, Blanche, Marie-Thérèse, Myriam...

Myriam rit en entendant tous ces noms pour lesquels elle imagine des visages, mais elle est exaspérée car parmi ces visages inconnus apparaît avec insistance celui de Célestin. Elle tient toujours le bras de Miracle dont elle devine la maigreur à travers les couches innombrables de lainages qui l'enveloppent.

— Coudon, t'es habillée pire qu'en hiver, dit-elle. On gèle, mais tu dois avoir chaud écœurant !

Miracle répond qu'elle contrôle très bien les questions de chaleur et d'air ambiant. Elle contrôle son corps et tout ce qu'elle absorbe. Si ses tours de magie sont parfois fuckés, ce qu'elle mange ne l'est jamais !

Elles sont rendues sur la rue Cherrier. Comme Ariane doit passer chercher sa valise chez sa mère, elles prennent la ruelle Mentana.

— Faut encore que je me tape une demi-heure de métro, soupire Ariane. J'haïs ça !

— C'est pas mal, pourtant, le métro, dit Miracle Marthe. Surtout la station Riel-Corrivault, j'ai un ami qui habite là dans un squat semi-meublé.

— Ouais, fait Myriam qui ne sait strictement rien ni du métro où ses parents ne circulent pas, ni des squatters dont son frère Gabriel a oublié de lui parler.

Elle ne comprend pas toujours exactement de quoi parle la sorcière, mais qu'importe ? elle est fière de lui tenir le bras. Elle se dit : « Je suis l'amie intime d'une jeune sorcière punk, ça va sûrement me marquer pour la vie ! » Puis elle constate qu'elle a le goût de brailler à cause de Célestin. L'antidote n'a pas fonctionné.

— Au fait, dit-elle, tes philtres d'amour sont bons à rien. Faudrait que tu révises tes recettes.

— Faudrait, dit Miracle. Mais vois-tu, moi, je trouve pas ça important, l'amour.

Elle s'est envoyé une poffe de coke juste avant de quitter le bar et elle prend tout très smooth. Elle sourit. Myriam lui rend son sourire en se disant que la sorcière n'est qu'une pauvre punkée-fuckée. Pourvu qu'elle ne capote pas encore ! Le Diable prétend qu'elle a capoté la semaine dernière. La sorcière pense maintenant à la mort et cela se transmet à elle, Myriam. C'est étrange comme l'idée de la mort leur trotte souvent dans la tête ! Elle se dit : « Quand je serai vieille, moi, je ne mourrai pas. Je serai comme ma grand-mère Blanche, mais pourquoi je pense ça ? »

Elles sont derrière le logis de madame Légarée.

— C'est ici chez Elvire, dit Ariane en désignant une cour en désordre.

À la porte, un écriteau indique en lettres dorées : *Elvire Légarée, Muse domestique : gâteaux, marmots, mots.* Une légère odeur de pâtisserie leur parvient, portée par le vent. Miracle a les yeux brillants.

— Pensez-vous qu'Elvire connaît les poètes skin-head du Rhode Island ? dit-elle. Je cherche désespérément leurs textes.

— Je sais pas pantoute, dit Ariane. Salut les filles. À demain midi, Myriam, oublie pas.

Elle part.

— Comment a veut que je l'oublie, bougonne Myriam, on mange toujours ensemble, le midi.

Immobile à la porte d'Elvire, la sorcière a soudainement l'air extatique :

— Laurent-le-vrai a le kick sur toi, dit-elle.

— Je sais, soupire Myriam, mais c'est pas réciproque, c'est juss du platonique !

Elle dit salut et traverse Babylone où la neige fond sur les jacinthes.

Dans la cuisine, Marité est au téléphone avec Blanche. Elle a l'air aussi fuckée que la sorcière. Pleine de compassion, Myriam prend le temps d'accrocher son imperméable mais elle oublie d'ôter ses souliers boueux. Marité lui jette une œillade courroucée. Myriam ne se démonte pas ; elle lui fait un sourire protecteur et se dirige vers le frigidaire. Marité se détourne pour mieux suivre sa conversation téléphonique. Elle voit alors son beau François entrer par la porte d'en avant et traverser calmement toute la maison pour ressortir par la porte d'en arrière. Il n'y a rien d'anormal à cela, sauf qu'il pousse devant lui une tondeuse à gazon qui a passé l'hiver sous la neige près de la galerie d'en avant. François ne pense pas vraiment en tirer quelque chose, il admet être plus fort dans

400

les analyses de textes que dans la dissection des moteurs, mais ça vient de le prendre : il se sent bricoleur, tout d'un coup, il a le goût de jouer à l'homme de la maison. Il est aussi déréglé que la température !

— Je comprends pas pourquoi on a une tondeuse, dit Myriam, on a même pas de gazon.

— C'est pour l'espoir, répond François. En la voyant, les voisins peuvent espérer qu'on va se mettre à autre chose que la culture de chiendent d'un moment à l'autre.

Il sourit. À l'avant, leur parterre est négligé mais il s'en fout, il ne vit pas « pour la devanture », dit-il. Il n'aime que les jardins secrets.

Quand Marité raccroche, il est déjà dans son jardin à sacrer joyeusement contre le vent et la tondeuse picouille. Sur le plancher du couloir, on voit les traces de roues de la tondeuse et, autour de la bouche de Myriam, une belle moustache de lait. Sachant que sa mère n'apprécie pas les moustaches, Myriam s'essuie sur sa manche. Elle achève ses biscuits au chocolat Whippet.

— Myriam Ladouceur, tu m'exaspères, dit Marité. Tu cochonnes ton chandail neuf !

— J'ai vu Maryse, répond Myriam. Elle avait l'air pas mal dérinchée, mais maintenant, elle est en voie de guérison. Toi aussi tu fais dur : on dirait que t'as monté sur tes grands chevaux pis que le cheval t'a traînée dans la bouette pendant des milles !

— T'es pas mal effrontée, commence Marité. On parle pas comme ça à sa mère...

Elle s'interrompt et, bizarrement, elle s'entend dire à Myriam qu'elle s'est chicanée avec Maryse. Après le départ de celle-ci, elle a appelé sa mère pour se faire consoler — un vieux réflexe — mais c'est plutôt elle qui a écouté parler Blanche. Et maintenant elle se confie à sa fille ! Elle ne devrait pas le faire, la petite va prendre parti et se tourner contre Maryse, les enfants sont influençables.

— Y te reste MLF, dit Myriam.

— Je me suis chicanée avec elle aussi, j'ai été pas fine...

Myriam l'embrasse et la serre dans ses bras, longtemps. Elle pense à Célestin. Elle a hâte d'être couchée pour cesser de se retenir de pleurer.

— Je sais pas quoi faire, dit Marité.

— C'est pourtant simple, dit Myriam : tu vas les appeler et t'excuser. C'est toujours ce que tu me dis, sois la plus fine, fais les premiers pas. Tu vas voir, ça va s'arranger.

Marité regarde sa fille, amusée par son air sérieux. Myriam l'embrasse à nouveau et lui caresse les cheveux. Elle ajoute :

— Fais donc pas ta fraîche, maman ! Laisse-toi consoler !

Vingt-cinq mai

Matin

Or, il se trouve que mon aïeul, sans doute par le jeu du hasard ou sous l'effet de quelque tare congénitale d'authenticité fatale aux illusionnistes, au lieu de la bâiller belle dans ses lectures d'avenir, se mit à annoncer des événements qui se produisaient vraiment.

Romain GARY
Les enchanteurs

En venant la réveiller, François a replié les persiennes, la fenêtre est grande ouverte et il n'y a pas de moustiquaire ; les mannes ont envahi sa chambre pendant la nuit. Plein de mannes ! Mais le vent pousse aussi des pollens, des poussières et de toutes petites fleurs qui s'amoncellent sur l'allège. Elle aime les dessins que cela y fait. Elle regarde le ciel bleu et elle pense à Mafalda dont Gabriel lui a lu les exploits, hier, pour la consoler. Elle referme les yeux et savoure la chaleur montante ; soudain, c'est le début de l'été, il fait chaud comme au pays de Mafalda, en Argentine ou dans le Managua, elle ne sait plus lequel. Elle touche à ses yeux gonflés de chinoise : tard hier soir dans la moiteur de son lit, elle a pleuré jusqu'à l'épuisement.

— Lève-toi, Myriam ! crie Marité, lente comme tu es, tu vas encore être en retard !

Elle n'est pas lente. Seulement, elle n'est pas pressée. Elle pense. La première chose qui lui est venue à l'esprit en s'éveillant, ça a été l'image froissée de la carte postale d'Alice. Le matin au réveil, quand on n'est pas sur ses gardes, on pense à des drôles de choses. Sa grand-mère ne s'est pas adressée à elle personnellement, elle a écrit à François : *Je t'embrasse, ainsi que Myriam*. Ainsi que Myriam ! C'est vexant, comme tournure, comme dirait Gabriel. Elle en a éprouvé un petit vexement à son réveil puis, presque aussitôt, la scène pénible de la veille lui est revenue à l'esprit : Célestin disparaissant sur son skate comme dans un remous, il est happé par l'extérieur du cabaret. Célestin et Alice, les deux figures se mêlent dans un même regret, un même sentiment d'impuissance. La carte postale est arrivée avant-hier seulement, mais les deux derniers jours ont été chargés de tellement d'événements qu'ils semblent avoir plus d'épaisseur que les autres. Cela devrait se calmer à partir d'aujourd'hui : déjà, les apparences extérieures reprennent leur forme habituelle et le monde se reconstruit comme avant. Sauf qu'elle a choisi de ne pas subir Célestin — si on peut appeler ça un choix — mais c'est fait, c'est réglé, elle n'y pense plus, essaie de ne plus y penser, elle est au premier jour de sa première peine d'amour et le temps est suspendu ; plus rien ne compte. Très loin, elle entend les voix de Gabriel et de Marité, ils parlent dans un autre univers. Elle s'habille lentement. Elle met ses bas blancs, ses jeans et sa blouse bleue avec de petits nuages mauves. « Des cumulus mauves, dit Gabriel, ça se peut pas. » Il exagère, il sait bien que c'est de l'imprimé, du fictif comme les histoires de Maryse, alors pourquoi pas mauves ? Elle descend, suivie de Belmondo. Dans l'escalier, elle a peur d'attraper le vertige pour avoir pensé trop longtemps à sa grand-mère, mais ça va. Elle croise Gabriel qui dit : « Salut, je pars. » Il a un rendez-vous avec un gars de sa classe, un « collègue », faut qu'ils parlent entre grands, il la verra au dîner, il n'est pas retenable. Dans la cuisine, son père n'y est pas. Il est comme ça, François, tous les matins, il la réveille — quand elle ne le réveille pas — mais il retourne parfois se coucher. À ce temps-ci de l'année, il n'a plus de cours à donner et il descendra au Royaume de Pitt Bouché dans le courant de l'avant-midi seulement. Marité est là, par contre, dans son costume de Dame du Nil. Elle ouvre un pot de café.

— C'est pas juste que l'université finisse avant la vraie école ! dit Myriam. Ça devrait être le contraire : y sont plus vieux et plus raisonnables.

— Mouiais, fait Marité.

Myriam avale son bol de céréales en disant « ouache ».

— Arrête de dire ouache, dit Marité. Les céréales sont bonnes et obligatoires.

Elle lui rappelle de nourrir la chatte avant de partir, ça aussi c'est obligatoire.

— Mouiais, fait Myriam.

Elle flanque deux cuillerées à soupe de Pamper dans un plat pas très propre, laisse la cuiller sale sur le comptoir, monte se brosser les dents sommairement et redescend. Le café est prêt. Marité lui tend une enveloppe.

— C'est pour Maryse. T'as le temps d'aller la porter avant ton école.

Myriam sourit :

— Tu m'as écoutée ! Tu vas voir, c'est le fun d'être la plus fine !

Elle part. Finalement, elle n'est pas du tout en retard, elle est même plutôt en avance et c'est bien comme ça : elle pourra prendre une tartine de Nutella chez Maryse en disant qu'il ne leur restait plus que de la confiture dégueulasse.

Dans Babylone, les herbes sont d'un vert foncé, intense, et les jacinthes sont grandes ouvertes ; la neige ne semble pas les avoir affectées. Les noisetiers nains et l'hydrangée sont feuillus, « feuilletés », comme disait autrefois Gabriel, et les adultes riaient, paraît-il, elle ne comprend pas pourquoi. Il y a des flaques d'eau dans l'allée, elle traverse le jardin sans en rater une seule. Une petite chose moussue lui frôle la joue, cela vient du gros arbre de la ruelle, celui qui est dans la cour d'Elvire ; c'est un truc comme les fleurs du bord de sa fenêtre. Elle le ramasse.

Chez Maryse, ça sent la même odeur de café que chez elle, mais le tourne-disque joue une chanson lente et lyrante, du Leonard Cohen, ça s'appelle. Ça vaut pas Michael Jackson mais c'est pas désagréable, c'est de la musique d'adultes. Maryse et Laurent sont dans la salle de bains qui est capotante ; c'est une pièce immense, blanche, claire, gaie, verte et dorée, tout cela en même temps. En plus, il y a plein de revues bariolées et de plantes, une machine à coudre à pédale et un éventail, toutes choses qu'on ne trouve pas dans les salles de bains ordinaires et qui font l'intérêt de ce côté-ci de la ruelle. Maryse est assise sur un petit banc de rotin, sa main gauche trempe dans l'eau du bain de Laurent, ils rient tous les deux et ils boivent du café dans des tasses vertes. Ils disent : « Salut, Myriam, quel bon vent t'amène ? » Ils ont l'air d'être dans une journée relax. Pourtant, on est au beau milieu de la semaine. C'est cool.

— Y a des petites cochonneries qui tombent des arbres, dit Myriam. Y en a partout, c'est cool.

Elle trempe la fleur dans l'eau de la baignoire.

— C'est des fleurs d'érable, dit Laurent.

— C'est bizarre que de si gros arbres fassent de si petites fleurs, dit Myriam.

La fleur remonte à la surface de l'eau et dérive vers l'autre bout de la baignoire, là où sont les pieds de Laurent.

— Je me suis remise à rêver, dit Maryse.

Elle sourit. Elle semble être encore dans un beau rêve à épisodes lent et luisant. Elle dit :

— Ce matin, juste avant de me réveiller, j'ai rêvé qu'un camion-citerne roulait dans la rue, ici, en bas. C'était un camion d'eau de source. À son passage, l'eau giclait de partout et la rue se transformait en rivière peu profonde. Je riais. J'étais une enfant. Je rêve souvent que je suis encore petite, mais heureuse. Elle fait une pause et leur demande quel âge ils ont, dans leurs rêves. Ils ne répondent pas, n'ont jamais remarqué. « Ça va mieux, se dit Myriam, la tante Maryse a retrouvé son aplomb. »

Effectivement, Maryse est beaucoup mieux ; hier soir, Benoit Jusquiame l'a rejointe au téléphone pour lui demander certains détails au sujet de l'aïeul aux mains rouges. Ils ont parlé longuement comme s'ils se retrouvaient. Elle a confiance en lui, ils vont reprendre le dessus... Ce matin, l'air est saturé d'eau et de douceur. Leonard Cohen ne chante plus. Par la fenêtre ouverte, on entend les bruits coutumiers de la ruelle : des piaillements d'oiseaux, les vocalises de la voisine Louisette et, de temps en temps, au loin, le moteur d'une auto. Des bruits de ville. Laurent ouvre le robinet et Maryse pense à la circulation de l'eau, depuis le fleuve jusqu'à sa salle de bains. Elle se dit que Laurent est le fils d'un sourcier du Bas du Fleuve et qu'il a une lueur d'eau claire dans le regard. Il a les yeux pers.

— Tiens, dit Myriam, ma mère t'envoie ça.

Elle pose l'enveloppe sur les genoux de sa tante et annonce qu'elle n'a pas pris un gros déjeuner. Elle s'éclipse.

De sa main encore humide, Maryse palpe l'enveloppe. Elle revoit le sourire ambigu de la sœur Sainte-Monique, expliquant aux demoiselles du Couvent de la

Désolation comment rester des demoiselles en n'ouvrant pas leur courrier devant une autre personne, fût-ce leur propre conjoint, «c'est malséant», disait la sœur. Maryse a toujours désobéi avec régularité à l'ensemble des règles du couvent mais certaines petites pratiques l'ont imprégnée à son insu et jamais encore elle n'a osé lire sa correspondance devant quiconque.

— Tu l'ouvres pas, ton enveloppe? demande Laurent. T'en as tellement envie!

Elle parcourt les feuillets et elle rit longuement, heureuse et soulagée. Soulagée! La nuit dernière, elle a peu dormi, pensant à Marité et composant dans sa tête le brouillon d'une lettre qui lui serait adressée. Elle aurait aimé faire un texte gratuit qui vienne exclusivement du cœur et qui, pour une fois, ne soit destiné ni à une publication immédiate ni à une quelconque lecture publique. Ce texte, c'est Marité qui l'a écrit! Elle y parle de leur amitié, de Myriam, de François. Le passage sur François a quelque chose de mordant, mais l'ensemble de la lettre est serein et tendre. Maryse rit à nouveau, de contentement: l'idée d'être brouillée avec Marité lui était insupportable, et cela vient de prendre fin. Ce matin est le début d'un vrai jour de mai, de ceux qui nécessitent peu de sommeil tellement ils sont légers. Elle embrasse Laurent sur toutes les parties de lui qui ne sont pas immergées. Elle entend les petits pas de Myriam dans la cuisine. En chantant, elle retourne faire du café.

Debout à côté de la table, Myriam plonge son couteau dans le pot de Nutella, jusqu'au manche.

— Ça fait combien de tartines que tu manges? demande Maryse.

— C'est la troisième seulement, répond Myriam avec aplomb.

Elle examine un dessin taqué sur une porte d'armoire et demande qui est ce nouveau personnage. C'est une femme. Elle est de dos mais on voit sa figure, tournée vers nous. Elle est belle. Son pied droit est posé sur un nuage bleu, elle a l'air de réfléchir avant de continuer son mouvement, on se demande à quoi elle pense... Elle ne pense sûrement pas qu'elle est presque nue et pourtant, on voit tout car elle porte un drôle de vêtement transparent comme un rideau ; on voit ses fesses ! Le dessin rappelle à Myriam les photos des revues *Penthouse* cachées dans le sous-sol chez Marie-Belzébuth, c'est plus tolérable, mais attirant, tout de même ; on a tendance à beaucoup regarder. La femme a les fesses nues mais elle a sur la tête une espèce de gros turban. Ça fait pas équilibré...

— C'est la Sultane de Cobalt, dit Maryse.

— Pour vrai ?

— Mais oui. C'est la Sultane bleue de Diaghilev. Demande à Laurent si tu me crois pas, c'est lui qui l'a trouvée !

Depuis que Laurent est dans les parages, un peu partout sur les murs de l'appartement sont affichés des dessins, des plans de maisons, des tracés, des bouts de phrases, des photos. C'est un jeu entre Maryse et lui, une sorte de concours. Les images se répondent les unes les autres et se complètent. Elles restent là quelques jours, puis elles sont remplacées par d'autres. Myriam aime beaucoup ce jeu-là. Chez elle, ils n'ont pas le droit de coller n'importe quoi sur les murs, sauf dans leurs chambres mais c'est sans intérêt puisque c'est permis.

— Elle est très belle, la Sultane, dit-elle. Très cool. Mais c'est où Diaghilev ?

Maryse part à rire : «Diaghilev était un homme, un

chorégraphe, et c'est pas lui qui a fait le dessin...» Mais Myriam n'aime pas faire rire d'elle, elle se choque :

— Non merci, pas ce matin, pas de speech ! Ça me fait trop penser à la Maususse qui veut toujours tout expliquer et on comprend jamais rien. Elle est conne ! Quand je pense qu'il me reste encore dix-huit jours d'école avec elle, ça me coupe l'appétit !

— Ça paraît pas...

Myriam regarde sa tartine et réalise que les peines d'amour ne l'empêchent pas de manger, c'est étrange. Ça doit venir de l'antidote ou alors elle est anormale ou amorale, quelque chose comme ça, faudra qu'elle se fasse examiner. C'est vexant.

— J'haïs les maîtresses d'école, dit-elle. Toutes ! Et l'école aussi !

— T'es pas mal insultante ! dit Maryse. Oublie pas que je suis maîtresse d'école moi-même. Et que tes grands-mères l'ont été !

— Depuis qu'elle est à l'île Verte, Alice m'a pas écrit personnellement ! Et son écriture est pas celle d'une maîtresse d'école. Elle en perd, on dirait. Je gage qu'elle a jamais enseigné plus loin que première année !

— Tu te trompes ! Alice a tout enseigné déjà, toutes les matières, de la première à la septième année. Et on comprenait toujours ses explications ! Celles d'Aurélie aussi. Elles étaient exceptionnelles, et exceptionnellement belles, à vingt ans, avec leurs joues rouges et fermes. Elles étaient coquettes, surtout Aurélie ; elle avait deux robes, une bleu de roi pour l'hiver et une couleur framboise pour quand les glaces dérivent sur le fleuve. Aurélie préfère la robe framboise mais ce printemps-là, elle ne peut pas la porter car son ventre a poussé pendant l'hiver, tout a poussé alors qu'on croyait les choses endormies :

les vêtements des enfants de sa classe sont trop courts, leurs chevilles et leurs poignets en dépassent comiquement. C'est toujours comme ça, à l'école, on fonctionne à l'envers des saisons et c'est au printemps qu'on voit si les enfants ont progressé. On les laisse aller, un peu moins ignorants qu'à l'automne. Ce sont les petits des fermes voisines, des enfants ordinaires, mais dès qu'ils entrent dans sa classe, Aurélie se met à les aimer; ils deviennent différents, beaux, intelligents. Ils font leur possible pour apprendre, ils ne peuvent pas toujours se rendre à l'école, même ceux qui ont des souliers...

— Y en a qui ont pas de souliers? Là, t'exagères!

— Tant pis si tu me crois pas!

Le café est prêt. Maryse le verse dans les tasses et elle retourne à la salle de bains. Myriam la suit, alléchée par cette histoire d'enfants aux pieds nus. Elle a sa tartine à la main, elle n'a plus faim mais n'ose pas la jeter. Elle s'assoit sur le bord de la baignoire où Laurent flotte toujours dans le bien-être de l'eau tiède. Elle voit distinctement son sexe et pense aux fesses de la Sultane mais ça ne dure pas, heureusement, car Maryse continue:

— Le troisième hiver, bien qu'elle soit mariée et déjà enceinte, Aurélie fait encore la classe. Elle allume elle-même le poêle à deux ponts pour que la salle soit chaude quand les enfants arrivent gelés. Elle se débrouille bien mais c'est une drôle d'amanchure; elle est presque aussi scandaleuse que la fille à Clophas Mailloux qui elle est une vraie fille-mère, vivant dans la dernière maison du bout de l'île, une cambuse!

— Elle est courageuse, Aurélie! dit Myriam. Elle se fiche de l'opinion publique!

— Je pense qu'elle aurait préféré rester maîtresse d'école toute sa vie plutôt que de tenir maison... Elle n'aime pas tellement faire des gâteaux et de la soupe, elle déteste fabriquer les courtepointes, les catalognes, le savon, laver le linge et les planchers, la vaisselle. Ce qu'elle aime, c'est instruire les enfants. Ils ne fréquentent sa classe que dans la mesure où la température et les travaux de la ferme leur en laissent le temps, l'école n'est pas une priorité pour eux, mais ce sont de bons enfants, même les plus vieux qui redoublent et sont quasiment des hommes faits. Aurélie préfère les filles. Les plus vives sont les petites Fraser dont la maison est de l'autre côté de l'île, tournée vers le large. De chez elles, elles regardent passer les bateaux de la haute mer. Elles n'appartiennent pas au monde de la terre ferme, de l'église, des bêtes ; plus qu'insulaires, elles sont marines. Elles s'appellent Émerise, Flore et Geneviève, elles ont les joues rondes comme des pommes vertes. Elles parlent en anglais dans leur maison, ce sont les seules de l'île comme ça, elles sont un cas, une exception ; la différence.

— C'est des nouveaux personnages ! dit Myriam. Je savais pas qu'il y en avait d'autres dans cette histoire-là ! Et qui c'est, la fille à Clophas Mailloux ?

— Dans chaque maison de l'île, il y a une histoire différente, dit Maryse. Mais je ne les raconte pas maintenant, il faut s'en garder pour les autres jours. On s'en va vers l'été, on se verra davantage. Aujourd'hui, je raconte les lieux publics : l'église Notre-Dame-des-Sept-Douleurs et l'école d'Aurélie. Dans ces endroits-là, qui appartiennent à tout le monde, il se fait un mélange des destins et des histoires. C'est à l'école qu'on pressent le mieux l'avenir des enfants. Parfois, Aurélie voit l'archange Gabrielle voler d'un air penaud au-dessus de la tête de ceux qui mourront jeunes, comme la petite Dalhia Ouellette et son frère. À cette époque-là, elle ne comprend pas encore le sens de la présence de l'archange, et c'est heureux car elle s'attache aux enfants. Elle est liée à eux par ce qu'elle leur a appris : la connaissance des lettres et des chiffres, la mesure des choses, leur déchiffrage. Elle a le don d'expliquer et elle ne résiste jamais au plaisir de transmettre ce qu'elle sait. Pourtant, elle n'aura fait la classe que trois ans, jusqu'à la naissance d'Alice. Par la suite, elle pensera souvent avec nostalgie au temps qu'elle était « la petite maîtresse de l'île Verte ». Alice n'enseignera pas très longtemps non plus : une fois mariée à Montréal, elle tombera enceinte à son tour...

— C'est normal, ça, dit Myriam, elles devaient remplacer quelqu'un, c'est toujours des remplaçants, avec toi !

Maryse ne semble pas comprendre. Bizarre ! Elle est incapable d'interpréter ses propres histoires et il faut les lui expliquer : Catherine Grand'maison remplace le diseur de vues et Antoine remplace l'inspecteur régulier...

Maryse n'avait jamais fait le rapprochement. Elle pense furtivement que son père a toujours été un travailleur « occasionnel ». De là, peut-être, cette fascination pour la non-permanence dans le travail. Elle ne sait pas.

— Tu vois, Myriam, dit-elle, quand on remplace, c'est là que l'imprévu fait irruption dans l'histoire ; le hasard entre alors en scène ! Mais dans le cas d'Alice et de sa mère Aurélie, ce serait plutôt la contrainte : autrefois, les femmes devaient cesser de travailler à l'extérieur dès qu'elles se mariaient. Le métier fugace de maîtresse d'école, c'était en attendant.

Depuis tantôt, Laurent regarde Maryse avec un sourire narquois ; il lui dit qu'elle parle du Bas du Fleuve comme si elle en venait — en exagérant à peine — et de l'enseignement comme si elle y arrivait. Maryse dit :

« C'est faux, je suis vraiment tannée du cégep ! Mais pour moi, l'enseignement sera toujours le plus beau métier ! Et quand on est maîtresse d'école, on le reste toute sa vie ! » Elle rit de s'être contredite avec autant d'aisance. Puis la conversation devient égocentrique, selon l'expression de Gabriel, ça veut dire centrée sur des affaires sans intérêt. Myriam fait la moue :

— C'est bien beau l'île Verte et les petites Fraser que tu veux pas me parler, dit-elle, mais dans la réalité de maintenant, les maîtresses sont plus du tout compétentes et la Maususse m'attend avec ses gros yeux sanglants et ses jupes-culottes kaki en fortrel. Je vas faire un petit bout.

— Oui, dit Maryse. T'es en retard ! C'est donc effrayant !

Mais elle s'en fiche ; elle a toujours pensé qu'une heure d'école par jour pendant les six premières années, c'était suffisant pour apprendre les rudiments de l'écriture et de la mathématique. Qu'ils leur laissent donc la paix le reste du temps ! « Ça, c'est un point de vue de quelqu'un qui n'a pas d'enfants, dit toujours Marité, les écoles sont des garderies. »

D'un petit air de défi, Myriam dit : « Merci pour l'histoire pas finie » et elle s'en va à son école-garderie.

Maryse replonge ses mains dans l'eau de la baignoire. Le corps blond de Laurent lui rappelle celui de Palmyre Duchamp, la première fois qu'elle l'a vue, émergeant, sculpturale et frémissante, des flots argentés d'une baignoire. C'était dans un show expérimental, évidemment. Elle se penche vers Laurent et l'embrasse.

«L'histoire de la tante Maryse est cent fois mieux que la vraie école, pense Myriam. Comparés aux compétences incommensurables d'Aurélie, les gadgets pédagogiques de la Maususse sont ridicules. Ce n'est pas elle qui aurait le courage de porter des robes roses gonflées et de chauffer un poêle à quatre ponts! Elle peut aller se rhabiller!» Myriam n'a plus du tout le goût d'aller à son école. Si Maryse pensait la convaincre avec ses histoires, c'est le contraire qui arrive. «Tiens, se dit-elle, je vais dire bonjour à la chatte.» Elle enjambe le fauteuil bourgogne placé en biais dans un coin du salon; c'est là que Mélibée se réfugie quand elle veut avoir la paix.

— Salut, ma vieille! Tu dois te demander quel bon vent m'amène...

La chatte ne répond pas, elle dort. Myriam a toujours sa tartine à la main, elle la pose sur le plancher, comme une offrande.

— Maryse m'a raconté une histoire avec deux robes et pas de souliers...

La chatte ouvre les yeux un tout petit peu.

— Merde, fait Myriam, ça va pas, toi!

Elle la caresse sous le menton, là où elle aime bien. Mélibée a les yeux tristes mais confiants. Pourtant, elle n'espère plus rien: elle a quinze ans. «C'est archaïque, pour une chatte», a dit Ariane l'autre jour, ça veut dire plus que vieux. C'est quasiment un miracle qu'elle ait duré jusqu'à maintenant! Mélibée Marcotte est condamnée à la peine de mort... Myriam s'assoit près d'elle et se met à pleurer silencieusement. Elle ne sait pas si c'est la peine de mort de Mélibée ou sa peine d'amour personnelle ou les deux combinées, mais elle ne se souvient pas avoir jamais eu autant de chagrin. La journée avait bien commencé, pourtant, mais ça devait sans doute arriver, aussi bien que ça se produise aujourd'hui, par un jour doux de soleil. Il fait chaud! Elle se sent engourdie, presque autant que la chatte qui paralyse lentement, pendant qu'elle la caresse. Dans la torpeur des larmes, elle entend les bruits de la maison: Laurent sort de la baignoire et cela fait de grands clapotis d'eau, il court après Maryse qui rit. Ils passent tout près d'elle sans la voir. Ils bousculent des choses. Ils courent mais c'est un jeu de gens heureux et pas pressés de se quitter. Ils s'attardent dans le matin chaud, ils seront en retard à leur bureau, «ça leur fout», on dirait. Ils s'arrêtent dans la chambre et là, on entend d'autres bruits, c'est du côté du froissement et du gémissement comme quand les parents font l'amour, tard la nuit, Myriam l'a entendu une fois, elle ne pensait pas qu'on pouvait faire l'amour le matin, elle racontera ça à Ariane. Toutes deux essaient de se documenter sur ces questions-là. Elles sont élevées librement, on le leur dit beaucoup, mais il y a des détails qu'on oublie de leur mentionner comme l'amour le matin sur semaine avec beaucoup plus de sons que chez elle, finalement. La chatte a refermé les yeux. On ne sait pas si elle dort ou non. On se demande si elle comprend, dans sa tête de chatte, ce que Maryse et Laurent font.

— Tu sais, ils font un enfant. C'est le bruit de quand on fait un enfant.

La chatte ouvre les yeux, incrédule. Cela lui demande beaucoup d'efforts.

— Oui, oui, dit Myriam, j'en suis sûre! Ce sera étrange; l'enfant sera une sorte de rival.

La chatte ne ronronne pas mais sous les doigts, on sent un petit gargouillis dans sa gorge, c'est peut-être cela, le râle... Elle ne remue pas non plus, elle n'a même pas flairé la tartine. Sur son front doux de bête qui a été beaucoup cajolée, il y a une blessure. Bientôt, elle ne sera plus caressée. Plus jamais ! Myriam reste très longtemps à la caresser, engluée dans son chagrin. Puis elle dit :

— Je savais pas que c'était aussi long, une agonie ! J'en peux plus moi, Mélibée, des adieux de ton agonie ! J'ai seulement huit ans, après tout, et je les ai même pas encore ! Excuse-moi.

Elle essuie sa figure avec le bas de sa blouse nuages et se lève au moment où Maryse revient dans le salon pour changer le disque. La tante Maryse est extrêmement nue, plus que la Sultane bleue parce que c'est en personne. Elle a l'air étonnée et c'est normal vu l'impression, peut-être, d'avoir été surprise dans son intimité nocturne du mercredi matin. Mais elle n'est pas fâchée et elle ne semble pas être au courant, pour la mort de Mélibée. Elle n'a pas de flair ou alors elle est ignorante.

— Veux-tu bien me dire, Myriam Ladouceur, commence Maryse...

Mais Myriam ne se laisse pas interboliser par une tante qui fait l'amour dans la clarté crue du matin au lieu de réserver cela pour le sombre de la nuit et qui, de surcroît, est nue et ignorante. Elle dit :

— Tu devrais tenir compagnie à ta chatte pendant qu'elle meurt. Ça serait plus poli !

Et elle part.

En passant dans la cuisine, elle chipe le dessin de la Sultane. Elle n'a pas de place où le cacher, son sac d'école étant resté à la maison, pas étonnant qu'elle l'oublie tout le temps, il est laid, elle fait tout pour le briser afin qu'ils lui en achètent un autre, mais ça ne marche pas. Entucas ! Elle retraverse Babylone.

La Dame du Nil est encore dans la cuisine, rivée au téléphone. C'est MLF qui est à l'autre bout du fil, ça se comprend tout de suite. L'embêtant, avec les conversations de ce genre-là, c'est qu'on a un seul aspect des choses : on a beau faire des devinettes, c'est pas toujours évident, ce que l'autre dit. La télépathie, c'est bien, mais rien de mieux que les oreilles ! Le visage de Marité a une petite veine saillante sur le front, celle qui apparaît quand elle explique quelque chose d'important. Elle lance un regard étonné à sa fille qui lui sourit et dégage, mais pas très loin, dans le salon, pour écouter à son aise. La conversation porte sur les rapports humains, surtout les rapports entre les humaines. Marité dit qu'elle n'a pas toujours le temps de parler aux gens mais qu'elle a développé un truc pour contrer son manque de disponibilité ; elle a une technique pour fixer dans sa mémoire les conversations interrompues et les arguments des autres. Quand, à des semaines ou même à des mois d'intervalle, elle revoit une personne avec qui elle a commencé à discuter, elle reprend la conversation au même point exactement, en indiquant qu'elle y a beaucoup pensé depuis. Cela étonne les interlocuteurs et les laisse avec l'impression — assez juste au demeurant — qu'entre-temps, elle a pensé à eux. C'est ça, son truc. Ça lui permet de «poursuivre la communication dans le morcellement, la hâte, la dispersion» Mais avec ses amies, elle refuse «la dispersion et le discontinu». «Dis donc ! se dit Myriam, c'est drôlement bien envoyé ! Plein de mots ! » Elle se demande ce que la tante MLF va répondre à cela. Il y a un appareil téléphonique dans le salon. Elle soulève doucement le récepteur.

— T'oublies jamais les noms et les figures des gens, dit MLF. T'as toutes les qualités pour devenir un homme politique !

— Niaise-moi pas ! dit Marité.

Elle rit. Et dit qu'il fait chaud. Torride.

— J'aime bien la Torride, moi, dit MLF. L'homo sapiens vivait dans la zone subtropicale. Comment veux-tu qu'on soit à l'aise au nord du quarante-cinquième parallèle ?

Qu'est-ce que c'est que cette salade ? L'homo sapiens ! C'est sans aucun intérêt. Elles sont dans le discontinu intégral. À moins que ce soit un code ; elles se sont peut-être aperçu de sa présence et essaient de la déjouer ! Elle raccroche en catastrophe et monte à l'étage.

Sur la porte fermée du bureau de François, on voit sa petite pancarte : *Ne pas déranger, homme au travail.* On entend le moteur de sa dactylo. Ce qu'il peut en dépenser, de l'énergie, son père, pour faire croire aux gens qu'il travaille quand il écrit ! D'ailleurs, ça se peut pas qu'il écrive tout ce temps-là, il doit en passer de grands bouts dans la lune. Il dérive un peu et après, il corrige. Les écrivains sont pas bons, ils sont seulement entêtés ! C'est pas comme madame Légarée : chez elle, ça coule de source, c'est de l'inspiré. François n'y croit pas, à l'inspiration, et c'est tant pis pour lui ; il doit tout réécrire et ça lui prend du temps. Ou alors, il lit des bouquins super épais en soulignant tout en bleu avec un crayon transparent. Ça fait très utilisé, après, très livre de seconde main. Mais par contre, pendant qu'il joue dans ses papiers, il est là, et ça, c'est extraordinaire ! Les autres n'ont pas de père écrivain assigné en résidence à la maison, « à perpette », comme dit Gabriel. François est le père perpétuel, elle l'a toujours connu ainsi, passant des journées entières à écrire en chienne à Jacques — c'est une expression ; lui, sa chienne à Jacques, ce sont des vieux pantalons et un gilet troué. L'hiver, il porte en plus une robe de chambre d'écrivain, « comme Balzac, dit-il, mais en moins costaud physiquement ». Je comprends, chose ! Il est maigre, François, mince, enfin, parfait ! Sa présence dans la maison est aussi rassurante que celle des bêtes familières de sa petite enfance, Cossette et Trudelle, c'étaient des chattes, toujours ensemble, à se faire des mamours. À leur mort, elles ont été remplacées par Belmondo, plus indépendante. Myriam n'aime pas tellement les gens indépendants, réflexion faite, elle aurait le goût de parler à quelqu'un de dépendant comme François, il suffit de frapper à sa porte d'homme au travail et d'entrer en même temps. Après l'école, c'est toujours comme ça qu'elle envahit son bureau, sans finasser et sans trop s'excuser. Mais ce matin, elle est dans l'illicite d'un retard, mieux vaut laisser ronronner la dactylo. Elle passe outre et met la Sultane au secret au fond de sa garde-robe, puis elle commence à chercher son sac qui doit bien être quelque part. Elle le trouve dans la salle de bains, par terre. Elle ne se souvient pas l'avoir laissé là. Les objets nous jouent parfois des tours. Le sac est toujours aussi laid. Et mouillé. Ça sèchera vite aujourd'hui. L'eau n'a sûrement pas pénétré à l'intérieur, il est fermé-hermétique depuis hier, trois heures. Elle se demande si la conversation d'en bas a progressé ou si elles en sont toujours à l'homo sapiens. Dans la chambre des parents, il y a un autre appareil. Avec beaucoup de tact et une dextérité de sorcière chevronnée, elle soulève le récepteur. C'est la tante MLF qui parle :

— Mais pourquoi est-elle laide ? demande-t-elle. Va-t-elle cesser ?

— Tu dis ça comme si c'était de sa faute, elle le fait pas exprès.

— C'est à se demander ! Depuis quelques jours, je rencontre seulement des gens laids, méchants et cheap. La folle d'hier soir voudrait avoir mon rôle, mais c'est moi que Maryse connaît et c'est pour moi qu'elle écrit. Je suis chanceuse, c'est tout ! L'autre voulait rien comprendre, tu comprends ?

— Oui, fait Marité.

— Tu sais ce qu'elle m'a dit ? Elle m'a dit : « Toi, Marie-Lyre Flouée, tu peux pas comprendre, t'es belle, ça t'a été donné à ta naissance ! T'es agressive, alors que tu devrais être fine PUISQUE T'ES BELLE ! » « Aie, je lui ai dit, c'est pas tout d'être belle ! Ça ne me rend pas heureuse pour autant ! D'ailleurs, je suis moche, je m'amochis de jour en jour ! »

Marité part à rire.

— En tout cas, je déteste les femmes laides, conclut Marie-Lyre. Elles sont dangereuses.

Myriam se demande si elle détestera les femmes laides plus tard, quand elle sera belle comme Marie-Lyre et Marité combinées et puissante en tant que sorcière...

— ... doutant cycliquement de nos certitudes, dit Marie-Lyre.

Qu'est-ce à dire ? Elle a dérivé un tout petit moment, et en deux phrases, c'est devenu rasoir. La tante MLF est en forme ce matin, elle est dans l'abstrait absolu. Quoique. Elle utilise aussi des mots moins charabia comme le mot « désir » qu'elle répète plusieurs fois. Avec la voix qu'elle a, ça ressemble à la robe couleur framboise d'Aurélie, à quelque chose qu'on pourrait manger ; des framboises ou une pêche. Oui, dans le cas de Marie-Lyre, ça serait plutôt une pêche. Pulpeuse.

— Il s'appelle Renaud, dit Marie-Lyre.

Myriam pense au beau Célestin et elle part dans la lune. Quand elle en revient, les deux femmes parlent d'elle, de ses cheveux. Dans le miroir, elle voit sa coiffure incertaine. Étrange que sa mère et MLF soient à ce point préoccupées par une chose aussi secondaire que sa chevelure! Elles sont superficielles! Elle renifle, et c'est alors qu'elle entend, dans le téléphone et en bas, en parfaite stéréophonie:

— Es-tu encore sur la ligne, Myriam Ladouceur? Espèce de faticante! J'ai droit à ma vie privée, moi aussi! Je vais te reconduire à l'école par les oreilles si tu te grouilles pas!

Myriam s'excuse et détale en se disant: «Ouille, ouille, ouille!» Mais elle n'est pas du tout repentante: comment tu veux devenir sorcière télépathe sans jamais prendre les moyens pour? Faut s'aider.

François entre dans la cuisine au moment où Marité raccroche. Elle est gaie car Marie-Lyre est complètement défâchée. Il faut que Maryse lui pardonne à son tour, elle a besoin de ses deux amies, elle les aime. Leur querelle a servi de révélateur: elle voit plus clair ce matin et elle voudrait que les choses soient toujours aussi limpides. En expliquant cela à François, elle pense à Rémy dont elle devrait lui parler pour que les malentendus ne s'accumulent pas entre eux. Après tout, François ne lui a jamais rien caché, lui, il n'a jamais su camoufler ses propres aventures. Il en a eu quelques-unes, après la mort de son père, de petites histoires sans lendemain avec des étudiantes. Cela a duré quelques mois puis il a cessé d'avoir des réunions spéciales annoncées par des excuses dénotant un manque d'imagination assez étonnant chez un écrivain : il se comportait comme s'il avait voulu qu'elle le sache. Il était désarmant. C'est fini, il est redevenu fidèle... Il se prépare un café, lui demande si elle en prendra un autre et se met à lui raconter un rêve qu'il a fait cette nuit : il était dans un bar où Adrien Oubedon récitait ses poèmes. Gaston Miron y était aussi, superbe, lisant quelque chose à voix haute. C'était comme une joute oratoire entre les deux poètes. Une fillette de l'âge de Myriam passait le chapeau et Oubedon empochait tout le fric en lui tapotant la tête comme si elle avait été sa fille. Son père Antoine était parmi les auditeurs, assis à une table. L'atmosphère était celle d'un café espagnol, autrefois, à l'heure de la *merienda*. Il était bien dans cet univers d'hommes, mais il ne voyait pas ce que la petite faisait là... Oubedon, Miron, Antoine, il se demande ce que signifie ce ramassis de figures paternelles. Il sourit, amusé... Marité constate qu'il utilise à nouveau le mot «paternel» et qu'il parle d'Antoine. Après sa mort, il évitait de prononcer son nom, c'était flagrant. Cela commence à s'estomper. Elle n'est pas sûre cependant qu'il ait accepté la mort de son père. Il est du genre à ne jamais se résigner. Il y a en lui quelque chose de tourmenté, de raide et de franc, mais cette chose est tournée vers lui-même et avec les autres, il est doux. Il souffrirait sans doute d'apprendre qu'elle l'a trompé. Il est là, attentif et aimant, fondamentalement fidèle. Il est, dans sa vie, une présence inéluctable comme celle d'une mère ; il est sa sécurité, son destin. Elle se demande à qui servent les aveux... Si elle lui parlait de Rémy comme elle en a la tentation, elle éprouverait la satisfaction douteuse de lui faire savoir qu'elle l'a trompé à son tour, elle connaîtrait l'amère délectation de rentrer cérémonieusement au bercail, mais rien d'autre : un caprice de femme aimée, sûre de l'être toujours et d'être pardonnée. Or, après huit années de non-mariage avec François Ladouceur, elle comprend qu'elle l'aime encore ; elle n'a aucune raison de l'écœurer, son aventure avec Rémy ne le concerne pas et il n'en saura jamais rien... Elle parle d'autre chose, elle reparle de se présenter aux partielles, pas celles de juin, c'est trop rapide, mais l'an prochain peut-être. Ils en ont discuté hier soir et le sujet est loin d'être épuisé.

— Quel genre de vie ça va nous faire ? dit François.

— Je serai pas élue, voyons !

— Tu en serais bien capable !

Il sourit, moqueur.

Elle monte s'habiller. Le rêve de François lui rappelle celui qu'elle fait depuis quelques semaines : la porte mousquetaire est grande ouverte et, dans la cuisine, il y a des oiseaux caquetants au plumage lustré. L'air est vibrant de leurs cris. Elle leur jette à la volée des graines de tournesol, comme on sème, puis elle s'assoit pour les regarder manger. Elle est heureuse. Le rêve est revenu encore la nuit dernière... Dans le miroir de la coiffeuse, sa propre image l'étonne : elle ne fait pas ses quarante ans, ce matin. Rapidement, elle met son déguisement d'avocate progressiste et ses souliers bleus à talons hauts.

Myriam est passée par la porte d'en avant car c'est le plus long chemin pour se rendre à l'école. Sitôt dehors, voyant que personne ne la suit pour lui tirer les oreilles, elle a ralenti son train. Elle est maintenant irrémédiablement en retard et, avec le sentiment délicieux de se forger une belle situation inextricable, elle pacage dans les parterres où flottent des nuées de mannes parmi des fleurs d'érable qui tourbillonnent mollement dans l'air et tombent en faisant de petits bruits frisés. Elle se dit: « Je suis pas tellement une sorcière, finalement, je contrôle pas l'amour. De ma véritable identité, je serais plutôt une Sultane que ça ne m'étonnerait pas. Je suis la Sultane bleue du vingt-cinq mai, nageant dans les fleurs d'érable, c'est le matin, j'ai bientôt huit ans et je ne vais pas à l'école parce que j'ai la peine d'amour. » Tout à coup, elle fige sur place: surgissant de la rue Napoléon et venant vers elle, vient d'apparaître le poète Oubedon. Même de loin, on le reconnaît; il a une démarche de gros. « Monsieur Oubedon a un ventre maternel », a dit l'autre jour Ariane. C'est vrai, ça, on aimerait s'y appuyer pour être bien un moment. Il attire, Oubedon, malgré sa forte odeur d'adulte. « Ventre maternel ! a dit François. Si Adrien est maternel, c'est bien à son insu ! Il n'est même pas capable de faire le paternel convenablement ! » « J'ai dit ça comme ça, a fait remarquer Ariane. Chicanez-vous pas. » Mais, entre adultes odorants, ils se sont mis à discuter de la maternité possible des hommes. La tante MLF disait pourquoi pas mais François divergeait, il avait l'air un peu piqué. « C'est toi le meilleur père, a dit Maryse, t'en fais pas ! » Elle lui a ébouriffé les cheveux et après, ça a été bizarre, comme si elle regrettait son geste. Quoi qu'il en soit, Oubedon se rapproche dangereusement, il l'a reconnue et elle ne peut pas rebrousser chemin. Ça y est, c'est le drame: elle est repérée, cuite, faite, ficelée ! Il va la dénoncer à Marité, tous les adultes sont solidaires et maternels. Oubedon soulève son chapeau Indiana Jones, il dit « salut mam'zelle » et passe. Ça alors ! Fiou ! Elle l'a échappé belle ! Il lui a même fait un grand sourire. Il est vraiment rigolo, Oubedon, et pas du tout maternel puisqu'il oublie l'école. Par contre, il l'a encore appelée mam'zelle. Qu'est-ce que tu veux, il a beau être poète, il peut pas deviner qu'elle est Sultane, de sa véritable identité ! Elle reprend sa route et, d'un parterre à l'autre, elle dépasse l'école. Tant pis ! Elle a le goût d'aller au Carré Saint-Louis regarder flotter les fleurs d'érable sur l'eau du bassin. Elle continue de marcher vers l'ouest. Au coin de la rue Berri, elle bute sur sa grand-mère Blanche qui sort du métro et dont le chapeau vacille.

— Sak !

Prestement, Blanche remet en place son chapeau et l'assujettit à l'aide d'une longue épingle sortie on ne sait d'où. Elle a l'air étonnée.

— Excusez-moi, grand-maman, j'ai pas voulu vous enfarger !

Blanche part à rire et serre sa petite-fille dans ses bras. Fièrement, elle lui montre sa serviette d'homme d'affaires. Elle en avait toujours voulu une ; elle l'étrenne ! Pour ne pas être en reste, Myriam remonte la jambe droite de son jean et lui exhibe son plus gros bobo, copieusement mercurochromé. Une réussite dans le genre. Il a beaucoup fait parler à l'école.

— Mon Dieu, l'école ! dit Blanche. Es-tu en train de faire l'école buissonnière ?

— Pas du tout ! Je fais la chasse aux mannes !

Et Myriam se lance dans une longue histoire fantaisiste qui n'est pas ce qu'on pourrait dire authentiquement véridique. La grand-mère fait des yeux incrédules. « Sak, ça passe pas ! » Blanche la prend gentiment par le bras et la reconduit. Chemin faisant, elle lui demande comment ça va.

— J'ai pas une bonne école, commence Myriam. Les maîtresses sont toutes des poches.

— Je parle pas de ça, mais de ta vraie vie. Pour une fois qu'on est seules, raconte-moi !

Myriam est soulagée de voir que sa grand-mère ne l'engueule pas. Pourtant, elle l'a prise dans le flagrant délit de traîner dans les rues ! Elle non plus n'est pas tellement maternelle. Ça recommence à bien aller malgré ses préoccupations ; il y a le dossier Célestin, le dossier Alice et, depuis tantôt, le dossier Mélibée Marcotte. Mais elle mentionne seulement Alice, les autres, Blanche ne les connaît pas, ce ne serait pas poli d'en parler. Elle dit :

— Mon autre grand-mère a des troubles dans le Bas du Fleuve, j'en suis sûre. Elle m'a pas amenée, elle m'écrit pas non plus. Je la pensais pas sans cœur de même !

— En voyage, on n'a pas toujours le temps...

Elles passent devant un accordéoniste aveugle installé sur le trottoir. Il joue *La vie en rose.* « Comme à Paris, dit Blanche, les musiciens débordent maintenant du métro, c'est étrange. » Machinalement, elle sort sa petite monnaie. Myriam insiste pour déposer elle-même l'argent dans la canisse de fer blanc.

— Les musiciens doivent être riches, avec tous les sous qu'ils reçoivent ! dit-elle.

Blanche ne croit pas. Elle fait sa petite enquête sur eux, présentement...

— Une enquête comme Sherlock Holmes ?

— Oui !

La grand-mère rit et tout d'un coup, elle porte une cape à carreaux et une casquette. D'un ton de détective, elle raconte comment elle s'y prend pour filer les musiciens sans être repérée. Elle s'intéresse à un trio chilien et à un violoncelliste. Elle a plein de documents sur eux dans sa serviette. « Mais parles-en à personne, dit-elle,

j'agis pour mon propre compte, faut pas ébruiter!»
Myriam se demande si sa grand-mère est dans l'authentique pur, mais ce matin, elle n'a pas le goût de douter, et
elle s'abandonne à une crédulité que Marie-Belzébuth
trouverait bébé. Ça lui fout, Marie-Bébelle n'existe plus!
Elles sont déjà rendues devant l'école, il ne faut pas que
Blanche parte... Pour gagner du temps, Myriam lui demande si elle voyage toujours en métro.

— Toujours!

— Moi, ma mère veut pas. Vous savez comment
elle est, ma mère, sévère et tranchante, et tout.

— Je sais! À quarante ans, ils sont tous très sérieux. C'est l'âge de l'importance. Ça prend une grand-
mère pour comprendre une petite fille. Un jour, je t'amè-
nerai dans le métro, il y a beaucoup d'activité: des ventes,
des concerts, des bingos, des encans, des collectes de
sang, des bibliothèques.

— Y a des maniaques aussi! Mon amie Ariane rencontre toujours des maniaques.

— Ariane est trop jeune pour voyager seule...

— Elle est monoparentale double avec garde partagée, c'est pour ça! Et elle est pas riche comme nuzautres,
sa mère a même pas d'auto et son père est un maudit
paresseux. Faut qu'a marche, elle a pas le choix! A m'en
raconte des vertes pis des pas mûres! Il s'en passe, des
choses, dans le métro!

Blanche pense au suicide de l'autre jour: la rame a
été longtemps immobilisée en début de station et, dans le
micro, une voix parlait de «difficultés techniques». Personne n'a été dupe en voyant la civière. Elle décide de
faire comme la voix du métro et d'opter pour l'euphé-
misme. Mieux encore, il lui semble que l'abstention pure

430

et simple, ou même la diversion, sont ce qui convient le mieux à sa petite-fille.

— Oui, dit-elle, même moi qui ai l'âge de voyager seule, je suis souvent accostée par le menu fretin.

— Qu'est-ce à dire? dit Myriam.

— Il m'arrive d'être abordée par un individu louche, bizarrement vêtu, il porte des lunettes coupées et des bretelles. Drôle de corps! Il prétend être journaliste underground.

— Je gage qu'il a le menton en galoche!

— Comment tu sais ça, toi?

— C'est le Diable Vert, je le connais, il est cool-écœurant! Seulement, il est pas journaliste mais barman. Et menteur.

— Une sorte de voyou inoffensif, continue la grand-mère. Faut se méfier, ils ne le sont pas tous, mais je suis aguerrie.

Et elle raconte comment, à elle seule, elle est venue à bout des trois voyous qui l'ont attaquée tantôt. Des *bums* qui voulaient la voler, mais ils n'ont pas réussi! Elle les a traités de mal élevés: «On ne vole pas les grands-mères! j'ai dit. Surtout pas une grand-mère orpheline, c'est mon cas! Et puis, à mon âge, il me semble que je devrais bénéficier de l'immunité retraitaire!» Myriam rit et approuve. Blanche a maintenant l'air d'un héros de cape et d'épée.

— Ce ne sont pas tant mes paroles qui les ont frappés, ajoute-t-elle, que mes coups de parapluie. J'ai beau être ancienne, je ne suis pas naïve pour autant. Dans le métro, je joue du parapluie.

— Vous avez donc raison, grand-maman!

Avec délectation, la grand-mère énumère les passes qu'elle a faites. Elle amorce même les mouvements. Les passants la regardent puis détournent poliment la tête. Tout à ses exploits, Blanche ne les voit pas. Myriam lui répond par les figures de aïkido apprises par Ariane. Sauf qu'elle dit «je», ça va plus vite pour l'histoire. «Je savais pas que tu faisais du aïkido, toi, ma petite-fille!» dit Blanche. «Je vais en faire», dit Myriam. Blanche prend un air scandalisé et Myriam dit : «Voyons, grand-maman, j'ai pas votre expérience, si je veux raconter mes prouesses moi aussi, il faut bien que j'en rajoute un peu! Prenez pas ça mal!»

— D'accord, dit Blanche.

Elles rient, heureuses de s'attarder dehors sans geler. Détendues. Complices. Mais ça se gâte car Blanche finit par dire : «Bon, je vais te laisser, j'ai à faire.» Très vite, Myriam la branche sur une autre piste, une histoire de sa jeunesse, c'est le point faible de bien des adultes :

— Ça fait longtemps que je voulais vous demander ça, grand-maman, qu'est-ce qui est arrivé à la tante Catherine, finalement, vous savez, la joueuse de piano?

— Catherine Grand'maison, c'est de l'histoire ancienne...

C'est raté, la piste était fausse! Myriam l'a remarqué, cette grand-mère-là, il est très difficile de la faire parler des choses de son temps. Elle répond toujours : «Je ne comprends pas ce que vous voulez dire, mon temps est le même que le vôtre, c'est celui où je vis, c'est aujourd'hui.» En tout cas, aujourd'hui, elle ne porte pas les bijoux de Catherine. Les aurait-elle mis au mont-de-piété comme dans une histoire de Maryse? C'est louche! Par contre, sans qu'il ait été nécessaire de l'embrayer, elle est repartie d'elle-même sur autre chose, un projet de grands-parents bénévoles, qui est une espèce de confrérie ultra secrète... En parlant, l'esprit de Blanche dérive vers

Désiré et la pensée de cet amour donne un ton léger à ce qu'elle raconte. «Oh! la chanceuse, se dit Myriam, elle est dans l'amour partagé!» Sans savoir pourquoi, Blanche pense maintenant à Dieudonné Leblanc dont elle était amoureuse à neuf ans. C'est loin! Myriam soupire et tire sur sa blouse nuages. Blanche remarque alors les yeux de sa petite-fille: la nuit dernière, dans une série de flashes rapides à mi-chemin entre le rêve et le phantasme, Myriam montait sur ses genoux pour être cajolée mais elle dérapait, glissant longuement. Elle murmurait: «Je tombe des nues, grand-maman!» Elle avait de petits yeux surpris et chagrins, gonflés d'avoir pleuré toute la nuit à l'occasion d'une première peine d'amour, comme elle-même, Blanche, a pleuré déjà, à cause de Dieudonné.

— Ma petite fille, dit-elle, ne perds pas ton temps à regretter des individus qui n'en valent pas la peine!

Myriam a l'air de tomber des nues.

— Je dis ça à tout hasard, ajoute Blanche. J'ai lu dans tes yeux.

Myriam regarde les yeux profonds, éternels, de sa grand-mère. On dirait qu'elle a toute sa vie devant elle, comme à huit ans. C'est le fun, une grand-mère! Contrairement à ceux qui ont la quarantaine, c'est toujours game.

— Vous aviez promis de m'amener à la Ronde, moi pis Ariane. Ça tient-tu, ça?

— Bien sûr! Mais on dit Ariane et moi.

— On va-tu y aller en métro?

— Évidemment, mais je me sauve, je ne veux pas être complice de ta tournée des buissons!

Elles se donnent des becs et se séparent.

Le cœur léger, Myriam grimpe jusqu'à sa classe. Mais là, elle frappe un nœud dans la personne de la maîtresse qui est fâchée plus que prévu et qui lui demande une justification : c'est une lettre disant que vous avez eu un très gros mal de ventre ce matin même, à huit heures vingt. Myriam n'a pas de justification sur elle. Elle peut s'en procurer une pour cet après-midi, peut-être. Avec un peu de chance. La Maususse a ses yeux sanglants qui dégouttent sur sa jupe-culotte kaki. Berk ! L'élève Myriam Ladouceur prend son trou et n'en sort pas avant l'heure du dîner.

Maryse ne téléphonera pas au vétérinaire, c'est trop tard et elle n'a pas le goût de se faire faire la morale. Après le départ de Myriam, elle a fait jouer les Gymnopédies d'Éric Satie ; elle a toujours soupçonné Mélibée d'aimer cette musique-là. Elle a déplacé le divan et s'est assise à la place occupée tantôt par Myriam. Elle va suivre son conseil et tenir compagnie à sa chatte, elle manquera sa réunion, c'est sans importance. En la caressant, elle a l'impression que la douleur diffuse qu'elle ressent depuis quelques jours se concentre dans sa main droite, celle qui caresse.

— Je reste avec toi, dit Laurent.

Il s'installe sur le bras du fauteuil. Il a mis son pantalon mais il est torse nu. Le renflement des muscles sous sa peau dorée est parfait, il a une façon charmante d'allumer sa cigarette, de chasser une mèche de cheveux, de froncer les sourcils ; tout ce qu'il fait la ravit car elle est irrémédiablement amoureuse de lui, son sentiment s'est approfondi depuis l'imminence de son départ. Ce n'est pas une catastrophe, elle constate seulement qu'elle est amoureuse d'un homme qui s'en va. Depuis qu'elle le connaît, il lui semble que sa perception des choses a changé : les formes ont pris un contour plus net et la lumière, une acuité nouvelle, comme si elle était une femme des pays de soleil.

— Je me demande comment est la lumière, au Nicaragua, dit-elle.

Laurent pense à la réverbération du soleil sur le Río San Juan, l'été vers cinq heures du soir. Demain, il doit assister à la conférence de Luz Beatrix Avellano, une religieuse nicaraguayenne venue rencontrer des coopérants et donner aux gens d'ici sa version du régime sandiniste. Il demande à Maryse si elle aimerait l'accompagner, les questions de coopération internationale l'intéressent. Elle dit : « Peut-être. » Il dit : « C'est beau, tes cheveux, comme ça. » Dans son peignoir fleuri, elle a l'air d'une petite fille. Ses jambes repliées sous elle, elle caresse toujours Mélibée.

— Puisque tu ne retournes pas au cégep, tu pourrais t'allouer des vacances et partir avec moi en août... Si tu venais passer quelques semaines, on serait moins longtemps séparés...

Maryse ne répond rien. Laurent continue d'examiner la possibilité d'un séjour, à Noël peut-être, mais en parlant, il se dit que c'est peine perdue : elle n'ira pas, étant de ces Montréalais heureux de vivre ici en toutes saisons et peu enclins à voyager. Il réalise qu'il ne veut pas la laisser. Il lui demande ce qu'elle fera de son scénario refusé. Elle n'en fera rien, l'histoire sera peut-être récupérée un jour, mais pour le moment, seule sa pièce compte, et son rapport avec Benoit Jusquiame.

— Au théâtre, dit-elle, ils sont tous scandalisés par la conduite de Gérard et cela a augmenté leur cohésion. C'est ce que Benoit m'a expliqué, mais entre les lignes, j'ai compris que les autres feraient tout pour l'aider. Il plaît, c'est un aimable fou! Il me refile constamment des idées de show. «Tu devrais écrire quelque chose sur ci, sur ça!» Une vraie muse! Mais ça ne m'agace même pas. Il croit à la théorie des calques selon laquelle en écrivant, on fait arriver les choses, de là sa phobie de jouer un personnage qui meurt. Il est maniaque mais généreux et utile; il connaît beaucoup de gens dans le «milieu». Il prétend que Duquette serait un agent double amalgamé avec la petite pègre et un réseau de prostitution. C'est bien possible...

Elle s'arrête un moment; encore une fois, elle est côté jardin et elle parle de la Courre. Ce soir chez *La Sultane*, elle pensera au jardin. Elle sourit et revient à Jusquiame: elle sent une parenté étrange entre eux deux, une sorte de sympathie.

— Heureusement que je ne suis pas jaloux! dit Laurent. Il y a autour de toi beaucoup de monde pour te consoler de mon départ.

— T'as pas à t'en faire avec Benoit! Il couche même pas avec les hommes!

Mélibée a ouvert les yeux, elle regarde vers la fenêtre où l'on voit une branche d'érable. De l'éclatement des jours derniers, Maryse a l'impression qu'il est retombé quelque chose de bon, tout de même, un nuage de fleurs d'érable; des petites promesses qui mûriront lentement. Elle dit:

— J'aime les matins clairs et lents. Ils effacent la nuit. J'aime les commencements, on y sent un frisson. Je préfère toujours mon prochain texte à celui que je viens de terminer.

Et, insensiblement, elle glisse vers *Le roman de Barbara* qui parlera de la prostitution. Benoit lui a donné des noms de portiers, de barmans, de chauffeurs de taxis. Elle les rencontrera pour mieux comprendre le fonctionnement du milieu, mais elle reverra aussi sa cousine à qui elle pense beaucoup. Ce qui la fascine chez Norma, c'est son attachement pour sa fille en manteau bleu royal.

— Je ne sais pas si cette enfant-là a été désirée, dit-elle, mais je sais qu'elle est aimée ! C'est comme l'autre putain, l'aïeule Kate, qui a toujours continué de s'occuper de sa fille. J'aimerais bien savoir ce que la petite est devenue. Elle sera sûrement dans mon roman et l'enfant de Norma aussi : elles seront « les petites filles en bleu », deux bâtardes vivant en pension loin de leurs mères aimantes, et leur écrivant. Le roman comportera plusieurs lettres. Je parlerais aussi du pimp batteur de femmes. Il faut que je le retrouve pour pouvoir me faire une idée et organiser l'intrigue.

— Tu en parles comme d'un roman policier !

— C'est ça !

Elle voudrait que la trame de ce livre soit aussi prenante que celle d'un polar. Que cela soit lourd, contemporain, violent. Elle baisse la voix au mot violent. Sous ses doigts, la chatte s'agite faiblement. Elle sent sa main fondre et s'adoucir. Depuis quinze ans, depuis qu'elle a l'âge de femme, Mélibée Marcotte a été la seule constante dans sa vie, son seul point d'ancrage d'un homme à un autre, d'un appartement à l'autre. La bête a été le témoin tendre et muet de sa jeunesse. Elle n'est plus une jeune femme, elle a trente-six ans. Elle regarde l'appartement, il est un peu à l'abandon comme un lieu qu'on n'a plus le goût d'habiter, cela la frappe. Mélibée morte, elle n'aura plus à revenir la nourrir, elle vivra chez Laurent jusqu'à son départ. Dans sa confusion des jours derniers, le regret de savoir de façon sûre qu'il partira a occupé beaucoup de place, elle le comprend maintenant. Pour le moment, elle a encore un petit répit ; il est là, devant elle, l'air amoureux. Et amusé. Il regarde le mur au-dessus de la table tournante, il y a collé une carte du Nicaragua découpée dans un journal. C'est une carte sommaire sans aucun relief, elle indique un seul cours d'eau. La dernière fois qu'il y a jeté un coup d'œil, il n'a rien remarqué de spécial. Or ce matin, une main impertinente y a tracé d'autres fleuves avec un marqueur bleu : tous les fleuves importants y sont !

— Ça manquait d'eau, ton pays de feu ! dit Maryse.
Il rit.

Elle l'embrasse en songeant que sa mise en disponibilité arrive à point, tout compte fait. C'est la fin d'une époque de sa vie, la fin d'un cycle. Elle n'a rien fait pour en arriver à ce tournant, elle n'a pas vraiment choisi d'y être. Depuis sa naissance, elle peut compter sur les doigts d'une seule main les décisions importantes qu'elle a prises : à dix-huit ans, elle est partie de chez ses parents, quelques années plus tard, elle a quitté Michel Paradis. Deux départs, deux retraits. Elle n'a pas choisi de tomber en amour une première fois, comme elle n'a jamais vraiment cherché à devenir professeure ; cela lui est arrivé, elle s'est contentée d'acquiescer et de continuer. Pendant ces quinze années, elle aurait pu tout aussi bien faire autre chose... Laurent reparle de Pointe-Saint-Charles et de la violence des feux de rage, disant que c'est comme un avant-goût de la guérilla. Elle s'entend lui répondre que cela leur a en effet donné un aperçu. Et ainsi, en même temps que lui, elle apprend qu'elle l'accompagnera là-bas.

Il la serre dans ses bras et demande s'il a bien entendu : elle viendrait pour plus qu'un mois ? Elle dit :

— Oui, je te choisis, toi, Laurent. Je choisis de partir avec toi. Si tu veux.

Il dit : « Je veux ! Ah oui, je veux ! »

Elle sent le frisson des commencements. Il lui vient à l'esprit que la théorie des calques a peut-être un fondement car ce qu'elle écrit finit toujours par arriver : de la même façon qu'elle a vécu la scène du lavoir après l'avoir imaginée, elle ira vers l'Amérique latine après en avoir rêvé. L'an dernier, elle a publié une nouvelle dont l'action se passait sous les Tropiques. Elle croyait avoir ainsi évacué son désir du Sud mais tout se passe comme si le texte avait été un déclencheur ; elle veut maintenant partir et l'Amérique latine l'a toujours attirée, c'est une terre d'espoir. Elle pourra y écrire sans la contrainte de l'enseignement. D'ici la fin de l'été, elle aura toute sa documentation pour *Le roman de Barbara*.

— Je me demande s'il y a du théâtre, là-bas, dit-elle. Ils ne doivent pas avoir le temps d'en faire. Par contre, il y a sûrement de la prostitution.

— Tu ne sors jamais longtemps du sujet, toi ! dit Laurent.

Il l'embrasse et ajoute : « Tu es passionnée, c'est pour ça que je t'aime ! »

Avec d'infinies précautions, elle retire sa main de sous la tête de Mélibée et effleure la joue de Laurent.

Ils n'ont encore trouvé personne pour remplacer la guichetière fugueuse et le téléphone sonne sans arrêt, enfin, souvent. « Ils ont même pas été foutus de mettre le répondeur, maugrée Benoit, c'est pas sérieux, c'est moi qui fais tout ici ! » Il est seul dans le théâtre avec La Cantonade qui méprise le téléphone. Au quinzième coup, il décroche. C'est madame de Gingras, une admiratrice. De sa main libre, en parlant, il continue d'agiter son mixeur ; il ne peut pas fléchir, les boissons pour hommes doivent être brassées énergiquement et longuement, c'est du moins ce que prétend l'étude qu'il a lue récemment et d'après laquelle il y aurait des boissons « raides » pour les hommes et d'autres, plus fluides, pour les femmes. Ces catégories s'avèrent exactes : il a remarqué que les femmes sont portées sur le gin fizz, le Pink Lady et le matchosuldo, alors que les hommes préfèrent les mélanges à base de scotch. L'étude en question a été menée dans un bar vraisemblablement ultra straight car elle ne tient pas compte des préférences d'un éventuel sexe intermédiaire dont le milieu théâtral est abondamment garni. Pour remédier à cette lacune, Jusquiame a inventé ses propres mélanges. Il en prépare une bonne ration en vue de la première. En chéquant toujours, il vante *L'Œuf d'écureuil* à son interlocutrice, il ne ménage rien pour l'allécher car elle et sa belle-sœur sont leurs spectatrices les plus remarquables en ce sens qu'elles tranchent sur le reste du public. Arrivées tôt les soirs de première, les deux femmes parlent fort et détonnent ingénument dans le hall encore clairsemé de critiques et d'acteurs venus se faire voir. Leur présence rassure les gens de *La Sultane* : seules parmi le Tout-Montréal artistique, Aline de Gingras et sa belle-sœur Ginette représentent le public *at large* et, grâce à leur fidèle achalandage, ils peuvent se flatter de rejoindre du « vrai » monde. Aline de Gingras est en effet tout ce qu'il y a de plus ordinaire, à part quelques petits détails sans importance. Son mari est propriétaire d'un garage sur le Plateau Mont-Royal et elle-même n'a jamais prétendu être autre chose qu'une bonne ménagère. Sa famille étant élevée, et le garage ayant depuis quelques années du vent dans le muffler, elle a maintenant un budget plus substantiel et du temps pour courir les spectacles, c'est sa passion, qu'elle partage avec sa belle-sœur Ginette. Les deux femmes vadrouillent toujours ensemble et *La Sultane de Cobalt* est un de leurs spots favoris. Elles y amènent leur pop-corn et, quand le show leur plaît, elles y vont d'une bonne main d'applaudissements. Après, en coulisses, on se passe toujours le mot : «Ont-elles aimé, oui ou non ? Faut-il songer à couper ? » Et cetera. Leurs réactions sont attendues, leur moindre rire reçu comme un cadeau, leur mutisme comme une condamnation. Personne ne s'est jamais demandé comment elles ont découvert le repaire de *La Sultane*, chacun préférant penser que leur assiduité en ces lieux occultes est la preuve flagrante de l'accessibilité de l'art. Mais l'explication est pourtant simple : à ses heures, Aline de Gingras est médium et elle a repéré la porte du théâtre dès son ouverture ; elle trouve cela tout naturel. C'est le contenu des spectacles qui la désarçonne parfois ; elle préfère connaître l'œuvre avant de la consommer. Après lui avoir raconté par le menu *L'Œuf d'écureuil* et lui avoir promis que la première aura lieu malgré les difficultés techniques qu'ils éprouvent actuellement, Benoit raccroche enfin.

Hélas, son brassage a trop bien épousé les rebondissements du show de Maryse et sa mixture fait des grumeaux ! Il jette le tout dans l'évier et dit salut à la calculatrice qui entre en coup de vent suivie du directeur matériel et d'une personne inconnue que La Cantonade identifie sur-le-champ comme étant la nouvelle guichetière. C'est pas trop tôt !

— Bonne nouvelle, annonce Pierrette, c'est l'été !

— Je slacke, dit Benoit. Je suis sur la go depuis trois jours.

Il sort fumer une rouleuse. La porte du théâtre, restée entrouverte, est bien visible. Il s'en fout, il n'a qu'une chose en tête, le rôle de l'aïeul aux mains rouges, qui le comble d'aise. Mais il a encore dans l'oreille les intonations fausses de Frozen, et cela l'agace. Il s'appuie au mur dont la brique commence à s'éroder. Machinalement, il tripote son carnet noir en respirant à fond : Pierrette a raison, c'est vraiment l'été, il a failli manquer ça ! La rue est bruyante et plusieurs autos de police y circulent. C'est mauvais pour les filles, ça fait fuir les clients, et c'est mauvais en général, ça finira par mettre tout le staff du théâtre sur les nerfs !

Une auto rouillée passe lentement et s'arrête en face, dans une zone de stationnement interdit. Benoit reconnaît le conducteur ; c'est le gars qui semblait les épier l'autre jour pendant leur impro de ruelle. Il est seul. Il sort de l'auto dont il laisse le moteur rouler et se dirige directement vers le théâtre de l'air d'un habitué.

— C'est fermé, dit Benoit.

Il se tasse vers la porte qui devient aussitôt invisible. Le gars a l'air interloqué comme devant un tour de magie. Il sacre. En anglais.

— Coudon, dit Benoit, la Sultane est couchée ! Me semble que c'est clair !

Toujours en anglais, le gars lui demande s'il est doorman.

— Si on veut...

— Do you know Barbara ?

442

— Qui ça?

— A girl. A fuckin' nasty girl!

— Je connais personne de ce nom-là, dit Benoit.

Si le gars pense avoir des réponses en anglais, il peut toujours répéter!

— Are ya sure?

— Mais qu'est-ce que vous lui voulez, coudon?

— I ask the questions, you give the answers.

— Peut-être que le nom de famille m'aiderait.

— O'Sullivan. Barbara O'Sullivan.

— ...

— A red-head. Used to hang out down around there.

— ...

— Come on, I know you know her. I saw you with her, once...

— Oh, elle! Je la connais pas vraiment. C'est une sorte d'assistante sociale, j'pense.

— What?

— She's a social worker, or somethin' like that.

Le gars a un mouvement d'hésitation, il n'a pas l'air d'apprécier les travailleurs sociaux, ce que Benoit espérait. Il lui redemande s'il est sûr de ce qu'il dit. Benoit n'est sûr de rien et ne sait rien. Il prend son air le plus innocent, aux limites du vraisemblable. Il y a un silence.

— That fuckin' red-head, I'll kill her!

Il y a un autre temps. Le gars a l'air de vouloir donner un coup de poing dans le mur. «Heavy, man! Ça va-tu bientôt finir?» Mais l'interrogatoire continue:

— Do you know Duquette?

— Peut-être.

— You know where he is?

— Pantoute.

Le gars regarde dans la direction de la porte. Benoit se retourne et constate qu'elle est redevenue partiellement visible. Le dispositif de camouflage commence à avoir du lâche, c'est bien le moment !

— What the hell do you do down there ?

— C'est un théâtre...

— Porno movies ?

Benoit ne peut s'empêcher de sourire. Il voit s'approcher une auto patrouille. Pour une fois que les beux sont utiles !

— C'est à qui le char, là ? demande le sergent Leblond.

— C'est à moé, répond le gars, je m'en vas.

Il réintègre son bazou et démarre.

Benoit fait un clin d'œil au sergent et entre au théâtre dont la porte s'estompe aussitôt. Leblond regarde son collègue : cette éclipse est louche mais c'est pas une infraction comme telle. D'ailleurs, il n'est pas sûr d'avoir vu une porte dans ce mur-là, sa spécialité, lui, ce sont les filles. Il démarre à son tour.

Benoit a les mains moites. Il boit de l'eau à même le robinet. «Tu parles d'un quartier, toi !» Tant qu'à faire du théâtre dans un fond de cour, personnellement, il aurait préféré le secteur Hochelaga-Maisonneuve, il l'a toujours dit. Ils en ont déjà plein le dos avec leurs coupures de budget et leurs angoisses esthétiques, s'il faut que la petite pègre se mette à les harceler maintenant, ils sont cuits ! Il se demande dans quoi Maryse a bien pu se faire embarquer pour être recherchée par ce gars-là. Elle aurait intérêt à porter un chapeau, fille ! ou à rester chez elle avec sa crigne trop voyante. Il va lui en toucher un mot. En attendant, il faut qu'il avertisse Duquette de fermer sa grand'gueule. Il compose le numéro du Zorro Bar où le

MC passe ses journées. Après son téléphone, il se tirera au tarot pour connaître la suite de ce palpitant polar. Dans les cartes, il verra aussi comment la critique accueillera *L'Œuf d'écureuil.* Mais pour ne pas brouiller les courants telluriques spécialement virulents et nombreux sous le béton du plancher de *La Sultane,* il utilisera deux jeux différents.

Quand l'heure du dîner arrive enfin, Myriam sort de son trou et court chercher Ariane dans la classe d'à côté. Elles filent à la maison du parc Lafontaine. En traversant la rue, elles emmerdent le brigadier qui est une brigadière très avenante. «C'est pas gentil d'être pas fines», dit-elle. «On le fera plus jusqu'à la prochaine fois», promet Myriam, pleine d'assurance; avec son amie Ariane à ses côtés, elle se sent la puissance d'une sultane. Il y a moins de mannes maintenant et le soleil est terrible, même que sur la rampe d'un balcon, au deuxième étage, un écureuil est affalé, les quatre pattes pendantes. On dirait qu'il prend un bain de soleil. «Il se fait rôtir les puces», dit Ariane en riant. À la seule pensée qu'elle n'est plus à l'école, elle a le fou rire. Les apparences extérieures sont mirifiques et leur affaire va bien.

La maison sent le pâté au poulet Taillefer. La minuterie du four sonne puis s'arrête. C'est prêt. Tout est prêt, prévu. La table est mise et une feuille à en-tête de l'université souhaite bon appétit à Myriam et Gabriel. C'est embêtant, ça, parce que Gabriel n'est pas là; exceptionnellement, il dîne chez Olivier, il les a averties tantôt. Il va se faire chicaner, lui, car le midi, il est «responsable de sa sœur», a dit Marité. À moins que ça passe incognito:

si les parents ne posent pas de questions, elle ne dira rien, faut s'entraider, c'est la solidarité fraternelle.

— Faudrait pas que le pâté au poulet se perde, dit Ariane. Je vas garder mon lunch pour demain pis le manger.

Myriam est d'accord; c'est la meilleure solution. À deux, elles ont toutes sortes de bonnes idées. Seulement, les pâtés sont brûlants; Ariane a le temps de pratiquer un peu son piano. Elle devrait travailler la sonate *Pour Élise*, c'est ce qu'elle présentera à l'examen. Elle plaque quelques accords et se met à jouer *Ne touchez pas à mon piano*.

Elle le joue bien, mais pour chanter, c'est plus difficile. «Laisse faire les paroles!» crie Myriam. «Oké, j'ai compris», dit Ariane. Elle ferme bruyamment le couvercle du piano et fait jouer *Beat it*.

— T'es-tu fâchée? demande Myriam, penaude. Je veux pas que tu te fâches avec moi.

— Ben non, ben non...

Elles commencent à manger en silence, en pensant à Célestin individuellement et secrètement. Puis, Ariane conclut tout haut:

— On a bien fait de le virer.

— On a bien fait, dit Myriam.

Elle a les yeux mouillés. Elle vient de découvrir qu'elle n'aime plus le pâté au poulet. C'est Marité qui sera pas contente, c'était pratique, les pâtés Taillefer, ça faisait un repas du midi tout trouvé.

— Je l'aimais moins, dit Ariane. Moins que toi.

— Oui, dit Myriam, moi, c'était l'amour-fou-malade-au-lit.

Elle fait une pause et ajoute: «Les parents s'en aperçoivent pas, tu sais. Une chance! Y a seulement ma grand-mère qui a percé mon secret.»

Ariane a l'air inquiète.

— Blanche est pas bavasseuse, s'empresse d'ajouter Myriam. C'est une alliée, elle-même est amoureuse-intense.

— Comment tu le sais?

— Je le sens.

— T''es forte, dit Ariane. Puissante! Tu *feel* tout et tu te trompes jamais!

— Je me trompe souvent dans mes sensations. Mais ça, je l'ai jamais avoué à personne. T'es vraiment mon amie!

— Oui, dit Ariane. On peut tout se dire; on est des meilleures amies.

Présentement, elle ne pense pas du tout à son autre meilleure amie, celle de la rue Durocher; elle est parfaitement dédoublée.

— Comme sorcière, dit Myriam, j'ai pas tant de pouvoir que ça.

Elle soupire et ajoute: «Mais en tant que Sultane, c'est autre chose...»

— Sultane?

— Viens voir!

Elles grimpent vers la chambre blanche, et là, d'un air mystérieux, Myriam extirpe le dessin du bas de sa garde-robe:

— C'est la vraie Sultane de Dialigev, dit-elle. Son chapeau est en cobalt et je l'ai piquée à Maryse.

— Wow! fait Ariane. Est écœurante!

Belmondo les a suivies. Elle se fait un nid dans le bas de la garde-robe, s'y installe et se met à ronronner très fort. Les deux fillettes regardent longtemps le dessin, elles fixent les fesses de la Sultane qui sont plus regardables que le reste, on dirait. C'est bizarre. Elles se sentent bizar-

447

res et bien, assises ainsi sur le tapis moelleux. En quittant la maison, quelqu'un a refermé à demi les persiennes et cela leur fait une ombre chaude et ajourée, bordée de soleil. Elles sont heureuses, dans la chaleur moite de la chambre qui décolle. Elles se sentent proches l'une de l'autre, unies par leur amour sacrifié pour Célestin et par le secret de la Sultane chapardée. Ariane regarde son amie et se dit qu'elle est belle. Et gentille. C'est pour ça qu'elle se tient avec elle, bien qu'elle soit son aînée ; elle l'aime et voudrait tout partager avec elle, même ses secrets les plus terribles, même ses rêves.

— La nuit dernière, dit-elle, j'ai rêvé à la couleur bleue. Partout sur les murs, il y avait du bleu-vert. C'était la mer comme à Ogunquit à votre chalet la fois que vous m'avez amenée. Dans mon rêve, la mer était dans le chalet et ma mère y était aussi. A filait smooth, a pompait l'écume de la mer qui venait battre sur la pierre du foyer...

— C'est vrai, dit Myriam. On la regardait pomper, c'était comme un spectacle.

— Oui ! Et on mangeait quelque chose, des retailles d'hosties, disait ma mère, je sais pas ce que c'est, mais c'était bon.

— C'était bon...

— Comment tu le sais ?

— Ben, j'étais là, voyons ! Moi aussi je rêvais.

— T'as fait le même rêve ? demande Ariane, esto-maquée. Ça se peut pas !

— Ben oui, ça se peut. Quand on est des vraies meilleures amies, on fait les mêmes rêves.

— Wow ! disent-elles.

— On était bien toutes les trois avec ma mère défâchée, continue Ariane. Les sofas étaient des nuages brillants...

— Comment ça, toutes les trois ? On était juss nous deux pis ta mère...

— Tu crois ? Il me semble qu'il y avait une quatrième personne...

Myriam a sur le front la petite veine saillante de Marité, la veine des contrariétés. Ariane se souvient clairement de cette partie de son rêve : sur un des sofas-nuages, Sara de la rue Durocher mangeait des retailles d'hosties et riait d'aise. À ce moment précis, l'esprit mauvais se matérialise, visible d'Ariane seule.

— T'as intérêt à oublier la quatrième personne, dit-il.

Ariane lui dit d'aller se faire foutre et qu'il manque de franchise. Patiemment, Fred lui explique que son amie Myriam est jeune et fragile et jalouse.

— C'est un cas d'abstention ?

— C'est ça. *Come on*, Ariane ! Laisse-toi éduquer, pour une fois...

— Toi pis tes principes de barreaux de chaise ! Tu m'apparais juss pour me dire quand fermer ma gueule.

— C'est l'abstention tactuelle, dit Fred. C'est pas très noble, mais très utile.

Ariane soupire. Elle aurait tellement aimé être une cliente de l'archange Arielle, une Américaine franche et volontaire, une pas barrée ! Mais la rue Mentana n'était pas dans son secteur, et elle a bien peur d'être collée avec Fred pour le restant de son enfance ! À tout hasard, elle lui demande si c'est possible que Myriam et elle aient fait le même rêve.

— Pourquoi pas ? dit Fred. Certaines personnes ont la faculté d'entrer dans les rêves des autres et de les habiter.

Il bâille et disparaît.

— Je me souviens pas de la quatrième personne, dit Ariane. Je pense même qu'il y en avait pas, de quatrième personne.

Myriam sourit.

— Comment ça finissait, donc ? dit Ariane.

— Ça finissait qu'on filait en canot pneumatique. On sortait par la fenêtre et ta mère faisait la broue du moteur. C'était cool.

— Oui, cool, dit Ariane. Mais es-tu sûre d'avoir rêvé ça exactement comme moi ? Tu fais peut-être une attaque de télépathie.

— Sûr que je l'ai rêvé, fait Myriam. La preuve : j'ai raconté la fin avant toi.

— On est des sœurs de rêve, annonce Ariane d'une voix émue. On est une dynastie liée par le rêve.

Cérémonieusement, elles se serrent les mains très fort d'une façon compliquée au-dessus de leurs têtes puis elles rentrent la Sultane dans sa cachette et referment la porte sur Belmondo. C'est un pacte ; elles sont encore plus amies qu'avant. Fortes de leur union ainsi scellée, elles se rassoient et réfléchissent à leur problème le plus pressant, la seule ombre au tableau : comment se procurer une justification convenable pour Myriam. À cette heure de la journée, les adultes sont rares dans le quartier : la voisine Louisette est muette, les sœurs Hébert absentes, il n'y a personne chez Ariane car sa mère pompe dans le bas de la ville et le chum de sa mère joue au go tous les mercredis. De toute façon, théoriquement, elle n'est pas censée exister sur la rue Mentana, cette semaine. Il y aurait bien Maryse, mais après le coup de la Sultane, Myriam préfère ne pas retourner chez elle. Pas pour le moment. Non, leur seul espoir, c'est madame Légarée. Elle a l'esprit assez ouvert pour les dépanner sans les enguirlander. Elles dégringolent l'escalier, Ariane attrape son lunch et, sans ramasser leurs assiettes sales, sans même éteindre le tourne-disque, elles traversent le jardin en courant.

Dès qu'il les aperçoit, Tristan saute dans les bras d'Ariane, qui l'embrasse ; il est son préféré, il est « le fils du poète », c'est ainsi qu'elle l'appelle.

— Moi aussi je suis le fils du poète, dit Hugo.

— Toi, on le sait, répond Ariane. « Oubedon se vante assez de t'avoir fait ! » comme dit ma mère. Mais moi je suis du côté des irréguliers.

Elle embrasse une autre fois Tristan et l'installe sur ses genoux.

Hugo, qui a hérité de la bonne nature de son père, ne se formalise pas des propos d'Ariane. D'ailleurs, il aime Tristan et ne comprend pas pourquoi Adrien s'obstine à ne pas le reconnaître ; ils ont tous les deux ses longues mains d'artiste — qui tranchent avec le reste de sa personne replète — et ses oreilles frémissantes. Ce sont des caractéristiques héréditaires qui ne trompent pas. À la prochaine visite du paternel, il essaiera de plaider la cause de son frère non reconnu et trop jeune encore pour se défendre lui-même, un bébé. Elvire a sorti du beau papier en disant que c'est faisable, ce qu'elles lui demandent, elle peut imiter n'importe quelle écriture et tous les styles.

— C'est un don que vous avez là, dit Myriam.

— Non, répond Elvire, c'est de l'acquis. J'en ai bavé un coup, j'ai suivi des cours ! J'étais muse, autrefois, vous savez.

Les fillettes la laissent dire mais ne la croient pas ; elles pensent qu'Elvire fabule et en remet un peu parce

451

qu'elle accepte mal sa condition de femme au foyer. Si elles savaient! La minuterie du four se fait entendre. Elvire pose sur la table un gâteau parfaitement doré. Ariane ne résiste pas, elle en tranche trois morceaux : un pour Myriam, un pour Tristan et un pour elle, puis un pour Hugo et d'autres pour le reste de la chibagne, tant qu'à y être! «Faut pas être cheap, comme dit l'esprit mauvais, faut partager ses vices et ses méfaits!» Tristan suit tous ses mouvements de ses grands yeux noirs attentifs. Il a l'air d'écouter avec ses yeux. Il est très sérieux pour son âge, il a trois ans et demi. Ici, elles sont les plus grandes, c'est flatteur. La bouche pleine de gâteau des anges, elles discutent des turpitudes de leurs maîtresses respectives, la Maususse et la Lebœuf, laquelle ressemblerait au dindon du Jardin des Merveilles, selon Ariane. Ce matin, la Lebœuf ne s'est pas présentée en classe ; elle s'est fait porter malade. Ariane s'apprêtait à lui remettre une *Ode au printemps* bâclée et froissée — pour en finir — et cette absence inopportune lui donne un délai supplémentaire qui lui pèse. Elle traîne l'ode dans son sac à lunch.

— Montre-moi donc ça, dit Elvire.

Elle lit la composition boiteuse et déclare :

— Décidément, hier, t'étais pas d'une humeur vernale !

— Pas tellement, dit Ariane. Qu'est-ce que ça veut dire ?

Elvire ne répond pas car elle est occupée à corriger l'ode, à la colmater pour lui donner l'allure d'un très bon texte écrit par une enfant de neuf ans qui serait particulièrement brillante. C'est la Lebœuf qui va encore être épatée et lui coller un soixante-cinq pour cent. La vache ! Ariane fait sauter Tristan sur ses genoux. Il rit.

— Tu ris beaucoup malgré ton nom, dit Myriam, t'es chanceux, ça te porte pas malheur.

Elvire lui jette un regard offusqué.

— Coudon, dit Ariane, on est en train de foxer l'école. Penses-tu qu'on va mal tourner, madame Légarée ?

— Évidemment ! Vous avez déjà l'air de deux vilaines voyelles !

— Voyelles, répète Hugo.

— C'est le féminin de voyou, explique Elvire. On dit pas voyouse, mais voyelle.

— Je puis-je-tu me reprendre du gâteau, madame Légarée ? demande Ariane.

— Si tu veux, répond Elvire. Mangez-en, mangez-en pas, ça fait pareil !

— Tu parles comme une sorcière de ma connaissance, fait remarquer Myriam. T'es cool.

— T'es plus cool que Miracle, dit Ariane. La sorcière a un sale caractère, elle est par mottons, imprévisible.

Myriam est d'accord. Soudain, Elvire Légarée leur semble tellement plus gentille que toutes les autres, plus fine que leurs mères, tantes et grands-mères personnelles ! Ici, c'est le règne du bon vouloir ; Elvire ne force jamais rien ni personne à vider son assiette. C'est simple : il n'y a même pas d'heure pour les repas. Ici, c'est *the best* !

— C'est les derniers gâteaux de la saison, dit Elvire. Samedi commence le temps des sorbets.

Myriam et Ariane en ont l'eau à la bouche. Elles oublient la justification, mais pas Elvire qui a pris son stylo ultra-chic ; de sa belle main élégante, elle écrit pour chacune un billet criant de vérité. Les fillettes l'embrassent et s'esquivent en promettant à Tristan de revenir.

Au coin de la rue, la brigadière n'y est plus, preuve qu'elles sont incontestablement en retard. Ça leur fout, c'est pas un jour propice à l'école ! Elles regardent à gauche puis à droite, puis se regardent et oublient de traverser ; elles sont des amies-à-mort-intense, elles le pensent intensément. Il n'y a aucune ombre entre elles, rien, il n'y a même plus le sourire de Célestin Labrèche. En plus, aujourd'hui est le jour de la fondation de la très ancienne dynastie des sœurs de rêve. « On est dynastiques ! dit Myriam. On est Ariane et Myriam premières. Sultanes en chef paritaires. » « Oui ! » dit Ariane. Elles se sourient et traversent lentement la rue. Y a pas de presse, elles savent que leurs deux maîtresses, la Maususse et la suppléante, quand elles déplieront les lettres magiques, n'y verront que du feu. Ça marchera ! Madame Légarée est épatante ! Elle mériterait d'être P.-D.G. honoraire à vie de leur dynastie fabuleuse !

— Elle l'est, dit Ariane. On va l'introniser dès ce soir.

Vingt-neuf mai

Le temps des sorbets

Les anges, à cause de l'envergure de leurs ailes et de leur taille, supérieure à celle des oiseaux, sont des créatures de plein air et de grands espaces.

Jacques FERRON,
La conférence inachevée

Le voyage est plus long en train mais elle a tout son temps, maintenant que la fin du monde est passée et son frère Jean-Baptiste enterré. Dans quelques mois, Gédéon mettra la maison en vente et les étrangers qui l'achèteront ne l'entretiendront pas ou ils la transformeront, la rendant méconnaissable. Elle essaie de ne pas penser à cela. Elle a dans la tête une chanson de Félix Leclerc parlant du fleuve tiède sur les battures en juillet. La voix de Félix lui rappelle toujours celle du chantre Filion à la grand-messe du dimanche, quand elle était enfant... Elle dépose sa valise et soupire. À Charny, il y a un transfert maintenant, elle vient de changer de train. Celui-ci est plus propre que l'autre mais le restaurant qu'elle a aperçu en passant est minable, et ce n'est plus le charme d'autrefois ; les contrôleurs sont grossiers. Par chance, elle est seule sur sa banquette. Le train redémarre. Elle se colle à la fenêtre où le paysage défile du mauvais côté, celui des retours : les champs et les maisons reculent vers l'oubli. Au moins, elle aura revu son île une dernière fois ! C'est toujours la dernière fois quand on revient à Montréal, la tête pleine d'images et de souvenirs. De regrets. Elle a le cœur gros. Montréal est une île grise où ils passent leur temps à démolir les maisons. Ils ont construit des murs sur la berge, comme pour nier la présence du fleuve, et la ville y est enfermée. Elle n'aime pas tellement cette ville captive, mais c'est là qu'elle habite, dans un logis devenu trop grand. Elle est fatiguée, ce n'était pas une bonne idée de prendre le train, cela lui rappelle trop Antoine ; elle ressent d'une façon quasi tangible le vide de son absence en face d'elle. Ces souvenirs finiront par la tuer, il faudrait qu'elle oublie et se repose et donne ses meubles inutiles. Après, elle déménagerait dans un appartement plus petit, mais elle n'en a pas le courage, elle n'aime pas les changements, les séparations, les adieux, même du vivant d'Antoine, elle appréhendait toujours le moment du dernier regard, elle ne se résignait pas à ses trop fréquents voyages d'inspecteur d'école. Toute sa vie, elle aura redouté ce terrible terrible sentiment d'irrémédiable éprouvé dès sa première traversée avec Antoine. Elle partait s'établir à Montréal et quittait l'île avec l'impression de la voir pour la dernière fois. La maison de la mère Aurélie s'amenuisait jusqu'à devenir une petite tache blanche dont le souvenir allait pâlir davantage au fil des mois. Pourtant, elle avait souhaité ce premier départ qui la soudait à Antoine pour la vie. C'était pour la vie et il n'est plus là ! Jamais plus il n'y sera ; elle se retrouve seule, à regretter, elle n'en peut plus de tant de chagrin et de solitude. Marie vient la chercher à la gare, mais dès son arrivée, elle téléphonera à François : il y a toujours de la visite chez lui, le dimanche, ils font une sorte de dîner-réception qu'ils appellent un « brunch ». Elle les imagine réunis au jardin comme l'autre dimanche pour l'anniversaire de Gabriel. L'ami de Maryse a pris des photos, elle aimerait en avoir une en souvenir. Cela fait un mois seulement, mais elle a l'impression d'avoir vieilli de plusieurs années depuis. Les jeunes, eux, n'auront pas changé, ils ne vieillissent pas. La maison du parc

Lafontaine doit avoir l'air d'un reposoir, aujourd'hui; l'air sera saturé des odeurs entêtantes des lilas, du pommier et du muguet. Toutes ces odeurs mêlées! S'il y a un endroit où elle aimerait être, dans l'île triste de Montréal, c'est là, au jardin, avec eux. Le jardin abolit la ville.

Marité est venue chercher quelque chose dans la cuisine et elle s'y attarde un moment, à les écouter parler sur la galerie. À travers la mousseline du rideau, elle sent bouger leurs ombres claires. Ses deux amies sont là, attablées dans la lumière du début de l'après-midi, assises côte à côte. Elles sont revenues! François et Laurent leur font face. Les enfants sont dans Babylone, nombreux et affairés comme pour une fête qu'on prépare soigneusement. De temps en temps, ils s'approchent de la table et en repartent avec des provisions... Le plat d'aubergines gratinées que Marité a mis à réchauffer est prêt mais elle a le goût d'un café, comme ça, au milieu du repas, c'est un brunch, après tout, on y mange ce qu'on veut dans n'importe quel ordre! Elle ouvre la cafetière en pensant à Rémy. Elle pense qu'elle y pense moins. Elle sait que d'ici quelques mois, le désenchantement et l'émoi l'auront quittée. Il n'y aura plus, dans sa mémoire, qu'un petit compartiment secret marqué «mai 83, Rémy». Ce sera tout. Déjà, il lui arrive de l'oublier pendant de longues minutes... François entre et lui demande ce qu'elle fait, seule ici. Il la cherche comme si elle s'était longuement absentée! Son sourire est d'une infinie douceur. Il l'embrasse. Elle pose la cafetière, s'éloigne un peu et le regarde. On entend les premiers accords de la sonate *Pour Élise*, jouée sur leur piano. La musique coule entre eux comme une petite émotion. C'est un jour de tact et de délicatesse : la chatte de Maryse est morte ce matin et ils l'enterront bientôt. Il y a de la réserve dans l'air, tout le monde file doux, même les enfants qui essaient de marcher sur la pointe des pieds, en signe de deuil. Marité se serre contre François.

— Je suis heureuse avec toi, François Latendresse ! dit-elle.

Le sourire de François se fige car il a une troublante impression de déjà entendu : il y a des années, dans des circonstances analogues, une autre femme l'a déjà appelé François Latendresse. La femme était Maryse. Parfois, elles exagèrent avec leur manie de se ressembler ! Elles le perçoivent de la même façon, l'associant au calme des amours domestiques...

Marité se dégage pour sortir le plat du four. Au salon, Ariane fait une fausse note, reprend plus haut puis abandonne. C'était bien, la sonate *Pour Élise* ! François embrasse Marité dans le cou, prend le plat et retourne au jardin. De l'air empressé d'un laquais, Gabriel lui ouvre la porte et, avec un contentement non dissimulé, il la laisse claquer, puis il se rappelle qu'ils sont dans une journée de pointe des pieds, il l'ouvre à nouveau et la referme sans bruit en se demandant si sa mère tombera dans le panneau de la bonne intention. D'un air réprobateur, Marité fixe les genoux de ses jeans maculés de terre.

— Faut creuser un bon trou et la terre est bouetteuse, dit-il en guise d'explication.

Le téléphone sonne. Il s'y précipite. Le cœur de Marité se serre : chaque fois, il espère que ce soit son père, elle le sait. Ce n'est pas Jean Duclos, c'est un faux numéro. Gabriel raccroche lentement. Maintenant, le récepteur est sale aussi. Bouetteux. Il ouvre la porte du frigidaire, sort le litre de lait et commence à s'en verser un verre, il sourit à sa mère, ne regarde pas ce qu'il fait, renverse le lait et se compose un air navré.

— Toi et tes airs de martyr! dit Marité. C'est pas possible de faire des gaffes pareilles à treize ans!

Elle confisque le restant du lait pour son café. Gabriel éponge les tuiles grises du plancher. «C'est pratique, des tuiles, dit-il, surtout avec des enfants gaffeurs. Ça se nettoie en un tournemain.» Marité est sur le point de céder à sa ritournelle de chanteur de pomme. Elle remarque ses souliers neufs, gâchés par la boue et dit: «Pourquoi t'as pas mis les vieux, bons à être salis? Va les mettre!»

— Je les trouve pas...

— Si tu les serrais, aussi! On passe notre temps à s'enfarger dedans! Ils sont au pied de l'escalier. Va les mettre.

— Tantôt, dit Gabriel.

— Tu m'écoutes jamais!

— T'exagères, je t'écoute pas mal souvent...

Ils disent cela sur un ton badin, c'est comme le numéro bien rodé d'un vieux couple d'acteurs amoureux. Gabriel fait la moue et sa mère sent une vague de tendresse l'envahir; cette façon particulière qu'il a de faire la moue va toujours la chercher; même grand, il est son premier enfant, son petit. Il se relève, lui tire le lobe de l'oreille — une absurde manie qu'il a —, il la prend dans ses bras et la soulève, fier de sa force récente, puis il l'embrasse sur le nez en disant:

— Continue de bretter toute seule dans ta cuisine, maman, je t'aime quand tu brettes!

Il se moque gentiment d'elle dans le style de François, qu'il imite à son insu. Mais lui-même est doué pour le charme. Il sort sur la pointe des pieds.

Marité sourit : il a mal nettoyé le plancher et il s'est éclipsé, mais il lui a dit qu'il l'aimait. Elle ne sait pas ce qui s'est passé depuis quelques jours, mais il lui est revenu, et Myriam a retrouvé ses airs caressants. Tout compte fait, ses enfants ne lui donnent que du contentement. Ils sont tendres et sensibles, et il n'y a rien au monde qui puisse remplacer le sentiment de plénitude qu'elle éprouve en pensant à eux. Cela vaut tous les pouvoirs ! Elle pose sa main sur le bois de la table et rit d'elle-même : encore une fois, elle succombe à la tentation du jeu de la mère comblée ! Voilà qu'elle y joue seule, maintenant ! Elle pourrait pourtant plastronner aujourd'hui car elle est entourée d'amis attentifs et tolérants... Le café est prêt. Elle sort avec la cafetière et la pose sur la table, à côté des jacinthes que Laurent a achetées ce matin même au marché Atwater. La cafetière prend le reflet mauve des fleurs. Laurent répète à Marie-Lyre que sa salade est exquise. Chacun a apporté un plat, et Marie-Lyre est la spécialiste des salades.

— Tu es passablement exquis toi-même ! dit-elle.

Voyant que Laurent a l'intention de rougir, elle s'excuse et ajoute qu'elle a trouvé la recette dans une revue de soft-beauté.

Ils lui répondent qu'elle a de mauvaises lectures et reparlent du scénario, celui de François.

— Ça marchera ! dit-il en souriant. Tout est arrangé avec le gars des vues. Il est sympathique.

Ariane, qui passe par là, vient pour dire « certainement pas ! » elle le connaît personnellement, le gars des vues et il a l'air chichiteux en pas pour rire ! Mais pour une fois que le père de Myriam parle de lui-même d'un air important ! Elle décide de fermer son clapet. Elle prend un morceau de céleri, ajuste ses patins et roule jusqu'aux confins de Babylone dans l'intention de surveiller les agissements de Marie-Belzébuth, réintégrée depuis hier soir ; elle leur a promis d'être moins chialeuse. Elle est à l'essai, faut voir ! Marie-Belzébuth et Myriam sont en patins elles aussi.

Sur la galerie, les adultes en viennent à parler du cinéma en général, de littérature, des choses qui marchent et se vendent, et de celles qui passent inaperçues et qui pourtant sont bonnes.

— Ah, le succès ! dit Maryse.

Ils discutent à savoir si succès veut dire talent, veut dire envergure, veut dire qualité et profondeur. Si populaire est compatible avec intelligent. Leurs fronts se plissent. C'est une question qu'ils ont maintes fois débattue et dont ils ont fait le tour ensemble, mais ils aiment bien y revenir ; parfois, en retournant les choses, on trouve une issue. Puis, pragmatique, Marie-Lyre demande s'il y aura un rôle pour elle dans le film de François. « Sûrement, dit celui-ci, le personnage de Carmen est pour toi. » Mais ils n'ont pas parlé de casting, c'est trop tôt et il est encore abasourdi par la réponse enthousiaste du comité sélectionneur. Mais content ! Ah, content ! Il a bien fait d'utiliser son truc.

— Quel truc ? demande Laurent.

— Je peux bien le dire maintenant, j'avais peur que mon projet soit refusé ; j'ai pas d'expérience en cinéma, je suis seulement un universitaire qui essaie d'écrire de la fiction... Parfois, tu lis le nom de l'auteur avant de commencer à lire pour de bon et ton idée est faite ! J'ai pensé que les membres du jury ne m'apprécieraient peut-être pas à ma juste valeur, et je les ai aidés à être impartiaux ; j'ai pris un pseudonyme. Quand ils ont su que c'était seulement moi, le scénariste du projet, il était trop tard.

Gabriel, qui s'est assis à table, regarde François avec les yeux d'un adolescent découvrant que son père peut être aussi ratoureux que lui.

— C'était quoi, ton faux nom ? dit-il.

— Vois-tu, pour le public québécois-et-canadien, y a rien de mieux que ce qui vient d'ailleurs. J'ai signé Franco Soave. Un nom à consonance italienne, c'est très vendeur, en cinéma. C'est con, mais ça a marché !

Il rit, et les autres adultes aussi. La petite gang du fond du jardin les trouve pas sérieux et le leur fait dire par la voix de Myriam.

— Vous êtes « jeunes », crie-t-elle. Et bruiteux !

Maryse regarde dans sa direction : elle ne voit que les taches vives de leurs vêtements, luisant par plaques sous la ramure du pommier. C'est demain qu'elle aura ses verres de contact, elle a hâte. Elle passe la main dans sa chevelure et s'étonne de l'avoir aussi courte.

— C'est le fun, ton nouveau look, dit Marie-Lyre.

Gabriel ouvre le poste de télévision qu'il a effrontément sorti sur la galerie. Un jour comme aujourd'hui ! Les adultes le trouvent horripilant mais ils tolèrent, ils ne peuvent pas toujours être « uniformément répressifs », disent-ils. « Leur tactique serait plutôt de l'être à l'improviste », pense Gabriel en lui-même.

À Radio-Canada, il est question des *Contras* du Nicaragua et Laurent lorgne vers l'écran. Maryse dit qu'il a déjà la tête là-bas, mais pas elle ; elle a tellement de choses à régler ici avant son départ. Il faut qu'elle revoie sa cousine Norma, qui semble avoir disparu. On ne disparaît pas comme ça ! Jusquiame, à qui elle a avoué son lien de parenté avec la prostituée, pense que celle-ci pourrait être à l'ombre. Il lui a suggéré d'aller voir à Tanguay, des fois ! Elle demande à Marité si les contacts sont faciles avec la direction de la prison des femmes, et comment savoir si sa cousine y a séjourné dernièrement.

— Maître Duclos pourrait te renseigner là-dessus, répond Marité. C'est lui, le criminaliste.

Elle dit « maître Duclos » avec le petit sourire qu'on a en parlant des gens dont on est revenu.

Gabriel a cessé de s'agiter devant sa télé ; quand le nom de son père affleure dans la conversation, il devient d'une immobilité inquiétante, comme à l'affût, prêt à souffrir et à le défendre. Mais jamais personne n'attaque directement. Maryse se demande si Marité n'est pas en train de la niaiser, avec « maître Duclos », si tôt après leur chicane !

— Fais attention, dit François, la prostitution et la dope, c'est des milieux roughs.

Maryse se contente de lui sourire ; c'est le deuxième avertissement qu'elle reçoit en trois jours. Hier, Benoit lui a servi un sermon aussi ambigu que pessimiste sur le même sujet. Il était d'une humeur prophétique.

— J'ai un copain au bureau qui connaît bien Tanguay, dit Marité. Il s'appelle Rémy...

Elle entend Maryse répéter le nom douloureux de Rémy. Pas douloureux, sensible encore, c'est un tout petit tourment qui va s'apaisant. François n'a pas bronché à ce nom. Tout est calme ici, à part le vent qui frissonne dans les arbres et les éclats de guerre télévisée, à l'arrière-plan du journaliste. Maryse note le numéro de Rémy dans son carnet qui était posé devant elle, en attente. Elle referme le carnet et constate qu'elle écoute le reportage. Même en bordure du Plateau Mont-Royal, dans la facilité d'un dimanche de mai, le Nicaragua la sollicite : depuis longtemps, elle pensait à cette terre de feu... Marie-Lyre a posé une question à François qui patauge avec aisance dans les méandres de son film. Il est beau quand il parle de ce qu'il aime. Son regard croise un moment celui de Maryse et celle-ci se dit qu'il y a un peu de fuite dans son départ : ils seront bien, lui ici et elle au loin, chacun à sa place. Elle se demande s'il est normal qu'un ami occupe autant sa pensée.

— Je déteste les émissions de guerre, dit Myriam en se plantant devant la télévision.

— C'est de la politique, dit Gabriel, tu confonds.

Myriam lui fait une grimace et ajoute que la tante Maryse ne devrait pas avoir le droit de partir.

C'est ce matin seulement que Maryse leur a fait part de sa décision et personne n'a encore réagi. On dirait qu'ils ne la prennent pas au sérieux ! Seule Myriam a l'air de bouder ; elle évite ostensiblement son regard. Maryse la sait affectée par la mort de Mélibée, mais comme cette pensée l'affecte elle-même, elle retourne au petit écran. Le reportage se termine abruptement. « Ciao ! » lance Marie-Lyre. Elle admire le reporter, elle adore son accent étrange et sa façon d'ouvrir certaines syllabes, elle aimerait bien le rencontrer ! Elle les aime tous aujourd'hui, en plus de Renaud !

— Ferme la télé, Gabriel, dit Marité.

Et, se tournant vers Maryse, elle lui demande si elle pense pouvoir écrire dans un pareil contexte. Il y a de la sollicitude dans sa voix.

« Mère poule, pense Maryse. Qu'est-ce que je vais faire sans elle, qui me materne depuis des années ? »

— Je ne m'éloigne pas beaucoup du *Roman de Barbara*, dit-elle. Il paraît qu'il y a beaucoup de prostitution à Managua.

Ils se mettent à discuter du lien entre prostitution et pauvreté, du modèle socialiste, du rôle de l'Église catholique en Amérique latine, de la question des autochtones. Ça défile facile. Le regard de Gabriel ne quitte pas Laurent. L'idée que l'enfant se cherche dans tous les hommes effleure François, puis il se dit que Laurent suscite l'enthousiasme de tous ; lui-même l'admire et il est contrarié par son départ, il lui manquera. Pour une fois qu'il se liait d'amitié avec un homme ! Maryse est maintenant assise à côté de lui, ils forment ce qu'on peut appeler «un beau couple».

— Allez-vous vendre vos affaires ? leur demande Laurent-le-vrai. Moi, ma tante a tout donné quand elle est partie missionnaire au Sahel.

Laurent rit : il n'a pas grand-chose, et sa quincaillerie électronique est déjà convoitée par son frère Serge. Maryse répond que c'est un peu radical, de tout donner, puis elle déclare que les possessions nous pèsent. Trop longtemps, elle a été piégée par les objets, l'argent, le travail ! Et, insidieusement, elle se met à raconter l'incident des porte-couteaux dont elle ne voulait pas parler, son altercation d'hier avec une vendeuse de la rue Laurier, pointue de face et d'accent. Elle résume l'action, mais sa façon de vibrer à son récit donne une bonne idée de la splendeur de sa rage. Elle a l'air d'étinceler. Myriam est étonnée de reconnaître l'image qu'elle a vue l'autre jour au-dessus du philtre-mousse, c'est la même scène : la tante Maryse tient dans ses mains trois petits objets, elle flanque des billets de banque sur le comptoir et emporte les objets tels quels, sans emballage. La vendeuse n'en revient pas, qu'elle parte sans emballage ! Elle voudrait lui mettre l'estampille du magasin sur un paquet, sur un sac, dans le front ! Les clients normaux sont tellement fiers d'afficher le nom de la maison !... Maryse a encore les porte-couteaux dans la poche de son gilet, celui dont une maille est tirée. Elle les pose sur la table ; trois beaux objets parfaitement superflus. Ils représentent à ses yeux la civilisation, le luxe, un genre de vie dont elle ne voudrait pas mais qui l'attire par moments. Depuis des années, elle rêvait d'avoir des porte-couteaux. Elle les emportera dans le Sud, mais elle liquidera le reste.

Ils parlent maintenant d'argent, de revenu annuel garanti, d'impôts et d'évasion fiscale. Myriam regarde Ariane et Marie-Belzébuth qui se sont approchées et elle dit « Berk ! » Les deux autres répondent « Ouache » et s'éloignent.

— Les choses nous attachent, dit Marité. Les meubles, les autos, les maisons...

— Oui, dit Marie-Lyre. Moi, c'est la guenille ! En cas d'alerte nucléaire, je périrais probablement dans ma garde-robe.

— Je ne vois pas pourquoi on ne s'attacherait pas aux maisons, dit François, elles durent plus longtemps que nous ! C'est fascinant, la résistance de la matière.

— C'est vrai ! disent Maryse et Marité, en même temps.

Tiens, elles concordent ! Aujourd'hui, tout baigne dans l'huile. Gabriel, qui aime bien les rebondissements, les traite de « propriétaires ».

— Propriétaires ? fait Myriam.

Elle ne savait pas que c'était une insulte.

Maryse lui tend un quartier d'orange :

— Au fait, parlant de possessions temporelles, tu saurais pas où est passée la *Sultane bleue* ?

— Quelle Sultane ? dit Myriam, insultée.

Elle prend l'orange.

Les yeux de la tante Maryse disent : « Toi, si j'étais pas fine, je le raconterais à ta mère pour l'enlèvement de la Sultane !» Mais elle ne dit rien. Fiou ! Myriam se rapproche :

— Pis, ton bébé, comment ça va ? dit-elle.

Et elle file rejoindre Ariane et Marie-Belzébuth ; elle les a laissées seules trop longtemps, négligeant ses obligations d'hôtesse. C'est mêlant quand il y a des adultes et des enfants, tu sais pas de quel côté aller.

— Quel bébé ? dit Maryse.

Elle hausse les épaules : c'est un cas clair de non-communication adulte-enfant.

— Ça m'emmerde que tu partes, lui dit Marité. Comment tu vas vivre là-bas ?

— Vas-tu enseigner ? demande Gabriel.

— Enseigner ! ! ! dit Maryse.

— Faut faire seulement ce qu'on aime, dit Marie-Lyre, la vie est trop courte pour se faire chier.

Il y a un petit creux incertain, chacun se demandant s'il aime vraiment ce qu'il fait ou s'il perd sa vie à se faire chier. Maryse joue avec ses porte-couteaux.

— R'vlà la sorcière ! crie Myriam du fond de Babylone.

Gabriel se lève comme un ressort. À travers les fentes de la palissade, on aperçoit deux formes.

— Miracle, fais pas semblant que t'es pas là ! dit Myriam. T'es venue ce matin, on le sait !

— On a les bras pleins, dit Elvire Légarée, de l'autre côté de la clôture, ouvrez-nous !

Ce que Myriam s'empresse de faire. Les deux femmes forment une curieuse image : Miracle, noire et mince, porte un plateau chargé de coupes d'où s'élève une petite vapeur froide, Elvire a une robe de cretonne couleur pervenche et elle tient dans ses bras son plus jeune fils, Tristan. Elle n'est ni maigre, ni grosse, ni vieille, ni jeune.

Elle est parfaite, elle a une belle figure impassible. Elle ressemble à une statue que Gabriel a vue dans son manuel de latin. Une statue qui serait habillée, mettons, mais il ne s'attarde pas là-dessus; il n'a d'yeux que pour la fée Miracle qui frappe à sa porte. Comme quoi, des fois, à force de vouloir quelque chose, ça finit par se produire !

— C'est le temps des sorbets, annonce Elvire.

— Sobets, répète Tristan.

Ariane le prend dans ses bras, puis elle le pose par terre car il est lourd pour son âge, son âge à elle. Dans l'allée bordée de verveine naissante, les patins de la sorcière laissent un petit sillage frais.

— Oh ! les beaux sorbets, dit Marité.

Mais ils se regardent tous, perplexes; même les enfants n'ont plus très faim. Pour le moment.

— On va les préserver, dit Myriam.

Elle prend Miracle par le coude et l'entraîne vers la maison. La sorcière jette un regard furtif à Elvire, comme si elle lui demandait la permission de la quitter, mais elle se laisse conduire.

— On s'en va dans le frimas ! ajoute Myriam de sa petite voix aiguë des contentements.

Elle est dans le bonheur intense d'avoir attiré la sorcière chez elle ! Gabriel ne peut pas les suivre, à cause des convenances, mais elle va tout lui raconter, elle se le promet. Leurs patins font un bruit impressionnant sur les tuiles. «Encore les patins !» dit Marité tout bas. «Faut que tu voies ma chambre !» dit Myriam à la sorcière. Elles mettent les sorbets au congélateur et montent à l'étage.

Sur la galerie, Gabriel tourne la conversation à son avantage; il devient de plus en plus habile dans l'aiguillage des conversations.

— Comme ça, vous connaissez Miracle Marthe, dit-il à Elvire.

— C'est tout récent, répond la muse. Miracle est venue me proposer ses services cette semaine. Je l'ai prise à l'essai mais je fais une bonne affaire, c'est l'assistante rêvée pour le soft-massage : elle est adroite de ses mains et elle aime vraiment la poésie.

« C'est écœurant-terrible ! pense Gabriel : la fée Miracle travaille tout près d'ici, elle se rapproche. » Mais Elvire n'en dit pas plus car Marie-Lyre l'embrasse avec effusion. Gabriel n'aurait pas cru que sa tante aimait à ce point-là madame Légarée ! Elles se sont vues il y a quelques jours à peine, et leur rencontre avait été plus sobre ; il y avait alors moins de monde. « Tous les comédiens sont comme ça, a déjà expliqué Maryse, faut pas leur en vouloir, la présence du public les stimule. »

— Comment ça va chez *La Sultane* ? demande Elvire. Marie-Lyre répond que « ça va, ça va, ça va bien et vite, et extatique, et sur la go ! La première est jeudi, figure-toi, et deux comédiens de la distribution ont du studio dans la journée même ! Des horaires de fous, tu vois le topo, mais ça ira ! » Elle craint seulement trois choses : une extinction de voix, une panne de steam et le retour inopiné d'Adrénaline Taillefer, la fatale. Elvire ne connaît pas la Taillefer.

— C'est comme la Jobidon, explique Marie-Lyre, mais en pire. Tu te souviens de la Jobidon ?

Elvire s'en souvient. La Taillefer fait partie de la série Jobidon-Gossard-Guertin-Defossés, toutes des emmerdeuses voraces et tenaces. Une kyrielle funeste, une série noire, une série ! Chacune a quelque chose de spécial, bien sûr, la Taillefer est même tellement spéciale qu'au début, Marie-Lyre ne parvenait pas à la typer, mais ça y est ! « C'est ça, l'humain, dit-elle, la répétition du même et l'agrément de la mince petite différence ! » Elle enclenche sur une mini-tirade à propos de la Taillefer et autres emmerdeuses. Elle termine assise sur la rampe, drôle et glorieuse. « Clap, clap », fait l'assistance. « Bravo ! » ajoute la voisine Louisette. Elle aussi est comédienne et le numéro de Marie-Lyre l'a attirée sur sa galerie. Elle lance :

— Dis donc, MLF, quand est-ce qu'on fait un duo ensemble ?

Et, avec un naturel désarmant, elle demande : « Vous auriez pas une tasse de suc' en poudre à me passer, quelqu'un ? »

François, qui ne rate jamais une occasion de lui parler, répond que malheureusement ils n'en ont plus, mais peut-être les sœurs Hébert en ont-elles...

— J'ose pas aller les voir, dit Louisette. Je leur ai toujours pas rendu la canne de sauce tomate, les trois oranges, le tapioca, la bouteille de Pepsi, le tabouret pis les cinq cuillerées de café que je leur ai déjà empruntés. Mon compte est pété avec elles-zautres. Je vais m'arranger autrement, saupoudrer autre chose.

Elle rit et disparaît.

Marie-Belzébuth sort de la cuisine la bouche pleine et un gâteau à la main.

— Attention-la-porte ! crie Marité.

Prise en faute, la fillette pose le gâteau sur une chaise qui encombre l'allée et elle file aux confins de Babylone.

Gabriel entend rire chez lui, cela vient de la chambre qui décolle, c'est un petit rire clair de sorcière jeune et jolie. Dans sa propre maison ! Il a chaud.

La sorcière est bien en haut, au chaud. Myriam lui fait un massage et elle exulte en lui tapotant les mollets. Sa peine d'amour l'a rendue lucide et elle a réfléchi à un drôle de truc : depuis un mois qu'elle a fait la connaissance de la sorcière, jamais celle-ci n'était encore entrée chez elle. Elles se sont vues presque tous les jours pourtant, mais sous toutes sortes de prétextes, Miracle avait toujours décliné ses invitations. Et aujourd'hui, elle vient de faire le saut ! Mais faut pas chanter victoire trop vite car elle se rassoit brusquement, elle veut descendre, elle étouffe, c'est pas discutable !

— Tu vas rester dans Babylone, supplie Myriam. Promets-le !

Miracle promet.

Dans l'escalier vertige, au milieu de tout cet émoi d'avoir capturé la sorcière, Myriam pense à sa grand-mère de l'île Verte. Ça manque de grand-mère, ici ! Blanche court la galipotte et l'autre, on ne sait pas ce qu'elle fait, ils prétendent qu'elle revient aujourd'hui mais ce n'est pas sûr, pas clair. Même qu'elle est un peu inquiète à son sujet. Elle sent quelque chose mais elle ne sait pas quoi. Puis elle dit : «Bof, c'est tout simplement que la grand-mère Alice pense à moi ! Crois-tu à ça, toi, Miracle, la transmission de pensée ?»

— Bien sûr, dit Miracle. Ça marche fort ! Ça marche mais c'est pas toujours synchro.

Alice pense à Antoine dont le souvenir ne quitte jamais complètement le champ de sa conscience ; par moments, cela affleure avec plus d'intensité. Elle le revoit jeune encore, au début de la trentaine, elle est dans ses bras, ils font l'amour. Elle n'a jamais compris pourquoi les autres parlaient de l'amour comme d'un devoir. Elle ne redoutait pas la présence du corps d'Antoine dans leur lit, au contraire. Tout était facile, alors. Mais d'y repenser est douloureux et cruel. Inutile. Elle le sait et y pense. Antoine était svelte, plutôt petit — elle n'aime pas les grands hommes —, il avait les cheveux frisés, clairsemés à la fin mais il lui en restait, il sentait bon. Elle ne retrouvera plus jamais son odeur, celle de la journée et celle de la nuit, dans le lit à ses côtés, l'odeur secrète dont le souvenir recouvre sa pensée comme une vague déferlant sur la grève, en mai. La tête appuyée contre la vitre, elle se laisse submerger par ses souvenirs ; elle a peur d'oublier car tout s'estompe et s'émousse, même la mémoire. Elle murmure : « Le fleuve tiède sur les battures en juillet », elle cherche le nom de celui qui chantait ces mots-là, il a une voix du Bas du Fleuve, émouvante, profonde, charnelle, son nom est très connu, elle le sait mais cela lui échappe présentement, c'est un blanc, un petit oubli, elle a peur d'avoir la maladie d'Alzheimer. « Ça commence beaucoup plus tôt », lui a dit Marie pour la rassurer. Elle n'est pas rassurée. C'est déjà assez éprouvant de vieillir, de rider, d'enlaidir, elle ne veut pas oublier en plus. L'oubli est la fin de tout. Elle refuse la fin, ne se résignant toujours pas à la mort d'Antoine, ne s'habituant pas à cette idée. Dans un livre de Myriam, il y a un dessin représentant une jeune femme allongée dans l'herbe, c'est « la marquise de Tendremort ». Elle a l'impression d'être ce personnage qui se consume d'amour. La marquise était une enfant de dix-huit ans mais elle lui ressemble, elle est une vieille enfant amoureuse. Elle est seule, veuve, déroutée dans un exténuant retour, et elle s'ennuie de son mari mort, au point de souhaiter mourir à son tour. Elle n'aurait jamais cru cela possible, elle l'a déjà dit à Myriam, «le destin de la marquise de Tendremort, c'est des histoires, mon petit trésor!» Elle l'appelle son petit trésor mais les autres ne le savent pas, cela ne les regarde pas. Elle aurait voulu lui rapporter quelque chose de l'île, mais quoi? Étrangement, elle ne lui a pas écrit. Tous ces problèmes de vieux, de succession, ces querelles sont tellement loin de Myriam qu'elle a été incapable de lui écrire. Elle a été trop déprimée, aussi, ce terme n'est pas d'elle mais de Marie. Elle va se reprendre; de retour à Montréal, elle enverra un mot à la petite, cela lui fera plaisir, et elle ira la voir, elle la verra tantôt, mais elle n'ira peut-être pas chez François aujourd'hui, elle ne se sent pas assez d'énergie, son mal de dos est revenu, elle va plutôt rentrer chez elle, se coucher, se reposer. Demain, elle ira les voir. Ou elle écrira à Myriam une lettre amusante que la petite conservera dans sa boîte à trésors... Elle ferme les yeux. Elle est fatiguée comme elle l'a rarement été.

Quand Myriam et la sorcière passent la porte mousquetaire, Elvire est retournée chez elle. Il y a du branle-bas au jardin : l'enterrement va commencer.

— Le trou est pas assez profond, dit Olivier. Qu'est-ce que t'en dis, toi, Gabriel?

Gabriel ne répond pas, il pense aux petites veines d'eau souterraine de Maryse. Ils n'en ont pas trouvé ici. Laurent est venu inspecter les travaux, François aussi s'est approché, mais pas les femmes, même pas Maryse, c'est pourtant sa chatte qu'on enterre!

— Allez chercher le corps! ordonne Ariane.

Docilement, les trois garçons s'éloignent d'un pas solennel. Les autres suivent en cortège, Ariane tenant Tristan par la main. Dans la ruelle, ils croisent Kid Gaufrette et, poliment, déclinent son invitation à un combat de fusil à l'eau ; ils ont « d'autres chats à fouetter, si on peut dire », dit Gabriel. Il monte l'escalier et entre chez Maryse. Le reste de la troupe attend au pied des marches, la tête levée. Au bout d'un petit moment, il réapparaît avec le cadavre de Mélibée Marcotte enveloppé dans une serviette. Il a l'air fluet, tout d'un coup, comme s'il avait à peine cinq ans. Le cortège revient lentement vers Babylone, guidé par une petite créature aux cheveux roux. C'est l'archange Gabrielle, Myriam l'a tout de suite reconnue tellement elle est conforme aux descriptions de Maryse ! Ils sont seulement trois à la voir : Gabriel, Ariane et elle. Les autres la suivent pourtant, et ils feront tout ce qu'elle leur suggère, mais ils croiront agir sous l'impulsion du moment, « à cause de l'accord commun », pense Myriam. Encore une fois, les apparences extérieures sont trompeuses ! « C'est sans importance, ce qu'on sait pas, ça fait pas mal ! » dit Fred. Il est là, lui aussi, très voyant dans son habit chamarré.

— Salut, Fred, disent Gabriel et Ariane. T'aurais pu changer de costume, pour une fois, c'est pas un *suit* d'enterrement, ça !

— Vous êtes atrocement conventionnels, dit l'esprit mauvais.

— On pensait pas te voir ici aujourd'hui. Deviendrais-tu moins pissou ?

Fred leur fait un air de beu et dit être venu par affaire, pour causer à « ti-cul Duclos ».

— Ti-cul toi-même, dit Gabriel, tu grandiras jamais !

Il dépose délicatement la chatte à côté de la fosse et attend. Ils sont tous sous le pommier, à former un cercle parfait. Les noisetiers et le sureau luisent...

De la galerie, les trois femmes regardent la cérémonie. «Cela pourrait s'appeler *Portrait d'enfants avec deux hommes et une punkette*», dit Maryse. Les branches du pommier sont agitées par un petit vent et on ne voit pas très bien de quoi il s'agit, le cadavre de la chatte est entièrement recouvert par la serviette blanche; on dirait une petite momie, la momie d'un bébé...

Ariane a repris Tristan dans ses bras, elle a un air sérieux de petite veuve. L'enfant gazouille et regarde le pommier à l'endroit où cela bouge. Comme les trois femmes, il ne voit rien d'autre qu'un voile mouvant autour de la branche où est assise l'archange Gabrielle.

— Tasse-toi que je m'y mette, chère collègue, lui dit Fred.

L'archange se tasse sans discuter car elle trouve l'esprit mauvais peu évolué psychiquement: il niaise tout le temps, fait semblant de ne pas savoir voler, pirouette autour de sa branche et leur fout la trouille.

— Casse-toi pas la gueule, gnochon! disent Ariane et Gabriel. S'il fallait que tu t'estropies, qu'est-ce qu'on deviendrait?

Satisfait de ce qu'il interprète comme un cri d'amour, Fred se calme et regarde de haut le chat Popsicle venu flairer la terre retournée. Il y a un petit temps, c'est leur premier enterrement et le cérémonial n'est pas tout à fait au point.

— Tu sais ce que Marie-Bébelle a dit de nuzautres? murmure Ariane à l'oreille de Myriam.

Celle-ci n'a pas le courage de répondre qu'elle s'en fiche. Ça l'agace d'être curieuse mais ça, tu peux pas le contrôler, la preuve? au lieu de dire «je le sais pas et je m'en fiche», elle dit: «Non, qu'est-ce qu'elle a encore inventé, la Marie-Bébelle, pour nous discréditer?»

— Y paraît qu'on est deux fuckées capotées, fait Ariane dans un souffle.

— C'est pas vrai! On est les filles de la Sultane bleue, on est des sœurs de rêve! Bébelle est jalouse parce qu'elle rêve pas.

Elles ont le fou rire. De l'autre côté du trou, Marie-Belzébuth leur fait de gros yeux stuck-up de principal d'école. François les regarde aussi mais avec ses yeux ordinaires, ni gros ni sérieux, seulement un peu absents. À mi-voix, Marie-Belzébuth demande si après, elles vont jouer à roche-papier-ciseaux.

— On voira, fait Myriam. Roche-papier-ciseaux, c'est un jeu de semaine.

Olivier s'est remis à creuser mais la cuiller de service très design dont il se sert casse bien sec.

— Sak! font les enfants, en chœur. La gaffe!

Ils regardent François qui dit: «Tant pis!» Il ne va pas se mettre à les engueuler maintenant, il a le cœur en compote! Il aimait bien la chatte de Maryse, il la lui a donnée, cédée plutôt, quand elle était encore un chaton et qu'ils se connaissaient à peine.

— C'est un accident du travail, commente Myriam, enchaînons!

Depuis sa visite au théâtre, elle adore dire «enchaînons».

— Ça va pour le creusage, dit Laurent.

Au-dessus de la palissade, pointent les têtes curieuses de Kid Gaufrette et de deux collègues. D'autres apparaissent. Tout ce qu'il y a de marmaille dans la ruelle Mentana se ramène en demandant la permission d'écornifler. C'est rare, un enterrement !

— D'accord, dit Gabriel, vous pouvez faire le rôle de la foule.

— On commence les prières, annonce Ariane.

Ils se mettent à chanter une mélopée funkée que ceux de la clôture écoutent, bouche bée. Gabriel a de la peine à suivre la mélodie ; c'est ici le coin cimetière du jardin et s'ils creusaient pour vrai, ce n'est pas de l'eau qu'ils trouveraient mais des ossements, plein de petits cadavres : hamster, perruche, cigales, écureuils, une grenouille nommée Hercule, la tortue Merveille, des poissons rouges, les chattes Cossette et Trudelle, toute sa petite enfance est là ! Il craint les réminiscences et les regrets, et craint d'y sombrer. Mais la présence inespérée de la fée Miracle à ses côtés l'en empêche. Elle ondule insensiblement entre Myriam et lui. Il sourit à sa sœur qui lui rend son sourire. Tous deux pensent à la même chose : ainsi, c'était bien une chasse à la sorcière — mai est la bonne saison — et Myriam n'en est pas revenue bredouille ! Il a le goût de l'embrasser. Son bras frôle la laine du gilet de Miracle et cela le brûle. Pourtant, elle prétend être gelée dur, elle l'a dit tantôt à travers la vapeur des sorbets. Elle a les cils longs, et quand elle incline la tête d'une certaine façon, pour réfléchir, il sent quelque chose bouger dans sa poitrine à lui. Il se dit que c'est un mouvement de molécules. Il distingue sa voix parmi celles des autres, c'est une voix étrange, haute et fragile comme le velours d'une pêche en train d'être arraché, cela lui fait cette impression au centre du cœur...

Sur sa branche, l'esprit mauvais essaie d'attirer l'attention de son «client» mais il n'y parvient pas. Gabriel ne le voit même pas! Il doit penser à quelqu'un d'autre, à son père-courant d'air ou à Joseph-Lilith, ou peut-être même à Marité redevenue aimante et calme, Fred ne sait pas; maintenant son protégé lui échappe car il a des pensées secrètes. Fred soupire et s'éjarre dans la position de la *Maja desnuda*. Mais comme c'est une posture inconvenante pour un enterrement, comme les enterrements le désolent et comme personne ne fait attention à lui, il devient invisible, laissant la vedette à l'archange.

Immobile dans les airs, faisant du surplace avec ses ailes, celle-ci chante maintenant une chanson à répondre aux vertus anesthésiantes; à chaque enterrement, elle la ressort. La chanson est sur l'air de *Remember me* dans *Didon et Énée*, mais elle est facile et tous en reprennent le refrain, même «la foule». Myriam frémit. Elle sent des choses: Gabriel est dans la lune de l'amour et François, dans le marécage des chagrins. Pourtant, selon les apparences extérieures, François a tout simplement l'air tanné. Faut pas se fier! Elle voudrait pouvoir le toucher mais elle n'ose pas enjamber le fossé...

Les deux Laurent et Olivier commencent à ensevelir le cadavre, mais François ne bronche pas; il se demande ce qu'il est venu faire ici, ils n'ont pas besoin de lui, puisque Laurent y est. Le dernier enterrement auquel il a dû assister est celui de son père. Il s'en est bien tiré. Il en a seulement conservé un sentiment d'irréalité, il ne croit pas tellement à la mort d'Antoine, il n'y pense jamais, sauf la nuit mais cela est hors de contrôle. Leur cérémonial n'en finit plus! Il tourne la tête vers la maison; il aurait dû rester avec les femmes sur la galerie, c'est là sa place. Elles sont immobiles et leurs regards convergent vers lui, c'est un hasard. Il les regarde le regarder, ébauche un sourire et revient à l'enterrement de Mélibée ; les yeux de sa fille sont sur lui. Parfois, il a l'impression qu'elle le comprend comme sa mère Alice le comprenait, jeune...

Tristan est maintenant dans les bras de Laurent, qui s'est relevé. À la place du trou, il y a un petit renflement. Cérémonieusement, Myriam y dépose des fleurs coupées. Ariane se détache du groupe, remonte l'allée et entre dans la maison. Elle a l'air mystérieux d'une officiante...

« C'est un animal qu'on enterre, dit Marie-Lyre, mais cela me fait l'effet de la mort de quelqu'un.

— C'était quelqu'un ! » dit Maryse.

Et elle se met à pleurer en s'excusant de pleurer.

— Fous-nous la paix avec tes excuses, lui dit Marité.

Marie-Lyre la serre dans ses bras. Il y a un long silence pas forcé et, dans ce silence, Maryse commence à parler en cherchant ses mots, leurs mots. Elles se parlent depuis tellement d'années, se coupant, se reprenant, se recoupant ; la parole circule entre elles. Marie-Lyre est contente de les avoir choisies comme famille, elle dit que malgré la tristesse de l'enterrement de Mélibée, elles vivent une journée lente de bonheur, ce dimanche est le plus long jour de mai car le bonheur étire le temps, contrairement à ce qu'on pense... De l'intérieur de la maison, on entend *Pour Élise* commencer doucement. Ariane joue sans fléchir, cette fois-ci. Elle est une enfant lumineuse, circulant dans leur vie par un clair jour de mai. La mélodie se déploie, déchirante et parfaite. Ciselée comme une fleur de pommier.

— Tu vas nous manquer, Maryse, dit Marie-Lyre.

— Je pars pas pour des siècles...

— Mais tu pars!

— Oui.

Pour un bout de temps, il lui semble qu'elle n'a plus rien à faire ici.

Miracle remonte l'allée à son tour. Elle s'arrête devant la chaise où traîne le gâteau de Marie-Belzébuth. C'est une tartelette aux framboises avec de la crème pâtissière, la pâte en est feuilletée, on la sent tendre et friable, et la gelée rose qui recouvre les fruits fond lentement au soleil. Cela est brillant, odorant, capiteux. Miracle se penche au-dessus du gâteau jusqu'à le toucher.

— Le bonheur des enfants est sucré, dit Maryse.

Miracle se relève puis elle se penche à nouveau. Elle répète plusieurs fois son manège, et Marie-Lyre comprend alors ce qui la ronge. Elle se demande comment elle ne l'avait pas deviné plus tôt, c'est pourtant évident, elle connaît bien les symptômes de la maladie, pour avoir déjà fréquenté des mannequins : Miracle est d'une maigreur d'anorexique!

La sonate achève. Lentement, la sorcière roule vers la galerie. Ses yeux rencontrent ceux de Marie-Lyre, qui disent: «Je comprends, je comprends.» Mais Miracle en doute. Elle s'assoit sur le plan incliné et pense à madame Berthiaume, la mère exemplaire de son dernier foyer d'adoption que ses jeûnes prolongés n'ont absolument pas impressionnée. Elle pose son menton sur ses genoux et se tient recroquevillée. L'effet de son speed se dissipe, elle sent la présence de *vibs cannibales* mais curieusement elle est moins mal que d'habitude, en compagnie de ces femmes qui ont l'âge de sa mère hypothétique. Elle devrait les sacrer là et aller faire un tour au parc, il doit y avoir un piège là-dedans, le coup de la gentillesse, on le lui a déjà fait! Ça sent trop la compréhension ici, ça sent l'abondance, la compassion, le bourgeois et l'ordre; ils y croient, du moins, ils essaient. C'est un piège, elles vont la stooler, elles seraient capables de la dénoncer au DPJ! Elle vient pour se lever mais cela lui semble terriblement compliqué, tout à coup.

Ariane ressort de la maison en laissant claquer la porte, elle marche d'un pas lourd, on ne dirait pas qu'elle joue du piano aussi délicatement, elle est une enfant sonore. Éclatante! Elle rit et cela donne le goût de rire. Miracle se tourne vers Marie-Lyre:

— Coudon, Marie-Lyre Flouée, c'est-tu ton vrai nom, ça?

— Mais oui! Je m'appelle Flouée aussi vrai que toi tu te nommes Joseph-Lilith-Miracle Marthe.

— Je vois, dit la sorcière.

Elle voit clairement, comme au travers d'une passoire trouée, que la grande actrice Marie-Lyre Flouée n'est pas dupe de ses trucs de sorcière orpheline.

— Vas-tu rester longtemps chez Elvire? lui demande Marité. Si tu veux, tu peux coucher ici, des fois. On a de la place.

— Merci, dit Miracle, je suis une sorcière itinérante et j'ai ma piaule dans un squat.

Elle a l'air d'une petite enfant perdue au rayon des jouets chez Eaton. On a l'impression qu'elle leur en veut, soudainement. Elle ajoute qu'elle a un contrat avec madame Légarée et qu'elle le respectera! C'est pas parce qu'elle est punk qu'elle est pas fiable, elles ont des préjugés! «Tiens, se dit Marité, une autre enfant pour Elvire!»

Dans Babylone, ils se remettent à bouger. Olivier est en palabres avec la foule qu'il exhorte à rentrer chez elle, le show étant fini. François montre quelque chose à Laurent; comment on pourrait marcotter certains arbustes, si on voulait. Tristan obtient de se faire déposer par terre et part aussitôt à la poursuite de Belmondo, qui l'égare facilement parmi les pivoines naissantes. La foule se disperse, le cercle de famille se défait, ils reviennent en désordre vers la galerie, l'air de gens qui ont hâte d'enlever leurs talons hauts et de desserrer leurs cravates noires. Ils ont soif.

Seule Myriam s'est attardée sous le pommier. La terre est bien tassée et les fleurs font comme un tapis odorant, tout a repris sa place, sauf l'archange Gabrielle, encore visible.

— Je peux-tu vous parler? lui demande Myriam.

— Tu sollicites une audience particulière?

— C'est ça, je sollicite. Mais c'est gênant...

— Vas-y, parle, fait l'archange d'un ton décontracté. Mais elle a jeté un coup d'œil à sa montre-bracelet, Myriam l'a vue faire. «Tous pareils, se dit-elle, tous pressés! L'archange doit être dans la force de l'âge, comme ils disent, c'est l'âge impressionnant du busy body.»

— C'est à propos de mon don, bredouille-t-elle, j'aimerais avoir de plus amples informations...

— Comment! dit l'archange, tes parents t'en ont pas parlé? Encore d'autres qui font mal leur job! C'est comme pour l'éducation sexuelle.

— C'est quoi au juste, mon don?

L'archange s'éclaircit la voix:

— Tu sens la fragilité des choses...

— Ça n'a pas de sens ! C'est con et nul !

— On dit pas con, dit l'archange.

— Entucas !

— Ton don, c'est le pouvoir d'empathie. Tu sens l'angoisse des gens et parfois, le moment de leur mort. Ce n'est pas quelque chose d'immédiatement utile, j'en conviens, mais dans certains métiers ça sert.

— Qu'est-ce que vous faites, vous, comme métier ?

— Je suis anesthésiste, je travaille aux réanimations et soins intensifs. Mais ils auraient jamais dû relier les deux services, dans les hôpitaux : il y a des patients qui restent pris dans les limbes du coma, c'est stressant, je suis toujours pressée par les catastrophes !

On sent qu'elle en a gros sur la patate, mais ça n'intéresse absolument pas Myriam qui lui demande si elle peut refuser le don.

— Une chose donnée, faut la prendre, dit l'archange. Et ton don, tu l'as déjà utilisé. Tu pourrais pas le remettre, il est usagé.

— M'en fous, moi ! Je sens seulement des affaires croches qui arrivent pas...

Myriam se tait, sachant qu'elle ment : pour Mélibée Marcotte, elle avait deviné juste. La chatte est morte à quatre-vingt-treize ans si on traduit son âge dans un âge de monde, Gabriel a fait le calcul ce matin. Dans son genre, Mélibée était une grand-mère. C'est un bon exemple, ça, les grands-mères, pour vérifier si elle a vraiment le don. Elles sont des candidates à la mort, si on peut dire. Eh bien, du côté d'Alice, elle sent une douleur confuse, mais en pensant à l'autre grand-mère, il ne se passe strictement rien.

485

— Je vois rien pour ma grand-mère Grand'maison, dit-elle à l'archange, vous voyez bien que ça marche pas!

— Si tu vois rien, c'est peut-être qu'il n'y a rien à voir, dit Gabrielle.

Elle déplie ses ailes pour prendre son vol.

— Partez pas! fait Myriam, l'audience est pas finie!

Elle revient à sa première question: «Pourquoi j'ai ce mautadit don-là, moi?»

— C'est pour être fine tout le temps, sachant que la vie est brève...

— Vous me niaisez, là! Vous allez me faire un speech comme ma mère. Vous êtes rien qu'une adulte maternelle!

— Sois sans crainte, dit l'archange, j'ai pas le temps, je suis sur un call! Si tu comprends pas mes réponses, mémorise-les, elles te serviront plus tard.

— Voulez-vous dire que ma grand-mère Blanche est immortelle, par hasard?

Mais déjà, l'archange s'est envolée, obscure et décevante.

Belmondo se frotte contre les jambes de Myriam. Celle-ci la ramasse et remonte l'allée. Elle croise sa tante MLF qui file chez *La Sultane* pour cause de répétition générale. Elle dit: «Je pars incognito pour pas briser la fête, fais semblant de rien, Myriam.»

— Maryse y va pas?

— Et comment qu'elle y va pas! Ils lui ont demandé de s'abstenir pour pouvoir régler leurs problèmes de production entre eux!

Myriam rit. Marie-Lyre ouvre la barrière, enfourche son bleu destrier et disparaît en disant: «Tu me fermes la porte, s'il te plaît, Myriam?» Elle dit cela d'un ton enjôleur mais elle part. Myriam soupire et referme la porte en serrant bien fort Belmondo pour ne pas qu'elle s'échappe à son tour. Le monde est pas fiable, depuis cinq minutes, fuyant ! Elle va se rabattre sur la sorcière et la tante Maryse qui n'ont pas bougé, et sur la limonade. Là-bas, ils ont servi de la limonade rose et son verre l'attend, intact, les autres ne l'ont pas touché — c'est l'avantage de fréquenter du monde bien élevé et plus vieux qu'elle.

Laurent-le-vrai et Gabriel la regardent venir. Ils aimeraient bien savoir à qui elle parlait, tantôt... Elle prend une grosse gorgée et confie à Gabriel que la grand-mère Blanche est pas tuable, elle vient d'en avoir la révélation. Gabriel sourit avec indulgence. Franchement, sa sœur, des fois, elle exagère ! Il retourne à sa conversation.

— Ça serait un club privé, dit Olivier. Privé et mixte.

Ils parlent de fonder un cabaret-bar pour initiés, un autre. « Ça brouillerait les pistes », disent-ils, Kid Gaufrette est trop souvent dans le paysage, manifestement, il les espionne.

— Le bar pourrait s'appeler *La Mélibée endormie*, propose Gabriel.

— Elle dort pas, elle est morte, Mélibée ! dit Marie-Belzébuth.

— On le sait, figure-toi ! dit Gabriel. C'est pour l'évocation, pour se consoler. On parle pour se consoler !

Marie-Belzébuth se tourne vers Myriam et lui demande ce qu'elle niaisait, sous le pommier.

— Audience particulière ! dit Myriam. Tu peux pas comprendre, c'est une occupation de Sultane.

Marie-Belzébuth ravale. Elle sent qu'elle va encore se désolidariser, peut-être même tout de suite, elle en aurait le goût mais ça tombe mal car une diversion leur tombe dessus : on entend la voix de la grand-mère Blanche, dans le couloir. La porte avant était grande ouverte et elle est entrée sans sonner. Elle les appelle : « You-hou, y a quelqu'un ? » Puis elle dit comme pour elle-même : « Ils sont au jardin ! » Myriam regarde Gabriel, consternée : Blanche parle toute seule maintenant, elle radote ! Radieuse, la grand-mère apparaît dans le cadre de la porte mousquetaire ; elle a son costume blanc du dimanche, son long collier de perles et ses pendants d'oreilles. Elle sourit. Mais soudain, coup de théâtre, quelqu'un se profile à ses côtés, un vieux. Gabriel et Myriam écarquillent les yeux ; qu'est-ce que c'est que ce *nouveau personnage* ?

— Je passais, dit Blanche, on passait.

Elle sort sur la galerie et présente le vieux ; c'est monsieur Désiré, membre actif du ZLAN, du *Monde à bicyclette* et des grands-parents bénévoles. Il dit : « On veut pas déranger. » « Facile à dire ! » pensent Myriam et Gabriel en se donnant des coups de coude. « Espérons que la grand-mère ne va pas prendre l'habitude de nous amener des étrangers, astheure ! » chuchote Gabriel.

— C'est le fun que vous soyez venue nous voir, grand-maman, dit Myriam.

Elle donne le change mais elle a son voyage : ce vieux-là, elle ne le connaît pas et pourtant, elle le reconnaît ! Elle l'a déjà vu dans l'écume mauve du philtre de Miracle. Drôlement efficace, les philtres, sur elle ! Pour la deuxième fois aujourd'hui, elle en a la preuve. C'est lui qui était là quand Blanche arrosait ses violettes, c'est de lui qu'elle est amoureuse. Dis donc ! Ça ne s'explique vraiment pas, l'amour, c'est fatal ! Elle lui dit : « Je vous connais vous ! » Et elle devient boudeuse. Désiré lui sourit poliment. Encore quelqu'un de bien élevé ! Entucas. Il est mieux de se tenir tranquille et discret, l'espèce de faux grand-père ! Pour le moment on dirait qu'il a compris ; il reste en retrait. Blanche, elle, a quelque chose de taquin dans le regard. Marité regarde Maryse et lui fait un air qui veut dire : « T'as vu ça ? T'as vu ! ! Ma mère nous damera toujours le pion ! » Maryse sourit ; elle aime bien regarder des gens heureux, quand par hasard elle en rencontre, ils sont reposants. François déclare qu'ils doivent absolument visiter son jardin, il va les guider. Myriam décide d'ignorer l'intrus, elle embrasse Blanche et lui dit, dans le particulier :

— Vous savez, j'ai un bon tuyau sur l'homme au violoncelle. Ariane le connaît. Je l'ai mise dans le coup, c'est ma meilleure amie, elle doit tout savoir.

— L'homme au violoncelle habite en face de chez moi, dit Ariane. On peut vous le présenter.

— Êtes-vous sûres que c'est le même ?

Les deux fillettes se regardent, perplexes : elles n'avaient pas pensé à cela.

Blanche profite de ce moment d'hésitation pour enfoncer son clou :

— Comment ça va, Ariane, votre piano ? Il faut pratiquer, vous savez.

— Je pratique !

— C'est bien beau le talent mais il faut travailler aussi. Faire des gammes.

Je vous le promets, répond Ariane qui s'étonne elle-même : les grands-mères, c'est dangereux, ça a des trucs pour vous arracher des promesses idiotes. Elle a raison de ne pas s'occuper des siennes.

Elle file rejoindre Tristan à l'autre bout de la table ; le petit s'est emparé d'un sucrier, c'est mauvais, ça, le sucre, pour un bébé, elle va lui donner une claque sur les mains, au moins une claquette.

Nullement démontée par cette désertion, Blanche

continue d'exposer à Myriam son point de vue : elle a toujours été intransigeante avec l'oncle Louis, son fils musicien, et il a continué de jouer, aussi ! Elle connaît ça, les enfants-musiciens, il faut leur serrer la vis de temps en temps. La grand-mère sourit mais Myriam se dit « Fiou ! » Heureusement qu'elle n'a aucun talent de ce genre-là, des talents rushants ! Elle n'aimerait pas se faire serrer la vis par une grand-mère immortelle, ça n'en finirait plus !

— Coudon, grand-maman, dit-elle, c'est-tu vrai que vous êtes immortelle ?

Mais Blanche est déjà dans Babylone fleurie avec Désiré. François leur parle en faisant de grands gestes. Il est content d'avoir un auditoire neuf et captif dans la personne du faux grand-père. Blanche joue machinalement avec son collier, ses mouvements sont vifs. Myriam regarde tout cela de la galerie.

— Ça se peut pas que le collier de ma grand-mère soit si vieux que ça, dit-elle. Il a l'air neuf.

— Les perles, ça s'use pas, répond Maryse. Le collier est tel que Catherine l'a porté pour la première fois, à peine sortie de l'adolescence.

— Elle avait l'air de quoi, dans ce temps-là, Catherine ? demande Gabriel. Comment il était, le sergent Labelle, à mon âge ?

— Comment elles étaient, les petites Fraser de l'île Verte, à huit ans ? demande Myriam. Tu devrais nous raconter ça, plutôt.

Sa voix est aiguë du bonheur anticipé.

— Ça me tente pas...

— Ça te tente pas, ou t'en sais rien ? demande Fred, réapparu.

— Peut-être que j'en sais rien, dit Maryse.

Quel emmerdeur !

Elle sourit à Miracle, tassée sur elle-même depuis l'arrivée de Blanche, comme si elle craignait la grand-mère. Pourtant, là-bas parmi les fleurs, Blanche et Désiré ont l'air inoffensifs et légers; on leur donnerait dix-huit ans.

Marité part vers la cuisine avec une pile d'assiettes. Tristan rit; Ariane tient ses menottes emprisonnées dans ses mains, elle les frappe doucement. Maryse suit le mouvement cadencé des petites mains au-dessus de la table. Aujourd'hui, elle ne veut penser qu'à des choses légères comme des mains d'enfant ou comme l'amour à dix-huit ans, les dix-huit ans mythiques. Elle se sent douce et amollie par la mort de Mélibée. Pour peu, elle parlerait de sa rencontre avec Laurent ou avec Michel Paradis, c'est la même histoire, toujours recommencée, c'est le frisson des débuts. Elle sourit et dit qu'elle veut bien raconter quelque chose, mais rien de son répertoire habituel. Elle a la tentation de les amener de son côté, dans le seul épisode joyeux qu'elle puisse imaginer, la rencontre de ses parents pendant l'inondation du printemps 35, c'est un beau mensonge liquide, une histoire d'amour qui a duré le temps d'un déclic de caméra.

— Ah oui, décris-nous la photo! dit Laurent.

Il l'embrasse et rit. Elle rit avec lui. La photo dont il parle est énigmatique; ils ne voient pas où elle a été prise. Certainement pas en bordure du canal Lachine, exempt d'inondations depuis le début du siècle... Les enfants les trouvent idiots, désordonnés et impolis; on ne sait même pas de quoi ils rient.

— Si on vous dérange, dit Gabriel, on peut se retirer!

Ses deux chums se donnent des coups de coude et gloussent.

— La photo en question, vous la connaissez, dit Maryse. Elle a longtemps été suspendue dans mon bureau, elle représente ma mère à dix-huit ans, seule sur un trottoir inondé. Mais si on la regarde bien et longtemps, on y découvre d'autres personnages et on voit qu'il s'agit en fait d'une demande en mariage par un jour de débâcle. C'est une histoire de neige, fondante comme un sorbet...

— Sobet, répète Tristan.

Maryse lui sourit.

« Tiens ! se dit Myriam, lui, ça fait rien qu'il interrompe, on lui pardonne. La vie est tellement simple à trois ans et demi ! »

Maryse continue :

— Ma mère Irène est née dans Sainte-Anne, qui est le quartier voisin de Saint-Gabriel, celui de mon père et de tout le clan irlandais. Dans Sainte-Anne, les ouvriers s'appellent Marcoux, Dubois ou Tremblay, ils parlent uniquement français et ils ne fréquentent pas ceux de Saint-Gabriel, des déportés irlandais teigneux. Quand ma mère est placée comme bonne dans une famille de Côte-Saint-Antoine, elle a tout juste quatorze ans, elle ne sait pas un mot d'anglais et elle panique devant les ordres incompréhensibles de sa patronne aux cheveux de filasse. La patronne a toujours l'air de japper malgré ses sourires, elle ressemble à une chienne jaune qui sourirait en jappant. « Une maudite chienne ! » se dit Irène intérieurement, elle ne veut plus travailler là, leur jargon, c'est du chinois ! Mais elle ne sait rien faire d'autre que du ménage, et elle continue de servir la chienne et sa famille. Avec le temps, elle finit par comprendre l'anglais. Elle pourrait même soutenir une conversation rudimentaire avec quelqu'un de simple. Elle a dix-huit ans maintenant, elle a changé de patronne mais cela se passe encore en anglais. Depuis quelque temps, un Irlandais de la Pointe lui tourne autour, il est toujours sur son chemin. Il la regarde comme s'il voulait la photographier mais il lui fait un peu peur, il est étrange. Or, un jour c'est la fonte des neiges et les bas quartiers sont inondés ; l'eau envahit les rues et monte inexorablement, franchissant les seuils de maisons sans cave construites à même le sol. Puis, brusquement, cela s'arrête. Les gens sympathisent et s'embrassent, tellement ils sont soulagés. Ils sont tous dans la rue, ceux de Sainte-Anne et ceux de Saint-Gabriel. Ma mère est sortie comme tout le monde, elle se promène dans les rues-rivières et elle rencontre mon père à l'écluse Saint-Gabriel, là où leurs deux quartiers se rejoignent. Ils sont au-dessus d'un ancien puits...

Gabriel demande si le puits apparaît sur la photo ou si elle a identifié la présence d'un point d'eau grâce aux fléchettes enfouies dans le sol.

— Quelles fléchettes ? demande Miracle Marthe, sortant de sa torpeur. Des fléchettes de curare ?

Ravi d'avoir eu l'attention de la sorcière, Gabriel explique comment, correctement plantées dans le sol, des fléchettes peuvent indiquer les points d'eau que chacun possède. Il est interdit aux autres membres de la tribu d'y toucher !

— T'es mêlé en pas pour rire, toi, dit Myriam. Tu penses-tu que la mère de Maryse vient d'une tribu ?

— On est dans le fictif, répond Gabriel. Tout est possible !

Mais qu'est-ce qu'elle a, qu'est-ce qu'elle a, aujourd'hui, sa sœur ? Elle est énervante !

Laurent confirme l'authenticité de l'utilisation des fléchettes et restitue l'action dans son contexte qui serait plutôt la Haute-Volta que Pointe-Saint-Charles.

— So what ! dit Gabriel. Vous êtes ultra-cartésiens, tout à coup !

Maryse profite de la pause pour s'allumer une cigarette.

— C'est vrai pour le puits, dit Fred. J'y étais. Je suis sur la photo de la pétite médame O'Sullivan, mais invisible. Je n'impressionne jamais la pellicule, figurez-vous !

Il s'arrête pour permettre à l'auditoire de savourer sa blague, mais personne ne rit.

— Est vieille ta joke, dit Ariane.

— T'intéresses pas, dit Gabriel. Rends-toi à l'évidence. On est les seuls à t'entendre.

Et, en effet, les autres écoutent Maryse qui a repris sa description :

— Irène a dix-huit ans, ses cheveux sont vaporeux, elle porte un manteau cintré et d'énormes bottes comme les femmes en ont, à l'époque. Ça ne se voit pas, mais les bottes sont trouées et Irène a les deux pieds dans l'eau froide. Derrière l'Irlandais, et comme s'il n'y avait pas déjà assez d'eau dans cette histoire, passe un vendeur de glace. Au bout de ses longues pinces, il tient un bloc de glace fondante. Il est l'homme du froid, de la conservation miraculeuse des aliments, il est de la race des Canadiens français porteurs d'eau, mais en mieux : l'eau qu'il transporte est solide. Irène lui sourit parce qu'elle est dans son jour de congé et parce que l'inondation a cessé. Et elle sourit aussi à l'Irlandais. Il lui parle en français et il y a des choses ampoulées dans ce qu'il dit, des expressions toutes faites de vues françaises, on se demande où il a entendu ça, il l'invente peut-être. Pendant qu'il parle, une idée germe dans la tête d'Irène : si jamais elle se mariait, ce serait la fin du ménage chez les autres. L'Irlan-

494

dais dit des choses vagues et étranges, il n'est pas laid, sa façon de casser le français la charme ; il est un beau parleur, à sa manière. Il a sa caméra avec lui, il a toujours une caméra, elle l'a remarqué. Il dit : « Je m'appelle Tommy O'Sullivan. » « Moi, c'est Irène », dit ma mère. « Irene », répète Tom. Il le prononce à l'anglaise. Il recule de trois pas et demande s'il peut prendre sa « picture ». Ma mère part à rire et elle dit « oui ! » C'est ainsi que mes parents ont commencé à se fréquenter pour le pire. De meilleur, il ne pouvait être question entre eux, mais ils ne le savent pas encore. La photo est joyeuse ; elle fige un moment de répit et d'espoir. On est en 1935, c'est la crise mais ça n'empêche pas le printemps d'arriver comme à chaque année. Et ça, tout le monde y a droit, c'est gratuit.

Maryse écrase sa cigarette avant de l'avoir finie et regarde la main de Laurent qui joue distraitement avec la courroie de sa caméra suspendue au dossier d'une chaise. Tout comme son père, il a toujours sa caméra à portée de la main et ses photos sont bonnes. Elle n'avait jamais fait le lien. Elle reste saisie.

— C'est-tu fini ? demande Myriam. Qu'est-ce qui se passe après la photo quand ils se remettent à bouger ?

— Je ne raconte pas l'après-photo. J'en reste à l'éclair de magnésium, c'est cela le véritable coup de foudre, celui qui met une brillance dans l'œil.

— Ben raconte-nous aut' chose d'abord, dit Myriam, parle-nous des petites Fraser et de la fille à Clophas Mailloux.

— Pas aujourd'hui. Ce sont des histoires d'amour et elles se ressemblent toutes. Celles de l'île Verte se passent autrefois, en avril, quand le pont de glace vient tout juste de céder sur le fleuve, mais elles ressemblent à celles de maintenant...

Maryse pense d'une façon aiguë à Mélibée Marcotte, endormie sous la terre. C'est comme un point au cœur, cela va passer. Dans certaines civilisations, ils font des bouffes énormes, après les enterrements. Ils baisent peut-être aussi, une fois rendus à l'intimité de leurs lits, mais cela, on ne le sait pas, on peut seulement le deviner d'après son propre comportement, ses propres désirs. Elle a tout à coup le goût de faire l'amour avec Laurent. Ou avec François. Il y a du désir partout ! Ou peut-être tout simplement un besoin universel d'être rassuré, de se sentir vivante, vivant...

— Y a des *vibs cannibales*, murmure la sorcière en la regardant.

Dans Babylone, François a fini son exposé, il a l'air satisfait, il leur a fait le grand jeu. Ils reviennent sur la galerie et parlent maintenant de bicyclettes.

— Il n'y a pas d'âge pour en faire, dit Désiré. Il y a même des tricycles pour les personnes hésitantes.

— Vous seriez marrante là-dessus, madame Grand'maison ! dit François.

— Penses-tu ? répond la grand-mère. Je me marre déjà passablement !

Elle s'assoit entre ses deux petits-enfants en se disant qu'elle a des pensées peu orthodoxes : Charles-Émile est mort fort à propos et depuis, elle dépense tout son argent elle-même. Avec Désiré ! Elle a raison de le leur présenter maintenant. Pourquoi se cacher ? Ils vont s'habituer. Ça les changera de l'ancien grand-père, ce n'est pas du tout le même genre. Même pour le choix de son remplaçant, Charles-Émile aurait été dissident. Oh ! qu'il aurait pas aimé ! C'est comme pour la bicyclette, il n'aimerait pas. Elle a soudain l'idée saugrenue de s'acheter un tricycle comme ceux qu'elle a vus l'autre jour.

Dans le panier arrière, elle promènerait Myriam pendant qu'elle est encore petite... Maryse la regarde depuis un moment comme si elle soupçonnait ses idées folles. Son regard transperce, on dirait. Pensez donc, une auteure !

— Il paraît que vous partez, dit-elle. Vous nous manquerez.

— Raconte-nous une histoire du Nicaragua, dit Ariane.

— Attendez que j'en sois revenue, au moins ! Non mais des fois, faut sauvegarder la vraisemblance !

— C'est un souci qui t'honore, dit François, taquin.

Il s'adresse aux autres :

— Je gage qu'elle vous a encore raconté des menteries !

Il se met à siffloter une chanson espagnole dont les paroles disent : « Maintenant que nous allons lentement, contons-nous des menteries. » Maryse connaît la chanson, elle essaie de la chanter mais son accent n'est pas fameux et elle bute sur le mot *despacio*, qui signifie lentement. Elle rit et dit : « C'est ça aujourd'hui, on est dans une ralentie. »

— Comme si on attendait quelque chose, dit Miracle. Un événement.

Elle a son air de sorcière prophétique et flaireuse.

— On n'a pas été présentées, lui dit Blanche.

L'uniforme punk ne l'impressionne absolument pas : cette enfant est sale et décharnée, elle vous remplumerait ça en quelques mois, elle !

Gabriel fait les présentations et satisfaite, Blanche revient à Maryse :

— Pourquoi l'Amérique latine ? C'est une zone dangeureuse.

— Pourquoi partir ? demande François.

«Quel naïf! se dit Maryse. S'il pense que sa question passe inaperçue parce qu'il y a plein de monde!» Elle le regarde dans les yeux et lui répond que le Nicaragua, c'est l'ailleurs, mais en Amérique. Elle dit: «Je suis sûre que tu comprends ça, François. Certains restent, moi, je pars. Les deux se valent.»

Marité revient avec les sorbets.

— Sobets! fait Tristan qui l'a vue le premier.

Miracle est au bout de la table, Marité lui tend le cabaret. La main de Miracle hésite au-dessus des coupes, immobile un moment. On entend sonner le téléphone. Personne ne bronche. Marité vient pour poser le cabaret mais elle ne trouve pas de place libre. Elle dit: «Répondez quelqu'un, faites quelque chose, va répondre, Gabriel!»

— J'haïs le téléphone! dit celui-ci. C'est jamais pour moi.

Il court décrocher. C'est pour François.

— Où ça? dit François. Quand?

Il pose d'autres questions du même genre et sa voix a quelque chose de tremblant, Myriam le sent, elle écoute très fort avec son oreille bionique. François raccroche et, quand il revient sur la galerie pour les prévenir, son visage est froissé. C'était la tante Marie, sa sœur. Elle dit qu'à l'arrivée du train d'Alice à la gare Centrale, ils ont fait venir une ambulance. C'est une urgence. François a les clés de l'auto à la main. Il leur dit de ne pas se déranger, il ira seul. Il part sans les embrasser. Cela se passe en accéléré. Marité tient toujours le cabaret dans ses mains. On voit une petite vapeur translucide monter des glaces.

— C'était un bel après-midi, tout de même! dit-elle.

La petite veine du chagrin et des tracas vient d'apparaître à son front.

Deux juin

Comme la brume du désir
et de l'évanouissement : rouge sang

Mon rêve est déplié comme
les draps de ma buanderie.

THÉÂTRE REPÈRE,
La trilogie des dragons

«On ne s'habitue pas au trac», pense Marie-Lyre. Elle boit de l'eau et essaie de contrôler la circulation de son sang selon la méthode du training autogène. Elle n'y parvient pas. Dans le miroir qui recouvre tout le mur de la loge, elle regarde les autres : Palmyre est occupée à ses exercices de réchauffement, Rosemonde et Juliette achèvent leur maquillage, Marie-Belle circule parmi les corbeilles de fleurs, un peu nerveuse. Marie-Lyre revient à sa coiffure. Devant elle, sur la table, elle a posé le seul bouquet important à ses yeux, celui de Renaud; six petites roses thé. Elle se demande s'il sera dans la salle et cela ajoute à son énervement. On devrait pouvoir séparer le travail et le plaisir, les tourments du travail de ceux du désir. Il n'y sera peut-être pas, c'est pour cela qu'il lui a envoyé les roses, il prend congé avant même que ce soit commencé. Mais elle ne doit pas penser à lui maintenant, elle essaie de faire le vide. Elle ne doit pas non plus penser à Juliette, toujours aussi froide, et dont la présence est comme un dard enfoncé dans sa tête. Tantôt, il lui faudra jouer avec elle sans se laisser emporter par son bouleversement personnel, ses regrets; autrement, leurs scènes ne passeraient pas. Elle revient au trajet de son sang et sent une toute petite chaleur à sa lèvre. Il faut que Renaud soit dans la salle !

— La scène des visiteurs, dit Rosemonde, c'est la plus difficile, j'ai peur de pas la jouer *tight*.

Elle a parlé tout bas, pour elle-même, mais Marie-Belle l'a entendue. Elle jette un dernier coup d'œil dans le miroir de son poudrier — c'est la troisième fois qu'elle retouche son maquillage en une heure —, elle referme le couvercle et s'approche de Rosemonde pour la coacher à voix feutrée.

— Est-ce que mes ailes sont droites ? demande Palmyre.

— Oui, oui, dit Juliette, mais j'ai une maille dans mon bas !

— Qu'est-ce qui se passe ici ? dit madame Faribeau en faisant irruption dans la place. On s'énerve ?

Elle tend une autre paire de bas à Juliette et, d'une main énergique, elle rajuste Palmyre en déplorant que le théâtre n'ait pas d'habilleuse. C'est son heure de gloire ; elle va d'une loge à l'autre, agitant dans l'air des roulettes de *masking tape* et des babiches de Velcro, faisant d'ultimes ajustements à ses costumes et citant Agrippa d'Aubigné. Par la porte entrouverte, on entend Duquette déconner lourdement avec le batteur et le pompier de service, puis La Cantonade annonce qu'Adrénaline Taillefer vient d'arriver avec Tonio Ram Crouze et une suite d'admirateurs leptoplastiques.

— Merde ! fait Benoit Jusquiame.

Il fume une cigarette sur le seuil de sa loge. Il est en camisole.

Maryse lui sourit. Elle est assise dans le couloir des loges, plus précisément dans le fauteuil dit « de l'auteur » ; c'est une chaise rembourrée, recouverte de velours et rescapée d'une ancienne production. Comme si l'auteur dramatique moyen était un grand six pieds bien enveloppé, la

502

chaise est vaste et haute sur pattes. Juchée dessus, Maryse a l'air d'une petite fille qui aurait grimpé dans le fauteuil déserté de son père. Elle est toujours intimidée de s'asseoir là mais bravement, à chacune de ses premières, elle prend sa place. Elle aime d'ailleurs le point de vue tout à fait particulier qu'on y a : les portes des loges sont constamment ouvertes et ainsi, elle a une vue d'ensemble sur tout, elle voit les acteurs se maquiller et ses personnages prendre forme. Après avoir tapoté et dorloté chacune des comédiennes, madame Faribeau court vérifier la tenue des hommes. Au passage, elle replace machinalement l'épaulette de la robe de Maryse, qui a peur d'avoir mis une robe trop voyante ; elle ne sait jamais comment « l'auteure » doit s'habiller, les soirs de première.

— T'es parfaite, ma belle ! dit madame Faribeau.

— T'es belle, ma parfaite, dit Benoit.

Dans la loge des hommes, le sieur Duquette hurle que son suit ne lui fait plus. Depuis le dernier essayage, il a pris un kilo.

— À cause des petites bières, dit Valentin, narquois.

Maryse rit, décroise ses jambes et les recroise aussitôt, éteint sa cigarette et en allume une autre. Le joueur de bandonéon vient s'asseoir en face d'elle et lui bumme une Craven A. Il se masse les doigts. Ensemble, ils regardent le violoncelliste faire les cent pas. Benoit est retourné dans sa loge, dont la maquilleuse s'échappe avec un pinceau teinté de rouge, après avoir ordonné à Duquette de ne plus se triturer la face. Elle jette un « dirty look » aux musiciens ; ils ont obtenu de ne pas se maquiller et c'est une honte ! Hier, à la générale, ils avaient l'air malades dans les éclairages de La Cantonade, elle l'a fait remarquer, mais en vain. Dans sa main, le pinceau a l'air

vivant. Le violoncelliste s'écarte prudemment de son chemin et le joueur de bandonéon se découvre une envie
soudaine de dégager ; il écrase sa cigarette et va rejoindre
le pompier dans les coulisses. La maquilleuse entre dans
la loge des femmes. Il y a un petit moment de silence. Les
acteurs sont censés se concentrer sur la psyché de leurs
personnages et sur leurs chakras mais parfois quelqu'un
échappe une blague idiote, tolérée par Marie-Belle qui est
en faveur de la joke libre et plate, les soirs de première,
« ça permet de décompresser », dit-elle.

— Mata-Hari était moche, dit Valentin. Elle avait le
profil ravageur avec un nez affreux, un pif gros comme ça !

— Elle a pourtant inventé le strip-tease, dit Benoit.

Lui-même n'est pas très habillé. Sa camisole est
rose saumon et sale. Il dépose son cahier noir devant lui,
à côté d'un cactus en fleur provenant d'une certaine
Ginette.

— Tu parles d'un cadeau de première ! dit Valentin.

— Qu'est-ce que tu lui as fait, à Ginette, pour qu'a
t'envoie ça ? s'enquiert Duquette.

— Ginette, c'est un copain, dit Benoit. Et si vous
arrêtez pas de m'achaler, je m'en vas dans la loge des
filles !

Il écoute un moment leur conversation et entend
Juliette dire qu'elle en parlera à son acupuncteur. Il sourit : dans le milieu du théâtre, l'acu a quasiment déclassé
le psy. Ils sont tellement moins chers !

— Le strip de Mata-Hari, dit Valentin, poursuivant
son idée, c'était pour détourner l'attention de son nez.

Duquette s'ouvre discrètement une petite Mol,
prend une longue gorgée et pose la bouteille par terre.
Valentin lui fait remarquer qu'il n'est pas très sérieux.
Duquette rit grassement.

— Pourvu que j'aie pas de blanc! dit Benoit. Il compulse frénétiquement son texte.

— Cool, fait Marie-Belle, cool! Elle accourt lui faire un massage anti-panique pour ne pas qu'il ameute toute la distribution.

— Si t'as un blanc, t'improviseras, dit-elle.

«C'est fin pour moi, pense Maryse, ça vaut vraiment la peine de polir si longuement mes répliques!» Mais elle a confiance en Jusquiame, le rôle était bien pour lui. Hier, à la générale, il a étonné tout le monde. Au cours des dernières heures, le spectacle a pris son rythme définitif et maintenant on ne peut que laisser aller et espérer. Pendant la représentation, elle souffrira de devoir rester en coulisses mais elle sait qu'elle serait incapable de s'avancer dans la cruauté des éclairages; elle est de l'équipe de l'ombre, celle des machinistes et des petites mains, celle des placiers. Elle a déjà été placière pour payer ses études, elle ne l'oublie pas. Elle connaît bien le public et ses exigences, ses ravissements, le petit moment d'excitation et d'espoir au début, quand l'éclairage baisse dans la salle. Durant ces quelques secondes, les spectateurs deviennent une masse homogène désirant la même chose: être émerveillés encore une fois, ne demandant pas mieux que de l'être! Ce soir, la salle sera comble. Tous ces gens ont quitté leurs quartiers chic, franchi l'impasse Boisbriand, trouvé la porte incertaine du café-théâtre, et ils attendent à côté, aimant déjà le spectacle — voulant l'aimer — ou le détestant déjà: le public des premières n'est pas un public normal, il est préjugé, elle le sait, elle connaît au moins la moitié de la salle! Elle imagine tout ce beau monde debout dans le hall et Laurent perdu parmi eux, pas vraiment perdu, il doit se tenir avec Marité et

François, non, François n'est pas là ce soir, il s'est décommandé.

— Stand by vingt minutes, dit la voix de Rex Tétrault dans l'interphone.

Il y a dans les loges comme un changement de vitesse.

— Je trouve pas mes boutons de manchettes! crie le batteur. Oùsquisont?

Un commissionnaire arrive avec une gerbe de fleurs et, par la porte entrouverte un moment, on entend la rumeur du hall.

Myriam a les joues roses d'excitation. C'est son premier spectacle d'adulte le soir : «C'est une circonstance particulière, a dit Marité, je me demande si je devrais t'amener.» Mais ils avaient un billet en trop, celui de François qui se sentait patraque. Gabriel non plus ne filait pas, il avait une espèce de grippe et il était bizarre au point de laisser à sa sœur le privilège d'assister à la première. «Ça peut pas lui faire de mal, a dit François, c'est du théâtre», et blablabla. Finalement, il a convaincu Marité, et c'est elle, Myriam, qui se retrouve ici ce soir. C'est la tante Maryse qui va être étonnée de la voir, tantôt! Et MLF! Elle a mis sa robe et ça fait ressortir les jambes. Heureusement, son bobo n'est plus qu'une cicatrice rose pâle. Elle n'a pas souvent l'occasion d'être en robe — le port du jean étant de rigueur dans la ruelle Mentana — et elle constate que c'est agréable : tu peux faire tourner la jupe en marchant. Par exprès, elle a marché jusqu'à la fontaine. C'est cool, ici! Elle va tout raconter à Ariane, que sa mère n'a pas voulu amener, «Pas sur les lieux de mon travail, pas un soir de première!» a-t-elle dit. Elle est stuck-up, la mère d'Ariane. Elles auraient pu se tenir ensemble, en robe, et pouffer de rire ; après tout, elles sont les filles de la Sultane bleue, les seules vraies aspirantes ! Debout à côté de la fontaine, elle tient soigneusement son carton d'invitation, un «bristol», a dit François. Elle n'a pas voulu le donner, à l'entrée, et l'ouvreur le lui a laissé. Lentement, elle relit le texte et en savoure chaque mot :

Le café-théâtre de *La Sultane de Cobalt*
vous convie à la première de
L'Œuf d'écureuil
de Maryse O'Sullivan.
La représentation aura lieu à vingt heures précises
le deux juin 1983
au 100 bis, rue de Boisbriand.
Veuillez confirmer votre présence
au numéro confidentiel que vous savez
avant le vingt-sept du mois courant.

C'est chic ! C'est disposé comme de la poésie. C'est une sorte de poésie théâtrale. Dans le coin gauche, on voit la Sultane elle-même au grand complet, avec ses fesses et tout, c'est la même que chez Maryse, ils ont seulement rapetissé le dessin. Elle fixe les fesses de la Sultane et ses mains deviennent moites. Elle sent un petit vertige agréable. Elle se dit : «C'est la Sultane qui agit sur moi, je suis en son pouvoir.» Ce soir, les apparences extérieures sont mieux que la plus folle des inventions ! Elle conservera toujours le bristol dans sa boîte aux reliques.

— Comment ça va, mam'zelle ?

Elle lève la tête et reconnaît la figure et les mains de monsieur Oubedon, mais le reste de sa personne est entièrement dissimulé sous un poncho vert bouteille.

— Ah, c'est vous, dit-elle, je vous avais pas reconnu !

— C'est voulu, dit le poète. Je suis ici incognito sous mon poncho. Le monde me lasse !

Il recule et se fond dans la foule qui devient de plus en plus dense. Des mains se tendent vers lui, il est gobé par un groupe de licheux. Myriam est intimidée. Elle est venue boire pour qu'on voie sa robe, et Marité, qui n'a qu'une vieille robe de l'été dernier à montrer, est restée à l'autre bout du hall avec Laurent et des étrangers bizarres. Depuis, d'autres personnes se sont interposées entre elles, et Marité n'est plus visible. Les invités continuent d'affluer. Myriam reconnaît des Vents contraires, elle décide de se mettre à l'abri et s'assoit sur un fauteuil bas ; elle ne voit plus que les derrières du couple qui se tient devant elle. La femme porte un costume de tweed trop chaud pour la saison et des escarpins vernis trop étroits. Ses bas sont transparents. Elle a le derrière large, plus large que celui de Marité, en tout cas. L'homme est sans intérêt ; il est en habit foncé d'homme. Il appert qu'ils sont les patrons de la place ou les concierges, quelque chose du genre.

— Penses-tu qu'on devrait faire éjecter les strapontins d'urgence ? demande la calculatrice automatique.

Car c'est elle.

— Ça serait sage, répond le directeur matériel. Une première full, c'est bon signe !

Avant d'aller donner ses ordres en coulisses, il juge prudent de vérifier ce qui se passe à l'entrée où officie le gros Bolduc :

— Je le truste pas pantoute ! dit-il.

Pourtant, Rodolpho Bolduc est consciencieux et bien intentionné. Il ne fait pas partie du staff régulier de

La Sultane mais il adore donner un coup de main ; les soirs de première, il est bounceur bénévole. Il dispense ses services dans plusieurs théâtres de la métropole et partout, il le fait par vocation ; il aime ! Vigilant, il zieute les clients et vérifie leur laissez-passer avant que l'ouvreur ne les ramasse. Jusqu'à maintenant, le rythme de rentrée est fluide, les gens ont des bouilles qui lui plaisent. Au moment où le directeur matériel arrive à l'entrée, deux hommes-kangourous se pointent. Bolduc inspecte leur poche abdominale et n'y trouve rien. Les hommes-kangourous se font un clin d'œil, contents d'avoir la poche aussi molle, pour un soir ; ils ont laissé leurs obligations paternelles à la maison. Tout va bien ici, le directeur matériel se tire. Arrivent trois amazones aux seins blindés et deux scrins, puis un couple dans lequel les hommes-kangourous reconnaissent immédiatement deux des fââmmes qui ont déjà été une entrave à leur épanouissement personnel. Avec un synchronisme parfait, les couples ennemis décident de s'ignorer et, sans se voir, marchant du même pas, ils passent devant le directeur spirituel qui a remplacé son collègue auprès de Pierrette.

— Race de crosseurs ! murmure celle-ci.

— Pardon ? dit le directeur.

— Je me comprends, dit Pierrette.

Elle constate avec effarement que dans les deux clans, malgré leurs égales prétentions libertaires, ce sont les chefs qui ont empoché les billets de faveur. « Décidément, dit-elle, le sens de la hiérarchie est tenace, et la démocratie, un vain mot ! » Elle est découragée de l'humanité mais elle sourit bien grand : la directrice spirituelle d'une salle rivale vient de faire son entrée. Rodolpho s'est incliné à son passage ; elle sait manœuvrer avec les bouncers et autres valets. Avec tous. Elle porte à la main un masque neutre dont elle se voilera la face pendant la représentation afin de ne rien laisser paraître de ses sentiments personnels. Elle sait vivre ! Pour le moment, son beau visage est nu, à peine nimbé d'un nuage de poudre. Elle utilise « Vapeur ultraluscente » numéro huit de Lambin. Elle sourit langoureusement au directeur spirituel, lequel lui rend son sourire. Lui aussi est bien élevé — il sait recevoir — et il aimerait bien coproduire un spectacle avec elle, l'an prochain. Par-dessus le marché, elle est en plein son genre. Mais jamais d'histoires avec des rivales, il se l'est bien promis ! Elle détourne son regard, il en fait autant, et c'est alors qu'il aperçoit Fassbinder et son Maître, nonchalamment appuyés sur le mur du fond du hall. Le couple est d'un chic fou, ce soir : tuxedo vert armée pour lui et collier de caps de Coke pour elle. Malgré cela, elle est gracieuse.

— C'est une idée à Marie-Belle, de les avoir invités, dit Pierrette qui a suivi le regard du directeur et craint son exaspération.

— Excellente idée !

— Marie-Belle est pour le rapprochement des tendances et l'œcuménisme, continue Pierrette.

— Moi aussi, dit le directeur. Fassbinder a plein de belles qualités ! — « Je ne lui ferais pas mal, se dit-il intérieurement, bref, je la trouve bandante ! » — Je l'aime bien, ajoute-t-il tout haut, elle a beaucoup de présence en scène. Mais l'autre énergumène, le sinistre Gaétan Poitras appelé « le Maître », quel pénible !

Tout comme Rosemonde Giroux, le directeur spirituel est natif de Laval ; il a, lui aussi, fréquenté l'école Notre-Dame-des-Intempéries et connu le Maître dans une vie antérieure. Il ne voit pas ce que Fassbinder lui trouve.

— Ah, les couples ! marmonne-t-il.

— Retiens-toi ! lui dit Pierrette.

— Je ne fais que ça, répond le directeur en souriant.

Il se tait et laisse planer son regard sur le public. Le Tout-Montréal est dans son hall, à se reconnaître, à s'embrasser et à se traiter de «chère amie» sous l'œil des photographes. Il y a là des auteurs à la mode, des acteurs de la LNI et de la Rafle, des scénographes montants, des tapissiers, des perleuses, des actrices de longue foulée avec leur escorte, Mélanie Duchancron et Durozoi, Crinoline, Duranleau, Faïence Lamarche, Vilanelle, Gilles Charbonneau, Françoise Durocher, Françoise Boismenu qui revient tout juste de New York, Sarcelle Grosdonjon, madame Dupiquet et sa collègue bien-aimée, des anciens de l'École Nationale et du Conservatoire, Adrénaline Taillefer, le club des langues sales, le performeur Lucien Hétu, madame Follamour, les dames aux petits fours, les messieurs aux fourreaux roses, Aline de Gingras et sa belle-sœur, les Théâtreux Déchaussés, des Vents contraires dont Enrico Cascabel, Anesthésie Bigras et Valérianne Courtevue, l'équipe de *La Didascalie* au grand complet, la routine, quoi ! la faune habituelle...

— Me semblait qu'on avait envoyé une seule invitation à *La Didascalie,* dit le directeur.

Pierrette vient pour répondre mais la préposée aux courbettes s'interpose avec grâce :

— Les gens de *La Didascalie* s'aiment tellement qu'ils sortent toujours en groupe.

— Remarquez, fait remarquer le directeur matériel revenu près d'eux, pris séparément, les didascaliques sont pas très pittoresques, mais à quatre ou cinq, ils font un numéro convenable.

Il dégage vers les loges.

Le directeur spirituel se demande quoi faire : le suivre ou tenter un rapprochement avec la déléguée du Conseil des Arts, appelée familièrement « Notre-Dame-du-Conseil » par tout le monde, mais son flair lui dit de porter plutôt ses pas vers le portique où le bras de Rodolpho bloque le passage à un petit homme vêtu d'un complet gris et outrageusement cravaté.

— On passe pas sans cartron ! répète Bolduc.

— Écrase, Rodolpho, dit le directeur. Ça va.

Rodolpho le considère d'un œil bovin.

— Monsieur est mon invité...

— So what ! fait Bolduc. Je reçois mes ordres du directeur moi !

— Voyons, dit le directeur, je suis le directeur, ici !

— Prouve-le, dit Rodolpho.

Le directeur sourit au nouvel arrivant en se demandant pourquoi il n'est pas le seul à diriger la boîte. Il va leur passer un de ces savons, demain matin ! ! S'il survit ! Derrière l'homme cravaté, la queue s'allonge indûment jusqu'au coin de l'impasse où elle devient floue ; il fait un drôle de temps brumeux, pourvu que ça ne vire pas en pluie ! Soudainement, sans raison apparente, le bouncer abaisse son bras ; c'est que la préposée aux courbettes vient de lui enfoncer sauvagement son talon aiguille dans le pied gauche tout en lui faisant un grand sourire. « Ah la vache ! » Hormis le directeur matériel, elle seule peut neutraliser le bouncer bénévole. « Le beu ! pense-t-elle, le maudit gros beu ! » Bolduc n'en est pas à son premier impair ! Elle tire vers l'intérieur le petit homme gris et son escorte. Elle dit : « Suivez-moi, monsieur le sous-ministre. » Elle l'a enfin eu, son sous-ministre ! D'où, en haut lieu, une éventuelle réactivation du dossier de *La Sultane*. Ils n'ont pas digéré l'échec de l'opération local d'à côté.

Tantôt, quand elle est entrée au théâtre avec le directeur spirituel, ils se sont tus un moment et ensemble, ils ont souffert en silence : ils venaient de croiser Abraham A. Goldstein transportant lui-même un à un ses précieux coats de fourrure dans son nouveau territoire. Le Juif avait l'air de vouloir faire la navette toute la soirée. Il choisit bien son temps ! Des prostituées, passe encore, mais des chars de police et des marchands de pelleteries, ça fait tellement cheap ! Avec l'appui du sous-ministre, ils pourraient peut-être obtenir une subvention pour essaimer vers un lieu plus manifestement culturel. « Si le gouvernement ne change pas bientôt ! » a fait remarquer le directeur. La politique l'emmerde. « Il faut faire des concessions », lui dit toujours la préposée aux courbettes. Ils en font, elle lui en fait faire. Il a alors l'impression de ramper dans la fange... Courageusement, il pilote le sous-ministre vers le centre du hall pour bien le mettre en évidence.

— My God, le sous-ministre ! dit une femme portant un bibi à aigrette.

Et elle se tourne vers Adrien Oubedon, très à l'aise au milieu d'un cercle d'admiratrices qui dégustent ses paroles.

Au centre du hall, le directeur spirituel fait le pied de grue avec le sous-ministre et son escorte, la préposée aux courbettes s'étant momentanément éclipsée. Il y a un petit flottement pendant lequel le directeur pense à sa moman et à donner sa démission dès demain matin : il n'est peut-être pas né pour la direction, après tout, la dame au masque neutre ferait bien mieux les choses ! De plus en plus, le théâtre est contrôlé par des femmes et des gays, or il est désespérément straight, sa seule aventure homosexuelle ayant été un four, si on peut dire... Il sourit au sous-ministre et celui-ci fait preuve de bonne volonté ;

il déclare que le lieu est « charmant » et lui pose une question facile sur la programmation. En écoutant la réponse, le sous-ministre lorgne du côté d'Adrien Oubedon dont il admire l'œuvre. Par trois fois déjà, son ministère a refusé une bourse au poète, détail que le sous-ministre ignore évidemment. « Les écœurants ! pense Adrien, l'écœurant ! S'il s'imagine que je vais m'abaisser à le saluer ! » Ostensiblement, le poète ne voit pas le sous-ministre, qui devient tout triste, mais pas longtemps car Adrénaline Taillefer l'a spotté et elle fonce droit sur lui, traînant Tonio, qu'elle présente comme s'il était aussi connu que Guy Lafleur.

— Rappelez-moi le secteur d'activité de monsieur, demande discrètement le sous-ministre à son escorte.

Celle-ci fouille dans ses notes et dans sa mémoire, elle ne trouve rien et perd la face. La préposée aux courbettes revient avec madame de Gingras et sa belle-sœur Ginette. Elle les introduit à l'aide d'un petit laïus d'où il ressort que *La Sultane* est un théâtre populaire, bien qu'étant aussi un haut lieu de la recherche nord-américaine.

— Je suis la mère du comte Vasco de Gingras, dit Aline, toute fière.

Elle offre du pop-corn au sous-ministre. Celui-ci déteste le pop-corn. Il en mange.

— Vous êtes vachement pittoresque, dit Ram Crouze à madame de Gingras. Quel accent délicieux !

— *Timber* ! crient trois punks apparus dans l'entrée.

Ils lancent leur carton à l'ouvreur et continuent leur chahut.

— C'est la relève, commente quelqu'un. Ça promet !

— Bonjour, Myriam, dit une voix tout près d'elle. Comment ça va ?

Il était penché, il se déplie ; c'est Renaud, le gars qu'elle a rencontré la fois du patin, alors que Marité était tellement fâchée maternel. Il se souvient de son nom, lui, il ne l'appelle pas mam'zelle ! C'est un allié. Elle dit : « Prends-moi dans tes bras, que je voie le sous-miniss ! »

— Il est très ordinaire, dit Renaud.

— Ben les punks, d'abord.

Renaud sourit et la soulève.

— T'es venue admirer la fée aux étoiles ?

— C'est ça, dit Myriam.

— Moi aussi.

Ils rient.

Les apparences extérieures sont mirifiques ! De là-haut, elle voit tout, y compris l'homme à grosse moustache qui parle à sa mère, l'air de vouloir lui faire du plat, comme dirait Olivier. Elle flotte au-dessus d'une assistance aussi chamarrée que si on était un soir d'Halloween. C'est cool !

— Ton frère est pas là ? demande Renaud.

C'est dommage qu'il rate ça, Gabriel. Mais s'il était là, elle n'y serait pas, alors, c'est mêlant comme sentiment. Elle pense intensément à lui, il doit penser à elle, c'est encore la télépathie, ça leur arrive souvent, elle le comprend, elle a compris qu'il ne file pas ces jours-ci, il est bizarre, et François aussi ; ils ne sont pas heureux. Étrangement, elles ont laissé les hommes à la maison, comme en pénitence, elle n'aime pas cette idée. Elle tourne la tête et voit les portes de la salle s'ouvrir à deux battants, cela s'ouvre sur du noir mauve magique. La masse des spectateurs s'ébranle. Portée par Renaud, elle avance vers le noir qui attire. Elle est engloutie, aspirée, elle veut l'être.

C'est un curieux soir de juin, on croirait être dans un film avec Sherlock Holmes, à Londres ; des rais de lumière brillent un moment à travers le brouillard puis disparaissent, avalés. Le soleil va bientôt se coucher. Gabriel n'aime pas le crépuscule, c'est l'heure navrante où tout fout le camp. Il s'est installé sur la galerie du haut pour lire et Popsicle s'est endormi à ses pieds. Hier, Marité est revenue du travail avec de la documentation sur l'anorexie, des bouquins genre Gesell, qui parlent du cas de Miracle Marthe. Elle est un cas d'anorexie mentale, à ce qu'il paraît. Pourquoi « mentale » ? Gabriel ne sait rien sur l'anorexie, Marité non plus, autrement, elle n'aurait pas apporté autant de livres là-dessus. « C'est une maladie étrange comme celle de la marquise de Tendremort », a dit Myriam. Elle est jeune, Myriam, faut la laisser s'exprimer. Marité a beaucoup parlé de la sorcière avec madame Légarée. « Il y a des chances pour qu'elle guérisse, a dit Elvire, des signes ; elle rit plus souvent et elle chaparde moins. » Car Miracle volait, Elvire l'a découvert. Elle tolère. « C'est bizarre que la sorcière soit attirée par la maison des gâteaux ! » a dit Marité. « C'est lié, a répondu Elvire, boulimie et anorexie sont liées. Et la guérison ne va pas de soi, il faut de la patience. » Elle laisse Miracle aller et venir chez elle, on ne sait pas si elle sera sauvée. Gabriel se penche sur le livre et deux grosses larmes y tombent. Il est seul, heureusement ! C'est mieux d'être seul, il n'a pas revu ses amis depuis dimanche. Ils sont tellement jeunes ! Il préfère lire sur le balcon de sa sœur. D'ici, on voit une partie de la ruelle et la porte d'Elvire où passe parfois Joseph-Lilith-Miracle Marthe. Ce soir, à cause du brouillard, la porte est à peine visible mais tout de même, il espère. Il attend et il lit : « ... selon Blitz, l'anorexie mentale pourrait bien être un retour à l'alimentation de cueillette, par réaction contre l'organisation féodale du repas familial... » C'est justement ce que disait madame Légarée : Miracle en aurait contre sa famille. Sauf qu'elle n'en a pas, de famille, ce serait ça, son problème. Ce n'est pas clair. Et elle capote souvent. Il l'aime pareil. Il reprend sa lecture et soudain, cela se produit, la fée Miracle rôde en bas dans la brume, il aperçoit le sillage lumineux de ses patins et sa silhouette menue, elle entre chez Elvire et la porte se referme. Elle a ri comme un petit ruisseau puis, plus rien. Il est douloureusement ravi. Il a chaud. Son amour est passée tout près ! Il entend encore les petits ruisseaux rouges de son rire et son cœur se serre tout d'un coup, de crainte et de tourment. Lundi, il a taillé une branche du pommier pour s'en faire un bâton de sourcier, il aimerait être sourcier comme le père de Laurent. Il a tenté de retracer les points d'eau du voisinage ; il n'a rien trouvé. Sans savoir pourquoi, il pense maintenant au poème qu'Ariane dit toujours, même que c'en est agaçant :

> « La rivière a repris les îles que j'aimais [...]
> La rose trémière n'a pas tant d'odeur qu'on croyait
> [...] Mon cœur est rompu
> L'instant ne le porte plus. »

Cela s'appelle *Petit désespoir*. Pour la branche coupée, il n'a rien dit à personne, c'est un jeu solitaire, même Olivier ne comprendrait pas. De plus en plus, il joue seul. Ou plutôt, il ne joue plus, c'est nul. À l'école, un gars lui a proposé de conclure un pacte contre toutes les « plottes ». C'était son expression, « les plottes ». Il a dit : « C'est de même que ça marche, Gabriel Duclos, veux

veux pas, faut que tu sois solidaire de nuzautres, les gars ! Faut que tu restes dans la gamick ! » Gabriel commence à penser que le monde est peut-être en effet une gamick absurde. La vie n'est rien d'autre qu'une suite de compromis, de déceptions, de menteries. Avec ses beaux principes, Marité ne l'a pas préparé à ça, il bute sur cette découverte déconcertante : sa mère l'a mal élevé ! Et son père ne s'est jamais occupé de lui, il le sait bien. « C'est ça, les vacheries de la vie, a dit Fred, ça et les gamicks de tes contemporains... » Il fait frais tout d'un coup, et humide, il a du brouillard dans les yeux, il a glissé de la fée Miracle à ses problèmes d'école. Il veut penser seulement à elle, qui ne fait pas tellement attention à lui, finalement, il est trop jeune et elle est fragile. Il est amoureux d'une grande fragile. Le téléphone sonne ; il ne bronche pas, le répondeur est mis. Depuis ce matin, ils ont un répondeur car Marité a eu raison des dernières résistances de François en arguant que l'appareil était indispensable, vu la maladie d'Alice. Au loin, on entend la voix de maître Duclos, légèrement étonné, plutôt amusé : « C'est moi, Gabriel, réponds ! » Gabriel recommence à pleurer mais il ne répond pas. Ça lui apprendra, à son père ! Il est capable d'être vache, lui aussi ! Jean appelle une deuxième fois pour compléter son message, il attend un peu, puis raccroche. Popsicle se lève, bâille, s'étire et se recouche. Gabriel est toujours immobile. Il pense à Miracle Marthe en train de mourir debout, en patinant. Lui est ici, impuissant à l'aider. Et seul : en bas, François est absorbé dans son jardin comme dans un beau malheur. La brume s'est déplacée et on l'aperçoit, il ne bouge pas lui non plus. On dirait qu'il fait seulement semblant de travailler. De toute façon, il ne doit pas voir grand-chose. Gabriel recommence à lire...

Le jardin s'étend autour de François comme une volupté sourde et voilée. Il n'a jamais été aussi beau : les lupins et les pivoines commencent à sortir et les iris sont encore en fleurs. Les phlox semblent avoir gagné du terrain depuis l'été dernier. C'est bien possible ; à l'île Verte, ils cherchaient à tout supplanter mais Alice les cultivait amoureusement sous prétexte qu'ils avaient été semés quarante ans plus tôt par la grand-mère Aurélie ! La dernière fois que François a vu le jardin, tout ce qui en restait, c'étaient les phlox, redevenus sauvages. C'est pour ça qu'il en a semé ; le phlox est la fleur du souvenir : elle reste une fois qu'on a disparu. Du regard, il fait le tour de Babylone dont on ne voit pas les confins à cause de la brume. On croirait que le jardin est immense ; il est plutôt petit. « C'est tout de même extraordinaire d'avoir un coin de terre ici, à Montréal, a dit Alice, il faut en profiter ! » Elle en a été tellement privée, elle l'a avoué, hier. Elle parle beaucoup maintenant, comme si elle était pressée. Elle a fait un rêve étrange qui se passait dans la maison de ferme mais tout avait été changé. Elle avançait dans un long couloir. Il n'y a pas de couloir à la ferme et pourtant, elle avait l'impression d'être dans un endroit familier, vu dans un autre rêve peut-être, elle ne sait pas. Le couloir était bordé de phlox pourpres et violets poussés à même le bois du parquet, c'est possible ; en Amazonie les orchidées fleurissent sur les arbres, ils l'ont montré à la télévision, elle regarde cela l'après-midi, de son lit d'hôpital. Dans le rêve, les murs du couloir étaient lézardés mais solides encore. Au bout, une porte blindée. Elle ne savait pas ce qu'il y avait derrière. Elle savait seulement que l'ouvrir ne lui donnerait rien ; on l'avait murée. Malgré cela, elle voulait franchir la porte, il le fallait. Elle était fébrile. Elle appelait sa mère Aurélie. Pas de réponse... Le rêve s'arrêtait là. «Qu'est-ce que ça veut dire, d'après toi, François?» a demandé Alice. Il a répondu: «Je le sais pas, maman. C'est seulement toi qui peux le trouver.» Le symbolisme lui semblait évident. «Tant d'énigmes et de choses que je ne comprendrai jamais!» a-t-elle dit, presque résignée. Tant de pensées qu'elle ne transmettra pas non plus! Elle aurait voulu léguer quelque chose, une lettre au moins. Quand la maladie lui laissera un répit, elle écrira à ses petits-enfants, à Myriam. «Pourquoi Myriam?» a demandé François. «Je ne sais pas, a dit Alice, c'est la plus petite. Toi, tu es devenu un professeur d'université et je suis seulement une femme de la campagne pas très instruite. Avec Myriam, je suis moins gênée; la lettre sera pour elle.» François soupire, il a l'impression de sentir la douleur d'Alice, quand l'effet du calmant s'estompe. Il se penche pour palper la tige d'une pivoine puis relève la tête: sur la branche du pommier, l'archange Gabrielle lui sourit. Il détourne les yeux. Depuis longtemps, il a compris le genre de métier qu'elle fait! Les autres fois qu'il a été confronté avec la mort, l'archange a été discrète, mais ce soir, elle lui apparaît comme pour le coup de grâce:

— Regarde-moi, François Ladouceur, j'ai à te parler...

— Fous-moi la paix, dit François, on ne sait même pas qui tu es!

— Je suis l'ancienne Parque, dit l'archange dans le presque noir où luit sa tignasse enflammée. Je suis le filet de vif-argent qui coule dans les veines des mourants et dans celles des enfants à naître.

— Tu n'existes pas! Tu es un phantasme.

— T'as pas toujours dit ça, mais si ça t'arrange de le penser ! Si ça peut te consoler...

— C'est la fin ?

— Oui, c'est bientôt la fin d'Alice Ladouceur, née Michaud.

— Mais comment je vais faire ? Je n'y étais pas préparé ! Je ne veux pas que ma mère meure !

Il a levé la voix.

— Ne reste pas seul, dit l'archange. Téléphone à quelqu'un, à tes chums.

— Je n'ai pas de chums. J'avais seulement Laurent et il part...

Ses attachements profonds sont pour des femmes : Marité, ses sœurs, Maryse. C'est Maryse, sans doute, qui le comprendra le mieux. Ils ont tous deux le même rapport obsessif à la mort. Mais elle s'en va. Ce soir, les autres sont dans l'énervement de la première, mais il a préféré à la foule mondaine la douceur laiteuse de son jardin embrouillé. Ici, dans Babylone fleurie et close, à l'abri, personne ne voit qu'il pleure. Il est seul et se sent abandonné. Il se relève ; à la hauteur des yeux, tout près de la frange de la robe de l'archange, quelqu'un a maladroitement arraché une branche, on voit le bois tendre étalé à l'air libre. Il fronce les sourcils.

L'archange a suivi son regard. Elle voudrait tellement l'aider ! Son corps se dilate insensiblement, elle dit : « Paix à toi, François Ladouceur ! » et la dentelle de sa robe recouvre la branche blessée.

Maryse a quitté sa chaise d'auteure pour se faufiler en coulisses. Elle écoute le spectacle debout, immobile dans l'ombre, et elle en aperçoit des fragments de temps en temps. Ils en sont à la scène de l'asile de jour pour enfants; la rencontre entre la tenancière du bordel et la principale des Sœurs Grises a lieu à l'intérieur du couvent, dans le petit préau fleuri. Elle regarde le métal vert et doré du décor et elle pense à François. Cet après-midi, il lui a fait dire qu'il l'embrassait — il ne dit jamais merde — mais qu'il ne pouvait pas venir, il est trop bouleversé par la maladie de sa mère. Alice va mourir, c'est à cela qu'il doit penser, réfugié dans la moiteur de Babylone. Le jardin est un îlot de douceur dans le rouge de Montréal, une enclave qu'elle a voulu reproduire sur scène, mais l'univers étouffant de sa pièce a pétrifié les plantes: on dirait une petite forêt d'émeraudes. Fleurie, mais tranchante. Quasiment urbaine. Toutes ces années, elle n'a raconté que de lourdes histoires montréalaises qui convergent toutes vers le spectacle de ce soir; cette pièce est la dernière du cycle du canal Lachine. Elle devrait en éprouver un sentiment de plénitude ou, à tout le moins, se sentir soulagée, mais tel n'est pas le cas. Elle a chaud. Il fait terriblement chaud dans les coulisses. Palmyre passe devant elle et prend l'accessoire que Rex lui tend, un petit face-à-main. Elle retourne sur scène. Elle a eu le temps de murmurer «ça va». Malgré cette belle assurance, Maryse a les tripes nouées: s'il fallait qu'elle se soit trompée et que sa pièce soit idiote et vide! Obscure! La trame en est volontairement syncopée, invraisemblable, illogique. Elle ne croit qu'à la logique du désir. Mais les gens ne comprendront peut-être pas cela, habitués qu'ils sont à un simulacre de durée et de cohérence. Et peut-être n'y a-t-il rien à comprendre? Elle est peut-être une fumiste, un imposteur, une ratée! *L'Œuf d'écureuil* aura été un malentendu! Il faudrait tout recommencer pour écrire des choses enfin claires...

— Détendez-vous, Maryse, dit le pompier de service. Il est tout proche.

— Vous êtes tellement « hot » qu'au moindre souffle, vous risquez de vous enflammer !

Il la regarde de ses bons yeux apyres. Machinalement, Maryse sort son paquet de cigarettes. Les yeux du pompier deviennent glauques comme deux chaudières d'eau froide.

— Excusez ! dit-elle.

Elle fait disparaître les cigarettes et se tasse vers le mur pour ne pas nuire au va-et-vient des comédiens. Par bonheur, elle est mince, elle ne dérange pas. Rex Tétrault la tolère dans ses coulisses « même si c'est déjà full », a-t-il dit. Avec Marie-Belle, son assistante, la maquilleuse, la pompeuse de steam et le pompier, il est bien bon de tolérer l'auteure par-dessus le marché ! Ben voyons ! Palmyre et Duquette arrivent en coulisses essoufflés et suants. La maquilleuse les repoudre. Prestement, Maryse leur tend des siphons d'eau, des quartiers de citron et des débarbouillettes fraîches. « C'est comme chez le Japonais, fait remarquer le pompier, mais en moins chaud ! » Duquette refuse farouchement l'eau, il vient pour se passer la débarbouillette sur les yeux quand la maquilleuse bloque son geste : « Pas dans la face, voyons ! dit-elle. Ton maquillage ! » Il relève son plastron et se la flanque sur la bedaine.

— J'ai sauté cinq lignes, dit Palmyre.

— Je m'en ai pas rendu compte, dit Duquette.

Ils repartent.

— Je comprends pas qu'il y ait encore des pompiers dans les théâtres, dit Maryse au pompier. Maintenant, tout est ignifugé. C'est un archaïsme. Vous êtes anachronique.

— Peut-être, dit le pompier, ça m'est égal. Et si tel est le cas, ma présence ici ne doit pas vous troubler outre mesure, vous qui transcendez les modes !

Il rit silencieusement et ajoute :

— Vous savez, au Québec, dans les théâtres, le feu couve depuis un siècle. On ne sait pas quand ça peut reprendre, alors je veille. Il y a un lourd contentieux entre les théâtres et le service des incendies, souvenez-vous des mandements des évêques, appelant, vindicatifs, les feux du ciel sur les lieux de perdition.

— Je me souviens, dit Maryse.

Elle avance de trois pouces et aperçoit la pompeuse de steam concentrée sur sa machine et pompant harmonieusement. Elle envoie de petits nuages tendres du côté du jardin.

— J'aime les acteurs, chuchote le pompier. Ils n'ont qu'un défaut : ils considèrent la réalité comme une fiction et inversement. Quand ça brûle pour vrai, quelque part dans la ville, tout ce qu'ils trouvent à dire, c'est que cela ferait une bien belle séquence filmée ! Pour eux, la scène est le monde, et le monde, une vaste coulisse.

— Vous êtes un drôle de pompier, dit Maryse. Vous n'avez ni la gueule ni le discours de l'emploi.

— Dites-moi pas que ça paraît tant que ça ? dit le pompier. Ciel ! je suis démasqué !

Il soupire et ajoute : « J'ai une maîtrise en épistémologie mais il n'y avait pas de débouchés... Toutes les jobs de prof sont prises, dans les cégeps. »

— Je sais, dit Maryse.

— Bof ! J'ai décidé de me recycler dans le service des incendies. Un vieux rêve d'enfant ! Et puis, c'est propice à la méditation. J'ai une chance terrible : ils m'ont mis au théâtre et j'en raffole ! Je prépare une thèse de doctorat sur le comportement de l'acteur au repos.

— Merde, un espion !

— N'ayez crainte ! Chez moi, l'intellect ne domine pas. Comme tous les pompiers, je suis un intuitif, je sens les choses ; ce show-là va marcher, je vous l'assure !

Le pompier regarde dans la salle au-dessus de Maryse ; il la dépasse d'une tête. « Ils ont cinq minutes de retard », murmure Marie-Belle en se déplaçant sur le bout des pieds. Ils commencent la scène des visiteurs, dont Maryse avait toujours douté, mais cela passe bien. De la salle, le jeu de Rosemonde doit être saisissant, surtout dans l'angle centre gauche, c'est le meilleur angle. Maryse a dit à Marité de viser ces bancs-là.

Assise sur le bout de son fauteuil, Myriam regarde à n'en plus pouvoir. Les acteurs se déplacent dans une lumière verte et dorée, on dirait un jardin en mai, le matin. La scène ne représente pas un jardin, mais on y pense. On pense aussi à un parloir de couvent où les fleurs poussent à même le parquet ciré ; ici, il n'y a pas de différence entre l'intérieur et l'extérieur. Il flotte sur tout cela un petit nuage de rosée. La musique du violoncelle et de l'espèce d'accordéon glisse parmi les hautes herbes de métal. Cela fait un frisson. La comédienne que Myriam connaît, celle qui leur a expliqué des choses la fois du patin, parle aux spectateurs comme si elle les connaissait tous, chacun en particulier. Elle porte une robe longue. Les robes des femmes sont longues, cintrées, à larges manches, leurs décolletés sont profonds dans le dos et à l'avant, elles sont noires, sauf celle de Kate qui est rouge d'un rouge violent comme une gifle. Les femmes bougent plus lentement que la musique qui pourtant a l'air de déraper, on est entraîné dans la lenteur dérapante, c'est fascinant. Ce sont des apparences extérieures, on sait qu'elles ne sont pas réelles, et pourtant on y croit, c'est de l'irréel insoupçonné. Myriam se déplace un peu sur son siège. Avec sa mère et Laurent, ils se sont assis dans la section des vrais fauteuils chic de théâtre, recouverts de velours. Sa jupe s'est relevée et elle sent sous ses cuisses le tissu pelucheux. Elle aime cela. Un des acteurs, celui qui s'appelle Valentin Lenoir de son vrai nom, est appuyé au mur du fond, il est loin et sa voix leur parvient sans micro. Quand il lève les bras, on voit la frange de son costume d'Arlequin, mais le reste du temps son habit est bleu cendré. Il parle de regarder en arrière et de regret. Myriam sent un flux de sang lui monter à la tête : le visage de Célestin s'interpose entre Valentin Lenoir et elle comme un mirage douloureux. C'est une illusion d'optique. Ça ne devrait pas être permis, des illusions comme ça, puisqu'elle est guérie maintenant, elle guérit lentement de sa désillusion, elle a décidé que c'était une désillusion plutôt qu'une peine d'amour. «Pense à autre chose, lui a dit Ariane, c'est ce que ma mère a fait quand elle a laissé mon père : elle s'est évadée dans l'art, et ça a marché !» «J'essaierai», a dit Myriam. Elle veut, oh ! elle veut oublier ! Elle plonge dans l'évasion de la pièce mais cela ne fait que lui rappeler Célestin. Elle est émue d'une émotion inconnue jusqu'à présent, elle a le goût de pleurer sans même que le spectacle soit triste, elle aime ce jardin rose et doré, elle voudrait y pénétrer, fouler l'herbe haute et se fondre dans l'histoire qui est partout dans la salle, autour d'elle et devant. Elle ne sait plus où regarder, craignant de manquer quelque chose. Certains personnages sont en costumes d'époque, d'autres habillés en monde ordinaire. Ça se passe dans l'ancien temps mais c'est à la ville, il n'y a plus ni jardin ni parloir, quelque chose s'est passé à son insu, un changement d'endroit, et maintenant c'est sans décor et avec le mot « suie », les comédiens le disent souvent. La tante Marie-Lyre, qui s'appelle ici Martha, s'apprête à laver la suie. Elle a relevé les manches de sa belle robe longue déchirée qui est devenue pâle. Elle lave des jupons de dentelle dans une cuve immense. Les vêtements sont blancs mais quand elle les ressort de l'eau, ils sont rouges. Elle chante. Le joueur de violoncelle l'accompagne, et la chanson vous fait une boule dans l'estomac. Heureusement ça ne dure pas, d'autres événements se produisent : l'Ange de la Misère monte dans son échelle et s'élance sur sa liane pendant qu'un homme habillé quétaine, le MC, raconte l'histoire pour ceux qui n'auraient pas compris. Il commente comme un diseur de vues et il fait des farces qu'elle ne saisit pas. Elle se tourne vers sa mère mais celle-ci a son air concentré qui veut dire : « Pas pour le moment... » De l'autre côté, Laurent a le même air, il suit tous les mouvements de l'Ange, de plus en plus extravagante et risquée. Accrochée à sa liane, elle vole au-dessus de leurs têtes. « Elle plane comme une menace », dit le MC. Le plafond s'est creusé d'alcôves et l'Ange vole tellement haut qu'elle frôle les lumières, elle rebondit souplement d'un mur à l'autre, y imprime la marque de ses pieds chaussés de corne d'Ange, cela fait un petit bruit sec de castagnettes, et elle repart. L'assistance crie « bravo », certains applaudissent, d'autres battent la mesure, maintenant c'est du tam-tam qu'on entend. Ce n'était pas comme ça qu'elle imaginait la pièce, la fois de la répétition ! Il n'y avait pas de musique alors, et tout avait l'air plus ordinaire. Maryse a dit l'autre jour qu'elle essayait de

« remonter dans la mémoire enfouie des gens ». Les adultes ont des problèmes de mémoire, c'est sûr, des trous, des « blancs » ! Elle, Myriam, n'a pas ce problème-là ; jusqu'à la fin de ses jours, elle se souviendra du spectacle dans ses moindres détails, jusqu'à très vieille. Elle reviendra ici tous les soirs, elle fera tout pour ça, elle rangera ses traîneries s'il le faut ! Et tout à coup, ça y est, c'est la catastrophe, le fameux blanc de mémoire ; il y a un long silence, mais il n'est pas du tout blanc, finalement, il serait plutôt couleur orangé, c'est un silence plein du corps de Kate, « la célèbre Kate », a dit le MC, elle se dénude complètement et entre dans la baignoire, il y a aussi une baignoire qui vient d'apparaître, peut-être est-elle sortie du plancher, personne n'a remarqué à cause du vol de l'Ange. Myriam regarde la femme nue et tout le monde la regarde aussi, on ne peut pas faire autrement, il n'y a même plus de musique, c'est un adon, pas de nuages non plus, ça aurait caché, au moins ! La comédienne n'a pas l'air gênée, pourtant, elle est entrée dans la baignoire aussi simplement que si elle avait été seule chez elle. Elle en ressort ruisselante, les seins gros et fermes. Et elle, Myriam, sent un frisson la parcourir. Kate met un kimono fleuri et cela redevient sonore : elle chante une sorte de complainte et Marie-Lyre se remet à chanter. Elle a fini son lavage. Ensuite, elles dansent et les autres se joignent à elles. Là-dessus, le MC fait des jokes. Les gens rient. Il y a, dans l'assistance, un gros à moustache qui rit très fort en aspirant bruyamment l'air et quand cela arrive, plusieurs autres personnes en font autant. Comme quoi, les adultes, c'est aussi copieux que les enfants. Le kimono de Kate est très différent des autres costumes, Myriam est sûre que ce n'est pas de l'historique « authentique ». Sur l'entrefaite du mot « authentique », les lumières de la salle se rallument brusquement, des hommes en salopettes bardassent le décor et les spectateurs se lèvent; c'est déjà l'entracte! Phénomène étrange, la porte qu'elle a franchie tantôt dans les bras de Renaud a disparu et il n'y a plus de cloison! Des vendeurs de friandises se promènent entre les tables et les sièges avec de curieux plateaux suspendus à leur cou. Ce sont des «waiteurs itinérants», paraît-il. Ils crient: «Bonbons, caramels, eskimos, chocolats!» Myriam ne voit pas le rapport car dans leurs paniers, il y a des réglisses, des chips, du fudge et des cigarettes. Les gens rient. Ça doit être une joke d'adulte, à double sens. Entucas. Elle ne veut rien manger, elle est trop énervée. L'ouvreur distribue des raquettes et des moineaux de badminton. Elle n'ose pas en prendre. Il s'éloigne. Au lieu d'aller dans les loges, les musiciens et les acteurs ont ramassé les pans de leurs costumes et ils se sont dirigés vers le bar. Celui qui s'appelle Jusquiame passe derrière le comptoir où deux serveurs ont commencé à décapsuler des bouteilles. Jusquiame fait semblant de servir à boire aux acteurs qui font semblant de boire. Ça, c'est curieux parce que tantôt, dans la lumière spéciale de la pièce, on aurait dit exactement l'inverse; que c'était pour vrai. Les serveurs servent pour vrai le vrai monde de la salle — c'est une expression, remarquez enfin, ils servent ceux qui ne sont pas dans le spectacle et qui s'approchent pour boire un coup et tâter les acteurs, car il y en a même qui les tâtent et les reluquent, faut vraiment pas être gêné. «C'est un spectacle comme ça, dit Laurent, pendant l'entracte, les comédiens sont tenus de rester dans leurs personnages, ils demeurent en représentation mais au ralenti, c'est une constante des mises en scène de Marie-Belle Beauchemin, à ce qu'il paraît.» Donc, en un sens, le spectacle continue, c'est capotant!

Pour n'en rien manquer, Myriam grimpe sur les bras de son fauteuil et Marité fait semblant de ne pas s'en apercevoir. Elle est cool, ce soir, Marité. De son perchoir, Myriam envoie des bye-bye à sa tante MLF assise au bar entre l'Ange de la Misère et la Sœur Grise, mais MLF ne la voit pas ; elle regarde dans la direction de Renaud, loin là-bas — on sait bien, il est grand, lui, il est plus que visible, MLF l'a tout de suite repéré ! —, elle lui fait son sourire format jumbo, elle le regarde longtemps, on sent un champ fluide-magnétique passer entre eux au-dessus des têtes, puis Renaud baisse les yeux et cela cesse. Marie-Lyre regarde maintenant ailleurs, mais sans le champ magnétique, ses yeux s'arrêtent sur un homme portant un vieil imperméable attaché négligemment à la taille et un feutre mou. Dis donc, c'est le gars des vues ! Même lui est ici ce soir ! Myriam n'aurait jamais pensé qu'il existât ailleurs que chez le Diable Vert ! Quand elle va raconter ça à Gabriel ! Le gars des vues sourit à Marie-Lyre et soulève son chapeau.

— Descends, Myriam, dit doucement Marité. On va bouger un peu.

Elle lui tend la main.

Avec Laurent, elles circulent parmi la foule, saisissant des bribes de conversations. Eux-mêmes ont une conversation par bribes, genre bâtons rompus. « C'est beau, le nu, dit Marité, mais rare. La première fois que j'ai vu MLF nue, c'était sur scène ! Notre société est prude. » Laurent est d'accord. Myriam joue avec la main gauche de Marité enfermée dans ses petites mains. Elle ne veut pas s'éloigner cette fois-ci, c'est intimidant, il y a du branle dans l'air et de l'incongru. Au passage, elle entend les mots fonction, conative, spéculum...

— Le coup du vrai MC, c'est fort! dit quelqu'un. Et Marie-Lyre Flouée a pris son envol. Elle est splendide!

— Ils le sont tous, répond une fille qui tète une citronnade.

— Avez-vous vu le dernier show de Carbone 14? demande quelqu'un d'autre.

Ils passent derrière le sous-ministre qui se retourne et fait un grand sourire à Marité.

— Tu le connais? demande Myriam.

— Évidemment.

Wow! Sa mère est une personne importante!

— C'est un comble, dit une dame au gros nez, il n'y a pas de sable dans ce spectacle! Le matériau brut n'a pas été intégré!

— Mais puisqu'il s'agit d'un show fluvial! lance un autre spectateur. On voit qu'il parle uniquement pour rétorquer car il continue, incisif:

— Vous autres de la Cour à Scrappe n'avez jamais rien compris à la dialectique fluide/dur, solide/mou, sirupeux/tendre, pomme/banane, scène/trottoir, jardin/cour, entropie/désordre...

— Vous ne comprenez rien au postmodernisme, déclare un troisième larron.

Il parle pointu et fâché.

Ah non! ils vont pas commencer à se chicaner! Les apparences extérieures, tellement capotantes jusqu'à maintenant, vont se voiler la fraise, Myriam en est sûre! Mais point n'est besoin car cela se replace tout normalement et se gonfle comme une belle engueulade organisée, un jeu pour le fun; un punk se met de la partie.

— Gang de colonisés! hurle-t-il.

«Il oublie sans doute que ce mot est exclu du vocabulaire punk», commente Marité qui cherche à comprendre l'âme juvénile ; ces jours-ci elle lit des bouquins là-dessus. À nouveau, Myriam grimpe sur un fauteuil et à nouveau, Marité oublie de le remarquer. Elle lui revaudra cela ! Sortie on ne sait d'où, Marie-Belle Beauchemin monte sur un tréteau aussi rapidement que si elle n'avait pas ses souliers à talons hauts et sa robe fourreau. Souriante, elle propose à la ronde un intermède rimé de sept minutes ayant pour titre : « Y a-t-il un colonisé dans la salle ? »

— *Une* colonisée ! rétorque une des fââmmes.

— Y a-t-il autre chose que des lobotomisés en Amérique du Nord ? demande quelqu'un.

— Ça va comme ça, dit un homme à cheveux blancs, musclé et bronzé. On a assez de stock pour commencer !

Il est capitaine d'équipe. Il a des airs de petit lutin. Pourtant, il n'est pas petit. Il inspire confiance.

— C'est le pape Bizoune, explique Laurent. Il va officier avec la papesse Yvan-le-Terrible, chacun/chacune suivi de sa cour.

Ils prennent place sur des tréteaux glissants comme une patinoire. Bizoune est en rose et Yvan-le-Terrible en noir roussi. Spontanément, celui que tout le monde appelle « le Maître » s'est offert pour arbitrer, et le poète Oubedon, qui a retiré son poncho, l'assiste avec grâce. Au bar, ceux de *L'Œuf d'écureuil* ont pris une pose décontractée, les musiciens ont même déboutonné leur col de chemise ; ils sont devenus spectateurs à leur tour, leurs yeux luisent. Le jeu commence en douceur mais le ton monte rapidement et vers la troisième minute, la grande actrice Rita Turgeon se met à réciter des vers de sa voix profonde, Malurette Garceau lui répond en joual Trembloïde et Loiselle Deschaîneaux entre à son tour dans l'arène, comme une fauve, elle est suivie de près par la délégation des grandes actrices : Dodo Jolicœur, Marie Mercière, Léonide Leblanc, Françoise Miller, Charlotte Spazi, Louise-Monique Lamothe, Georgette, Pascale, Mercuriale Coucou et quelques autres. Toutes les grandes actrices sont dans la salle ! Celles qui ne jouent pas applaudissent très fort, les mains levées comme des danseuses de flamenco, d'une façon très spécifique, plus vraie que nature. Ça vole haut, et les moineaux de badminton revolent dans l'air surchauffé avec un bruit onctueux. C'est donc à ça qu'ils servent ! Avoir su, Myriam aurait pris une raquette, elle aussi !

— Quelle sensibilité ! dit quelqu'un. Quel sens de la nuance !

Mais déjà, cela prend une autre tournure : un petit homme rondouillard brandit une pancarte sur laquelle on peut lire « Théâtre invisible ».

— C'est quoi ? demande Myriam.

Laurent ne le sait pas. Un membre de *La Didascalie péremptoire* lui explique qu'ils font maintenant de l'art selon la formule chère à São Balo, un saint brésilien vivant en exil.

— Je vois bien, dit Myriam. Je vois que c'est écrit le mot invisible, mais je vois rien d'autre.

Là-bas, dans le pseudo-portique à colonnades, un homme arrache le nez d'un autre, mais ça paraît que c'est du fake, c'est mal fait. Quelqu'un frappe dans ses mains, crie « STOP, j'interviens ! » et court casser la gueule au premier. C'est encore du fake. Un troisième s'approche et donne un bon coup de pied dans la face de l'arracheur de nez, ça lui apprendra ! Ce n'est plus du fake, l'homme saigne pour vrai.

— C'est un performer, dit Laurent en guise d'explication. Il est de l'école maximaliste, je crois.

Entre-temps, un acteur qui joue dans un téléroman plate a revêtu une coiffe d'infirmière et il accourt soigner l'homme à la face cassée. C'est du fake, ça aussi. Finalement, ils évacuent l'homme.

— Faut pas mêler les méthodes de São Balo, dit le gars de *La Didascalie* d'un air réprobateur.

— C'est en prime ! dit quelqu'un. De quoi je me plains, toi ? T'en as déjà vu des entractes aussi bien remplis ?

Le gars de *La Didascalie* commence une phrase qui a l'intentton d'être interminable, mais dont la fin se perd heureusement dans la chanson que le poète Oubedon vient d'entonner : *La complainte du phoque en Alaska.* Les spectateurs en reprennent le refrain à l'unisson. Myriam constate que le sous-ministre est derrière Marité ; un sourire prudent sur la figure, il chantonne du bout des lèvres. «Ainsi donc, c'est ça, l'avant-garde actuelle ! a-t-il l'air de dire, un hit des années 1970 !» Voyant Oubedon entrer dans le jeu, il avait espéré un tout petit poème hermétique et il est déçu mais n'en laisse rien paraître ; seule Myriam l'a percé de ses yeux rayons laser.

— Oubedon est un fin finaud, chuchote Laurent à l'oreille de Marité : il sait rallier les gens !

La salle frémit comme si elle était le chœur de l'armée rouge.

— Quelle assistance généreuse ! soupire Rex Tétrault, accoudé au bar avec les autres.

Puis, il dit : «C'est pas tout, ça, faut pas étirer indûment l'entracte.»

Il sort son sifflet et cela fait «tilt» jusque dans la radio des sergents Leblond et Tétrault qui patrouillent présentement dans le secteur. Les deux policiers se regardent, étonnés.

Dans la salle, tous se rajustent et regagnent leurs sièges, satisfaits. Le poète Oubedon n'est plus du tout incognito mais plutôt fier de sa performance. Il retrouve son poncho que la dame au masque neutre a tenu gentiment tout ce temps-là.

Myriam regarde la marque de ses semelles sur le velours du fauteuil. Ses souliers sont sans corne d'Ange et sales, mais il fallait qu'elle voie ! Elle donne un coup de poing dans le siège pour faire disparaître la trace de son effronterie.

— C'est Gabriel qui aurait aimé, ça ! dit-elle. Surtout l'intermède ! Il est pas chanceux d'être malade.

La nuit s'épaissit autour de Gabriel ; il ne voit presque plus et il fronce les sourcils. Il ne comprend pas tous les mots du livre et pour ne pas déranger François, il appelle l'esprit mauvais, le sommant de se rendre utile. L'esprit apparaît, sale et grugé par le brouillard.

— Qu'est-ce que ça veut dire, « aménorrhée » ?

Fred ne répond pas. Gabriel répète sa question.

— Je sais pas, dit Fred, penaud. Je m'en rappelle plus...

— T'es donc ben ignorant !

— Oui, je suis ignorant. Tu vas t'en apercevoir de plus en plus.

Les vêtements de l'esprit s'estompent soudainement ; seules sa figure, ses mains et ses ailes demeurent visibles.

— Fais pas le fou ! dit Gabriel. Réapparais en entier !

L'esprit bredouille quelque chose mais ses phrases ont des ratés comme l'autre jour.

— Ta voix fait des couics, dit Gabriel.

— La tienne aussi.

— Parle-moi-z'en pas ! Ça m'insulte assez !

— Dans ton cas, c'est temporaire, tu vas avoir une belle voix grave. Mais moi, à partir d'astheure, j'ai plus le droit de jouer avec toi...

Les mains de l'esprit ont disparu.

— Si c'est une joke, elle est pas drôle, dit Gabriel.

De ses yeux de myope, il scrute la nuit, se disant qu'il devrait retourner chez l'oculiste ; sa vue a encore baissé.

— C'est moi qui baisse, dit Fred, pas ta vue. Je m'en vais...

— Mais tu vois bien que je suis mal pris, là, avec l'aménorrhée ! C'est pas le temps de me lâcher ! Tu manques de tact !

— Oh my God ! Je le savais, que la conclusion serait pénible avec toi ! Complique-moi pas la tâche, Gabriel, comprends donc !

— Comprendre quoi ? dit Gabriel, l'air fermé.

Il a pris Popsicle dans ses bras et le caresse mécaniquement.

L'esprit soupire :

— Maintenant que tu connais les vacheries de la vie, je ne peux plus grand-chose pour toi...

Gabriel reste silencieux. Il est émouvant, avec son vieux matou et ses joues encore glabres d'enfant.

— Écoute, continue péniblement l'esprit, mon mandat est terminé ici, j'ai essayé plusieurs fois de t'en parler : je commence demain avec un nouveau client tout frais, il a cinq jours.

Malgré lui, l'esprit est excité à l'évocation du bébé. Gabriel ne dit toujours rien, se contentant de fixer le vide d'un air suppliant, les yeux plissés. Fred perd contenance, ses ailes s'effilochent et disparaissent. Pour en finir, il ajoute :

— Mon contrat avec toi est terminé. Tu vieillis, Gabriel, et je m'estompe... je *fade* comme au théâtre quand l'éclairage baisse lentement. Je pars dans la brume, ce qui est la façon normale de disparaître dans ce pays-ci.

— Mais je t'aimais bien, moi, même si t'étais mou et pissou ! T'étais mieux que rien ! Mieux que seul !

— Je ne suis pas réel, dit l'esprit mauvais. Et, comme tout le monde, tu es tout seul au monde. Tu l'as toujours été. Ce soir, tu t'en rends compte pour la première fois...

Il y a un long silence meublé seulement par un petit grouillement au bout du jardin.

— Maudit ! Gabriel Duclos. Fais-moi pas rater ma sortie !

Ce qui reste de l'esprit est livide dans la lueur d'un lointain lampadaire. Gabriel se met à pleurer silencieusement. Le genre de pleurs insoutenables. L'esprit voudrait le prendre dans ses bras et il n'a plus de bras.

— Je t'aimais bien, moi aussi ! dit-il. Je ne t'oublierai jamais.

Il a complètement disparu. Il chuchote :

— Tu étais mon meilleur client, Gabriel Duclos, et tu ne m'as donné que du contentement. Mais ton enfance a pris fin ce soir, au coucher du soleil...

Plus rien. Les dernières phrases étaient comme un vieux disque éraillé. Gabriel écoute de toutes ses forces mais on n'entend même pas le bruit de l'aiguille au bout de la dernière plage, pas de vent non plus dans les branches, seulement la rumeur lointaine de la circulation étouffée par la petite bruine silencieuse et, au fond du jardin, un gémissement sourd. Derrière lui, la maison est inerte, en l'absence de Myriam. Ce calme inaccoutumé préfigure sa vie future, quand il aura quitté les parents pour vivre seul, car il n'aura pas de blonde, jamais il ne parviendra à s'en faire une, il est trop gêné avec les filles, Miracle Marthe va se marier avec un vieux, si elle survit, et il vivra seul dans un appartement vide. Il est déjà seul dans un univers de compromis et de vacheries. De violence. Il sait qu'il va rentrer et ouvrir la télévision. Il n'y a rien d'intéressant à la télé, seulement du sport. Il n'aime pas tellement le sport. Il est un des rares gars de son âge à connaître l'emplacement exact des usines nucléaires du bloc euro-américain, les principales composantes des pluies acides et la géographie détaillée du Nicaragua, des choses d'adultes. Il est une « bolle », dans son genre. Ça ne l'empêche pas d'être abandonné et amoureux d'une sorcière inaccessible. Sur la télévision, il verra peut-être l'esprit mauvais couché comme un chat, mollement. L'esprit essaiera de fafiner, de reprendre son aveu trop cru. Mais ce qui est dit est dit. Ce n'est pas la peine d'ouvrir la télévision. Il fait totalement noir, maintenant. Il se lève et tend le bras à l'intérieur de la chambre de Myriam, vers le commutateur. Il allume la lumière du balcon et reste sur le seuil, dans le halo orangé. À la demande de Myriam qui a des goûts cuculs d'enfant. ils ont installé une ampoule orange dont la lueur l'attire lui aussi, bien qu'il ne soit plus un enfant.

Il pleut maintenant, une petite pluie fine et désespérante, comme si l'été ne devait jamais s'installer. Sans honte,

François a continué de pleurer dans la face de l'archange. Elle a dit: «Je suis là pour ça, pleure!» Mais il a refusé son aide. De toutes ses forces, il refuse la mort d'Alice, et c'est comme essayer de démolir un building à mains nues, c'est à se frapper la tête sur les murs, sur le bois de son arbre. Jusqu'à maintenant, il avait été raisonnable avec la mort. Pour son père, il s'en est bien tiré: Antoine avait dix ans de plus que sa femme, il était normal qu'il parte le premier. Sa mort a été un avertissement, un simple signe avant-coureur, un prélude à la mort d'Alice. Mais cette fois-ci, cela est irrémédiable. Avec elle, il a l'impression que son père mourra une deuxième fois, définitivement, comme si ses deux parents allaient disparaître ensemble dans un accident d'auto. Il a toujours considéré la mort comme un accident.

— Pourtant, dit l'archange, la mort est inscrite dans la naissance...

Mais elle sait que rien ne consolera François, elle connaît cela, la disparition du deuxième parent.

— On vieillit, et on pense que les parents sont devenus inutiles, dit François. C'est faux, j'ai encore besoin d'Alice, de la savoir vivante! Le monde est plein de vieux maudits pas endurables qui ne savent plus quoi faire d'eux-mêmes. Alors pourquoi pas eux, plutôt qu'elle?

— Je ne sais pas, dit l'archange, et je n'y peux rien; la mort de ta mère ne nous appartient pas.

— Elle ne lui appartient même pas à elle! C'est un accident, une erreur. Je l'aime, ça devrait suffire à la tenir en vie!

L'archange ne répond rien, elle se dit: «À la prochaine réplique, je vais me remettre à le vouvoyer, ça le saisira. Les intellectuels sont les plus démunis face à la mort!»

539

François s'abîme dans ses pensées, il revoit les visages de ses morts : son père et Élise Laurelle, sa première blonde qui s'est ouvert les veines quelques mois après leur séparation. Pour eux, il a trouvé une justification mais cette fois-ci, il ne parvient pas à se raisonner. C'est maintenant au tour d'Alice, la liste s'allonge, il vieillit, c'est cela, la vie ; on fait des listes, et à mesure que le temps passe, on coche les noms. Un jour, Myriam mettra son nom à lui sur une liste, et un autre jour, elle cochera son nom. Il deviendra pour elle un éternel absent, un souvenir. Il essaie de se rappeler sa première image d'Alice, c'est confus, il l'a toujours connue et il a l'impression de l'avoir toujours aimée. Elle était celle qui est là. Il la revoit sous le pommier, à l'île, c'est lui qui est sous le pommier, Alice est à côté de la galerie, elle étend des draps, elle sourit. Il est petit et agité, il a huit ans peut-être, ou dix. Elle le laisse grimper aux arbres. Elle dit : « Ne brise pas mon arbre en t'appuyant sur les branches nouvelles ! » Elle parle du pommier comme s'il lui appartenait ! Il lève la tête et regarde le pommier de Marité qui est devenu le sien depuis qu'il le soigne ; dans la pénombre envahissante, les fleurs font un dôme laiteux. Autrefois, à l'île, la frondaison du pommier était toujours verte, c'était l'été perpétuel, le temps des jeux et de la mère présente. Il était seul sous le pommier et appelait sa mère qui accourait, inquiète. Il ne s'était pas blessé, il n'avait rien et ne voulait rien d'autre que la voir courir vers lui... À ce souvenir, il se remet à pleurer. L'archange est partie mais il reste là, à geindre longuement. Le temps passe, il fait nuit noire, il est seul sous la pluie comme le Christ au jardin des Oliviers, quelle étrange image ! Une vapeur rose et sombre baigne le jardin ; c'est la sueur de sang du Christ, entrevoyant toute la tristesse du monde. Ce n'est pas son père que le Christ appelait au jardin des Oliviers, mais sa mère encore vivante ! François ne veut pas de cette image resurgie du missel de la grand-mère Aurélie, le Christ est un fantôme, il n'y croit pas. Il ne croit à rien. Il sait seulement que la fin d'Alice est inéluctable. Il s'installe dans la mort de sa mère, qui durera peut-être tout l'été, ce sera le triste été 83. À l'automne, il sera seul au monde. Sa mère ne sera plus jamais là pour le protéger contre les fantômes de son enfance. Elle-même deviendra un fantôme. Il refuse et gémit et gratte l'écorce du pommier avec ses ongles. Il se sent comme un petit garçon abandonné. Il pense à Gabriel, seul à l'intérieur. Il aurait dû le coucher depuis longtemps. Il regarde vers la maison : l'enfant Gabriel est en haut sur le balcon, sa silhouette se découpe dans le halo de la lumière extérieure qu'il vient d'allumer, c'est cela qui a fait François se retourner.

Gabriel fixe le halo orangé et il n'y voit défiler qu'un interminable troupeau de vacheries. Du fond du jardin, François lui parle. Il dit : « Descends me retrouver, Gabriel ! » C'est un ordre, mais on dirait un appel au secours, il y a quelque chose de blessé dans sa voix. C'est vrai, François est là ! Soudainement, Gabriel se sent plein de tendresse pour ce faux père toujours présent. Il dévale l'escalier et sort. Son vieux François émerge du noir et se tient un moment immobile à la frange de la zone éclairée. Il est trempé, ses mains et ses genoux sont maculés de boue, il a pleuré. Gabriel a besoin de le toucher : rien de mauvais ne peut sortir d'un homme qui pleure sous la pluie quand tout fout le camp et qu'on se retrouve seul avec lui, avec l'intention de le consoler, mais se laissant serrer dans ses bras musclés — des vrais bras d'homme. La laine de sa veste est rugueuse.

— Pleure pas, dit Gabriel, je suis là !

Il remarque les souliers de François :

— Toi aussi t'as pas mis les bons souliers ! Tu vas te faire enguirlander.

François sourit.

Ensemble, ils remontent l'allée où la verveine s'étend.

Le décor a été modifié et de sa place qu'elle a reprise en coulisses, Maryse ne voit plus rien. Elle reste debout à écouter les voix des comédiens. C'est peut-être cela qu'il y a de plus émouvant pour elle, au théâtre ; le déploiement de la voix humaine dans l'espace, sa pureté sans l'artifice des micros, son tracé fragile et robuste, et la sensation physique d'être touchée par cette voix. Elle entend son propre texte et elle a l'impression de se relire après une pause : ce n'est pas si mal car il y a, dans ces mots, quelque chose qui ressemble à de la vie ; le souffle des acteurs... Ils commencent la scène du bordel et on entend Benoit Jusquiame répondre par monosyllabes au commissaire enquêteur. Il a sa voix basse, voilée, inquiétante. Cher Benoit ! Maryse a un petit sourire en pensant à lui ; il s'est complètement laissé embarquer avec elle dans la recherche de Norma. Lundi dernier, il lui a montré un entrefilet du *Journal de Montréal* faisant état de la comparution d'un souteneur cité à procès. L'article mentionnait Barbara O'Sullivan comme témoin dans la cause et c'était bien de sa cousine qu'il s'agissait. Hier, elle a enfin obtenu la permission de visiter Norma qui est effectivement à Tanguay, comme Benoit le soupçonnait. La ren-

contre a eu lieu dans une cabine vitrée, au milieu du va-
et-vient des matrones aux lourds trousseaux de clés dont
le tintement «tape sur les nerfs des filles», a dit Norma.
Elle avait l'air d'une épave. Timidement, Maryse lui a
demandé ce qui s'était passé pour qu'elle se retrouve là.
«J'ai niaisé un beu, a répondu Norma, pis ça a mal
tourné.» C'est tout? «I've got some unpaid fines...» Sans
un mot de plus, elle a tendu la main vers le paquet de
Craven A. «Je te le laisserai en partant», a dit Maryse.
«Thanks.» Le silence, à nouveau, et la fixité du corps.
Seule la main droite déplaçait la cigarette. La lèvre infé-
rieure parfois mordillée jusqu'au sang. Maryse fixait le
morceau de peau soulevée et c'est à cela qu'elle pense
maintenant dans la moiteur des coulisses, portée par ses
propres mots qui courent dans la salle. Quand elle a mentionné l'article de journal, le regard de Norma a eu un
éclat dur, une sorte de fierté. Elle n'a pas nié avoir dé-
noncé son souteneur, elle n'a rien dit. Dans le coma de
cette prison pour femmes où le temps s'arrête, elle semblait assise en retrait de son corps, retirée qu'elle était de
la circulation des objets de commerce, objets de faux luxe
pour mâles abrutis de travail ou de non-travail, de pauvreté. Abrutis. Elle a ressorti la photo de sa fille, les
matrones la lui avaient laissée... «T'sais, Mary, si y fallait
que je disparaisse du jour au lendemain, I don't know
what would happen to her...» «Tu sors dans une semaine», a dit Maryse. Norma a soupiré: «Well, at least
I'm safe here until then.» «Cyndi te fait dire bonjour, a
dit Maryse, je l'ai vue hier.» Norma s'est animée pour
demander des nouvelles des autres filles, Carole, Lola,
Ginette, Manon, Debby... Leurs noms ressemblaient à
ceux d'une liste de postulantes dans un couvent. Il y a,
entre la maison close et le couvent, une similitude que

L'Œuf d'écureuil met en évidence : la supérieure des Sœurs Grises est le pendant de la patronne du bordel... Sur scène, on entend quelques accords de violoncelle et Juliette Dessureault attaque son plaidoyer. Il semble tout d'un coup à Maryse qu'elle a oublié de dire des choses importantes à propos de Kate et gommé sa détresse ; elle est glorieuse et fantasque, mais les vraies putains vivent dans la crainte. Elle sait maintenant que la peur est une constante dans leur vie ; peur des flics, des clients, des souteneurs, coupure d'avec les autres femmes — celles qui ne font pas le métier — et souvent, rupture avec le milieu familial. Dans *Le roman de Barbara*, on verra davantage le côté noir de la prostitution. L'action se déroulera à Montréal mais aussi dans un quartier pauvre de Managua. Dans chaque ville, une prostituée. Chacune aura une petite fille, un souteneur et une belle-sœur ; la sœur du souteneur. Comme Martha, les belles-sœurs seront sans pitié, elles mépriseront la prostituée, lui refusant leur compassion pour se ranger du côté de leur frère. Elles trahiront. Le texte sera fait de la correspondance des prostituées et ces lettres étranges formeront un pont au-dessus de l'Amérique de Reagan. Les deux univers seront connectés comme les parties d'une même énigme et chaque avancée dans une ville éclairera ce qui se passe dans l'autre. Il faudra peut-être qu'elle donne un destin tragique à l'une des prostituées, elle ne sait pas encore, les personnages sont en place mais c'est seulement dans le Sud que le récit se construira. Elle comprend maintenant pourquoi Norma lui a confié le seul patrimoine dont elle ait hérité, la lettre à Kate ; c'est tout simplement pour qu'elle raconte cette histoire d'amour maternel, en toute humilité et qu'ainsi, il en reste quelque chose... Le monologue de Juliette achève, elle en a perdu de grands passages, mais quelle importance ? Quand le texte est dans la bouche des acteurs, l'auteure peut bien dériver ; le relais est assuré.

Le spectacle se déploie autour de Myriam comme un long rêve enchanté. Elle essaie de tout enregistrer pour pouvoir y repenser demain et se rejouer personnellement les scènes. Quand ils ont refait le noir, cela s'est d'abord passé chez Eaton, dans l'ancien temps avec des robes courtes à frange ; Rosemonde Giroux était une employée méchante qui défendait à Rosirène Tremblay d'entrer dans le restaurant des hommes d'affaires du neuvième étage. Rosirène avait une ribambelle d'enfants et un tablier de bonne en dentelle. Maryse a encore mêlé les histoires ! On ne sait même pas qui est ce nouveau personnage de Rosirène et avant qu'on ait pu comprendre ce qu'elle faisait là, le restaurant du grand magasin a été remplacé par un immense lit posé à même le sol dans lequel des hommes marchaient avec leurs souliers boueux. C'étaient toujours les deux mêmes comédiens qui jouaient tous les rôles d'hommes mais Kate restait dans le lit sans bouger, étalée et seule, malgré toute la visite qu'elle avait. Puis, le lit s'est refermé sur elle, la moitié du décor a flambé, les décombres ont disparu dans un mur et les comédiens ont formé un tableau vivant qui dure encore. Cela se passe également chez Eaton, une pancarte l'indique : « Eaton, 1935, le salon de coiffure pour enfants ». Cette partie de la pièce est construite comme une bande dessinée : les acteurs ne parlent plus, ce n'est pas nécessaire, leur texte apparaît dans des bulles au-dessus d'eux, les lettres sont blanches sur fond magenta. Sur une chaise haute à dossier mouvant, est assise une petite fille de treize ans, elle s'ap-

pelle Gisèle, elle a de longs cheveux blonds et elle souffre
«pour être aussi belle que sa mère, elle n'y parviendra
jamais», dit le texte. Quarante-huit ans plus tard, en mai
83, «la fille de Gisèle fait la tournée des psychanalystes
pour se débarrasser de l'empreinte trop forte de sa mère
et de la non-empreinte de son père inconnu», c'est ce
qu'on peut lire dans la bulle magenta et, tout d'un coup,
on est rendu plus tard avec la fille de Gisèle étendue sur
un divan. C'est encore Rosemonde qui joue ce rôle, elle
a gardé sa perruque blonde, le coiffeur lui a seulement fait
une coupe à la mode. Cela redevient sonore car la fille de
Gisèle se met à parler de sa mère. Valentin Lenoir a ca-
mouflé ses ciseaux de coiffeur et il l'écoute. De temps en
temps, il écrit. Il a une barbe grise. Maryse ne voulait pas
d'un divan dans sa pièce, elle l'a dit, mais les autres
aimaient l'image du cabinet de consultation et ils l'ont
gardée. Ils ont bien fait, c'est beau! Myriam aime tout ce
qui est dans la salle, c'est capotant mais un peu oppres-
sant, tout de même. L'Ange de la Misère s'est assise au
bar, et derrière les sièges, très loin au fond, l'aïeul aux
mains rouges attend sur son banc, il se tient tranquille à
boire à même la bouteille mais on sent qu'il prépare un
mauvais coup: quelque chose de pire va se passer.
Myriam se retourne; le divan a disparu. On se retrouve
dans le Griffintown pour la scène qu'elle a vu répéter
l'autre jour, mais maintenant cela se passe pour vrai. Kate
s'avance au bord du plancher poussiéreux et c'est à ce
moment-là qu'on remarque ses diamants. On ne voit plus
que ça, deux brillants à ses oreilles, des boucles rouges,
longues et tremblantes. Ce sont sûrement des diamants
rouges! Ils luisent dans la brume — il y a de la brume à
l'intérieur de la chambre comme si les deux femmes
étaient perdues dehors, isolées. Malgré la brume, Kate a

l'air d'étinceler alors que Martha est livide au milieu des draps froissés, d'autres sont propres et étendus sur des cordes. Les deux belles-sœurs commencent à parler au-dessus d'un petit cercueil de bébé. La putain Kate crie qu'elle n'est pas une putain. Sa voix est comme un long trait pourpre. Martha lui répond de sa voix fragile qui se casse soudain, d'émotion, l'émotion est dans la salle, Myriam sent un creux de vertige du côté du cœur et elle découvre ce qu'elle veut faire plus tard, elle sera actrice comme la tante Marie-Lyre, c'est ça, le plus beau métier du monde, ce n'est pas maîtresse d'école ! Elle comprend la sorte d'ébranlement qu'elle a ressenti le jour de la ré-pétition ; ici, dans la magie des choses irréelles, elle de-vient voyante et la vie lui apparaît sous son vrai jour : aiguë. Elle sent tout, c'est cela, son don, elle a le pouvoir de pressentir les choses pour les redonner aux gens. Elle sera actrice, cela veut dire vivante, elle est la véritable Sultane bleue, son héritière en droite ligne ! En entrant à la maison, elle épinglera le dessin sur son mur, bien en vue. Maryse comprendra. La Sultane la guidera, avec son turban magique, avec ses fesses même, qui ne doivent pas être là pour rien, tout est prévu. Elle pense à la Sultane et frémit. Par la suite, c'est toujours ce que l'art représentera pour elle, un mélange diffus de désir, de tension et d'abandon : la passion, et le fait de s'y livrer. Sur scène, les cheveux de Marie-Lyre sont devenus blancs. Elle monte sur la passerelle, ses gestes sont tellement beaux qu'on voudrait être à sa place, elle tremble et on a l'im-pression que quelque chose va se fracasser dans le décor. Restée en bas, Kate est une lueur mouvante, ses boucles d'oreilles s'enflamment, la musique fait un insupportable bruit de tempête et, dans l'éclat des diamants et l'émotion du petit cercueil renversé, arrive l'aïeul aux mains rouges comme un cheval emballé, l'écume à la gueule. Il bute dans les meubles et s'écrase sur les murs, interminablement. Il est un colosse énorme, plus grand que les autres personnages, il emplit tout l'espace, sa voix est une tourmente et ses poings frappent le mur. À chaque coup, des traces rouges apparaissent sur le plâtre fatigué qui s'effrite dans une poussière blanche. Il ne dit rien, il gémit. Il saigne. Cela dure une petite éternité, puis il s'affaisse et Martha chante une berceuse pour son enfant mort. Elle se tient par-dessus la rampe de la galerie et sa voix glisse entre les filets de brume effilochés. On se demande si elle ne va pas se jeter en bas de désespoir, on sent qu'elle a le vertige, Myriam sait exactement ce que la tante Marie-Lyre ressent en ce moment où elle bouge sous le regard envoûté de l'assistance, elle a le même frisson. À la fin de la chanson, l'Ange de la Misère s'envole vers Marie-Lyre, puis le MC monte à son tour. Du haut de la galerie, les trois personnages s'installent pour regarder une parade et alors, venu de toutes les passerelles, un troupeau d'orphelines envahit la salle et défile longuement en chantant. « Les orphelines sont dociles, dit l'Ange, elles n'attendent plus rien de la vie, elles savent qu'elles ne seront jamais adoptées car elles sont trop vieilles. Elles s'en vont en pèlerinage à Guernica, PQ, la terre de l'avenir. » Elles se perdent en coulisses où le bruit de leurs pas décroît, puis tous les personnages apparaissent autour de la salle à travers un voile. La Sœur Grise porte le corset de Kate et celle-ci a passé autour de son cou le rosaire de la Sœur. Rosirène n'a plus son tablier, Valentin est en livreur de glace et on ne voit de l'aïeul que ses mains rouges. Les musiciens jouent une musique enlevante et forte, cela monte, monte, jusqu'à un point insoutenable et l'éclairage change brusquement : ils saluent et la salle se met à applaudir fort, longtemps, debout. C'est fini... Myriam ne veut pas que cela cesse. Elle va poursuivre les personnages derrière les rideaux de tulle où ils ont disparu. Elle se rend en coulisses avec Marité et Laurent; c'est permis, la moitié de la salle s'y retrouve, dans le brouhaha des bravos et des embrassades, dans le falbala des robes, des talons hauts, des parfums et des fleurs. Ils croisent Kate qui s'appelle Juliette de son vrai nom. Elle a de petites rides qui ne paraissaient pas tantôt et n'a plus ses boucles d'oreilles. Par une porte entrebâillée, on aperçoit l'aïeul. Il a enlevé sa défroque de scène et dessous, il est pas beau à voir, son maquillage a coulé et sa peau est jaunâtre. En réalité, il est petit, ordinaire, fripé, il a l'air d'un vieux cheval fatigué et on a peine à croire qu'il a pu éclater, tantôt. C'est bien la preuve que le théâtre est magique! La Sœur Grise rit très fort avec la pompeuse de steam qui dit: «Tiens, bonsoir Myriam. Comment t'as trouvé ça?» Très mondaine, soudain. Elle a l'air contente, genre satisfaction du devoir accompli. «C'est beau, la brume, dit Myriam. Vous avez bien pompé.» «Ça t'a plu, Myriam?» demande Marité à son tour. «Oui! Oh oui!» Demain, au déjeuner, quand Gabriel réclamera un compte rendu de la soirée, elle répondra que c'était capotant et qu'il y avait même un sous-ministre. Marité se dira que sa fille manque de vocabulaire et qu'elle est étrangement snob, de n'avoir retenu de la soirée que la présence du sous-ministre alors qu'elle semblait ravie de tout. Les enfants sont déroutants. Gabriel n'insistera pas devant les parents, il devinera les choses qui se bousculent dans la tête de sa sœur, il comprendra que ça ne se raconte pas, ce qu'elle ressent. Il dira: «C'est l'éblouissement!» Et c'est bien cela: elle est éblouie, en état de choc. Elle entre dans la loge des femmes, qui sont les sultanes actuelles, et elle marche vers la tante Marie-Lyre comme si elle était sa fille adoptive. Marie-Lyre regarde Marité restée sur le pas de la porte, souriante et consentante, pas cheap pour deux sous. L'enfant Myriam circule de l'une à l'autre dans un couloir de tendresse, il n'y a plus d'écran entre elles, Marité a laissé tomber toutes les barrières, toutes les défenses ; c'est le plus beau cadeau de première que Marie-Lyre ait jamais reçu ! Elle embrasse Myriam et lui lisse les cheveux. La petite la serre au point de l'étouffer puis elle se sauve, légère dans sa robe bleue... Tout est facile ce soir, même les mondanités ont un côté amusant ; une des premières, Adrénaline Taillefer est venue les licher, disant bien haut qu'elle l'avait toujours dit, que *L'Œuf d'écureuil* serait un succès ! Les comédiennes se sont regardées d'un œil narquois. « Ah, les gens qui t'aiment les soirs de première ! » a murmuré Palmyre en faisant une grimace comique. Dans le couloir, on entendait pérorer Valérianne Courtevue et Enrico Cascabel. « Si les Vents contraires se donnent la peine de venir nous serrer la main, a dit Marie-Belle, c'est que la sanction sera douce ! » Personne n'a répondu car déjà François Miller et Mercuriale Coucou entraient dans la loge en disant : « Bravo, bravo, bravo ! C'est merveilleux ! Prodigieux ! Quel beau travail ! Quel texte ! Quelle mise en scène et quelles grandes actrices vous êtes ! » De la loge d'à côté, Valentin a crié : « Ça y est, on a passé le test ! Madame de Gingras a aimé le show ! » Trop timides pour fréquenter les coulisses, Aline de Gingras et sa belle-sœur avaient confié à l'ouvreur, quelques minutes plus tôt, que c'était « une des plus belles pièces de leur vie ! Pis bien actée, à part de t'ça ! » Elles ont braillé à leur goût et ri par-dessus le marché. « Une vraie belle soirée, avaient-elles conclu en rangeant leurs kleenex fripés. Vous leur direz, aux acteurs!» L'ouvreur vient de leur faire son rapport. Marie-Lyre pose sa brosse à cheveux; elle se coiffera tantôt, il y a encore trop de monde dans la loge, ceux qui s'en vont sont remplacés par d'autres.

— C'est l'heure de la remise du chandail d'honneur, vocifère Rex Tétrault.

Sans son walkie-talkie, il a moins d'autorité.

Passant de main en main, le chandail de *La Didascalie* arrive jusqu'à Rosemonde Giroux. «Bravo, Rosemonde!» crie toute l'équipe. Benoit avait prédit qu'elle serait l'élue du show: elle joue sept personnages différents et à elle seule, elle vaut le déplacement.

— Ah non, pas moi! dit Rosemonde, émue et rougissante.

C'est la première fois qu'elle est honorée par les Vents contraires et elle espère que cela ne nuira pas à sa carrière; elle a des amis qui, curieusement, n'ont pas travaillé pendant deux ans après avoir reçu le fameux chandail.

— Ça va te porter chance, tu verras! dit madame Faribeau.

— C'est sûr, c'est sûr, dit l'ouvreur.

Il s'est glissé jusqu'à Marie-Lyre à qui il tend un carton glacé. C'est la carte d'affaires du gars des vues qui y a griffonné quelques mots à la hâte; «My respects, madame Flouée. You're absolutely gorgeous! I've got a fantastic new script for you by that genious of a writer, Soave. I'll call you tomorrow.» Marie-Lyre est d'abord éberluée devant une utilisation aussi abusive de l'anglais: ce gars-là doit parler français comme toi pis moi! Puis, elle part à rire. Depuis le temps qu'elle rêve de faire du cinéma! Elle a le goût de sauter en l'air jusqu'au plafond mais les autres ne comprendraient pas. Elle range le carton dans son sac à main. Quand elle lève la tête, elle aperçoit Renaud dans le miroir; hésitant et timide, il se tient dans l'embrasure de la porte. Elle lui sourit et fait pivoter son banc. Il s'avance vers elle, un peu tendu, et l'embrasse gauchement. C'est le premier contact. Elle a senti sa joue rasée de près. Sur sa peau ferme, il est impossible de déceler la moindre annonce d'une éventuelle flétrissure due à l'âge ou à la maladie; cet homme-là n'aura jamais le cancer! Tantôt, pendant son tango avec Juliette, elle a pensé au cancer — un fantasme vite écarté — , elle s'est contrôlée, concentrée sur sa danse. Maintenant, elle n'a plus à se contrôler. Renaud est emballé par son jeu, la pièce, tout! Il aimerait pouvoir en parler plus longuement... Elle dit: «On peut en parler maintenant, si tu veux. Viens donc manger avec nous autres chez Da Fillippe.» Il dit: «Je ne voudrais pas m'imposer.» Elle dit: «Puisque je t'invite! Ça me ferait plaisir!» Il sourit. Quelque chose se gonfle en elle, elle sent clairement son sang circuler, c'est le sang riche de la pleine maturité, elle pourrait en suivre le tracé. Elle se retourne vers le miroir et se regarde; après tout, c'est peut-être vrai qu'elle est belle! Derrière elle, Renaud sourit toujours, elle le voit dans le miroir. Il a des dents blanches, régulières, luisantes, qu'elle aimerait embrasser et toucher avec ses doigts. Avant la fin de la nuit, elle les touchera!

Vingt-deux août

Jour des commencements

Ils descendirent la grand'rue, y naviguant avec aisance comme au creux de l'arête la plus vive. Cette rue est fjordique. Elle est, au milieu de la ville, une blessure acide, un repli lumineux et chaud dans une chair calme, un couloir d'odeurs et d'émotions. Ils y glissaient, émerveillés. C'était vraiment là le centre du monde...

Delia MUÑEZ FEBRERO,
Le fleuve San Juan

Le ciel du mois d'août est lisse comme un drap bleu, on le voit bien à travers la verrière, on ne voit que cela et quelques avions en attente. Il est dix heures du matin et déjà la chaleur est terrible comme dans les pays du bas de la carte. Ils boivent des limonades en attendant l'appel. «C'est toujours le même cirque, ici, a dit Marité, ils n'admettent pas les enfants au bar! Mais qu'est-ce qu'ils veulent qu'on en fasse? Qu'on les parque aux toilettes, le temps d'enfiler une bière?» «C'est pas grave maman, a dit Gabriel, on fera comme d'habitude.» La situation d'exclusion ne l'agace pas, mais chaque fois qu'ils viennent reconduire quelqu'un ici, à Mirabel, Marité se fâche, et c'est cela surtout qui est pénible. Par chance, le bar est installé dans une aire ouverte, il suffit de trouver une table sur le côté: les enfants s'installent dans les fauteuils les plus proches et, de temps en temps, ils viennent siffler les liqueurs que les adultes ont commandées pour eux. Myriam en est à son troisième verre. Elle est survoltée. Elle a les cheveux relevés à l'avant et on voit briller à ses oreilles les petits pendants ciselés de la grand-mère Blanche. «Les boucles d'oreilles sont pour Myriam, a dit Blanche, elles lui reviennent, mais ce serait idiot d'attendre ma mort; des fois que je m'éterniserais! Si elle se fait percer les oreilles, je les lui donne pour son anniversaire.»

Marité a toujours trouvé barbare et rétrograde la pratique du perçage d'oreilles, c'était son point de vue de féministe des années soixante-dix, elle ne voulait pas que sa fille soit «poinçonnée comme une petite Italienne de Saint-Léonard!» «Fais pas d'allusion xénophobe, a dit François, c'est mauvais pour un homme politique de ton envergure.» Il se marrait. Il était d'avis qu'on laissât la grand-mère et sa petite-fille agir à leur guise. Marité a perdu la bataille, et bravement, Myriam s'est rendue chez le poinçonneur d'oreilles avec Miracle Marthe qui en connaît un très qualifié. «C'est sans douleur», a dit la sorcière. C'était une exagération de sorcière, ça lui a fait mal, mais ça valait le coup: ses oreilles ont été prêtes à temps, bien cicatrisées pour le jour de sa fête, quand elle a ouvert la petite boîte dorée. Depuis, elle n'a pas ôté les boucles. Elle se trémousse pour les faire miroiter comme dans la pièce de Maryse. «C'est mon symbole familial des femmes de ma race», se dit-elle. Elle commence à avoir tout un lot de symboles: les boucles d'oreilles de Catherine Grand'maison, la Sultane bleue, les souliers turquoise ultra-pointus de Marie-Lyre, et bientôt, elle aura la lettre de la grand-mère Alice, elle a vu l'enveloppe sur sa table de chevet. Elle boit une dernière gorgée et s'échappe vers l'allée des boutiques. Elle joue à courir jusqu'au bout du couloir et revenir aussi vite. Patiemment, Gabriel la suit pour la chronométrer. Quand elle en a assez de courir, elle visite les différentes salles de bains — y compris celles des hommes — et lui fait un rapport sur leur bonne tenue; elle met des cotes comme le guide Michelin. Puis, ne sachant plus quoi trouver pour passer le temps, ils sautent sur les coussins mous des fauteuils. Gabriel crie «Stop» à tout bout de champ pour un oui, pour un non, c'est le plus récent gag-maison. La semaine dernière, la tante MLF flânait dans Babylone comme d'habitude, elle était passée par devant sur son bleu destrier et, par la mousquetaire laissée ouverte, on voyait tout, jusqu'au tréfonds du parc Lafontaine. L'été, la maison est un long désert frais, un couloir entre deux parterres, un simple lieu de passage. Sur le balcon du haut, la radio de Gabriel jouait et, entre deux tubes, l'annonceur a lu un communiqué : « La ville déplore que les cyclistes n'observent pas les règlements de la circulation. » Marité a souri à Marie-Lyre : « Moi aussi, je déplore, a-t-elle dit. Tu ralentis même pas en traversant ma maison ! » « C'est qu'il n'y a pas de stop dans ton passage, a répondu Marie-Lyre. S'il y en avait un, je t'assure que je le respecterais. » « Ça s'arrange », a dit François. Le lendemain, quand ils se sont levés, un gros Arrêt/Stop rouge était solidement boulonné à l'entrée du couloir. On ne sait pas qui l'a installé là, si c'est Marité ou François ou les deux, làdessus, les parents sont bouche cousue, solidarité parentale. « Il faut qu'ils aient piqué le Stop à un coin de rue, a dit Gabriel, c'est un vrai ! » Ils ont fait visiter le couloir à tous les enfants de la ruelle Mentana, et Marité a dit : « Merde, c'est pas un moulin ici ! »

— Stop ! dit Gabriel, je suis tanné de jouer aux coussins mous. C'est nul.

Ils reviennent vers le bar.

Maryse a un sourire tendu : elle est déjà ailleurs, en pensée, mais en même temps, elle est triste de les quitter. Il n'y a pas de vol direct Montréal-Managua, ils devront faire escale à Mexico et c'est demain soir seulement qu'ils arriveront à destination. Ce n'est pas un départ comme les autres ; ils ne sont pas des touristes.

— S'il arrive quelque chose, dit-elle, vous avez le numéro de mon frère au garage. Prévenez-le.

— Oui, oui, dit Marité, mais il n'arrivera rien...
mais fais attention...

— T'es pire qu'une mère dont la fille part en Europe pour la première fois, dit Laurent.

Marité ne répond rien. Les adultes s'entre-regardent, hésitants.

— C'est pénible, les cérémonies de départ, dit Marie-Lyre.

— Vous avez insisté pour nous accompagner, endurez ça jusqu'au bout ! dit Maryse.

Ils rigolent mais Serge est un peu mal à l'aise. Serge, c'est le frère de Laurent, venu exprès du Bas du Fleuve ; il ne compte pas, il est nouveau et ne saisit pas grand-chose à leurs histoires de famille.

Myriam est debout près de Maryse de l'autre côté du cordon qui sépare symboliquement le sol maudit du débit de boisson de la terre neutre des pas perdus. Elle pose le pied en terre interdite. Un garçon de table lui fait des yeux de porc frais et elle se sent comme si déjà elle avait le foie grugé par la cirrhose galopante causée par la maudite boisson, c'est Ariane qui lui a expliqué cela. Elle prend la main de Maryse et recule. Leurs mains forment un pont au-dessus des deux tapis rouges, le défendu et le régulier, c'est pourtant le même tapis. Avant même que la tante Maryse soit partie pour vrai, elles sont séparées !

— Je comprends pas comment Maryse va faire là-bas, dit Gabriel, elle peut pas s'empêcher de raconter des histoires et elle nous aura plus pour l'écouter ! En plus, elle parle mal espagnol.

— Elle fait des progrès, dit Laurent. Il lui manque un peu de pratique, c'est tout. On dirait que tu lui en veux de partir ?

— Pas du tout ! dit Gabriel, pas du tout ! Elle est bien libre !

— T'as pas fini tes histoires, dit Myriam. Tu m'as pas raconté toutes les maisons de l'île et je saurai jamais ce qui est arrivé aux petites Fraser...

— Tu le sauras à mon retour...

Maryse sourit mais Myriam reste boudeuse : son retour, c'est dans des mois-lumière !

— De toute façon, murmure Maryse, cet été, la réalité a submergé les histoires. La vie nous a doublés.

Les enfants ne répondent rien ; dernièrement, Maryse a beaucoup parlé de la jeunesse d'Alice mais cela n'a pas guéri la grand-mère pour autant.

Il y a un malaise ; ils ne sont pas si gais que ça, ceux qui restent. Ceux qui partent, c'est autre chose. Maryse interroge François du regard. Il dit : « Je déteste Mirabel, tu le sais bien ! » Elle sourit.

— Dès que tu seras partie, dit Marie-Lyre, les choses se replaceront, ce sera plus clair, on va s'écrire. J'espère que tu m'enverras autre chose que trois mots en croix sur une carte postale !

— J'espère que tu vas nous écrire à nuzautres aussi, dit Myriam. Parce que Gabriel pis moi, pis Ariane, on va t'envoyer des dessins et des poèmes, on a déjà deux lettres de prêtes, y sont cachetées.

Les adultes sourient d'un petit air condescendant que Myriam, heureusement, ne remarque pas.

— Bien sûr que je vous écrirai, dit Maryse. *Le roman de Barbara* sera un roman épistolaire ; il faudra bien que parallèlement à cela, je fasse l'effort d'écrire aussi de vraies lettres.

Elle pense à ces réseaux de textes se croisant au-dessus des États-Unis, se répondant en écho ou se téles-

copant : lettres de Barbara et de l'autre putain, de leurs
filles, de leurs belles-sœurs, mais aussi lettres de Marie-
Lyre, de François, de Benoit Jusquiame. Benoit lui a promis une correspondance suivie. Il a dit : « Tu verras, fille,
je suis un adorable potineur. »

Laurent a sorti trois cachets contre la nausée.

— C'est dégueulasse, dit Myriam.

— Le mal de cœur de départ est psychologique, dit
Gabriel. Les pilules te feront pas d'effet, Laurent. T'es
naïf !

Laurent sourit et avale un seul des cachets sans eau,
rien. Maryse prend les deux autres, se lève précipitamment et part vers la salle de bains. Myriam la suit. Elle
dit : « Je vas t'amener dans les meilleures toilettes de la
place ! » Elle emporte avec elle un sac de papier brun
qu'elle avait déjà dans l'auto.

Les toilettes des dames sont décorées en bleu, re-
couvertes de tuiles très propres, classées A+ par Myriam,
et pratiquement désertes.

Maryse a changé d'idée, elle jette les cachets dans
un évier.

— Qu'est-ce que t'as ? dit Myriam. T'es bien blanche !

— J'ai mal au cœur...

Maryse s'appuie au mur près de l'évier et attend.
Myriam la dévisage.

— Coudon, tu vomis pas ? finit-elle par dire.

— J'ai moins mal au cœur maintenant. J'ai faim.

— T'es toute dérinchée, tu dois être dans le pré-
menstruel !

Maryse sourit. Ça fait longtemps qu'elle n'a pas été
menstruée, très longtemps ! Elle ne sait plus quand au
juste, depuis des années, elle ne fait plus attention, c'est

inutile. Récemment, elle a toujours sommeil et souvent mal au cœur, mais cela ne veut rien dire. Elle demande à Myriam ce qu'il y a dans son sac. La petite en sort un jouet qu'elle avait, bébé. Maryse le croyait disparu ; brisé ou donné. C'est une pomme en bakélite rouge, translucide, plus grosse que nature. À la voir, on se demande pourquoi les vraies pommes n'ont pas cette taille. En son centre, elle a trois petits grelots sombres. Elle est douce au toucher, lisse et fraîche. Quand on la bouge, les grelots tintent.

— Je l'aimais beaucoup, ma pomme, dit Myriam. Emporte-la.

Maryse est troublée par ce cadeau insolite. Il y a, chez les enfants Grand'maison, une coutume singulière que Marité a instaurée : à chaque naissance dans la famille, Gabriel et Myriam se départissent d'un jouet en faveur du nouveau bébé. Cérémonieusement, ils apportent eux-mêmes le cadeau... Myriam a son air ému des grandes occasions. Comment peut-elle avoir deviné ce qu'elle-même, Maryse, ne sait encore que confusément ? Ce qu'elle n'ose pas reconnaître ? Elle a toutes les caractéristiques de la grossesse ! Après toutes ces années où elle a cru être stérile, elle est peut-être effectivement enceinte. Maintenant ! Elle a le goût de pleurer, de rire, d'embrasser Myriam, de manger des pommes, de se vanter. Quelle histoire de fou ! De folle !

— Mais qu'est-ce que je vais faire, à l'étranger, avec un bébé sur les bras ? dit-elle.

— Il va être bien, répond Myriam d'une petite voix chavirée. Il aura pas besoin de bottes de neige, lui ! Il va se baigner tout le temps ! Est-ce qu'ils ont une mer, là-bas ?

— Ils en ont deux.

— Les chanceux !

— Tu sais, le Nicaragua, c'est pas comme on l'imagine. Ils ont des volcans mais aussi des vallons et des marécages. La forêt est tellement verte qu'on a peur d'y caler. Il pleut beaucoup, l'été. En ce moment même, sur les berges du grand lac Nicaragua, il tombe une grosse pluie tiède...

Pendant que Maryse parle, le visage de la petite s'illumine comme pour une nouvelle histoire. Elle se souviendra d'elle, attentive et crédule, charmée par un ultime récit. On entend l'appel pour Mexico. Elle l'embrasse et glisse la pomme de bakélite dans son sac à main.

Elles reviennent vers le bar où les autres parlent du tournage du film de François et des prochaines élections. Ils parlent pour parler. Ils attendent. Maryse prend son verre pour boire mais il est vide. Tous leurs verres sont vides. Le garçon de table vient les ramasser et leur fait sentir qu'ils devraient en commander d'autres pendant qu'il est là. Trop tard. Ils se mettent en branle, les enfants devant. Ils marchent silencieusement jusqu'aux portes que François appelle «la clôture des micmacs», cela semble avoir été installé n'importe comment au milieu de rien, dans une sorte de hall informe, lieu de convergence involontaire des pas égarés. Cela manque de style et d'unité ; la moitié des gens qui s'y retrouvent sont contents de partir, mais l'autre moitié regrette, et cela fait beaucoup d'émotions mêlées, une charge trop forte. François pense tout à coup au désarroi d'Alice dans les situations d'adieu. Il sourit à Maryse, désarmant comme la première fois qu'elle l'a vu sourire, au-dessus d'une table de bar. Elle l'embrasse, et leur étreinte dure une fraction de seconde de plus que prévu. Autour d'eux, des familles de Sud-Américains se bousculent. Une vieille femme pleure sans aucune retenue comme si elle était seule sur son bout de quai de gare, dans un film. Les enfants embrassent plusieurs fois Laurent et Maryse, puis les adultes les embrassent encore, gauchement, en désordre. Pour peu, ceux qui restent s'embrasseraient aussi ! Maryse et Laurent s'éloignent, la tête dans le dos. Ils sourient, entrent dans le tunnel de détection, en ressortent et reprennent leurs bagages à main. Maryse se retourne une dernière fois, puis elle avance.

On les confond maintenant avec les autres voyageurs.

Sur sa table de chevet, sa fille Marie a disposé une tresse de foin d'odeur et parfois, quand il y a un petit vent, un effluve fugace lui parvient. Il y a aussi, sur la table, ses photos les plus précieuses et l'enveloppe. Parmi les photos, un agrandissement du jardin de François, le jour de la fête de Gabriel. En tournant la tête, elle peut voir l'enveloppe mais sans ses lunettes, le jardin et les gens qui y sont photographiés sont une simple tache de couleur. Elle ferme les yeux... Elle ne sait plus depuis combien de temps elle est ici, au mouroir Saint-François-d'Assise, dans la chaleur de l'été : dans un hôpital, on confond facilement les jours. À cause de sa maladie, aucun de ses enfants n'a pris de vacances et ils vont s'en ressentir l'hiver prochain ; elle dérange et elle n'aime pas déranger, c'est humiliant, elle devrait mourir plus vite que cela maintenant qu'elle a terminé la lettre, elle peut se laisser aller, ce n'est plus qu'une question de jours. Elle ne reverra jamais la maison de sa mère Aurélie et le fleuve devant chez elle. Comme pour Antoine, c'est fini, tout est fini, mais pas tout à fait ; la douleur est vive encore, quand ils tardent à

563

lui apporter son calmant. Elle a mal partout dans la tête comme si sa tête était vaste et creuse. Au centre de sa douleur, le visage de Myriam brille comme un petit feu doux. Les mots de la lettre qu'elle lui a écrite défilent dans son souvenir, c'est un ressassement sans fin, cela commence par *Mon petit trésor*, elle connaît le reste par cœur, elle le savait par cœur mais certains passages lui semblent maintenant confus. La lettre dit que la vie est belle, malgré tout, et qu'elle, Alice Ladouceur, a été heureuse. Ce sont des phrases trop vieilles pour Myriam mais elle fait confiance à son bon sens, espérant qu'elle conservera le texte et le relira plus tard, une fois grande. Elle ne la verra jamais grandir, elle ne la verra pas vieillir non plus et se déformer. Myriam restera pour elle une enfant de huit ans, son petit trésor aux joues fermes, elle emportera cette image avec elle mais ce n'est pas vrai, elle n'emportera rien : en mourant, elle perdra tout, même le souvenir. Elle est croyante, elle l'était, mais elle doute maintenant de la vie éternelle. Elle craint la cessation de la mémoire, du mouvement, la rigidité, la fixité. Elle-même sera figée dans le souvenir des vivants, elle sera la grand-mère Alice, morte à soixante-huit ans, une carte funéraire à la fin d'un album de photos. Elle n'aurait jamais cru qu'une telle chose puisse lui arriver ; elle n'était pas faite pour être une grand-mère mais pour rester petite et heureuse. Il y a si peu de temps encore, elle était une fillette de l'île, jouant sous un pommier dans son tablier blanc du dimanche, c'est toujours comme ça ; on est une petite fille heureuse, on joue, on rencontre son mari au bout du quai, on fait baptiser les enfants, eux-mêmes font des enfants alors qu'ils sont encore jeunes, ils ne les font pas baptiser, le temps a passé sans qu'on le voie, et on se retrouve sur un lit d'hôpital, sans mari, à mourir seule.

Elle va rejoindre Antoine dans le noir de la cessation de la mémoire. Elle deviendra un souvenir pour les survivants, le temps de leur vie. Eux morts, il ne restera rien d'elle, pas même la mémoire, c'est pour cela qu'elle a écrit la lettre, pour laisser quelque chose. Une chambre d'hôpital, tout de même, il lui semble que c'est un drôle d'endroit pour mourir ! Mais elle n'y peut rien. *C'est court, une vie*, a-t-elle écrit à Myriam. *Profites-en.* La lettre finit par ces mots : *Adieu, ma belle petite amoure.* Ce n'est pas français. Elle croit se souvenir avoir écrit cela, elle n'en est pas sûre. Elle ne peut pas vérifier, l'enveloppe est inaccessible. Elle ne bouge plus beaucoup. Tourner la tête lui demande un effort. Elle est seule, les enfants viendront cet après-midi, c'est toujours au moment le plus chaud de la journée qu'ils viennent. Elle confond les jours mais pas le temps à l'intérieur des jours. Elle reconnaît cela, encore ; le mouvement de la lumière sur le drap blanc, la montée de la chaleur et sa baisse, vers le soir. Ce n'est pas encore la nuit de la mort. Peut-être Blanche Grand'maison viendra-t-elle aujourd'hui, elle pourrait lui demander de vérifier le texte. Blanche comprendra. Mais elle ne lui demandera rien, cela exigerait trop d'énergie, elle ne parle presque plus, et sa lettre d'ancienne maîtresse d'école restera avec sa faute de français. Cela devrait pouvoir se dire, «ma petite amoure», c'est exactement ce qu'elle voulait dire, dans le fond. Elle espère maintenant l'avoir écrit. Sur les dernières pages, le tracé de son écriture est brouillé. Si belle, autrefois, son écriture ! Et maintenant elle est déformée elle aussi. Tout se déforme et crève. Éclate. Quand Myriam ouvrira la lettre, elle lira les mots d'une morte. Ce sera un mirage comme le souvenir d'une étoile éteinte dont on voit encore le reflet, une nova éclatée depuis longtemps, ils l'ont dit à la télévision. La lettre est une astuce, la dernière, c'est sa façon de persister. Persistante comme une nova en train d'éclater! Dans sa tête douloureuse, elle voit quelque chose qui éclate au ralenti. Oh! que cela finisse et qu'elle retrouve Antoine! Mais cela ne finit pas encore. L'infirmière s'approche. Elle n'est pas comme les autres. Les pans de sa robe sont vaporeux et fluides, elle sent le foin d'odeur. Elle lui apporte le calmant qui l'aidera à redevenir lucide et oublier ses idées de mort. À la visite, cet après-midi, elle parlera de sa guérison imminente. Le visage de l'infirmière lui est familier, ses mouvements, lents et doux comme si elle était sa seule patiente. Elle sourit et lui demande comment elle va, ce matin. Elle ouvre la fenêtre et les oiseaux qui nichent au bout de l'île Verte s'engouffrent dans la chambre. Elle lui touche le poignet pour prendre son pouls. Sa main est fraîche. Elle sourit encore.

Son nom est Gabrielle.

Un avion passe dans le ciel, Blanche le suit du regard et se souvient que Maryse partait aujourd'hui. Vus d'en bas, tous les avions se ressemblent, elle n'y connaît pas grand-chose. Elle baisse les yeux «pour ne pas se casser la gueule», comme dirait Myriam. Elle pédale lentement mais sans aucun souci de régularité. Elle admire le paysage. Les berges du canal Lachine sont calmes, ce matin; l'eau est aussi bleue que le ciel et sans aucune ride, le vert des gazons commence à donner des signes de fatigue, l'été achève, et cela est beau comme un fruit mûr. Elle baisse encore la tête et voit ses souliers blancs poindre en alternance au bout de ses genoux. Ce n'est pas si compliqué, la bicyclette! Enfin, le tricycle. Devant elle, Désiré roule sur sa Peugeot, la chemise gonflée par la vitesse, les cheveux brillants. Il cesse de pédaler pour revenir à sa hauteur. Il fait souvent ça, la semaine, la piste est déserte et ils peuvent circuler côte à côte. C'est ce qu'ils aiment le mieux.

— C'est un beau matin tranquille, dit Désiré.

— Un petit ravissement! murmure Blanche.

Elle ne lui a pas expliqué sa théorie des ravissements. Il y a des choses qu'ils ne se sont pas encore dites; ils en sont aux débuts. Tantôt, quand ils s'arrêteront pour la pause, elle lui en parlera peut-être, si cela adonne. Mais peut-être pas, elle n'est pas pressée. Elle a dans la tête le troisième mouvement d'un *Concerto pour guitare et mandolines* de Vivaldi. Elle en fredonne les premières notes. Elle sourit et, en ce moment, son visage est sans âge — épuré — comme si toute sa vie, elle n'avait jamais éprouvé autre chose que de la joie.

Devant eux, la piste est tellement longue et droite qu'on la dirait sans fin.

Benoit replie soigneusement *Le Journal de Montréal* et pose sur le comptoir l'entrefilet qu'il vient d'y découper. «Si jamais t'as des nouvelles de Norma, lui a dit Maryse, transmets-les-moi.» Il ne pensait pas en avoir si tôt! Il sort son calepin et s'arrête un moment, le stylo à la main. Il pense à ce qu'il va lui écrire. Il s'en doutait, que ça finirait comme ça! L'été dernier, quand ils sont allés ensemble au poste 33 pour signaler la disparition de Norma O'Sullivan, les flics n'ont pas eu l'air spécialement étonnés. De toute façon, Norma est une loser. Mais il n'écrira pas ça, c'est trop moralisateur, il mettra à sa lettre un long post-scriptum disant que Yasser Arafat a encore échappé à un attentat, as-tu remarqué? C'est pas merveilleux, ça, fille? Lui-même a l'intention de commencer une liste de noms d'individus qui défient miraculeusement la mort. Il vieillit et devient positif. Pour lui, c'est relativement facile; dans les appartements de *La Sultane*, il est protégé de la merde extérieure par la cloison étanche des arts. Dans un décor de théâtre, il ne court aucun risque. Le pimp n'est pas revenu l'achaler car ceux de la petite pègre ont réglé entre eux leurs problèmes. Sauf qu'il fait mauditement humide dans le théâtre, aujourd'hui: l'été, l'art dramatique sent le moisi. Qu'est-ce qu'ils attendent pour faire des shows en plein air, sur les parvis des églises en voie de démolition? Il embarquerait dans de tels projets, lui! Il écrira à Maryse des choses comme ça, distrayantes, il ne peut rien raconter d'autre; de par son métier, il est voué à la récupération artistique, à la transposition et à l'*entertainment*, c'est une déformation qu'il assume. Il regrette que sa première lettre soit celle-ci, ça manque de gants blancs mais il lui envoie tout de même l'article. Les prochains textes seront plus rigolos; ils exposeront sa vision de Montréal-by-night et de ses environs jusqu'à la baie d'Ungava, «Tu verras, fille, ça te maintiendra dans le coup!» Même si on quitte le Québec d'un cœur léger, une fois sorti du pays, on est en manque, il le sait, il a déjà passé un an seul à Varsovie. Il lui donnera fidèlement des nouvelles d'ici. Il relit l'entrefilet: «Le cadavre à moitié dénudé d'une femme dans la quarantaine a été trouvé samedi dernier dans un appartement abandonné de la rue de Bullion. La victime serait Norma O'Sullivan...» Le reste est de la même farine et fournit des détails qui seront peut-être utiles pour la rédaction du *Roman de Barbara*. Sa lettre s'intitulera: *Premier mandement à l'auteure au sujet de l'oraison funèbre de Barbara O'Sullivan*. Mais, pour ne pas effaroucher Maryse, il commencera par le post-scriptum sur Yasser Arafat et il mettra le titre à la fin.

Il n'y a plus tellement longtemps à attendre, l'avion s'ébranle pour aller se placer sur la piste. C'est Laurent qui est installé près du hublot; il est un peu craintif en avion, mais pas Maryse. « On ne peut pas avoir peur de tout », dit-elle. Laurent joue avec la tablette du siège avant, il explore sa panoplie de voyageur et sort un livre qu'il ne lit pas. Il s'agite. Maryse l'embrasse en pensant à cette chose énorme : elle est enceinte ! Elle a eu trente-sept ans la semaine dernière, elle est sans travail et elle part vers un pays de mouvance et de dénuement. Ce n'est peut-être pas le meilleur moment pour faire un enfant, mais c'était sans doute le seul possible, puisque cela arrive maintenant. Au Nicaragua, ils ne lui diront pas qu'à son âge, elle prend des risques ; ils laisseront aller. Après tout ce temps d'attente et de résignation, c'est à son tour de jouer, ce sera le jeu de la mère comblée dans un pays en voie de reconstruction. Mais déjà, elle est comblée, elle part en pleine gloire, *L'Œuf d'écureuil* ayant été un succès, sa meilleure pièce, paraît-il. L'hiver prochain, deux de ses textes seront repris en son absence. C'est bien ainsi ; elle passe à autre chose. Tantôt, à la clôture des micmacs, ceux qu'elle aime et qu'elle laisse ici étaient agglutinés comme sur une photo de famille coupée à mi-corps. Les enfants se tenaient par le cou, ils lui envoyaient la main sans se lasser, d'un mouvement continu et caricatural. Il n'y avait pas de grand-mère sur la photo et, quand elle reviendra, il n'y aura plus que Blanche. Une seule survivra. Une sur deux, ce n'est pas beaucoup, il lui semble. Les larmes lui viennent aux yeux. Elle tourne la tête pour ne pas que Laurent le remarque. Elle repense à la mort de Gabrielle Roy, survenue le treize juillet dernier. Si jamais elle écrit *Le Roman de Barbara* — si elle en a le temps dans l'urgence du Sud et dans la lenteur d'une grossesse —, le dernier mot de ce texte sera le mot «immortel». Après, elle écrira quelque chose de gai, uniquement pour l'enfant, en pensant à lui, ou à elle, elle se fiche du sexe. Elle regarde à nouveau Laurent et lui demande comment il va.

— Y a que des *tabarnacos*, dit-il. Un avion entier! On est les seuls Québécois à aller plus loin que Mexico.

Elle ne répond rien. Elle éprouve un léger vertige comme tantôt, dans le transbordeur. À l'entrée de l'avion, les passagers se bousculaient un peu, fébriles comme si la hâte avait pu avancer l'heure du décollage. À travers les petites fenêtres, on voyait la lumière extérieure. Le soleil tapait sur la carlingue et on se sentait mollir, tellement il faisait chaud. Elle a eu un vertige comme ceux de Myriam. Elle s'est éventée avec sa carte d'embarquement et a repris son équilibre... Elle s'évente avec le livre de Laurent. Il fait frais, ici, pourtant! Ça doit être un malaise de femme enceinte. Elle a le fou rire. C'est bien elle, ça, toujours à côté de la question, toujours un peu décentrée par rapport au sujet : elle se rend pour la première fois en Amérique latine, mais sous la joie de partir avec Laurent, plus profondément, surgit le bonheur d'attendre un enfant. Il ne faudrait pas que l'avion tombe! Pas cette fois-ci, ce n'est pas le temps de mourir, elle veut l'enfant! Laurent lui serre la main très fort, et c'est ainsi que commence leur voyage vers les terres du Sud. Elle aimerait descendre avec lui tous les fleuves dont elle a dessiné le parcours sur la carte, au printemps dernier, alors qu'elle ne savait pas encore vouloir partir. Au milieu du lac Nicaragua, il y a une île immense, elle l'imagine verdoyante et dense, brumeuse à la saison des pluies, chaude. C'est là le centre du monde, elle en est sûre. L'avion accélère. Elle n'a pas peur. Laurent ne doit pas se rendre compte qu'il lui serre la main aussi fort, son profil est un peu tendu. De sa main libre, elle prend son sac et en sort le cadeau de Myriam. Laurent demande ce que c'est. Elle le lui dira dès qu'ils seront vraiment partis. L'avion quitte le sol sans secousses et prend de l'altitude. Laurent sourit, soulagé. Elle l'aime, et ce n'est pas dévastateur comme les autres fois qu'elle a succombé à l'amour, cela ressemble à une fleur qui pousserait en elle sans l'étouffer. Une amaryllis rouge. L'avion penche un peu de leur côté, elle se laisse aller vers Laurent et regarde par le hublot ; on voit la terre québécoise s'éloigner. Elle tient dans sa main la pomme rose de la fécondité et elle flotte comme les grelots qui y chantent. Elle reviendra ici avec un enfant.

On est lundi, jour des commencements.

Le frère de Laurent est parti, ils sont entre eux.

— On devrait rentrer maintenant, dit Marité. On ne voit rien, du mirador.

— T'avais promis qu'on resterait jusqu'à la fin ! dit Myriam.

— Je connais un bon spot pour voir décoller les avions, dit Marie-Lyre. Évidemment, c'est pas réglementaire...

— Évidemment, dit François. Allons-y.

Il arrête l'auto dans un petit chemin de traverse : d'ici, effectivement, on voit les pistes. Ils marchent au bord du fossé.

— C'est capotant, un avion qui décolle, dit Gabriel. Ça fait une succion, y paraît, comme un ascenseur inversé, Olivier l'a dit.

Il prend Marité par la taille et essaie de la faire chavirer. Marité lui sourit, indulgente. Elle devrait déjà être au bureau du parti. Encore une fois, son horaire est trop chargé. Ils sont désorganisés par la maladie d'Alice, François passe ses après-midi à l'hôpital et elle, à travailler. Les enfants n'ont pas vu la campagne de l'été. Elle dit :

— Aujourd'hui, vous pourriez aller vous baigner à la piscine de l'île Sainte-Hélène.

— Peut-être, dit Gabriel.

Ça ne lui tente absolument pas. Avec la chaleur qu'il fait, s'ils vont quelque part, ce serait plutôt au Diable Vert et frais. Chez lui, au moins, ça ne sent pas le chlore.

— La piscine, ça ne me tente pas, dit Myriam.

Elle le dit par solidarité pour son frère ; ils n'ont aucune chance de tomber sur Miracle Marthe à la piscine de l'île Sainte-Hélène, mais au bar du Diable, par contre...

— En tout cas, vous faites quelque chose, conclut Marité. Quelque chose d'autre que de la galerie.

Gabriel aura passé toutes les vacances sur le balcon de Myriam, seul la plupart du temps, derrière un rempart de bouquins hétéroclites allant de la bande dessinée infantile au traité d'astronomie, à attendre que la porte d'Elvire s'ouvre sur Miracle Marthe et qu'il la voie un long moment. Marité a observé le manège de son fils et compris qu'il était déjà incurablement amoureux. De cela, elle ne peut rien pour le protéger...

— C'est plate, les piscines, continue Myriam, pour être sûre que le message passe. Y a pas de vagues. Est-ce qu'on va y retourner, à Ogunquit ?

— C'est sûr qu'on ira l'été prochain, dit Marité.

Elle se tourne vers Marie-Lyre :

— On pourrait louer un chalet tout le monde ensemble...

À cause de *L'Œuf d'écureuil*, Marie-Lyre n'a pas vu la mer cette année et elle rêve d'y aller, plus bas que Ogunquit, plus cher et plus chaud, elle partirait ce soir-même...

— À Ogunquit, dit-elle, dès qu'on met le pied sur la plage, ça sent l'huile Coppertone à devenir stone. Ça sent le vide, le farniente, la vacance. Il ne se passe rien, à Ogunquit. Merveilleusement rien ! C'est le bonheur.

— C'était pas un été extraordinaire, cette année, dit Gabriel. Et Maryse qui part...

Jusqu'à maintenant, sa sœur et lui ont fait semblant que le Nicaragua était une simple histoire, une de plus, mais ce matin, ils doivent se rendre à l'évidence désagréable des apparences extérieures. Il n'aime plus les pays du bas de la carte, avaleurs d'adultes. Il lui vient à l'esprit que les mappemondes sont curieusement faites ; elles représentent le Nord à la place la plus importante. Pour quelqu'un comme Mafalda, ça doit être étrange de voir son pays placé si bas. Il se demande si le pôle Sud n'est pas, pour les gens d'en bas, l'équivalent de notre pôle Nord. Auquel cas, il faudrait faire deux cartes et remettre chaque hémisphère à l'endroit. Il y a quelque chose de tendancieux là-dedans.

— Dans les pays du bas de la carte, dit-il, tout est à l'envers ; il fait chaud à Noël et frais l'été, ça va être mêlant pour Maryse et Laurent.

— Ce soir, dit Myriam, est-ce qu'on pourrait inviter Ariane ?

— Tout le monde que vous voudrez, dit François. On remplira l'auto.

Sa fille se colle à lui et essaie de l'encercler de ses bras.

Pour les consoler du départ de Maryse, pour se consoler lui-même, il a promis de les amener voir un film dans un ciné-parc, l'endroit qui tue le rêve. Il espère que le film sera particulièrement con. Seuls les films idiots, les bouquins bâclés et les téléromans l'absorbent, depuis quelques semaines. Il en consomme le plus possible et il n'a pas écrit de l'été. Ce soir, pendant que les enfants commenteront le film en mangeant du pop-corn, heureux et insouciants, vivant leur enfance de petits Nord-Américains gavés, lui, François Ladouceur, restera attaché sur son siège d'auto à regarder un navet : pendant une longue heure et demie, deux, peut-être, il ne pensera pas à sa mère...

Myriam a desserré son étreinte, elle part à courir avec Gabriel. Ils s'arrêtent sur un talus recouvert de trèfle. L'avion de Maryse est encore au sol, mais il roule de plus en plus vite. Finalement, c'est long un décollage, et décevant. Ils parlent verlan mais cela les ennuie. Et soudainement, ils sentent peser sur eux la chienne jaune de la solitude. Ça doit être une erreur : ils sont deux, ils ne peuvent pas être seuls ! Pourtant, la chienne est là. Ils ne savaient pas que ça existait, la solitude à deux !

— Depuis ta fête, dit Myriam, on n'a pas revu la grand-mère Alice en santé. Je suis extrêmement contrariée, tu sais, Gabriel, les apparences extérieures sont de la marde !

— Dis pas ça, dit Gabriel.

Il la prend par le cou. Elle tire sur sa boucle d'oreille — c'est un tic qu'elle gardera toute sa vie. Elle

lui demande si, par hasard, il s'est mis à fumer. Il dit
« Non. » Elle trouve qu'il sent l'adulte depuis quelque
temps. Il a un petit duvet à la place de la moustache, c'est
dégueulasse, c'est lui-même qui l'a dit. Il ne s'améliore
pas en vieillissant. D'ailleurs, ça ne donne rien de vieillir,
elle a des exemples là-dessus, et le meilleur exemple,
c'est elle-même. Elle a huit ans depuis trois jours mais ça
n'a rien changé à sa vie, rien de « fondamental », comme
dirait Gabriel : elle n'a toujours pas le droit de faire des
tours de métro, Ariane est toujours aussi intermittente et
elle pense encore trop souvent à Célestin.

— Ça y est, dit Gabriel, il lève !

Ils ont tellement regardé l'avion qu'ils ont l'impression de l'avoir fait décoller. Mais ils ne sont pas sûrs que
ce soit celui de Maryse. Gabriel serre Myriam dans ses
bras, il a l'air de la serrer mais c'est elle qui le tient
fermement, il le sait.

— C'est quelque chose, tout de même, un avion,
dit-il. C'est beau ! C'est sharp !

— Oui, Gabriel, c'est beau, dit Myriam. Mais penses-tu que la grand-mère Alice va mourir bientôt ? Les
parents n'en parlent plus...

Il ne répond pas. Il ramasse une fleur de trèfle et la
lui tend :

— T'aimes ça, ces fleurs-là, toi...

Elle prend la fleur et retire un de ses pendants
d'oreilles pour l'examiner. Dans sa main, le bijou luit
comme une petite fleur rouge, à côté de l'autre.

— Vous en venez-vous ? crie Marie-Lyre. On part !

La tante aux étoiles a plutôt l'air de vouloir venir les
rejoindre que de partir, on sent qu'elle aurait envie de se
rouler dans l'herbe ; ils ne sont pas au même diapason,

c'est comme avec les sentiments partagés de tantôt, à la clôture des micmacs. C'est fréquent.

L'avion n'est plus visible.

Gabriel prend la main de sa sœur, celle qui est libre. Lentement, ils reviennent vers les parents. Le champ est encore si vert, par endroits, qu'on a le goût de le boire.

— Une chance que l'autre grand-mère est immortelle! dit Myriam. Ça en fait toujours une de sauvée!

Elle serre la fleur de trèfle et la boucle d'oreille jusqu'à se faire mal.

— Tu crois vraiment que Blanche est immortelle?

— Bien sûr! Autrement, je le saurais, pour l'heure de sa mort. Je suis divinatoire...

Mais, par mesure de prudence, et pour favoriser la circulation des fluides, elle répète tout bas le mot «immortelle».

FIN

Bibliographie

Œuvres

Maryse, roman
- — Montréal, VLB éditeur, 1983, 426 p. ;
- — préface de Lise Gauvin, Montréal, VLB éditeur, collection «Courant», 1987, 444 p. ;
- — préface de Gilles Marcotte, Montréal, BQ, 1994, 522 p.

Myriam première, roman, Montréal, VLB éditeur, 1987, 532 p.

Chandeleur, Cantate parlée pour cinq voix et un mort, théâtre, Montréal, VLB éditeur, 1985, 187 p.

Babel, prise deux ou Nous avons tous découvert l'Amérique, roman
- — Montréal, VLB éditeur, 1990, 411 p. ;
- — *Nous avons tous découvert l'Amérique*, roman, Montréal/Arles, Leméac/Actes Sud, 1992, 323 p.

Études

BARBE, Jean, «Francine Noël, L'école des femmes», *Voir*, 17-23 décembre 1987, p. 6.

BOIVIN, Jean-Roch, «Pour l'amour des grands-mères, des petites filles et des petits garçons, de l'art de Montréal et pour l'amour tout court», *Le Devoir*, 12 décembre 1987, p. D-3.

[Dossier], *Voix et images*, vol. XVIII, n° 2 (hiver 1993), p. 216-332. [Articles de Jacques Pelletier, Lori Saint-Martin, Stéphanie Nutting, Francesca D. Benedict, Lucie Joubert, Claudie Potvin, Caroline Barrett, Denis Cliche.]

DUBOIS, Richard, «Lecture. Recensions de mai. *Myriam première*», *Relations*, n° 540 (mai 1988), p. 124-136 [reproduit dans *Relations littéraires*, Montréal, Fides, 1992, p. 120-122].

HÉBERT, Pierre, «Les plaisirs de lire», *Voix et images*, vol. XIV, n° 1 (automne 1988), p. 130-135.

LAFOREST, Marty, «*Myriam première*», *Nuit blanche*, n° 32 (juin-août 1988), p. 15-16.

LAURIER, Marie, «*Myriam première*. Le deuxième roman de Francine Noël», *Le Devoir*, 18 novembre 1987, p. 11.

LAURIN, Michel, «*Myriam première*. Roman de Francine Noël», *Nos livres*, vol. XIX, n° 3 (avril 1988), p. 23-24.

MARCOTTE, Gilles, «Familles, je vous haime», *L'Actualité*, vol. XIII, n° 3 (mars 1988), p. 149.

MARTEL, Réginald, «*Myriam première*. Francine Noël signe un des trois ou quatre grands romans de la décennie», *La Presse*, 19 décembre 1987, p. J-1/J-2.

MILOT, Louise, «Francine Noël à l'école de Michel Tremblay», *Lettres québécoises*, n° 50 (été 1988), p. 22-23.

PELLETIER, Marie-Ève, «*Myriam première* de F. Noël. Le tableau d'un temps bien vécu mais révolu», *Le Droit*, 30 janvier 1988, p. 50.

ROY, Monique, «Francine Noël de *Myriam première*: "J'ai voulu montrer l'importance de la transmission

d'une culture"», *La Presse*, 27 février 1988, p. J-1/
J-2.

ROYER, Jean, «"J'écris sur Montréal car toute littérature
se doit d'être incarnée"», *Le Devoir*, 12 mars 1988,
p. D-1 [reproduit dans *Romanciers québécois. En-
tretiens. Essais*, préface de Lise Gauvin, Montréal,
L'Hexagone, collection «Typo», nᵒ 56, 1991, p.
238-241.]

SIMARD, Mireille, «*Myriam première*», *Châtelaine*, vol.
XXIX, nᵒ 3 (mars 1988), p. 25.

SIMON, Sherry, «Du plateau à Graffintown», *Spirale*,
nᵒ 77 (mars 1988), p. 12.

TROTTIER, Barbara, «La ruelle Mentana: tout un monde!»,
Écrits du Canada français, nᵒ 63, 1988, p. 183-187.

VOISARD, Anne-Marie, «*Myriam première* de Francine
Noël. Un roman dont l'héroïne restera gravée dans
nos mémoires», *Le Soleil*, 9 janvier 1988, p. C-8.

——, «Francine Noël, "fignoleuse" de l'écriture», *Le
Soleil*, 23 janvier 1988, p. D-1/D-2.

Table des matières

BIBLIOTHÈQUE QUÉBÉCOISE

Jean-Pierre April
Chocs baroques

Hubert Aquin
Journal 1948-1971
L'antiphonaire
Trou de mémoire
Mélanges littéraires I.
   Profession : écrivain
Mélanges littéraires II.
   Comprendre dangereusement
Point de fuite
Prochain épisode
Neige noire

Bernard Assiniwi
Faites votre vin vous-même

Philippe Aubert de Gaspé fils
L'influence d'un livre

Philippe Aubert de Gaspé
Les anciens Canadiens

Noël Audet
Quand la voile faseille

Honoré Beaugrand
La chasse-galerie

Arsène Bessette
Le débutant

Marie-Claire Blais
L'exilé suivi de Les voyageurs sacrés

Jean de Brébeuf
Écrits en Huronie

Jacques Brossard
Le métamorfaux

Nicole Brossard
À tout regard

Gaëtan Brulotte
Le surveillant

Arthur Buies
Anthologie

André Carpentier
L'aigle volera à travers le soleil
Rue Saint-Denis

Denys Chabot
L'Eldorado dans les glaces

Robert Charbonneau
La France et nous

Adrienne Choquette
Laure Clouet

Québec, Canada
1998